카이스트 미래전략 2023

카이스트 미래전략 2023

1판 1쇄 인쇄 2022. 10. 21.
1판 1쇄 발행 2022. 10. 28.

지은이 KAIST 문술미래전략대학원 미래전략연구센터

발행인 고세규
편집 임여진 디자인 유상현 마케팅 박인지 홍보 이한솔
발행처 김영사
등록 1979년 5월 17일(제406-2003-036호)
주소 경기도 파주시 문발로 197(문발동) 우편번호 10881
전화 마케팅부 031)955-3100, 편집부 031)955-3200 | 팩스 031)955-3111

값은 뒤표지에 있습니다. ISBN 978-89-349-4325-9 03320

홈페이지 www.gimmyoung.com   블로그 blog.naver.com/gybook
인스타그램 instagram.com/gimmyoung   이메일 bestbook@gimmyoung.com

좋은 독자가 좋은 책을 만듭니다.
김영사는 독자 여러분의 의견에 항상 귀 기울이고 있습니다.

카이스트 미래전략

2023

기정학技政學의 시대,
누가 21세기 기술 패권을 차지할 것인가?

KAIST 문술미래전략대학원 미래전략연구센터

2023년 메가트렌드 전망과 STEPPER 전략

김영사

1 신기술이 만드는 패권의 전환

2 변화에 대처하는 STEPPER 전략

3 __ 환경 분야 미래전략 Environment

4 __ 인구 분야 미래전략 Population

5 __ 정치 분야 미래전략 Politics

KAIST Future Strategy
TECHNO-POLITICS

기술 패권 시대의
국가 미래 전략과 정책의 참고서

미국 예일대학교의 사학자 폴 케네디는 1987년 저술한 역작《강대국의 흥망》(한국경제신문, 1997)에서 강대국의 부상과 쇠퇴의 이유를 설명한 바 있습니다. 케네디는 16세기부터 20세기까지 강대국이 부상할 수 있었던 이유로 자원과 경제적 내구성을 꼽았고, 쇠퇴의 이유로는 군비 증강과 그로 인한 경제력 감소를 지적했습니다. 케네디가 주목한 요인 외에도 그동안 강대국의 조건으로 영토와 자원, 인구 등의 하드웨어적인 요인과 정치, 문화, 금융, 경제, 특허 시스템 등의 소프트웨어적인 요인이 제시되어왔습니다.

그런데 최근 들어서는 '기술 패권'이라는 개념이 국제정치와 국제경제 분야에서 주요 화두로 부상하고 있습니다. 조 바이든 미국 대통령은 중국과의 '기술 패권 경쟁'을 공식적으로 선언했으며, 반도체, 배터리 등 핵심 품목의 공급망 재편을 위해 동맹국들과 협력하겠다고 밝혔습니다. 이는 중국의 경제력과 군사력이 미국의 패권적 지위를 위협할 만큼 성장했다는 점을 시사합니다. 물론 그 밑바탕에는 중국 과학기술력의 급격한 발전이 자리하고 있습니다.

미국은 중국의 기술력 강화를 잠재적인 위협이 아닌 실질적인 위협으로 인식하고 있습니다. 특히, 반도체는 산업을 넘어 군사력에도 직결될 수 있는 기술 분야로 첨단기술이 경제를 넘어 안보와 동맹의 영역으로까지 확대되는 형국입니다. 바이든 대통령이 한국과 미국, 대만과 일본을 아우르는 '칩4 Chip4 동맹'을 구축하자고 제안한 배경입니다. 한국, 일본, 대만은 미국의 잠재적 적국으로 분류되는 중국과 러시아를 마주하고 있습니다. 즉, 지정학적으로 미국에 매우 중요한 국가들입니다. 더군다나 이들 3개국은 미국과 함께 전 세계 첨단 반도체 생산의 대부분을 담당합니다.

반도체라고 하는 첨단기술의 보유 여부가 '기술 동맹'으로 확장될 정도로 국가 간 관계에서 중요한 지렛대 역할을 하게 되었습니다. 반도체 공급망의 안정적 유지를 위해서라도 미국이 중국으로부터 대만을 방어해야 한다는 이야기가 나올 정도입니다. 그만큼 기술력은 산업과 경제를 넘어 국제정치와 국제경제를 움직이는 핵심 요인이 되었습니다.

기정학의 시대 대한민국이 나아가야 할 길

그야말로 국가 간의 관계가 지정학적 geo-political 관점에서 기정학적 techno-political 관점으로 전환되었다고 할 만합니다. 특히, 우리나라는 심화하는 미국과 중국 간의 기술 패권 경쟁의 한가운데 서 있습니다. 반도체, 배터리, 그리고 통신 분야에서 세계적 기술력을 자랑하는 우리나라이지만, 이들 분야의 첨단기술력을 놓치지 말아야 하고 기술 주권의 중요성도 되새겨야 하는 이유입니다. 현재의 국가 전략 기술로 평가되고 있는 반도체나 배터리를 넘어선 미래의 국가 전략 기술 확보에 대한 선제적 고민과 대응이 더 필요한 이유이기도 합니다. 이러한 맥락에서 '기정학의 시대'를 주제로 한《카이스트 미래전략 2023》은 매우 시의적절한 연구서이며, 그 의미가 크다고 할 수 있습니다.

우리는 지난 반세기 이상 강대국 틈바구니에서 성장과 번영을 이룩해 왔습니다. 기술 패권 경쟁이 격화하는 기정학의 시대에 우리는 다시 한 번 지혜를 모아야 하며, 미래를 내다보는 선제적 전략을 통해 지속적인 성장과 번영을 앞으로도 이어 나가야 합니다. 지정학에서 보는 국가의 위치는 고정적이지만, 기정학에서 보는 기술은 가변적입니다. 노력으로 국가의 위치를 바꿀 수는 없지만, 기술은 바꿀 수가 있습니다. 아무쪼록 이 연구서가 기정학 시대에 부응하는 미래 전략과 정책을 구상하는 분들께 좋은 참고 자료가 되기를 바랍니다. 이 연구서의 기획과 작성을 위해 애써주신 서용석 교수님과 최윤정 교수님, 그리고 집필 과정에 참여해주신 많은 전문가께도 깊이 감사드립니다.

이광형
KAIST 총장

기정학 시대의 도래,
그리고 우리의 대응

'지정학地政學, geo-politics'은 국제 관계international relations의 분과 학문으로 지리적인 위치나 형태가 국가 이익이나 국가 간의 관계에 있어서 중요한 요소로 작용한다는 의미로 정의된다. 한 국가의 위치, 즉 그 국가가 어디에 있는지, 대륙 국가인지 아니면 해양 국가인지에 따라 그 나라의 흥망성쇠가 좌우될 수 있다는 논리다. 역사적으로 많은 국가가 이러한 지정학적 위치를 기반으로 국가의 이익을 도모했으며, 관련 사례는 일일이 열거할 수 없을 정도로 많다.

만약 한반도가 아프리카 대륙에 자리하고 있었다면, 과연 대한민국이 오늘날과 같은 발전을 이룩할 수 있었을까? 오늘날 대한민국의 성장과 발전을 논할 때 미국이라는 초강대국을 빼놓을 수는 없을 것이다. 한반도는 중국과 러시아, 그리고 일본, 즉 세계적 강대국 사이에 자리한다. 미국은 제2차 세계대전 이후 중국과 소련이라고 하는 공산주의 세력의 확산을 막기 위해 고군분투했다. 이 시기에 한반도는 공산주의의 확산을 막아주는 방파제 역할을 했으며, 패권국 미국은 한반도의 지정학적 가치를 누구보다 잘 인지하고 있었다. 대한민국이 공산화되는 순간 일본이 위협을 받게 될 것이며, 일본이 공산화될 경우 미국은 태평양 서쪽을 모두 잃게 될 것이었다. 이러한 이유로 미국은 한국전쟁 때 3만 6,574명의 자국 젊은이를 희생했으며, 한미상호방위조약을 체결하고, 자국의 시장을 개방해 한국의 물건을 사주었다.

그런데 최근 들어 국제 관계나 국제 정세에 있어서 지정학적 가치를 상쇄할 수 있는 중요한 가치가 대두하고 있다. 바로 '기정학技政學, tech-no-politics'이다. 미국과 중국 등 초강대국들은 경제적·군사적 패권을 유지하고 획득하기 위해 첨단기술 확보에 범국가적 노력을 기울이고 있다. 첨단기술의 확보 여부가 경제는 물론 군사와 안보, 국가 간 동맹 관계에 이르기까지 거의 모든 분야에서 핵심 변인으로 작용하고 있기 때문이다. 어느 국가든지 군사적 수단을 통해 달성하고자 하는 목적, 경제적 수단을 통해 달성하고자 하는 목적, 그리고 기술적 수단을 통해 달성하고자 하는 목적은 그 본질에서 동일하다. 바로 국가 이익의 극대화다.

아홉 번째 보고서, 《카이스트 미래전략 2023》

《카이스트 미래전략》 2023년 판은 크게 두 개의 영역으로 구성된다. 먼저 1부에서는 오늘날 국가 간의 경쟁과 관계가 지정학적 특성을 넘어 기정학적으로 전환하는 현실을 짚어봤다. 이를 위해 새로운 기술이 국제 정세에서 게임의 법칙을 어떻게 바꾸고 있으며, 미래 패권을 결정할 새로운 기술에는 어떠한 것들이 있는지, 그리고 기정학 시대에 어떠한 전략으로 대응해나갈지를 다뤘다. 2부에서는 사회, 기술, 환경, 인구, 정치, 경제, 자원 등의 영역에서 새롭게 일어나고 있는 국내외의 트렌드와 변화를 살펴보고, 국가 미래 전략적 측면에서 그 의미와 대응 전략을 논의했다.

1부 1장 '새로운 게임의 법칙'에서는 우선 역사 속 패권 국가의 흥망성쇠에 영향을 미친 다양한 요인을 짚어보고, 신기술이 국제정치에 미치는 영향을 통해 기술 패권 시대의 미래 권력을 조망했다. 2장 '미래의 패권을 결정할 게임 체인저 기술'에서는 첨단 바이오 기술, 소재·부품·장비 기술, 초거대 인공지능과 AI 반도체 기술, 6G 이동통신 기술, 차세대 이차전지 기술, 우주탐사 기술, 양자 정보 기술까지 총 7개의 기술을 미래의 패권을 좌우할 기술로 선정하고 그 발전 동향을 파악해봤다. 마지막 3장 '기술 패권 시대를 기회로 활용하는 100년 전략'에서는 대한민국이 기정학 시대를 선도하는 혁신적 리더 국가로 올라서는 데에 필요한 전략 방안을 모색했다.

2부의 첫 번째 영역인 사회 영역에서는 메타버스의 진화, 젠더와 MZ세대 이슈 등의 사회갈등, 인공지능 시대가 교육·노동·고용에 미치는 영향과 감시 사회에 대한 우려를 살펴봤다. 기술 영역에서는 지능형 로봇, 디지털 휴먼, 인간 지능과 인공지능의 결합, 디지털 신분증, 웹3.0을 실현할 블록체인 기술에 대해 다뤘다. 환경 영역에서는 가속화하는 기후위기, 생물다양성과 생태계 복원, 엔데믹 시대의 위험관리를 포함해 환경문제를 완화할 수 있는 모빌리티의 현재와 미래를 전망했다. 인구 영역에서는 가족의 재구성, 초고령사회의 도래, 초저출생과 인구절벽, 미래세대의 권익 보호, 선순환적인 다문화사회 구축을 위한 대응과 적응 방안을 고민했다. 정치 영역에서는 디지털 프로파간다, 사이버 안보, 하이브리드 전쟁, 디지털 정책 결정과 투표, 규제 샌드박스 등 기술 진보가 미칠 거버넌스, 안보, 행정 시스템을 검토했다. 경제 영역에서는 디지털 화폐와 자산, 환경과 스마트 이동 측면에서의 미래 모빌리티, 지속 가능한 성장을 위한 ESG 경영 전략을 소개했다. 마지막 자원 영역에서는 지식재산, 식량안보, 에너지 믹스와 함께 최첨단 기술과 산업 분야로 부상하고 있는 농업에 대해 알아봤다.

과학기술이 이끌어갈 미래

앞서 언급한 국내외의 주요 변화와 트렌드는 모두 그 자체로 강력한 영향력을 미치며, 상호 작용을 통해 미래의 새로운 도전과 기회를 만들어내고 있다. 이러한 변화의 흐름은 글로벌 차원에서 공유되고 있는 메가트렌드이자 인류 공동의 미래라고 할 수 있다. 여기에 우리가 어떻게 대응하고, 적응하고, 준비하느냐에 따라 우리의 미래는 달라질 수 있다. 그리고 이러한 트렌드를 관통하는 하나의 핵심 요소가 바로 '기술'의 적절한 활용일 것이다. 기정학 시대의 도래도 이러한 맥락의 발현이라고 할 수 있다. 그간 여러 학자가 국가의 부와 힘을 결정하는 중요한 요인으로 군사력, 경제력, 정치력, 그리고 문화력을 강조해왔다. 하지만 이러한 요인들의 가장 본질적인 밑바탕에는 과학기술력이 자리 잡고 있다. 이 연구서를 통해 과학기술이 국가의 미래와 흥망성쇠에 얼마나 중요한지를 다시 한번 독자들께서 인식하는 계기가 되기를 기대한다.

서용석

KAIST 교수 · 미래전략연구센터장

KAIST Future Strategy 2023

1

신기술이 만드는
패권의 전환

TECHNO-POLITICS

1

새로운 게임의 법칙

로마에서 미국까지, 패권 국가의 흥망성쇠

역사가 기록되기 시작한 이래, 지구상에는 수많은 왕조와 국가가 명멸했고 그중 몇몇 국가는 그들만의 강력한 '패권'을 추구해왔다. 패권의 사전적 의미는 '한 국가가 경제력이나 무력으로 다른 나라를 압박해 자기 세력을 넓히려는 권력'이다. 패권을 뜻하는 영어 단어 '헤게모니hege-mony'는 맹주를 뜻하는 고대 그리스어 '헤게몬hegemon'에서 왔으며 연맹 제국에 대한 한 국가의 지배권이나 맹주권, 곧 국가 간 관계에서 한 나라의 최고 지도력을 말하기도 한다. 로마제국에서 오늘날의 팍스 아메리카나Pax Americana에 이르기까지, 여러 초강대국이 역사 속에서 탄생하고 성장하고 발전했으며 때로는 사라졌다. 그들은 패권으로 일국을 넘어 다른 국가와 민족을 지배하거나 강력한 영향력을 행사했다.

헤로도토스와 사마천의 기록에서 시작된
패권의 경쟁사

현생인류 호모사피엔스가 지구상에 처음 출현한 것은 약 20만 년 전이다. 인간은 20만 년의 긴 시간 동안 문명을 이루면서 발전하고 진화해왔지만, 문자가 없던 시절 인간의 삶은 기록될 수 없었기에 제대로 고증하기 어렵다. 반면 문자를 발명해 기록하기 시작하면서부터 인류의 기억과 지혜와 지식을 축적하고 세대에서 세대로 전승할 수 있게 되었다. 이에 따라 문자 기록 여부를 기준으로 그 이전은 선사시대, 이후는 역사시대라고 한다. 그러므로 엄격한 의미의 역사란 '문자로 쓴 기록, 즉 문헌 자료를 통해 알 수 있는 과거'를 이른다.

역사를 뜻하는 'history'라는 말은 고대 그리스 역사가 헤로도토스의 저서 《역사Historia》에서 비롯되었다. 그리스어 '히스토리아historia'는 '조사하고 탐구해서 알아낸 것'이라는 의미다. 기원전 5세기에 활동했던 헤로도토스는 과거의 위업을 기록해 후세에게 남긴다는 서사적 관점으로 《역사》를 집필했다. 그가 남긴 이 고전은 기원전 5세기 페르시아 전쟁에 관한 이야기이며, 상상이나 신화가 아니라 탐문과 조사를 바탕으로 한 실증적 기록이다. 전쟁사뿐만 아니라 당대 지리, 풍속, 종교 등 다양한 내용을 포함한다.

헤로도토스가 서구 역사의 아버지라면, 동양 최초의 역사가로는 기원전 2~1세기 중국 전한 시대의 사마천을 들 수 있다. 사마천은 천문역법과 도서를 관장하는 태사령으로 활동하면서 고전 문헌을 연구했고 장성, 화북, 요서 지방 등을 두루 여행하면서 견문을 넓히고 귀중한 황실 자료를 모아 본격적인 역사서를 저술했다. 그는 전설처럼 전해 내려오던 상고시대 오제五帝 때부터 한나라 무제 태초 연간(BC 104~101년)에 이르기까지 중국과 그 주변 민족의 역사를 망라해 방대한 통사를 완성했는데, 이는 왕의 연대기와 연표를 비롯해 총 130편에 이르는 양이다. 헤로도토스와 사마천으로부터 시작된 역사 기록은 공통적으로 왕조의 흥망성쇠, 국가 간 패권 경쟁과 전쟁을 기록하고 있다.

로마제국에서 오스만제국까지, 패권을 쥔 국가들[1]

역사상 최초의 패권 국가는 로마제국이다. 도시국가 로마는 기원전 8세기경 탄생했고, 기원전 3세기 이탈리아반도 통일 후 476년 서로마제국 멸망까지 1,000년 넘게 이어지면서 지중해와 유럽 일대를 호령했던 고대 최강대국이었다. 이탈리아반도와 유럽·지중해를 넘어 페르시아·북아프리카 그리고 이집트까지 지배했다. 시대적으로는 중국의 두 번째 통일 왕조인 한나라와 비슷한 시기였는데 한나라보다 경제력, 군사력이 월등했고 문화적 영향력도 훨씬 컸다.

"모든 길은 로마로 통한다"라는 속담처럼 로마는 도로 기술이 뛰어났고 교통수단이 발달했다. 멀리 히스파니아(스페인), 갈리아(프랑스), 게르마니아(독일), 브리타니아(영국), 마케도니아에 이르기까지 제국의 명령과 소식, 물자가 신속하게 전달, 유통될 수 있게 도로망을 젖줄처럼 촘촘하게 건설했다. 물론 가장 중요한 동기는 군사적 목적이었다. 또 판테온과 개선문·콜로세움 등 현대인이 보더라도 놀라운 수준의 건축물을 남겼으며 누구나 무료로 사용할 수 있는 공중화장실, 도심 광장의 분수, 시민들이 자유롭게 이용할 수 있는 공중목욕탕 등 사회 간접 시설도 많이 지었다.

동양에서 거대한 제국을 건설하며 패권을 장악했던 나라는 몽골제국이다. 1200년경 몽골은 중앙아시아 초원의 한낱 부족국가에 불과했지만 1206년 테무친이 몽골족을 통일하면서 일약 대제국으로 도약한다. 테무친은 몽골어로 '위대한 왕'이라는 뜻의 '칭기즈칸'이라는 호칭을 얻었고, 그의 비범한 리더십 덕분에 몽골은 2,300만 km²에 이르는 광활한 영토에 인구 1억 명을 거느린 대제국으로 성장할 수 있었다. 자국 기병의 압도적 군사력을 기반으로 세력 확장을 거듭해온 몽골제국은 15세기경 국력의 전성기를 누리는데, 그 지배 판도가 중국·고려·중앙아시아·헝가리·러시아·페르시아에까지 이른다.

유목 민족이 모여 만든 몽골이 이처럼 대제국이 될 수 있었던 요인으로는 칭기즈칸의 리더십, 몽골 기병의 뛰어난 기동력 등을 꼽을 수 있겠지만 공학자를 우대하고 신기술 수용에 매우 개방적이었던 문화 또한 간과해서는 안 된다. 칭기즈칸은 특히 공학 기술자를 제국의 소중한 인적 자원으로 간주했으며, 몽골은 이슬람과 활발히 교류하면서 이방인 출신 상인이나 지식인을 과감하게 중용하는 인재 정책을 폈다. 끊임없는 정복 사업으로 방대한 제국을 건설한 몽골제국은 동양과 서양을 연결하는 국제 교역의 중심이었고, 실크로드를 통해 부단히 신문물을 받아들이면서 패권의 황금기를 구가했다. 실크로드에서 지식, 사상, 종교뿐만 아니라 과학기술의 교류도 일어났음에 주목해야 한다. 몽골제국은 1368년 명나라에 의해 멸망하기 전까지 인류 역사상 가장 큰 제국을 유지했던 나라다.

동서를 연결하고 또한 동서양을 넘나들며 광활한 영토를 지배했던 또 하나의 제국은 오스만튀르크, 즉 오스만제국이다. 오스만제국을 창건한 사람은 오스만 1세(1258~1326)로 1288년 스스로를 '술탄'이라고 일컬었는데, 술탄은 아랍어로 '이슬람의 통치자'를 뜻한다. 600여 년 동안 대제국의 위상을 이어온 오스만튀르크의 최전성기는 16세기 전반 술레이만 1세 치세 때였다. 당시 제국은 지중해 동쪽을 제패한 후 유럽으로까지 세력을 확장했다. 발칸반도 중앙부인 베오그라드와 헝가리를 정복했으며, 결국은 실패했으나 오스트리아 빈까지 공격하면서 위세를 떨쳤다. 또 메소포타미아, 아제르바이잔, 예멘까지 정복해 광활한 제국을 건설했다.

1453년 오스만제국은 비잔틴제국(동로마제국)의 중심이었던 난공불락의 요새 도시 콘스탄티노플을 정복해 복속했는데, 이 콘스탄티노플이 바로 지금의 이스탄불이다. 오늘날 튀르키예 최대 도시인 이스탄불은 원래 동로마제국의 중심이었고 근대 이전에는 유럽에서 가장 번화한 도시였다. 고대 그리스로부터 이어져온 과학과 기술, 문화와 예술의 전통이 고스란히 남아 있는 곳이었기에 오스만제국은 비잔틴제국의 기술 문명을 수용해 제국의 황금기를 열 수 있었다.

유럽 패권 쟁탈의 역사

인류 역사는 대체로 농업 사회에서 상업 사회를 거쳐 산업사회로 발전해왔다. 농업 사회가 소농 중심으로 자급자족 생산이 이루어지는 단순 재생산 사회였던 반면, 상업 사회는 교역을 통해 상업적 이윤을 획득하고 자본축적이 시작되면서 확대 및 재투자가 이루어졌던 사회다. 산업혁명 이후의 산업사회는 공장·기업 등의 공간에 자본·노동·기술 등 생산요소를 투입해 재화와 용역을 생산하는 경제사회로 발전했다. 농업 사회에서 상업 사회, 다시 산업사회로 이행하는 근대화 과정을 거치면서 유럽은 세계사의 중심이 되었고, 이 과정에서 각국의 패권 경쟁은 점점 치열해졌다.

근대 초반, 대항해시대를 열며 유럽 열강의 팽창을 주도했던 나라는 스페인과 포르투갈이었다. 이 두 국가는 기본적으로는 농업 사회였지만 앞선 항해술을 기반으로 새로운 영토를 식민지로 개척하며 패권을 추구하는 제국의 면모를 갖추었다. 15세기 신대륙 아메리카와 동인도 항로의 발견으로 대항해시대를 열었고, 특히 해상권을 장악한 스페인은 패권 국가로 군림했다.

16세기 후반에서 17세기 중반 무렵에는 네덜란드가 신흥 강자로 부상했는데, 농업 국가로서 제국적 팽창을 해온 스페인과 달리 네덜란드는 상업혁명을 기반으로 등장한 최초의 상업 국가라고 할 수 있다. 네덜란드는 우수한 선박 기술에 힘입어 아시아와 아프리카까지 진출했고, 근대적인 주식회사 형태의 동인도회사를 설립해 식민지를 개척하고 현지에서 이윤을 체계적으로 추구하고 관리하는 시스템을 구축하기도 했다. 네덜란드 동인도회사는 자본과 국가 권력의 결합으로 식민지를 개척하는, 상업자본주의 기반의 확대재생산 사례라고 할 수 있다.

17세기 후반 유럽의 최강자는 대륙 국가 프랑스였다. 프랑스 국력의 절정은 루이 14세(재위 기간 1643~1715년)의 절대왕정 시절이었다. '태양왕'이라고 불린 루이 14세는 왕권신수설을 신봉했고 재상 콜베르를 기용해 중상주의 정책을 펼치면서 구대륙 유럽의 절대 강자로 부상했다. 하지만 베르사유 궁전을 지으면서 재정 상태가 나빠지고 낭트칙령 폐지 후 상공업이 쇠퇴하면서 프랑스의 국력은 차츰 기울기 시작했다. 결국, 1789년 프랑스혁명으로 왕정은 무너졌다. 대혁명 후 나폴레옹 보나파르트가 등장해 1799년 통령정부의 제1통령이 되고 1802년에는 황제에 즉위했으며 정복 전쟁을 통해 강대한 프랑스 재건에 나섰지만 뜻을 이루지는 못했다.

17세기 대륙의 패권 국가 프랑스의 맞수는 영국이었다. 영국은 17세기 중반 내란과 명예혁명 등 내부적인 정치적 위기를 극복하고 국력을 정비해 강대국으로 성장했다. 네덜란드와는 해상권 경쟁을, 프랑스와는 군사 경쟁을 치르면서 패권 국가가 되었다. 18세기 들어 대영제국의 팽창은 괄목상대할 만했는데, 특히 프랑스와의 식민지 경쟁에서 우위를 점하며 주도권을 장악했다. 영국은 아시아에서는 동인도회사를 내세워 프랑스를 물리치고 인도의 벵골 지역을 차지했으며, 아메리카에서 일어난 전쟁에서도 승리해 캐나다·그레나다 등을 획득함으로써 이른바 '해가 지지 않는 나라', 대영제국으로 부상했다.

제국주의 전쟁에서 영국의 최대 숙적이던 프랑스는 영국에 인도와 캐나다를 빼앗긴 것을 '그랑드 페르트Grande Perte(대손실)'라고 역사에 기록하면서 제국주의 경쟁의 결정적 패인으로 꼽기도 했다. 제국주의 경쟁뿐만 아니라 산업 생산 경쟁에서도 영국은 선두를 독점했는데, 결정적 계기는 18세기 후반의 산업혁명이다. 산업혁명에 성공한 대영제국은 세계의 공장이자 무소불위의 패권 국가로 우뚝 섰다.

산업혁명 초반, 영국은 전 세계 육지 면적의 0.2%, 인구 2,000만 명의 변방 섬나라에 불과했고 철강 생산 등 산업 생산력도 프랑스에 크게 뒤져 있었다. 하지만 산업혁명을 거치고 1848년에 이르자 영국의 철강 생산량이 전 세계 생산량의 절반 이상을 차지했다. 산업 구조도 크게 바뀌었는데, 산업혁명 이전 1700년경에는 농업이 40%, 공업이 약 20%였지만 1841년에는 농업 26.1%, 공업 31.9%로 역전이 일어났다. 산업혁명은 농업 사회를 제조업 중심의 산업사회로 바꾸어놓았고 기술혁신과 산업 생산력 증대, 그리고 식민지 개척을 통해 대영제국은 세계를 지배하는 패권 국가가 될 수 있었다.

산업혁명의 주도권

20세기 들어 두 차례의 세계대전을 거치면서 패권의 중심은 구대륙에서 신대륙으로 이동한다. 독립한 지 200년이 채 안 되는 신생국가 미국이 제1·2차 세계대전을 거치면서 국제사회의 새로운 강자로 부상한 것이다. 군사력 우위만으로 패권 국가가 되었던 것은 아니며, 산업혁명을 주도하는 기술 패권을 새로이 거머쥐게 되었다는 점이 더 중요하다.

4차 산업혁명론의 진원지 다보스포럼은 산업혁명의 역사를 정리하면서 1차부터 4차까지 산업혁명의 전개 과정을 일목요연하게 제시했는데, 이에 따르면 1차 산업혁명은 1784년에 시작되었다. 제임스 와트의 증기기관 발명 등으로 인간의 육체노동을 기계로 대체하기 시작한 혁명이다. 1870년을 기점으로 시작된 2차 산업혁명은 새로운 에너지원인 전기에너지가 상용화하고 노동 분화와 전문화, 대량생산이 이뤄진 변화를 말한다. 우리가 '정보화 혁명'이라고 부르기도 하는 디지털 혁명은 3차 산업혁명인데, 컴퓨터와 인터넷 기술로 전자, IT 산업이 발전하고 공장에서는 자동 생산 시스템이 구축되었다.

현재 우리가 직면하고 있는 4차 산업혁명은 디지털 전환과 사이버-물리 시스템의 결합을 특징으로 하는 혁명으로 물리 세계와 사이버 세계, 오프라인과 온라인, 현실과 가상이 연결 및 융합되는 변화다. 1차부터 4차까지 산업혁명의 과정에서 1차 산업혁명을 먼저 시작하고 주도했던 나라는 영국이었다. 하지만 약 100년 후 2차 산업혁명 시기에는 후발 산업국가 미국과 독일이 주도권을 빼앗았다. 그러나 한때 대제국을 꿈꿨던 독일은 두 차례 세계대전에서의 패배로 패권 국가 경쟁에서 밀려난 반면, 절대 강자가 된 미국은 3차, 4차 산업혁명에서도 여전히 패권을 유지하고 있다.

유일한 패권 국가 미국

즈비그뉴 브레진스키Zbigniew Brzezinski는 미국 카터 대통령 시절 국가 안보 담당 특별보좌관이다. 미국의 글로벌 헤게모니 확대를 위해 강경 노선을 고수했던 매파hawks 국제정치학자였던 그는 세계사 속 지난했던 패권 경쟁의 역사에서 21세기 미국은 이전의 패권 국가와는 근본적으로 다른 압도적 지위를 갖고 있다고 주장했다. 지금이 미국의 압도적 패권으로 세계질서가 유지되는 이른바 '팍스 아메리카나' 시대라고 하기도 했다.

자신의 대표 저서 《거대한 체스판》(삼인, 2017)에서 브레진스키는 패권 경쟁의 국제정치는 거대한 체스판과 같다고 보았으며, 21세기 미국은 경제·군사·기술·문화 네 가지 결정적 영역에서 최고 강국으로 우뚝 서 있는 역사상 유일한 패권 국가라고 강조했다.

그에 따르면 우선 군사적으로 미국은 경쟁 상대가 없는 압도적 군사 대국이고, 경제적으로는 세계경제의 중심이자 세계 경제 성장의 기관차와 같다. 기술적으로도 첨단 테크놀로지 분야에서 압도적 주도권을 가진 기술 강국이고, 문화적으로도 약간은 투박하지만 전 세계에 호소력과 영향력을 행사하고 있다.[2] 로마제국, 몽골제국, 오스만제국, 대영제국 등 이전의 패권 국가들도 엄청난 힘으로 세계를 제패했지만, 미국처럼 군사·경제·기술·문화의 결정적인 네 영역 모두를 주도하지는 못했다는 것이다.

육지, 바다, 그리고 하늘로 옮겨간 패권의 이동

우리 인간의 생활공간인 지구는 육지, 바다, 하늘로 구성되어 있다. 지표면의 75%는 바다이다. 지구상 물의 97.5%는 바닷물이며 담수는 2.5%에 불과하다. 하지만 물의 순환을 통해 바다와 지구 대기의 순환이 이루어지므로 육지, 바다, 하늘은 서로 연결된 셈이다. 일본의 역사 연구가 미야자키 마사카쓰宮崎正勝는 세계사의 패권은 육지에서 바다로, 바다에서 하늘로 이동한 역사였다는 독특한 관점으로 패권의 역사를 설명한다.

오랜 기간에 걸쳐 유라시아를 중심으로 패권 국가가 명멸했던 것은 '육지의 역사'이고, 대항해시대 이후 지구 표면의 75%를 차지하는 대양과 육지의 통합이 이루어진 것은 '바다의 역사'이며, 제2차 세계대전 이후 하늘이 세계를 연결하는 시기는 '하늘의 역사'라고 할 수 있다. 농업국가, 유목 민족이 지배하던 '육지의 역사'에서 대표적 패권국은 몽골제국이었고, 해상권을 둘러싸고 경쟁이 치열했던 약 450년간의 '바다의 역사'에서 최종적인 패권국은 대영제국이었다. 그리고, 항공망과 인터넷 기술로 '하늘의 역사'를 주도하는 새로운 패권국은 미국이다.[3]

패권의 역사는 곧 기술 발전의 역사이며, '초연결사회'라고 불리는 오늘날 가장 중요한 기반 기술은 인터넷 기술이다. 따라서 미국의 패권이 하늘을 지배하는 우주 기술과 인터넷에 기반하고 있음은 자명하다. 그렇다면 앞으로 미국의 패권은 얼마나 계속될까? 근래 두드러지게 약진하고 있는 중국은 새로운 절대 강자가 될 수 있을까? 미래에는 또 어떤 국가가 세계질서를 주도하는 글로벌 패권을 차지할 것인가?

미래 글로벌 패권의 향방

국제사회에서 영원한 강자는 없다. 아무리 국력이 막강한 패권 국가일지라도 한순간 쇠퇴해 패권을 잃을 수 있다. 과거 세상을 호령했던 로마제국, 몽골제국, 오스만제국, 부르봉왕조도 모두 역사 속에서 스러졌다.

중요한 것은 패권 장악의 결정적 요인이 무엇인지 파악하는 것이다. 과학기술이라는 관점에서 패권을 보면 패권의 흐름을 어느 정도 읽을 수 있다. 역사적으로 패권 국가들은 예외 없이 과학기술이 발전한 국가였다. 과학기술력이 강하다고 해서 모두 패권 국가가 되는 것은 아니겠지만, 분명한 것은 과학기술력 없이는 결코 패권 국가가 될 수 없다는 점이다.

21세기 국제사회에서 패권의 양상은 물리력으로 직접적 지배를 했던 19세기 제국주의 시절의 패권과는 근본적으로 다르다. 팍스 아메리카나에서 확인할 수 있듯이 테크놀로지가 경제력과 군사력의 요체라고 할 수 있다. 또 정보화 혁명 이후에는 디지털 기술이 문화 변동에도 결정적 영향을 미치고 있다. '기술 패권' 담론이 강조될 만큼 첨단기술의 역할과 영향력이 점점 커지고 있는 4차 산업혁명과 포스트 코로나 시대, 국제사회 패권의 향방은 과학과 기술에 달려 있다고 해도 틀린 말은 아닐 것이다.

기술 패권 경쟁이 불러온 신냉전

2020년 7월 23일, 닉슨 대통령 박물관이 위치한 캘리포니아의 요바린 다에서 트럼프 행정부의 국무장관 마이클 폼페이오Michael Richard Pompeo 는 '중국공산당과 자유세계의 미래Communist China and the Free World's Fu- ture'라는 주제로 연설을 했다. 이 연설에서 폼페이오는 "중국은 미국 의 소중한 지식재산권과 영업비밀을 파괴하고 있다"라고 역설하며 약 50년간 이어진 대중對中 정책, 즉 현실주의에 바탕을 둔 포용 외교정책 의 기조를 바꾸어 중국의 변화를 이끌어내겠다는 의도를 가감 없이 드 러냈다.

1972년 냉전 이후 25년 만에 중국과의 대화에 물꼬를 텄던 닉슨 대 통령, 그의 고향에서 중국에 대한 미국의 전략적 태도 전환을 강조하는 연설이 이루어진 것은 매우 상징적이다. 폼페이오는 "닉슨 대통령은 한 때 자신은 중공을 세계에 개방함으로써 프랑켄슈타인을 만드는 게 아닌지 두렵다고 말한 적이 있었는데 지금 그것이 실현되고 말았다"라며 포용 정책의 실패를 선언했다.

이렇듯 트럼프 행정부 시절 미국 참모부는 일련의 연설을 통해 중국에 대한 '전략적 경쟁'을 본격화하겠다는 의지를 보여주었다. 또 중국에 대한 압박 수위를 높여갈 것을 강조한 보고서 〈미국의 대중국 전략United States Strategic Approach to the People's Republic of China〉이 의회에 제출되기도 했다. 현재의 바이든 행정부도 다르지 않다. 이러한 기조가 동맹의 블록화를 강화하면서 계속 추진되고 있다. 바야흐로 미중 패권 경쟁이 촉발한 신냉전의 시대가 열린 것이다. 신냉전이라는 패러다임의 전환 속에서 국가별 전략적 경쟁 또한 치열해지고 있다.

기술혁신의 흐름과 맥을 같이해온
경제·정치 패권 경쟁

세계경제의 급격한 변화를 설명하는 이론 중 하나는 콘트라티에프 파동Kondratiev-wave 주기 이론이다. 이에 따르면, 역사적으로 다섯 번의 주기가 반복되어왔는데, 이것이 세계 정치의 변화 및 선도 산업의 출현 시기와 대략 일치한다는 것이다. 이러한 선도 산업의 출현에는 항상 기술혁신이 자리 잡고 있었다. 그렇다면 기술혁신의 본질은 어디에 있을까?

산업 발전의 초석이 되어 기존 사회·경제 패러다임을 근본적으로 변화시킬 정도의 혁명적 기술을 경제사학經濟史學에서는 일반 목적 기술, 혹은 범용 기술GPT, general purpose technology이라고 일컫는다. 증기기관이 산업혁명을, 정보 기술이 정보통신 혁명을 추동했듯이 빅데이터·사물인터넷·인공지능AI이 결합한 차세대 정보통신기술, 헬스케어나 질병 치료와 관련한 첨단 바이오 기술, 새로운 소재 개발과 관련한 나노 기술, 청정에너지 기술 등은 6차 파동을 일으키는 데 핵심 역할을 할 것으로 전망된다. 즉, 6차 파동을 일으키는 선도 산업을 추동하는 데에도 기술혁신이 자리하고 있으며, 이는 국제정치에서 패권 경쟁으로 귀결되리라고 보는 것이다.

따라서 현재 우리가 마주하고 있는 미중 패권 경쟁도 역사적 기술 패권 경쟁의 맥락과 관점에서 이해할 필요가 있다.

표 1 콘트라티에프 파동의 각 주기별 선도 산업과 세계 정치 변화

주기	시기	선도 산업	세계 정치 변화
첫 번째	1780~1840	면직물, 증기기관	나폴레옹전쟁, 신성동맹
두 번째	1840~1890	철도, 철강	크림전쟁, 독일 통일, 미국 남북전쟁
세 번째	1890~1940	전기, 무기화학	제1·2차 세계대전
네 번째	1940~1980	자동차, 석유화학	미소 냉전
다섯 번째	1980~2020	전자, 개인용컴퓨터, 인터넷	소련 붕괴, 아프가니스탄 전쟁, 이라크 전쟁
여섯 번째	2020~???	바이오, 청정에너지, 차세대 정보통신	

＊자료: Akaev, A., & Pantin, V., 2014; Wilenius, M. & Kurki, S., 2012

정치·군사 중심의 전통적 안보에서 기술·경제 안보로의 확대

세계경제의 순환주기와 함께 글로벌 패권도 순환되어왔다. 그런데 그 속에는 역사의 아이러니가 있다. 과거 미국은 소련과의 군사·이념 경쟁에서 패권을 잡기 위해 중국을 지렛대로 이용하면서 대對중국 포용 외교를 시작했고, 결국 소련을 붕괴시키고 일본을 저지하는 데는 성공했다. 그러나 이로 말미암아 또 다른 강대국 중국을 탄생시킴으로써 2017년 대중국 무역 제재로 막이 오른 미중 패권 경쟁 시대로 돌입하는 결과를 낳았다. 세계사는 이처럼 패권을 둘러싸고 벌이는 끊임없는 경쟁의 역사인 것이다.

이러한 패권 경쟁은 국가 안보와 그 궤를 함께하는데, 이제 국가 안보의 중심 도구가 정치 외교나 국방과 같은 전통적 안보 개념에서 식량·자원·산업에 이르는 비전통적 안보 개념으로 확대되고 있다. 비전통적 안보에서 과학기술은 가장 중요한 역할을 담당한다. 미중 패권 경쟁에서 촉발된 글로벌 공급망의 불안정성은 안보 영역의 확대를 가져왔고, 이에 경제 안보와 기술 안보의 일체화 경향이 뚜렷해지고 있다.

미중 패권 경쟁의 이면에는 이처럼 산업·경제 주도권을 둘러싼 갈등이 존재하며, 과학기술은 글로벌 패권 경쟁의 승패를 좌우하는 주요 요인이 되었다. 그리하여 기존의 '지정학地政學, geo-politics' 대신 '기정학技政學, techno-politics'에 기반한 새로운 국제질서가 형성되고 있다. 강대국을 중심으로 AI, 로봇, 양자 정보 기술, 우주, 6G와 같은 분야의 첨단기술을 선점하려는 경쟁이 치열해지고, 기술 동맹에 따른 블록화 경향도 강화되고 있다. 또 다른 한편으로는 국가 간 무역 갈등, 자국우선주의 등이 불거지며, 중국을 견제하기 위한 연대와 협력을 통해 미국 중심의 공급망 구축이 현실화하고 있다.

기술·경제 안보 시대를 맞은 각국의 대응

중국에 대한 견제를 강화함으로써 국제 패권을 유지하려는 미국은 국가 차원에서 지원 체계 정책을 마련하고 동시에 기술·경제 안보 동맹을 강화하려는 움직임을 확대하고 있다. 2017년 미국 트럼프 행정부는 중국을 관찰대상국으로 지정하고 무역통상법 301조에 따라 중국의 미국 지식재산권 침해 여부를 조사하는 행정명령에 서명하기도 했다. 화교 자본이 장악한 반도체 기업 브로드컴Broadcom의 퀄컴Qualcomm에 대한 인수합병M&A을 금지한 행정명령 역시 국가 안보를 이유로 민간 기업 간 자본거래를 제한한 대표적 사례다.

이렇게 촉발된 미국의 중국 견제는 바이든 행정부에서도 계속 이어지고 있다. 미 상원은 2021년 6월 '미국혁신경쟁법United States Innovation and Competition Act'을 발의해 통과시켰다. 이 법은 미래 기술과 과학 연구 분야에 대한 투자 계획 등을 망라한 패키지 법안이다. 또 미 하원은 2022년 2월 '미국경쟁법America Competes Act of 2022'을 의결했다. 반도체 산업 지원, 첨단기술 육성, 미국 중심의 공급망 강화 등이 주요 내용이다. 미국은 동맹국과의 국제 연대도 강화하고 있다. 기존의 미국·일본·호주·인도 4자 안보동맹인 쿼드QUAD와 미국·영국·캐나다·호주·뉴질랜드 5자 안보동맹인 파이브아이즈Five-eyes 외에도 호주·영국·미국 간 삼각 안보 협의체인 오커스AUKUS를 2021년에 결성한 바 있다. 또 유럽연합과 무역기술위원회TTC, Trade and Technology Council를 만들어 안정적인 반도체 공급망 확보를 비롯한 여러 협력 방안을 논의해오고 있다.

유럽연합의 경우 기술 안보와 관련해 미국과 만든 TTC에서 산업 분야의 6개 전략 기술 공조를 강화하고 있다. 역외 의존도가 높은 소재,

배터리, 의약품 원료, 수소, 반도체, 클라우드 컴퓨팅 등을 전략산업으로 선정해 기술 자립화를 꾀하며, 산업상 영업비밀에 대한 보호를 강화하기 위해 영업비밀의 정의와 적법·불법 취득 등에 대한 기준도 마련해 시행 중이다. 독일은 이러한 유럽연합 지침을 수용하기 위해 그간의 부정경쟁방지법에서 분리된 '영업비밀보호법'을 2019년 제정했다. 영국의 경우, 연구 보안 등을 위해 2021년에 '국가 안보 및 투자법National Security and Investment Act'을 제정한 바 있으며, 기술 안보와 관련한 민감한 분야의 거래에 사전 신고를 의무화해 심사와 조치를 강화하고 있다.

일본 역시 경제 안보 개념을 정의하고 국가 안보 차원의 정책을 추진하고 있다. 이를 위해 AI, 바이오, Beyond 5G, 슈퍼컴퓨터, 양자, 반도체, 우주 시스템, 에너지·환경, 그리고 건강·의료를 핵심 기술 분야로 선정했다. 이처럼 일본은 경제 안보를 강조하며, 미국과의 기술 안보 파트너십을 확대하는 추세다. 특히 5G·6G 및 Open-RAN(개방형 무선 액세스 네트워크)을 주요 협력 부문으로 설정했고, 반도체와 같이 국제 정세에 민감한 공급망에서 강력한 협력 관계를 구축하고 있다. 또 기시다 후미오 내각 출범과 동시에 '경제안보상' 직위를 신설하고, '경제 안보 법제 준비실'을 설치해 법률 제정을 추진하고 있다. 특히 2022년 2월에 제출된 '경제안전보장추진법'은 중의원에서 심의가 진행 중인데, 이 법은 반도체 등 중요 물자 공급망 강화, 기간 인프라 안전 확보, 첨단기술 연구개발 민관 협력, 군사 전용 기술의 특허 비공개 등을 규정한다.

중국은 2025년까지 7대 전략적 과학기술을 확보하고, 2035년까지 개발·집중·육성이 시급한 8대 전략적 신흥 산업을 정책적으로 지원할 계획이다. 전략물자 수출 통제 관련 내용이 다양한 법령에 분산 규정되어 있어 체계성과 통일성이 부족하고 법령 간 모순과 충돌로 법 집행이 쉽지 않았다는 판단 아래 통합된 '수출통제법'을 2020년 제정하기도 했다. 이 법은 수출 통제의 범위와 리스트, 임시 통제, 전면 통제, 수출자의 자격, 수출 허가 제도, 최종 사용자 및 최종 용도 관리, 역외 적용 및 대등한 보복 조치 등의 조항으로 이뤄져 있다. 여기에는 일대일로一帶一路 정책 등으로 국제 협력이 증가하는 상황과, 2018년 제정되어 중국 제재 수단으로 쓰여온 미국의 수출통제법에 대응한다는 취지도 담겨 있다.

한국의 경우, 윤석열 정부는 공약과 110대 국정 과제를 통해 산업·경제 그리고 과학기술 분야로 확장된 국가 안보 개념을 강조하고 국가적 정책 대응을 시사해왔다. 또 지난 정부부터 경제·기술 안보 시대에 대응하기 위해 준비해온 각 부처의 정책 추진 사항들이 2023년 본격적인 실행 단계로 접어들 것으로 보인다. 우선 과학기술정보통신부는 2021년 〈국가 필수전략기술 선정 및 육성·보호 종합전략〉을 발표하고 안보와 산업에 중대한 영향을 미치는 국가 필수 전략 기술 10개를 선정한 바 있다. 앞으로는 기술 주권이 국가 간 경쟁과 협력의 지렛대가 될 것으로 보고 필수 전략 기술을 선별해 국가적 역량을 집중하겠다는 의미다. 이에 '국가 필수전략기술 육성에 관한 법률' 제정 추진 등 안정적 제도 기반을 확보하기 위한 후속 조치를 이어가고 있다.

기획재정부와 산업통상자원부에서도 전략 기술 지원과 보호 내용을 담은 법안을 중심으로 정책을 마련하고 있다. 예를 들어, 2022년 1월 국무회의에서 의결·공포된 산업통상자원부의 '국가첨단전략산업법'은 국무총리 소속의 국가첨단전략산업위원회 구성, 5년 단위의 기본 계획 수립, 그리고 경제 안보 확보를 위한 전략 기술의 지정을 골자로 하고 있다. 또 전략산업에 대한 투자, R&D, 인력, 규제 개선, 연대 협력 등 전방위적 지원을 포함하고 있다.

그림 1 10대 국가 필수 전략 기술 분야 전략적 포지션

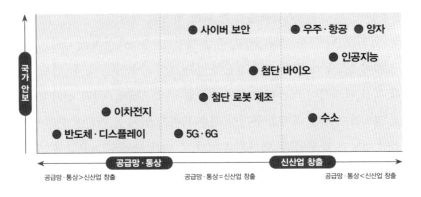

새로운 기술 안보 시대의 대응 전략

앞서 살펴본 것처럼, 우리도 국가 차원에서 또 각 행정 부처 차원에서 글로벌 패권 경쟁에 뛰어들기 위한 큰 틀을 마련했다. 그러나 점점 더 치열해지는 패권 경쟁의 시대에 기술 주권을 확보한 선도국으로 나아가기 위해서는 전략을 남발하기보다는 우리의 미래 방향성을 굳건하게 정립하는 것이 무엇보다 중요하다.

국가 안보 개념을 반영해 관련 법제와 정책 정비

기술·경제를 이토록 강조하는 새로운 안보 환경에 대응하기 위해서는 산업이나 기술혁신 관련 법제와 정책에 국가 안보 차원의 중대성을 반영해야 한다. 우리의 '국가첨단전략산업법'과 '소재부품장비산업법' 등은 미국의 '전략경쟁법'처럼 산업 기술에 대한 안보적 관점을 갖고 있다고 볼 수 있다. 나아가 관련 법제들이 중복되거나 서로 충돌하지 않도

록 유기적으로 연계하는 등 보완 작업도 계속 이루어져야 한다. 입법을 추진하는 '국가전략기술육성법'은 다른 법과의 차별성과 전략 기술 선정·관리, 인력 양성, 기반 조성, 추진 체계 등 항목에서의 중복성, 그리고 거버넌스 등에 있어 아직 쟁점이 있는 것이 사실이다. 경제·안보·미래 혁신 관점에서 국가적 육성이 필요한 주요 기술을 '국가 전략 기술'로 정의하고 지원 체계를 규정한 점은 의미가 있지만, 기존에 존재하는 관련 법률과 중복될 수 있다는 우려와 또 다른 규제로 작용할 수 있다는 지적도 고려해야 한다.

또, 국가 안보 관점을 반영하는 쪽으로 과학기술 정책을 전환해야 한다. 가령, R&D 정책을 예로 들자면, 이제 기술 성숙도TRL, technology readiness level 개념과 단계에 맞춘 선형적인 전통 방식은 한계가 있다는 얘기다. 국가적 위기로 닥칠지도 모를 기술 안보 공백에 대응하기 위해서는 단계별 R&D만이 아니라 동시 병행 방식도 추가해야 한다. 기술과 산업화의 속도전은 언제나 예상보다 매우 빠르기 때문이다.

산업별 가치사슬 정밀 분석으로 상시적 위기 대응

산업 경쟁력과 공급망 강화를 위해서는 가치사슬별 정밀 정보 분석 체계의 구축이 필요하다. 산업 기술 하부의 최종 제품과 서비스 수준뿐만 아니라 상부의 원천 기술과 원재료 수준까지 한국의 급소와 필살기가 어느 부분에 자리하고 있는지를 정확하게 파악할 수 있어야 한다. 기술적 난이도, 경제적 가치, 그리고 대체 가능 여부 등의 척도로 세밀하게 분석해야 정확한 진단 그리고 기술·경제 안보와 관련한 상시적 위기 대응이 가능해진다. 이러한 작업은 '산업 공급망 위기 경보 시스템 및 종합 지원 체계' 구축의 일환인 조기경보체계EWS, early warning system

와도 맞닿아 있다. EWS는 산업 분야별로 국가적 충격과 위기를 사전에 감지하기 위한 정보 수집 분석 체계이기 때문이다.

다부처·다학제적 네트워크 구축

앞의 제언을 실행 단계에서 실효적으로 추진하기 위해서는 다부처·다학제적 접근이 필수다. 정밀 정보 분석이든 과학기술 안보 관점의 법제 제정·추진이든 부처 간 이해관계를 떠나 국익이라는 공동의 목적 아래 서로 연계와 협력이 이루어져야 한다. 특정 부처나 특정 분야 연구 기관이 아니라 다부처·다학제 프로젝트로 진행해야 일련의 정책 추진이나 법제 정비를 더 통합적이고 포괄적 관점에서 이뤄낼 수 있다. 따라서 산·학·연·관의 다양한 주체가 정보 분석 체계 구축이나 법제 정비 과정에서 끊임없는 연구와 정책 경쟁을 펴는 한편, 국가 안보라는 대의적 가치를 지키기 위해서 함께 머리를 맞대고 공조하는 노력을 병행해야 한다. 요컨대, 관계 부처와 전문가들이 참여하는 다부처·디학제 네트워크를 통해 융합적·전문적 대응 체계를 구축해야 한다.

패권 흐름에 대한 정확한 인식과 냉정한 대응

국가이익의 개념은 중요도에 따라 사활적 이익, 결정적 이익, 중요한 이익, 지엽적 이익으로 나뉜다.[4] 국가이익은 국가 안보와 직결되며, 이 중 가장 중요한 사활적 이익과 결정적 이익은 국가 안보를 위해 어떠한 희생을 치르더라도 우리가 반드시 지켜야 하는 것이다. 지금 진행 중인 미중 패권 경쟁의 기저에는 해양 자유민주주의와 대륙 전체주의 세력 간 국가이익을 두고 벌어지는 첨단 과학기술의 첨예한 전쟁이 있다. 이처럼 첨단기술은 시장뿐 아니라 국가 안보까지 좌우하는 열쇠가 되고 있

다. 기술 패권이 국가의 생존 여부가 달린 사활적 이익을 결정한다는 시
대의 흐름을 정확하게 인식하고 국가이익 관점에서 냉정한 판단으로
정책 대응을 이어가야 할 것이다.

신기술이 국제정치에 끼치는 두 가지 영향

급속도로 발전하고 있는 첨단 신기술은 개인의 일상적 삶뿐만 아니라 국가의 산업, 그리고 국제정치에도 중대한 변화를 일으키고 있다. 신기술emerging technology이란 해당 기술의 발전과 실제 적용이 아직 완료되지 않은 새로운 기술, 또는 기술의 현 상태를 변화시킬 능력을 지닌 기술을 일컫는다. AI, 자율주행, 사물인터넷, 생명공학 기술 등이 대표적 신기술이며, 지금도 새로운 기술이 계속 출현하고 있다. 신기술은 급진적으로 새롭고, 급속도로 발전하며, 그 영향력이 지대할 것으로 예측된다. 하지만 완전히 발전한 기술은 아니어서 어떤 영향력을 미칠지는 여전히 불확실하고 불명확하다. 그런데도 세계 각국의 신기술 개발 경쟁과 글로벌 시장을 선점하기 위한 각축전이 치열하며, 무역 분쟁을 넘어선 미국과 중국의 기술 패권 경쟁은 나날이 격화하고 있다.

미중 기술 패권 경쟁은 두 국가를 중심으로 한 진영 대결로도 번지고 있으며, 이러한 대립 양상은 군사 안보와 정치체제 영역에서도 일어나고 있다. 미국을 중심으로 한 자유 진영과 중국·러시아를 중심으로 한 권위주의 진영은 신기술을 적용한 무기의 개발, 실제 사용 방식, 사이버 공간 및 우주에서 이루어지는 국가 혹은 비국가 행위자의 다양한 정보 활동 등의 규범 구축을 놓고 서로 합의를 이루지 못한 상황이다. 또 중국의 첨단 신기술이 개발도상국을 포함한 제3세계 국가군에 전파되면서, 중국의 국가 통치 방식과 사회통제 모델이 이들 국가에 영향을 끼치며 디지털 권위주의가 확산하는 것이 아닌가 하는 우려도 생기고 있다. 이렇게 신기술은 산업과 경제 분야만이 아니라 세계 각국의 정치체제와 군사 안보 환경에도 변화를 일으키면서 국가 간 경쟁의 차원을 더욱 심화하고, 그 결과 국제정치에도 다양한 파동을 일으키고 있다.

국제정치 구도를 재편하는 신기술

디지털 권위주의의 확산

근대 국가는 사회질서를 유지하고 국가 기능을 효율적으로 수행하기 위해 일정한 감시체계를 운영해왔다. 그런데 현대 국가는 신기술을 통해 과거에는 불가능했던, 개인과 사회에 대한 다양하고 광범위한 감시 행위를 수행할 수 있게 되었다. AI 기술을 접목한 지능형 CCTV와 드론, 위치 기반 기능을 갖춘 모바일 소프트웨어 프로그램, 빅데이터와 사물 인터넷을 이용해 주요 인프라·기관·도시·국토를 실시간으로 관리하는 스마트시티, AI 기반 안면·보행·생체 인식 등은 모두 첨단 디지털 감시를 가능케 하는 기술이다. 또 보안 검색 기술을 접목한 자동 국경

통제 시스템이나 드론에 AI를 접목한 감시 기술도 사용되고 있다.

현대의 감시 기술이 과거와 다른 점은 특정 표적의 일정 공간을 겨냥한 단순한 감시가 아니라 곳곳에 구축한 감시 기기와 네트워크 연결을 통한 대규모의 전방위 실시간 감시가 가능하다는 것이다. 나아가 빅데이터 분석을 통해 일종의 예방 감시까지 가능해졌다. 다양한 첨단 인식 기술을 통해 수집한 빅데이터 토대의 스마트 치안은 범죄 예방 같은 사회적 안전 환경을 고도로 높일 수 있지만, 동시에 통합적 감시도 가능하다는 사실을 시사한다. 모든 곳에 편재하면서 인터넷 연결을 무한 확장하는 사물인터넷, 그리고 개인의 디지털 기기 사용에 따라 자동으로 실시간 생성되는 대규모 개인정보는 국가가 개인과 사회에 대한 전방위적 감시 체제를 구축할 수 있는 중요한 기반인 셈이다.

특히 2019년 말 발생한 이래 현재까지도 이어지는 코로나19 팬데믹은 확진자 정보 수집 등 다양한 추적·감시 기술에 대한 국가의 수요가 폭발적으로 증대하는 데 일조했다. 당시 강화할 수밖에 없었던 세계 각국의 방역 정책은 개인에 대한 프로파일링과 사회 전체를 대상으로 하는 전방위 감시체계 구축을 정당화하고 공고화하는 계기가 되었다. 결과적으로 국가는 국내 정치에 영향을 끼칠 수 있는 더 광범위한 통치 기술과 정교한 디지털 자원을 갖추었다.

바로 이 지점에서 정치학자들이나 초국가적 NGO를 중심으로 우려의 목소리가 나온다. 디지털 기술이 민주주의를 강화하기보다 권위주의를 강화하는 데 악용될 가능성이 있기 때문이다. 물론 AI 감시 기술의 사용 여부는 국가의 정치체제와 직접적 관계가 없다. 오히려 일반적 예상과 달리 AI 감시 기술은 독재국가나 권위주의 국가보다 민주주의국가들이 더 광범위하게 도입하고 있는 것이 사실이다. 하지만 문제는 중국이나 러시아 같은 권위주의 국가들이 언젠가는 AI 감시 기술을 시민권 침해와 인권 탄압 등 정치적 목적으로 이용할 공산이 크다는 점이다.

세계 감시 기술 시장을 견인하고 있는 대표적 국가가 중국인 점도 우려할 만한 부분이다. 카네기국제평화재단의 보고서 〈인공지능 글로벌 감시 지수Artificial Intelligence Global Surveillance Index〉에 따르면, AI 감시 기술이 세계적으로 확산하는 과정에는 중국의 영향력이 압도적이다. 2017년과 2019년 사이 중국의 정보통신 기업 화웨이 등이 50개국에 스마트시티, 안면 인식, 스마트 치안 등에 적용하는 AI 감시 기술을 판매한 것으로 밝혀졌다. 또 2019년 기준 전 세계 176개국 중 75개국이 AI 감시 기술을 활용하고 있으며, 이 중 45개국이 중국의 기술을 사용하는 것으로 알려졌다.

그런데 미국 중심의 서구권에서는 거대 IT 기업을 통한 중국 감시 기술의 확산이 중국식 사회통제 모델의 전파로 이어질 수 있다는 경고를 제기해왔다. 특히 중국의 일대일로, 중국-중앙아시아-유럽을 연결하는 육상·해상 실크로드 프로젝트를 통한 개발도상국 인프라 사업 투자가 중국에 대한 경제적 종속뿐 아니라 중국식 권위주의를 퍼뜨리는 아주 효과적인 수단이 되어 중국의 정치적 영향력을 확대하고 있다는 것이다. 예컨대 케냐, 라오스, 몽골, 우간다, 우즈베키스탄, 남아프리카공화국, 보츠와나, 나이지리아 등 첨단기술이 부재한 국가들이 중국의 일대일로 프로젝트에 참여하고 있다. 특히 이들 국가의 도시들은 중국 IT 기업과 스마트시티 개발 등의 사업 협정을 맺으면서 중국의 AI 감시 기술을 적용하고 있다. 이 과정에서 '만리방화벽great firewall' 같은 광범위한 검열과 자동 감시 시스템을 갖춘 디지털 인프라가 이식되면서 중국식 디지털 권위주의도 함께 전파되는 문제가 생겨난다.

2022년 6월 독일에서 열린 G7 정상회의에서 "민주주의 국가들의 비전을 공유할 기회"라며 개발도상국 인프라 사업에 대한 대규모 투자 계획 구상이 나온 것도 이러한 맥락에서다. 이처럼 미중 간 첨단기술 경쟁 과정에서 정치체제와 인권 영역의 갈등이 커지면서 이 문제가 국제정치 무대의 주요 의제로 떠오르고 있다.

세계 안보의 불확실성 증대

각종 신기술은 군사 분야에도 빠르게 적용되고 있다. 인류 역사에서 첨단 신기술은 언제나 '게임 체인저'가 되어 국가 간 전투와 전쟁의 방식에 큰 영향을 끼쳐왔는데, 최근 AI와 네트워크 기술 발전은 기존의 원격제어 시스템을 무인 자율형 시스템으로 바꿔놓는 등 전장의 운영 개념을 근본적으로 변화시키고 있다. 예를 들어, 무인 자율 무기는 인간의 개입 없이 스스로 목표물을 찾아 공격하고 파괴한다. 또 러시아와 중국이 앞선 기술력을 자랑하는 극초음속 미사일은 낮은 고도로 날아가며 비행경로와 목표물을 수시로 변경할 수 있어 그 궤도 예측이 어렵다. 앞으로 극초음속 무기가 (실제로 사용 가능성이 크지 않은 것으로 여겨지는) 핵무기를 대체하거나 현재의 미사일 방어 체계를 무력화할 가능성이 제기되는 이유다.

여기에 더해, 많은 국가가 기존의 첨단 무기 체계보다 상대적으로 비용이 적게 드는 소형의 지능형 디지털 신무기 체계 개발에 뛰어들고 있다. 나토과학기술기구NATO Science & Technology Organization는 2020년 발표한 보고서에서 군사 분야 신기술의 특징을 지능성, 상호 연결성, 편재성, 그리고 디지털화로 요약하면서 기술적 융합이 이뤄지는 미래 군사력을 전망한 바 있다. 예를 들어, AI, 사물인터넷, 자율주행 기술을 적용한 '스워밍swarming' 전술은 다수의 무인 체계가 분산해 동시다발적으로 공격하는 협동작전을 뜻하는데, 단일 체계를 운영하는 것보다 효과가 크다고 평가받는다. 드론 벌 떼 공격도 이에 속한다. 2022년 러시아의 우크라이나 침공 초기, 군사력이 열세인 우크라이나는 드론을 사용해 러시아의 값비싼 첨단 무기를 공격했다. 이처럼 AI 기술 등을 적용한 신무기를 토대로 미래의 전장은 지금과는 다른 양상을 보일 것이다.

그런데 신무기 체계에 대한 국제 규범이 마련되지 않은 점이나 AI 자율 무기의 군사적 의사결정을 예측할 수 없다는 점이 안보 환경을 이전보다 더 불안정하게 만들고 있다. 자율 무기의 사용에서 가장 위험할 수 있는 부분은 자동화한 무기의 자율적 의사 결정 과정이다. 자율 살상 무기 체계는 프로그램이 일단 작동하면 인간 운용자의 추가적 지원이나 개입 없이 복잡한 군사작전을 수행하는데, 인간과 달리 AI는 전장의 상황을 알고리즘에 의해 산술적으로 계산해 판단하기 때문에 양적 효율성 차원에서만 군사적 의사 결정을 내릴 수 있다. 즉, 전쟁 상황이라고 하더라도 인간의 생명과 관련한 결정에는 복합적인 판단, 즉 윤리적·법률적·정치적·외교적 판단이 따라야 하지만, 현재의 AI는 그러한 판단 능력까지 갖추고 있지는 않다. 그 밖에도 편향된 데이터 학습, 사이버 공격, 시스템 오작동 등도 AI에 의한 자율적 의사결정에 치명적 영향을 끼칠 수 있는 요인들이다.

신기술 무기의 또 다른 변수는 이러한 기술을 국가뿐 아니라 해커, 테러리스트, 범죄 네트워크 같은 비국가 행위자도 사용할 수 있다는 사실이다. 비국가 행위자들이 신기술을 사용해 파괴적인 공격을 하거나 안보를 위협할 가능성은 중동에서 발생한 수많은 테러를 통해서도 입증되었다. 이러한 사이버 공격은 점점 정밀해지는 데다 책임 소재의 확인이 어려워 더 파괴적인 효과를 내는 상황이다.

신기술에 의해 새롭게 등장하는 첨단 무기 체계는 결국 각국 군사 체계와 군사작전, 그리고 공격과 전쟁 방식에 변화를 초래하면서 세계 안보의 불확실성을 증폭시키고 전략적 안정성strategic stability에도 영향을 끼치는 주요 요인이 되고 있다. 특히 미국과 중국 중심의 신기술 개발 경쟁은 진영 간 외교 대결로도 이어지고 있고, 여기에 러시아-우크라이나 전쟁이 세계의 군사적 긴장을 고조시키고 있다.

정책적 시사점과 대응

4차 산업혁명을 상징하는 첨단 신기술은 최근 몇 년간 전 세계 산업계를 강타해왔다. 이전의 산업혁명들도 첨단 신기술을 앞세워 국가 경쟁력을 좌우하며 세계 권력의 지도를 바꿔왔지만, 최근 등장한 첨단 신기술은 파급효과 측면에서 과거와 비교해볼 때 더 큰 규모의 구조 변동과 세계질서 재편을 가져올 것으로 전망된다. 신기술이 토대를 이루는 중국식 디지털 권위주의의 확산이나 세계 안보 환경의 불안정성 증대는 국제정치 무대에 미치는 신기술의 영향을 단적으로 보여준다. 그런 점에서 신기술이 가져오는 변화의 물결은 경제·산업 측면의 혁신뿐 아니라 역동적으로 변화하는 세계질서의 움직임에도 순발력 있게 대처해야 한다는 이중적 과제를 던져주고 있다.

이렇듯 미래 전망이 더 복잡해지는 가운데, 첨단기술의 주도권을 둘러싼 국가 간 경쟁이 더 치열해질 것은 분명한 사실이다. 즉, 미중 기술 패권 경쟁에서 미국은 앞으로 중국과의 기술 격차를 확대하기 위해 AI 감시 기술이나 데이터 사용과 관련한 중국의 윤리 준수 여부를 계속 문제 삼을 것이고, 서구 민주주의 진영으로부터 이러한 압박을 받는 중국은 기술 자립 능력을 강화하고 데이터 주권을 주장하면서 세계시장에서 자국의 입지를 방어하고 증대하는 데 진력할 것이다. 이런 상황에서 우리 또한 국가적 차원의 전략 모델을 구축해 대응해야 한다. 기술과 산업 혁신을 위한 정책들이 계속 나오고 있지만, 동시에 그물망처럼 연결되는 국제 관계와 세계질서의 움직임, 그리고 변화의 징후들을 더 명확히 읽어내는 통찰도 지녀야 한다.

예컨대, 신기술의 군사 안보적 영향과 관련해서도 국가적 시각과 시민사회의 시각이 서로 엇갈리고 있다. 군사 안보 전문가와 정책결정자를 대상으로 2020년 실시한 한 조사에서 일부 응답자들은 신기술이 핵무기 사용의 위험을 높여 핵 억지를 불안정하게 만드는 부정적 영향을 미칠 수 있다고 전망했고, 또 다른 응답자들은 신기술이 핵 관련 활동을 감시하고 안전조치를 강화하는 등 핵 군축의 새로운 기술적 조치를 가능하게 하는 긍정적 영향을 미칠 수 있다고 전망했다. 하지만 이 조사에서 종합적인 결론은 전문가 대다수가 신기술이 위험/위협의 성격을 복잡하게 만들고 오판을 증대시켜 결과적으로 세계 안보 환경을 더욱 불안정하게 만들 가능성이 크다고 내다봤다는 점이다.[5]

이와 같은 여론조사 결과는 군사 강국 간 신무기 개발 경쟁은 계속 심화하겠지만, 국제사회의 신기술·신무기 관련 규범 구축과 거버넌스 마련은 절대 쉽지 않을 것임을 예측하게 한다. 무엇보다 강대국들의 참여가 미흡하다면 신무기 개발과 사용에 대한 의미 있는 규범 논의가 어려워진다. 신기술과 신무기에 대한 국제적 거버넌스는 각국의 정치적 의지와 규범 없이는 불가능하기 때문이다.

하지만 지금까지 전 세계에서 이루어진 평화운동에서 초국가적으로 활동하는 국제기구나 시민 단체의 인식과 역할이 결코 약하지 않았음을 상기할 필요가 있다. 마찬가지로 세계 군사 안보 추세와 국제정치에 영향을 끼치는 국제사회의 신기술·신무기 관련 규범 논의 과정에도 NGO 등 민간 행위자들이 더 적극적으로 참여해 균형 잡힌 시각을 갖는 데 도움을 주어야 할 것이다. 유엔군축연구소UNIDIR의 경우, 자율로 이루어지는 AI의 군사 부문 의사결정 문제와 관련해 AI 알고리즘 작동을 지원하는 칩이나 기타 제조 기술, 음성 혹은 영상 기술 등 특정 애플리케이션의 규제 방법을 제시하고, 군사 분야 AI 프로그램 개발부터 운용에 관여하는 모든 행위자를 대상으로 문제 인식과 책임을 촉구하기도 했다.

신기술을 세계의 안보와 평화를 위해 활용하려면 신기술의 평화적 가치 등 이론적 차원에서 개념을 정립하고 유사 입장국 간 공동의 인식을 형성하는 것도 중요하다. 신기술을 세계 평화와 국가 간 협력을 도모하기 위해 사용해야 한다는 '목적'의 측면과 신기술 자체를 폭력적이지 않은 방법으로 사용해야 한다는 '수단'의 측면에서 평화의 가치를 제시하는 다양한 논의가 국제사회에서 이루어져야 한다.

한국도 2021년 외교부 주최로 열린 제1회 세계신안보포럼World Emerging Security Forum 등을 통해 책임감 있는 신기술 연구·개발의 필요성 등을 환기했다. 이처럼 국제적 논의를 지속해서 활성화하고 구체적 의제를 발굴해가야 한다. 신기술 개발은 주로 민간 차원에서 주도하고 있다. 군사 분야 주제라고 국가와 군에 한정해 논의하면 역동적으로 변화하는 안보 위협에 대응하기 어렵다. 따라서 민간 부문과의 협력 체계도 상시화하고, 다양한 정부 부처는 물론 여러 전문가와 함께 신기술이 가져오는 신안보 이슈를 신속하게 파악하고 그에 대처해야 할 것이다.

디지털 대전환과 '빅블러' 시대

디지털 대전환의 시작은 독일의 인더스트리4.0 정책에서부터라고 할 수 있다. 2013년부터 도입한 인더스트리4.0 정책의 목표는 특정 기술의 개발이 아닌 제조업의 패러다임 자체를 바꾸는 것이었다.[6] 이전까지는 제조업의 공장 시설을 개도국으로 이전하는 오프 쇼어링off-shoring 방식을 가장 효율적인 혁신으로 여겼다. 즉, 생산요소의 질적 향상보다는 인건비 같은 비용의 절감을 경쟁력의 원천으로 생각했다. 그런데 인더스트리4.0은 이러한 방식과 달리 AI나 사물인터넷 같은 무형의 기술을 통해 혁신을 추구했다는 점에서 제조업의 패러다임 전반을 바꾸었다고 할 수 있다.

패러다임의 변화는 기술 개발 방식의 변화도 가져오고 있다. 기술 개발이 영역별 로드맵에 따라 이뤄지던 기존 방식과 달리 연구개발 과정, 생산공정, 비즈니스 모델 등 생산 활동 전반을 아우르는 통합적인 시스템 기반으로 진행되고 있다. 이러한 시스템의 도입은 다른 영역의 비즈니스와 융합하기도 하고, 다른 산업과의 결합으로 이어지기도 하는데, 이를 '빅블러big blur' 현상이라고 부른다. 빅블러란 '흐릿해지다blur'라는 뜻의 영어 단어에서 착안한 일종의 신조어다. 뜻 그대로 경계가 흐릿해지고 뒤섞이는 양태를 일컫는다. 즉, 온라인과 오프라인, 제품과 서비스 간 경계가 흐려지면서 업종과 산업 간 경계가 급속히 사라지는 현상이다.[7] IT 회사가 금융 사업에 진출하거나, 유통 회사가 미디어 콘텐츠 사업에 진출하는 사례가 모두 이를 방증한다.

이와 같은 변화에 능동적으로 대처하기 위해서는 변화에 대한 선행적 이해가 필요하다. 우리가 접하는 비즈니스 및 산업 영역에서의 빅블러 현상은 무엇인지 확인하고, 그 근본 배경으로서 혁신 시스템과 성장 방식에 대해 이해하면, 현재 그리고 가까운 미래에 우리가 무엇을 해야 할지 그 방향성을 정립하는 데 큰 도움이 될 것이다.

빅블러 시대와 경계의 소멸

빅블러 현상은 구체적으로는 생산자와 소비자의 역할 변화, 기업 간 관계의 변화, 온라인과 오프라인의 경계 소멸, 그리고 제품과 서비스의 융합 등을 통해 더 잘 이해할 수 있다.

먼저 생산자와 소비자의 역할 변화는 소비자의 생산자화user-producer로 나타난다.[8] 기존에는 소수의 전문 지식을 보유한 사용자들만이 참여형 소비자로 활동했다면, 이제는 소비자의 역할 확대가 더 수월해졌다. 소비자가 직접 창의적 아이디어와 경험을 바탕으로 제품을 만들어 사용하기도 하고, 플랫폼을 통해 해당 제품을 다른 소비자에게 판매하기도 한다. 생산과 소비의 경계 없이 자연스럽게 상호 활동이 가능해진 것이다.

기업 단위에서도 유사하다. 기존의 기업 간 관계는 대기업에서 중견 및 중소 기업으로 이어지는 하향의 지배 관계식 가치사슬에 가까웠다. 하지만 새로운 기업 관계란 상하 관계가 아닌 전문적인 역할 구분에 기반을 둔 평등한 연계 관계라 할 수 있다. 소규모의 스타트업 플랫폼이 대기업과 동등한 관계를 형성하거나 기술 기반의 빅테크 기업이 생태계의 중심축이 되는 일이 실제로 일어나고 있다.

온라인과 오프라인의 경계 소멸은 자연스럽고 끊김 없는 연결을 의미한다. 메타버스metaverse라는 이름으로 익숙해진 혼합 현실은 현실의 대상과 가상의 대상 간 실시간 상호작용을 가능하게 해주고, 현실과 가상을 연결함으로써 일상의 범주까지 연장한다. 메타버스 안에서 우리는 업무도 보고 친구도 만나고 쇼핑도 할 수 있다. 일회성의 유희적 가상 체험에 머무는 것이 아니라 경계의 소멸을 통해 또 하나의 '진짜 현실'인 혼합 현실 세상 속에서 살아가는 것이다.

그런가 하면 서비타이제이션servitization은 제품과 서비스 간 융합을 잘 설명해준다. 서비타이제이션은 제조의 서비스화 혹은 서비스의 상품화를 통해 이전에 없던 가치를 창출해내는 새로운 비즈니스 유형을 뜻한다. 기존에는 임베디드embedded 소프트웨어와 같이 융합된 형태의 제품을 일회성으로 판매하는 형태였다면, 이제는 서비스를 지속해서 구독하게 하는 형태로 바뀌고 있다. 일상에서 흔히 볼 수 있는 렌털 정수기도 이에 속하지만, 정보통신기술의 발전으로 소비자와 판매 기업 간의 지속적인 연결이 확대되면서 다양한 서비타이제이션이 나타나고 있다.

사물인터넷 감지 기기와 실시간 데이터 분석을 통해 자동차 부품의 사용 실태를 파악해서 예측 보수와 관리를 하는 것 등이 대표적 예다.

경계 소멸의 사례: 자동차 산업에서 모빌리티로

테슬라는 우리에게 전기차 기업으로 알려져 있으나, CEO 일론 머스크는 테슬라의 지향점은 에너지 기업이라고 말한 바 있다.[9] 구글과 애플도 ICT 기업으로 인식되고 있으나, 조만간 자동차 기업으로 불릴 수도 있다. 업종이나 산업의 경계가 사라지는 현상은 이미 진행 중이다. 이 때문에 최근에는 자동차 산업이나 제약 산업같이 산업의 기반을 표현하기보다는 모빌리티나 바이오 헬스케어처럼 분야 혹은 섹터 단위를 표현하는 용어를 더 많이 사용하기도 한다.

우리나라의 주력 산업 중 하나이자 세계에서도 큰 비중을 차지하는 자동차 산업은 빅블러 현상이 일어나고 있는 대표적인 분야라 할 수 있다. 특허로 인정받은 세계 최초의 자동차는 독일의 카를 벤츠Karl Benz가 만든 페이턴트 모터바겐Patent Motorwagen이라는 삼륜차로 1886년 시장에 나왔다.[10] 이후 자동차 산업은 큰 발전을 거듭해서 엔진을 비롯해 각종 장치 기술에서 눈에 띄는 진화가 이루어졌다. 하지만 이 기간 동안 자동차 산업의 경계가 사라졌다기보다는 오히려 공고해졌다는 점에서 최근의 변화와는 차이가 있다.

말하자면 기존 자동차 산업의 변화는 폐쇄적인 경계 내부에서의 변화였다고 할 수 있다. 이전에는 자동차 산업을 대표하는 기술이 기계공학일 만큼 기계 설계와 장치들이 자동차의 핵심을 이루었다. 그러다가 2000년대 들어 전자 장비의 비중이 급속히 증가하면서 전기전자공학 기술이 주력이 되었다. 특히 초기에는 각 전자 장비가 개별적으로 제 역할을 했다면, 지금은 전자제어 장치electronic control unit가 등장하면서 중앙 집중적인 전장(전기 장치) 관리가 이루어지고, 각종 전장을 제어할 수 있는 소프트웨어 중심으로 산업이 재정비되고 있다. 또 내연기관차에서 친환경 동력원으로의 전환이 필요해지면서 전기차나 수소차 등의 개발도 이루어지고 있다.[11] 이처럼 자동차 산업은 기계공학에서 전자공학, 그리고 소프트웨어와 에너지원(전기, 수소 등) 순으로 핵심 기술의 중심이 바뀌고 있다. 그러나, 이는 산업 자체가 변한 것이 아니라 산업 내 주력 기술 영역이 바뀐 것이다.

반면, 최근의 모빌리티는 산업의 경계 자체가 흐려지고 있다는 점에서 앞의 변화와는 다른 혁명적 전환이라 할 수 있다. '모빌리티mobility'라는 용어는 사전적으로는 '이동성'을 의미하나, 운송 또는 교통transportation의 의미도 포함한다.[12] 자동차가 이동을 위한 하나의 '수단'이라면 모빌리티는 대상과 목적, 수단과 방식 등을 모두 망라하는 광의의 '이동' 개념이다.

대상의 관점에서 보면 모빌리티는 사람뿐만 아니라 사물의 이동까지 포함한다. 이러한 측면에서 여객 운송 산업과 유통 물류 산업이 모두 모빌리티에 들어간다. 목적의 관점에서 보면 거래를 중개하는 플랫폼 중개업과 유희를 위한 레저업, 숙박업, 택시업, 배달업 등 다양한 서비스 업종 또한 이 안에 넣을 수 있다. 그리고 이동 수단의 관점에서 보면 자동차, 자전거, 선박, 항공, 드론 등이 모두 모빌리티 유형이다. 이처럼 모빌리티는 서비스로서의 이동MaaS, Mobility as a Service이라는 개념에 토대를 두고 모든 비즈니스를 경계 없이 아우른다는 특징이 있다.

기존의 산업 변화가 특정 산업의 테두리 안에서 기술의 혁신을 통해 제품과 서비스의 진화를 이끌었다면, 모빌리티 서비스 산업이 상징하는 빅블러 시대는 새로운 가치와 경쟁력을 창출하기 위해 다양한 산업이 전통적 잣대를 넘어 융합하고 어우러지는 거대한 혁신을 보여준다.

디지털 대전환으로 달라지는 성장 방식과 혁신 시스템

2021년 세계경제포럼의 주제는 '그레이트 리셋great reset'이었다. 클라우스 슈밥Klaus Schwab 회장은 "코로나19 위기는 우리의 낡은 시스템이 21세기에 더는 적합하지 않다는 것을 보여준다"며 모든 부문을 혁신하는 그레이트 리셋을 강조한 바 있다. 그레이트 리셋은 궁극적으로 경제 사회 시스템 전반을 완전하게 개혁하는 것을 뜻한다.[13] 디지털 대전환도 마찬가지로 근본적인 시스템의 전환을 의미한다. 산업 부문에서 디지털 전환이 가져온 경계 소멸의 빅블러 현상은 성장 방식의 근본적 변화, 곧 혁신 시스템의 변화를 뜻한다고도 할 수 있다.[14] 이러한 혁신 시스템은 층위에 따라 살펴볼 수 있다. 미시 수준에서는 기술 생태계, 중간 수준에서는 기업 및 산업 생태계, 거시 수준에서는 가치 창출 생태계로 나눠볼 수 있다.[15]

첫째, 미시 수준의 기술 생태계에서는 기술 각각이 중심을 이루는 데서 벗어나 통합 시스템 관점의 기술 개발이 점점 더 중요해진다. AI, 사물인터넷, 클라우드 컴퓨팅, 빅데이터, 메타버스, 블록체인 등과 같은 기술은 모두 디지털 대전환을 이끄는 요소 기술인데, 기술 각각의 역할보다 이들 간의 융합과 조합을 통해 문제 해결 시스템을 구성하는 것이 더 중요해진다는 의미다.

둘째, 기업 및 산업 생태계는 경계가 소멸해 더 복잡한 형태로 연결되면서, 제품 중심으로 거래 관계를 형성했던 기존과 달리 개방과 협력 중심으로의 변화가 혁신과 성장의 전제를 이룬다. 즉, 기업 차원에서는 대상 고객, 경쟁 범위, 데이터 활용, 가치 창출 방향 등이 변화한다.[16] 먼저 대상 고객은 거대 단일 시장에서 동적인 네트워크로 확대되며, 경쟁 범위는 산업 내 유사 제품 생산 기업에서 불특정 기업으로까지 확장된다. 데이터 활용 또한 내부의 업무 효율성 향상이 주목적이었으나 가치 창출의 수단으로 그 범위가 확대되며, 가치 창출 방향은 가치의 고도화에서 지속적인 비즈니스 변화로 바뀐다. 혁신 방식 또한 최적화한 제품 출시에서 프로토타입 출시 후 반복적인 개량과 혁신이 중요해진다.

산업 차원에서는 앞서 살펴본 모빌리티 사례처럼 같은 목적을 공유하고, 각기 가능한 역할을 수행하는 수평적인 연계 관계가 나타나고 있다. 이러한 관계 안에서는 생태계의 핵심 가치를 창출하는 플랫폼 리더, 다른 기업과 차별화한 전문 역량 중심으로 대체 불가능한 가치를 창출하는 니치niche 플레이어, 다른 생태계와의 연결과 교류를 담당하는 브리지bridge 플레이어 등이 있을 수 있다.[17]

셋째, 거시 수준의 가치 창출 생태계는 성장 방식의 획기적 전환이 드러나는 부분이다. 즉, 디지털 경제 시대에는 가상의 신대륙에서 형성되는 디지털 자산이 크게 부각될 것이다. 기존의 산업 시대에는 가치 창출 과정이 유형적이고 가시적이며 국가 간 거래 또한 직접 관리가 가능했다. 반면, 디지털 전환 시대에는 여기에 새로운 차원의 디지털 거래가 증가하면서 결국은 디지털 경제로 수렴할 것이다.

디지털 대전환을 위한 국가의 역할과 정책 방향

앞서 살펴본 것처럼 디지털 대전환은 단순히 신기술을 공급하는 수준이 아니다. 기술, 기업, 산업, 그리고 가치 창출 방식과 국가의 성장 방식 모두를 근본적으로 변화시키며 시스템 전반의 전환을 이끌고 있다. 또 기술력이 단순히 산업 경쟁력 차원이 아니라 국가의 안보와 미래를 결정짓는 계기로 작용하면서 기술 패권이 더 중요하게 조명되는 시대다. 이러한 변화는 과거의 1차, 2차, 3차 산업혁명에 비견될 만큼 큰 변화이기에 민간의 자율적 역할뿐만 아니라 국가의 역할 또한 매우 중요하다. 디지털 대전환을 위한 국가의 정책은 혁신 시스템의 변화에 맞게 다양한 차원에서 수립해야 한다.

우선, 기술적 차원에서는 연구개발 정책의 방향성을 재정립해야 한다. 기존의 연구개발은 주로 특정 분야별로 로드맵에 따라 점진적 혁신을 추구하는 특화 기술 개발이 중심이었다. 그러나 이제는 비즈니스 혁신, 산업 재편, 사회문제와 같은 문제 해결을 위해 다양한 기술을 조합하는 메가 프로젝트 형태의 연구개발이 이루어져야 한다.

기업이나 산업 차원에서는 빅테크 기업의 육성과 지원이 필요하다. 핵심적 아이디어와 이를 뒷받침하는 기술력이 있다면 글로벌 기업으로 성장할 수 있도록 금융 투자나 제도 등의 지원이 뒤따르는 환경을 조성해야 한다. 또 다양한 분야의 기술을 직접 개발하는 시간과 노력을 단축할 수 있도록 국내외 인수합병을 통한 성장 경로 확보도 하나의 방안이 될 수 있다. 신산업 도입 때마다 걸림돌이 되어온 규제도 변화하는 환경을 반영해 개선해야 한다. 제한적으로 허용하는 포지티브 규제 방식에서 법률이나 정책에서 금지된 것이 아니면 모두 허용하는 네거티브 규제 방식으로 전환해야 한다. 이를 통해 프로토타입 단계의 시장 출시가 활성화할 수 있을 것이다.

나아가 디지털 경제를 위한 전반적인 제도의 개선과 정치·외교 역량의 확충도 필요하다. 현실 환경에서 사회질서 유지와 시장경제 발전을 위해 적절한 법·제도와 사회간접자본이 필요하듯이 디지털 경제로의 전환을 위해서는 디지털 환경에 맞는 표준을 정립해야 하고 디지털 인프라가 그 바탕이 되어야 한다. 특히 디지털 대전환을 이끄는 핵심 기술의 표준화를 선점하고 국제적으로 적용 범위를 넓히는 것이 매우 중요하며, 이를 위해 기술 단위의 표준화 및 국제 공동 연구에 더 적극적으로 참여하면서 다자 협력 기반을 확대해야 한다. 코로나19 여파와 미중 기술 패권 경쟁, 그리고 디지털 대전환을 통한 디지털 경제의 도래는 세계경제 시스템을 새롭게 바꾸고 있다. 이러한 상황에서 디지털 주도권 경쟁에서 뒤처지지 않기 위해서는 주요국과 디지털 동반자 관계를 형성하며 전략적 동맹을 확대해가야 한다.

우리나라는 이미 선진국의 문턱에 진입했다. 하지만 디지털 대전환이라는 거센 변화로 인해 앞으로 국가 간 격차는 더욱 커질 것이며, 이로 인해 향후 우리의 위치는 예측하기 어렵게 되었다. 패러다임의 전환을 기회로 삼아 디지털 경제 기반을 공고히 구축하고 글로벌 시장에서 안정적인 선진국으로 자리매김할 수 있도록 국가 차원의 환경 조성과 전략 구축이 절실한 시점이다.

2

미래의 패권을 결정할
게임 체인저 기술

팬데믹이 심화시킨 기술 전장, 첨단 바이오 기술

변하지 않는 전략 자산, 소재·부품·장비 기술

초거대 인공지능을 구현할 AI 반도체 기술

미래 융합 서비스의 핵심 기술, 6G 이동통신

값싸고 오래가고 가벼운 충전 시대를 이끌 차세대 이차전지

지정학적 패권 경쟁의 범위를 넓혀갈 우주탐사 기술

나노와 디지털을 넘어, 양자 정보 기술

팬데믹이 심화시킨 기술 전장, 첨단 바이오 기술

코로나19 발생의 기원을 두고 자연발생설, 중국 우한연구소의 유출설 등이 제시되었으나 어느 것도 확실하지는 않다. 그 원인이 무엇이든 다음 두 가지는 확실하다. 우선 향후 다양한 바이러스나 박테리아에서 기인하는 팬데믹이 또 일어날 수 있고, 현대화한 사회에서도 팬데믹은 모든 인간의 삶에 근본적 영향을 미치며 그 범주 또한 광범위하고 파괴적이라는 점이다. 다른 하나는 팬데믹 대응 과정에서 첨단 바이오 기술의 중요성이 그 어느 때보다 크게 부각되었다는 점이다. 특히 관련 기술의 소유 여부에 따라 국가적 수준의 보건 안전성에서 큰 차이를 보였다.

백신을 개발한 선진국들은 자국우선주의를 노골화했고, 기술적 접근이 부족한 국가들은 다른 국가의 소비용 백신을 생산하는 하청 국가로 전락하거나 아예 백신의 수혜에서 제외되는 상황도 펼쳐졌다. 이러한 과정에서 극소수의 바이오텍과 제약사들은 엄청난 부를 거머쥐었고, 첨단 바이오 의약품의 파급력을 그제야 깨달은 국가들은 뒤늦게 다양한 치료제 개발에 뛰어들기도 했다. 결국, 인류에게 지속적인 도전이 될, 국가의 '의료 주권'과 '보건 안보'에 지대한 영향을 미칠 의약품을 포함한 첨단 바이오산업을 놓고 기술적 패권 경쟁이 심화할 전망이다.

21세기는 첨단 바이오의 시대

최근 바이오산업은 전통적인 화학 기반의 제약 산업에서 첨단 바이오 분야로 그 중심축이 옮겨지고 있다. 우선 화이자 같은 전통적 합성 신약 기반의 다국적 제약사들이 첨단 바이오산업의 비중을 늘리고 있으며, 다른 글로벌 제약사들도 첨단 바이오 기업들과 활발한 라이선스 계약을 하고 첨단 바이오 벤처 투자를 확대하는 추세가 이러한 흐름을 잘 보여준다.

첨단 바이오의 의미를 이해하려면 우선 생물학의 중심원리를 떠올려봐야 한다. 전사transcription 과정을 통해 DNA라는 유전물질에서 mRNA가 만들어지고, DNA의 복제본인 mRNA로부터 다양한 단백질이 만들어져 생명현상을 조절한다는 이론이 생물학의 중심원리다. 기존의 모든 치료제는 이러한 유전정보의 흐름 방향에서 마지막 단계에 있는 단백질을 대상으로 개발되었다. 그런데 첨단 의약품은 단백질의 전 단계, 즉 RNA나 DNA, 또는 이런 유전물질을 포함하는 세포를 치료 물질로 하는 바이오를 의미한다. 유전자치료, 세포 치료, 조직공학 등이 여기에 해당한다. 최근 코로나 백신에서 가장 큰 성공을 거둔 화이자와 모더나의 백신도 전통적인 재조합 단백질과는 달리 mRNA를 백신 물질로 사용하고 있다는 점에서 첨단 바이오로 분류할 수 있다.

최근에는 아데노부속바이러스AAV, Adeno-associated virus라는 운반체를 통해 유전 질환자들에게 특정 유전물질을 전달해줌으로써 치료 효과를 거두는 유전자 보충 치료제의 승인이 눈길을 끌고 있다. 10억 원에 달하는 시각장애 치료제 럭스터나Luxturna와 26억 원이라는 현존 최고가 척수성근위축증 치료제 졸겐스마Zolgensma에 대한 미국 식품의약국FDA의 승인은 향후 다양한 첨단 바이오 의약품의 등장은 물론 21세기가 그야말로 첨단 바이오의 시대가 될 것임을 예고한다.

이에 따라 많은 국가가 첨단 바이오산업의 경쟁력을 확보하기 위해 국가적 전략을 수립·발표하고 있다. 미국의 식품의약국과 국립보건원NIH, 유럽의 유럽의약품청EMA을 중심으로 신약 개발 공공-민간 파트너십인 AMP Accelerating Medicines Partnership를 통해 유전자 치료제 플랫폼 개발 컨소시엄 BGTC Bespoke Gene Therapy Consortium를 출범시킨 것이 대표적 사례다. 여기서는 희귀 유전 질환 환자들의 맞춤형 유전자 치료제를 개발하고 있으며, 암젠·릴리·머크·노바티스 등 글로벌 제약사와 다양한 민간단체가 기초연구부터 상업화까지의 개발에 참여하고 있다.

또 희귀 유전 질환 치료용 첨단 바이오 의약품에 대한 규제를 완화하고 승인 절차를 간소화하는 규제 개선 작업도 국가마다 진행 중이다. 이처럼 첨단 바이오는 기술 성숙도 측면에서 아직 초기 단계지만 향후 성장 가능성이 크게 기대되는 분야로 꼽히면서 국가 간 경쟁이 치열하다. 우리나라도 10대 기술 패권 분야를 지정해 정부가 집중적으로 투자하는 정책을 시행하고 있는데, 그중 한 분야가 첨단 바이오다. 그러나 아직은 세계적 차원에서의 경쟁력이 그리 크지 않은 만큼 국가의 투자가 더 요구된다.

의료 분야의 난제와 첨단 바이오 기술의 도전

많은 국가가 첨단 바이오를 성장 동력이 큰 분야로 판단하고 관심과 투자를 늘려가고 있는 이유는 무엇일까? 우선, 첨단 바이오는 그간의 의료 산업이 제시하지 못했던 미충족 의료 분야의 대안이 될 수 있는 핵심 기술이기 때문이다. 많은 희귀 유전 질환과 난치 질환이 효과적 치료법을 찾지 못한 채 오랫동안 의료 분야의 난제로 남아 있다. 하지만 최근 다양한 유전자 치료제와 세포 치료제의 개발로 차별화한 치료법이 제시되고 있다. 선천적 시각장애를 극복할 수 있게 되었고, CAR-T와 같은 세포-유전자 치료제로 생존율이 매우 낮은 혈액암도 70% 이상의 완치율을 기록할 수 있게 되었다.

둘째, 개발 속도에서 이점이 있기 때문이다. 팬데믹과 같이 시급한 상황의 치료 분야에서 첨단 바이오는 매우 신속한 개발과 대응이 가능하다. 코로나19 백신 개발에서 기존의 단백질 항원 기반 백신보다 mRNA 기반 백신이 먼저 성공을 거둘 수 있었던 요인 중 하나는 단백질보다 mRNA를 통한 개발이 더 빠른 속도를 낼 수 있었기 때문이다. 또한 생산 능력과도 관련이 있는데 고분자 관점에서 단백질보다는 핵산의 생산이 훨씬 수월한 측면이 있다.

셋째, 첨단 바이오는 개인 맞춤형 정밀 의료를 추구하는 의료 시스템의 변화 양상에도 부합한다. 여기에는 고령화로 인한 의료적 필요도 포함된다. 다만, 맞춤 치료는 부작용이 적고 치료 효과가 높지만, 천문학적인 비용이 발생한다는 것이 현재의 한계다. 이를 한 국가의 의료보험 체계에서 어떻게 잘 녹여내느냐도 첨단 바이오산업의 경쟁력을 뒷받침하는 중요한 요소가 될 것으로 보인다.

첨단 바이오 기술 경쟁 현황

30억 쌍에 이르는 사람의 DNA 염기서열 전체를 읽고 해석하는 전장 유전체 분석은 첨단 바이오 기술의 근간이다. 최적의 맞춤형 의료 서비스를 구현하는 정밀 의료에서 개인의 유전체 정보는 가장 핵심적 요소이며, 수준 높은 의료 기술을 구축하기 위한 인프라에 가깝다. 생명 의료 분야에서 가장 가치 있는 빅데이터인 셈이다. 따라서 가능하다면 큰 표본의 전장 유전체 분석이 선행되어야 한다.

미국의 경우 이미 2015년부터 '오바마 케어'의 핵심으로 100만 명의 유전체 프로젝트를 시작했고, 영국도 그 규모를 10만 명에서 500만 명으로 늘렸다. 우리나라는 1만 명의 유전체 프로젝트를 울산 지자체 수준에서 수행해 그 첫발을 떼었으나 표본의 크기를 보면 아직 갈 길이 멀다.

중국은 유전체 산업계의 텐센트라 불리는 바이오 기업 BGI와 자국의 큰 인구를 등에 업고 대단위 유전체 해독 프로젝트를 진행 중이다. 중국의 바이오 기업들은 미국의 바이오 기업 인수나 투자도 진행해왔는데, 이에 대한 미국의 경고도 잇따르고 있다. 미국은 중국에서 미국인의 데이터까지 수집해간다는 위협을 느끼고, 신장 실크로드 BGI와 베이징 류허 BGI 2개 기업을 미국 상무부의 제재 명단에 올리기도 했다. 중국 당국이 위구르족 탄압에 이용되는 유전자분석을 수행했다는 명분이었지만, 한 꺼풀 벗겨보면 중국 유전자 정보 생산업체의 미국 진출을 막고 중국의 유전자 정보 산업을 제재하기 위한 패권 전쟁의 한 일면으로 해석할 수 있다. 제재 대상인 두 회사는 모두 중국 선전에 본사를 두고 있는 중국의 대표적 바이오 기업 BGI의 자회사다.

한편, 바이오 기술의 패권 경쟁에서 가장 민감한 분야가 유전자 가위다. 이미 세기적인 특허 분쟁이 UC버클리와 MIT-하버드대학교의 브로드연구소 간에 시작되었고, 여기에 한국의 바이오 기업 툴젠이 가세하면서 국가 간 특허전 양상으로 확대되었다. 이 특허 분쟁은 누가 먼저 유전자 가위를 인간에게 적용했는지를 둘러싼 우선권 다툼인데, 미국 특허심판원은 2022년 2월 브로드연구소의 손을 들어주었고 툴젠은 선순위 권리자로 인정받았다. 그러나 특허 항소심이 2023년 상반기에 열릴 예정이어서 여전히 세계적 관심을 끌고 있는 사건이다.

유럽에서는 독일의 밀리포어시그마MilliporeSigma가 권리 확보를 마치면서 국가별 특허권을 놓고 첨예하게 대립하고 있다. 또 유전자 가위 시스템인 크리스퍼-카스9CRISPR-Cas9 외에 다양한 유전자 가위들이 한국과 중국을 중심으로 개발되면서 매우 복잡한 시나리오가 펼쳐지고 있다. 2020년 기준 크리스퍼 유전자 가위의 국제 출원 기관을 보면 미국의 연구 기관을 제치고 중국의 연구 기관이 1위부터 3위까지를 모두 차지했다.

유전자 가위 기술에 대한 특허전이 이토록 치열한 이유는 해당 기술이 갖는 플랫폼 기술로서의 파급력과 향후 기대되는 성장성 때문이다. 또 유전자 가위 기술은 유전자 치료제의 핵심 기술이기도 하고, 생식세포 교정을 통해 인간 강화로 확대될 수 있는 기술이기 때문이다. 실제로 2018년 중국 남방과학기술대학교 허젠쿠이 박사가 에이즈에 걸리지 않도록 유전자를 교정한 아기를 출생시킴으로써 생명 윤리 논란에 불을 붙이며 전 세계에 충격을 안긴 바 있다.

지금은 대다수 국가에서 윤리적인 잣대로 해당 기술의 배아 교정을 금지하지만, 윤리는 사회적 합의의 산물이며 팬데믹이나 특정 미충족 의료의 해결 요구가 커질 때 윤리에 대한 도전이 거세질 수도 있다. 이러한 가능성을 염두에 두고 미국, 영국, 일본 등은 착상 전까지의 배아 교정 연구를 허가하고 있다. 이는 현재는 금지하고 있더라도 미래의 다양한 가능성을 고려해 기초 기술 개발을 선점한다는 관점에서 주목해야 한다. 또 유전자조작 기술이 다양한 생화학적 테러 무기를 만들어내고, 이에 적응할 수 있도록 강화된 병력의 개발로 이어지는 식의 이야기가 그저 영화 속 상상으로만 그치지 않을 수도 있다.

유전자 가위가 기술 패권의 핵심이 될 수 있는 또 다른 이유는 식량의 무기화와 관련이 있다. 기후변화, 산업화로 인한 경작지 축소, 세계 인구 증가와 더불어 전쟁 이슈까지 더해지면서 식량의 무기화 및 식량안보의 위협이 증대했다. 특히 기후변화로 인한 다양한 병해충의 창궐, 해수면 상승으로 인한 경작지의 고염도화, 고온 및 가뭄을 포함한 다양한 환경 스트레스가 늘어나면서 이에 대해 저항성을 갖는 다양한 품종의 개발이 시급한 상황이다. 그러나 기후변화의 속도를 볼 때 기존의 전통적 육종 방식만으로는 한계가 있는 것도 사실이다. 그런 점에서 유전자 가위나 합성생물학 같은 첨단 바이오 기술의 활용이 점점 중요해지고 있다.

또 최근 코로나19 사태로 인해 지역 간 곡물의 이동에 차질이 생기면서 국가 간 식량 자립도 격차가 더욱 벌어졌으며, 일부 국가에는 식량 주권이 큰 리스크로 작용하게 되었다. 이런 배경 속에서 유전자 가위를 활용한 농작물 교정이나 식품 개발도 이어지고 있는데, 최근의 사례로는 2021년 일본에서 시판에 들어간 GABA 토마토가 있다. 토마토에 들어 있는 아미노산의 일종인 GABA 함량을 높인 것으로, 이 성분은 혈압을 낮추는 효과가 있는 것으로 알려졌다. 유전자 교정 방식의 도입이 이렇게 다양한 소비자의 욕구를 충족시키는 방향으로 발전하면서 미국, 영국, 일본 등은 유전자 가위 식물을 GMO 규제에서 제외하거나 제외를 검토하며 해당 기술의 시장 선점과 상업화에 발 빠르게 대처하고 있다.

이처럼 첨단 바이오 기술을 둘러싼 국가 간 경쟁은 인간에게 가장 기본적인 일차적 욕구의 충족과 관련이 있으며, 이는 다른 모든 경쟁 분야의 기초이자 필요조건이기도 하다. 즉, 인류의 생명과 건강, 그리고 식량안보를 통제할 수 있는 기술을 손에 쥠으로써 경제적·문화적·군사적 요소의 통제까지 가능한 것이다. 실례로 코로나19 팬데믹 초기, 백신을 조기에 개발한 중국은 자국의 백신을 무기로 백신 정치를 했으며 동남아를 상대로 중국의 영향력 확대와 거버넌스의 강화를 꾀하기도 했다.

첨단 바이오 패권 경쟁 대응 전략

지금의 현실은 기존의 이념적 냉전 체제에서 기술을 둘러싼 패권 경쟁과 기술 진영화로 인한 신냉전 체제로 바뀌어가고 있다. 첨단 바이오 기술은 인류의 생명과 건강, 그리고 식량 이슈와 연결되어 가장 일차적인 필요를 충족시킨다는 점에서 패권 경쟁의 가장 핵심적인 분야 중 하나라고 할 수 있다. 첨단 바이오산업은 전 세계적으로 태동기에서 벗어나 성장기로 가는 시기에 있다. 이러한 상황에서 우리나라가 K-바이오의 위상을 한층 드높이며 패권 경쟁에서 수위 국가의 반열에 오르기 위해서는 대학-기업-정부에 이르는 유기적 협력과 제도의 개선, 투자 확대, 인력 양성 등 전방위적 노력이 보태져야 한다. 한국과학기술기획평가원의 2020년 보고서에 따르면, 한국 첨단 바이오산업의 수준은 최고 기술국 대비 77% 정도로 평가된다. 우리나라가 첨단 바이오 분야에서도 반도체나 이차전지와 같이 국가 경쟁력을 확보하기 위한 노력이 절실한 상황이다.

첨단 바이오 생태계 조성

첨단 바이오산업에서 생태계의 중요성은 두말할 나위가 없다. 우선 개발 측면에서 첨단 바이오 제품의 연구부터 상업화까지 꽤 오랜 시간이 걸린다는 점을 고려하면 기초연구, 중개 연구, 임상 연구 그리고 상업화에 이르는 전 과정을 한 연구 기관이나 기업이 도맡아 하기는 어렵다. 각 섹터의 개발자들이 역할을 분담하고 연계하는 시스템화한 생태계 조성이 필요한 이유다.

이를 위해서는 오픈 이노베이션 체계의 선진화가 이루어져야 한다. 또 개발 과정에서 병목 지점인 임상 시험을 수행하기 위한 제도적·재정적 지원이 매우 중요하다. 미국 보스턴의 바이오 스타트업 지원 기관 랩센트럴LAbCentral은 가장 혁신적인 모범 생태계로 꼽힌다. 이곳에서는 스타트업의 성장과 이를 견인하는 글로벌 제약사와의 연대, 하버드·MIT 등 주요 대학교의 우수한 인력, 그리고 토양의 영양 공급 역할을 하는 벤처캐피탈의 대규모 투자와 같은 유기적 사슬 체계가 형성되어 있다. 국내에서도 보스턴의 랩센트럴을 벤치마킹한 K-바이오 랩센트럴을 송도에 마련했다. 그러나 국내 첨단 바이오 인력이 매우 부족하고 투자 규모도 선진국들과 비교해 제한적인 점을 고려하면 더 많은 바이오 단지의 결집과 클러스터의 확대가 필요하다.

과학적인 규제 시스템 설계

첨단 바이오 제품이 상업화하기 위해서는 무엇보다 규제라는 허들을 통과해야 한다. 특히 유전자 치료제나 세포 치료제, 조직공학 등의 제품은 그 누구도 안전성이나 효과를 쉽게 평가할 수 없기에 고도화한 규제 시스템이 필요하다. 예를 들어, 유전자 가위를 활용한 유전자 치료제에 대한 평가는 결코 간단한 작업이 아니다. 미국에서는 2022년 3월 가이드라인 초안을 발표했지만 국내에는 여전히 명확한 가이드라인이 나오지 않았다. 그 결과, 기술적 성숙도나 자본력의 유무를 떠나 규제에 막혀서 발 빠른 상업화가 어려운 상황도 나타나고 있다.

유전자 치료제의 범위를 정하는 생명윤리법 47조도 오랫동안 비과학적 규제로 인식되어왔다. 유전자 가위를 활용한 식물의 경우 미국이나 일본에서는 'non-GMO'로 규정해 상업화를 촉진하고 있지만, 우리는 아직 GMO의 규제 틀 안에 있다. 이러한 상황에서 해법을 찾지 못한다면, 첨단 바이오 기술의 개발은 뒤처질 것이고, 평가나 규제의 선진화도 꾀하기 어렵다. 따라서 규제의 과학화와 선진화를 통해 안전성에 대한 평가는 체계적으로 하되, 기술의 상업화도 늦추지 않는 지혜가 필요하다.

정부 주도의 투자 확대

최근 계속되는 경기 침체 국면은 바이오 투자 측면에도 부정적 영향을 끼치고 있다. 특히 국내에서 사실상 유일한 출구 전략인 기술 특례 상장의 문턱이 높아지면서 첨단 바이오 투자가 급랭하고 있다. 이러한 시기가 계속 이어진다면 국내 첨단 바이오산업은 머지않아 경쟁에서 도태될 가능성이 크다. 민간 분야의 투자가 주춤한 상황에서는 국가의 지원과 투자가 중요한 버팀목이 될 수 있다. 모태 펀드를 통한 기업 투자, 주요 분야에서의 대단위 국가 연구 사업, 인력 양성 사업, 그리고 현재 취약한 임상시험수탁기관CRO과 위탁생산기관CMO에 대한 투자 확대가 이뤄져야 한다. 또한 수탁 기업의 육성은 바이오 벤처들의 해외 의존도를 낮추면서 신약 개발의 속도나 경제성을 높이고 핵심 기술의 국산화로도 이어지게 한다는 점에서 정책적 지원이 더 요구되는 부분이다.

국가 차원의 전략과 대응

첨단 바이오를 둘러싼 패권 경쟁의 가장 큰 특징은 곧바로 국가 간 패권 경쟁으로 이어진다는 점이다. 첨단 바이오는 신기술에 근거하므로 새로운 첨단 바이오 치료제들은 국가의 규제 안에서 허가를 받아야만 하고, 전통적인 제약 산업과 달리 국가 정책이나 지원에 따라서도 국가 간 격차가 커질 수 있다. 또 앞서 살펴본 중국 바이오 기업 BGI의 미국 진출 제재 사례에서 보듯이 첨단 바이오 분야에서는 국가 단위에서 다른 국가의 대기업을 대상으로 하는 규제의 형태가 두드러질 가능성이 크다. 이는 곧 글로벌 제약사를 앞세운 국가 간 패권 경쟁을 의미한다.

현재 두드러진 미중 패권 경쟁의 또 다른 이슈는 미국과 중국이 다수의 국가를 상대로 연대와 협력을 통해 경제 블록화에 이은 기술 블록화를 형성해가고 있다는 점이다. 미국과 중국 외의 국가들도 미중 간 경쟁의 심화로 빚어지는 제약을 극복하기 위해 혁신을 거듭하면서 연대의 수위를 한층 높여갈 것으로 전망된다. 따라서 이러한 흐름을 토대로 국가 차원의 전략적 지원을 확대하고 기술력과 함께 실리적 외교 다변화를 꾀하는 등의 다층적 정책이 뒷받침되어야 할 것이다.

변하지 않는 전략 자산,
소재·부품·장비 기술

인류 역사는 흔히 석기시대, 토기시대, 청동기시대, 철기시대와 같이 소재 기술로 구분된다. 그런 만큼 소재 기술의 변화 및 발달 과정은 그 자체가 역사의 흐름이라고 할 수 있다. 또한 시대를 불문하고 우월한 소재 기술을 가진 국가나 문화권이 세상을 지배해왔으며, 지금도 마찬가지다. 2019년 7월 1일 일본의 수출규제 조치 이후 소재·부품·장비를 줄여서 부르는 '소부장'이라는 용어가 일반인에게조차 친숙해졌고, 더불어 소부장이 우리 경제에 큰 영향을 미친다는 사실도 널리 알려졌다. 특히 코로나19 팬데믹으로 중국의 생산 시설이 폐쇄되면서 소부장 제품의 글로벌 공급망GVC, global value chain이 붕괴했고, 이로 인해 세계 곳곳에서 연쇄적으로 생산 차질이 빚어지기도 했다.

GVC는 이제 조금씩 안정을 되찾고 있으나 그 여파는 여전하다. 기술 패권을 둘러싼 경쟁으로 기술 보호를 강화하면서 GVC의 안정성에 대한 세계 각국의 인식도 달라졌다. 또 기후변화에 대응하는 지역화가 가속화함에 따라 GVC의 형태가 지금과는 크게 달라질 전망이며, 그 중심에 있는 소부장 공급망 역시 큰 변화를 겪을 것으로 보인다.

강대국들은 대개가 소부장 강국이다. 그렇다고 소부장 제품을 생산하는 나라 모두가 강국은 아니다. 국가 경쟁력의 핵심인 결정적 소부장 기술*을 갖고 있는지가 문제다. 첨단 소재는 산업적 효과뿐만 아니라 사회·경제적인 측면에도 적잖은 영향을 끼치므로 선진국으로 도약하고자 하는 나라는 물론 현재의 선진국도 우월한 첨단 소재 기술을 확보하기 위해 국가적 노력을 기울이고 있다. 선진 경제에 접어든 우리도 예외일 수 없다. 소부장 기술의 전략적 가치를 짚어보고 경쟁력을 키울 방안을 살펴본다.

소재·부품·장비 간 관계

'소재'는 완제품이나 중간제품을 제조하는 데 사용하는 원료 혹은 그 원료를 만드는 데 필요한 물질을 말한다. '부품'은 기계나 장치를 구성하는 부속품 혹은 부분품이며, 소재를 가공해 만든다. '장비'는 소재를 제

• 결정적 소부장 기술은 GVC상에서 초격차를 가진 핵심 기술, 대외적으로는 전략적 가치를 가진 기술을 말한다. 결정적 소재로는 희유원소 소재나 초고강도 탄소섬유, 결정적 부품으로는 일본 화낙Fanuc의 수치제어 부품(모듈), 결정적 제조 공정으로는 7nm(나노미터) 이하의 반도체 제조 기술, 결정적 (공정)장비로는 네덜란드 ASML이 독점하고 있는 7나노미터 이하 반도체 공정용 극자외선 노광 장비 등을 예로 들 수 있다.

조하거나 다른 소재로 가공할 때 혹은 소재로 부품을 만들 때 사용하는 기계나 장치를 일컫는데, 소부장에서 말하는 장비는 소재나 부품을 제조하거나 물성 또는 성능을 측정하고 평가하는 장비다. 따라서 소재, 부품, 장비는 서로 떼려야 뗄 수 없는 관계에 있다. 특히 품질이 좋은 소재를 제조하기 위해서는 우수한 장비가 필요하며, 정밀한 부품을 값싸게 제조하기 위해서도 성능 좋은 장비가 필요하다. 첨단 소재나 부품을 개발하는 과정에서도 새로운 공정 장비가 필요한 경우가 많으므로 장비 개발이 동반되어야 한다.*

금속, 세라믹, 플라스틱 등 기반을 이루는 소재 외에도 이를 조합한 복합 소재 등 무수히 많은 종류의 소재가 있어왔고, 다양한 소재만큼이나 많은 장비가 개발되었다. 현대의 첨단 산업을 대표하는 반도체 산업은 1980년대에는 대략 17개 원소(소재)를 활용했는데 지금은 62개 이상의 원소를 활용하고 있다. 자연계에 존재하는 전체 원소 수가 92개임을 생각하면 이렇게 많은 원소를 활용하기까지 얼마나 많은 소재와 장비를 개발했을지 짐작해볼 수 있다.

실리콘 웨이퍼로부터 첨단 반도체 칩을 완성하는 대략 3개월 동안 1,000개 이상의 공정을 거치는데 여기에는 70여 개 국가, 1만 6,000여 개 기업이 공급한 소재와 장비가 사용된다. 반도체 기술은 설계 기술과 함께 소재 기술, 장비 기술을 결합한 결정체이며 상상을 초월하는 수준의 공정 기술이 투입된다. 자동차는 2만 개 이상, 스마트폰은 1,600개 이상의 부품으로 연결된 공급 사슬을 통해 만들어진다. 첨단 소재를 생

• 부품/장비 기술은 넓은 의미의 소재 기술에 포함된다고 볼 수 있으므로 소재 기술로 통칭하는 경우가 많으며 조금 더 자세하게는 재료·공정으로 구분해 말하기도 한다.

산하는 정밀 화학 분야에서 다루는 물질만 해도 10만 가지가 넘는다. 이처럼 소재, 부품, 장비를 공급하는 기업들은 그물망처럼 촘촘하게 세계를 연결하고 있다.

소부장의 전략적 중요성

일본의 수출규제 조치 이전과 이후를 구분할 수 있을 만큼 이 시기를 기점으로 소부장에 대한 정부 정책이나 산업계의 관심이 확연히 달라졌다. 그러나 지속적 관심과 추진 동력을 얻기 위해서는 소부장이 가진 전략적 가치를 조금 더 깊이 이해하고 공감대를 넓힐 필요가 있다.

국가 경쟁력의 원천

제조업은 국가 경쟁력을 만들어내는 원천이다. 강한 제조업은 상대적으로 우월한 생산수단(능력)을 보유하고 있어야만 가능하다. 생산수단의 핵심은 장비(기계) 기술이며, 우수한 성능을 가진 소재로 만든 정밀한 부품이 있어야 우수한 장비를 만들 수 있다. 우수한 소재 기술에 바탕을 두지 않은 우수한 장비 기술은 생각하기 어렵고 우수한 장비 기술 없이 우수한 소재, 부품을 생산하기 어렵다. 정보통신, 에너지, 바이오 분야의 기술혁신에서 첨단 소재의 기여분이 전체의 반을 넘어선 시점은 각각 1990년, 1997년, 2015년이었다.[18] 최근에는 바이오 분야에서도 첨단 소재기술 없는 혁신을 더는 상상하기 어렵게 되었다.

독점성·영속성

소부장 기술은 긴 세월 대규모로 투자하는 기술 축적의 과정이 필요하다. 하지만 일단 개발에 성공해 우월한 위치를 확보하면 시장을 장기간 독점 지배할 수 있다. 제1·2차 세계대전과 같은 세계적 격변을 거치며 신기술을 사업화할 기회를 포착하고 기술과 자본을 축적했던 글로벌 소재·장비 기업이 여전히 시장을 지배하는 것을 보면 이를 알 수 있다. 시장을 선점해 부를 축적한 국가나 기업은 기술과 자본력을 바탕으로 다시 새로운 기술을 개발해 지배력을 유지해가고 있다. 우월한 기술 경쟁력을 가지려면 오랫동안 크게 투자해야 한다. 미래 시장을 예측하고 장기간에 걸쳐 선제적으로 투자하는 것이 중요하다는 뜻이다.

새로운 기회

대형 자연재해나 감염병 확산, 지역적 불안으로 글로벌 공급망이 훼손되는 사례가 잦아지면서 GVC의 재편이 이뤄지고 있다. 특히 세계 각국이 탄소 배출을 낮추고 환경을 보존하는 데 필요한 노력을 본격화하면서 친환경 소재나 친환경 제조업에 관한 관심이 높아졌다. 시장에서 기술이나 제품을 판단하는 기준이 단순한 비용 대비 편익(가성비) 위주에서 벗어나 친환경 여부 또는 저탄소 인증 여부 같은 요인을 중요시하고 공급망을 다변화함에 따라 그동안 시장에 진입하기 어려웠던 소부장 기업에 새로운 기회가 열리고 있다.

소재 안보

일본의 수출규제 조치나 코로나19 팬데믹이 불러온 공급망 붕괴, 가열되는 기술 패권 경쟁을 경험하면서 소부장 영역이 곧 '국가 안보'라는 인식이 굳어지고 있다. 가속화하는 경제 블록화의 중심에 반도체 기술을 포함한 소부장이 자리하고 있다. 공급망을 안정적으로 관리하기 위해 주요 생산 기업을 자국 내에 두려는 '지역화'가 진행 중이고 첨단 소재, 첨단 제품, 첨단 장비를 전략 자산으로 활용하는 사례가 늘고 있다.

소부장의 혁신

소부장의 경쟁력을 단기간에 올릴 수 있는 지름길은 없지만, 어려운 길이라고 포기할 수도 없다. 선진국의 발 빠른 움직임을 넘어서는 고도의 소부장 전략이 필요하며, 그런 전략을 만들기 위해서는 소부장을 둘러싼 기술 산업과 사회·경제 환경의 변화와 동향을 정확하게 읽어야 한다. 그래야 새로운 패러다임에 맞는 전략을 수립할 수 있다.

소부장이 불러온 혁신

2000년대 초반은 첨단 소부장 기술을 바탕으로 혁신 제품이 쏟아져 나온 소부장 전성기였다. 무기 반도체 소재와 정밀 공정에 기반을 둔 LED(발광다이오드) 조명은 100년 이상 사용해온 필라멘트 전구와 브라운관 TV 시대의 막을 내리게 했으며, 유기 반도체 소재를 활용한 OLED(유기 발광다이오드) 기술은 디스플레이 기술을 무기물 영역에서 유기물 영역으로 확장했다. 코로나19 팬데믹을 극복하는 데 큰 역할을 한 mRNA 백신은 나노 공정을 활용해 변형 mRNA를 안정화함으로써 가능했으며 백신 개발의 새 장을 열었다. 스마트폰이 여러 가지 센서, 방수 기능, 접이형 기능, 고성능 카메라 수준의 렌즈를 탑재하면서 고속으로 진화할 수 있었던 것도 모두 소부장 기술 덕분이었다.

제품 혁신과 공정 혁신의 동조화

1970년대까지만 해도 소재의 신기능을 제품화하는 '제품 혁신' 이후에 상당한 시차를 두고 제조 공정을 개선해 원가를 절감하고 성능을 높이는 '공정 혁신'이 일어났다. 공정 혁신의 효과는 제품 혁신보다 덜했다. 그러나 1990년대부터 제품 혁신과 공정 혁신 사이의 시차가 좁혀졌으며 제품 혁신보다 공정 혁신의 효과가 더 커졌다. 2000년대에는 제품 혁신과 공정 혁신이 거의 시차 없이 동시에 진행되어 따로 구별할 수 없는 양상으로 변했으며, 소재 개발과 함께 공정(장비) 개발이 이뤄져야만 혁신의 효과를 볼 수 있게 되었다.*

소재 개발 패러다임 전환

얼마 전까지는 신소재를 먼저 개발한 다음 이 소재를 활용할 제품의 고객 수요를 확인하는 마케팅을 거쳐 신제품을 개발하는 것이 일반적이었다. 그러나 지금은 신제품을 먼저 설계하고 시장을 조사한 다음 그 신제품에 맞는 기능이나 성능을 충족하는 소재를 개발하는 방식이 자리잡고 있다.** 개발된 소재를 신제품으로 만드는 것에서 신제품을 먼저 설

• 제품 혁신(소재 개발)과 공정 혁신(장비 개발)이 동조되는 현상을 고려하면 '소부장'은 정책적 의미를 넘어 소부장 영역의 혁신 동향을 반영한 용어로 타당성을 지닌다.
•• Deloitte, 〈Reigniting growth-Advanced Materials Systems, Global Manufacturing Industry group〉 2012.11; World Economic Forum, 〈Advanced Materials Systems-Chemistry and advanced materials〉, 2016.3

계하고 거기에 필요한 '맞춤 소재designer material'를 개발하는 방향으로 패러다임이 전환한 것이다. 이런 전환이 가능해진 것은 산업에 바로 활용할 수 있는 수준에 근접한 후보 소재군이 이미 많이 존재하고, 축적된 소재 정보 빅데이터와 계산재료과학, AI를 융합해 용도에 맞는 소재를 짧은 기간 내에 개발할 수 있는 환경이 구축되었기 때문이다.

가치사슬 단순화

소재·공정 기술의 발달로 특수 소재가 범용 소재로 일반화하는 데 걸리는 기간이 짧아짐에 따라 소재 기업의 사업 모델이 달라지고 있다. 예를 들어, 소재를 가공하거나 부품을 제조하는 기업에 원소재를 공급해오던 기업이 2000년대 들어서는 최종 수요 기업에 맞춤 소재 솔루션을 제공하는 방향으로 전환하고 있다. 이렇게 원소재를 가공해 부가가치를 높이는 중간 영역이 좁아지면 가치사슬이 단순화된다. 특히 공급망 붕괴를 방지하기 위해 공급망의 대부분 혹은 중요부분을 자국에 두는 지역화 추세와 맞물려 가치사슬이 점점 짧아지고 있다.

한편 첨단 소재를 대규모로 사용하는 전기 자동차 제조사나 정보통신 기업 같은 글로벌 대기업이 원가 비중을 줄이거나 친환경 기업 이미지를 강화하기 위해 직접 소부장 산업에 뛰어드는 경우도 늘고 있다. 애플은 자사 제품에 재활용 알루미늄 사용을 의무화했을 뿐만 아니라 2024년에는 탄소 무배출 알루미늄을 생산하는 회사가 될 전망이다.

가열되는 기술 개발 경쟁

첨단 제품의 수명 주기가 극도로 짧아짐에 따라 선진국을 중심으로 10~20년 걸리는 신소재 개발 기간을 4~6년으로 단축하려는 노력이 이뤄지고 있다. 즉 계산재료과학, 소재 정보, 소재 지식 네트워크, 첨단 연구개발 인프라 등을 망라해 첨단 소재 개발의 성공률을 높이고 개발 기간을 단축해 비용을 축소하려는 국가 차원의 전략 프로그램들이 진행되고 있다. 미국의 MGI(소재 게놈 프로젝트), 유럽연합의 EuMaT(첨단 재료 공학 기술 유럽 플랫폼), 독일의 하이테크 전략, 중국의 중국제조 2025, 일본의 제5차 과학기술기본계획 등이 대표적인 예다.

우리의 소부장 현황

우리나라는 1980년대 후반 이후 첨단 제품 수출이 급증하면서 일본으로부터의 첨단 소재 수입이 동시에 늘었고, 이로 인해 확대된 대일본 무역 적자를 줄이려는 노력을 계속해왔다. 첨단 소재의 수입 대체 정책은 신소재 개발 사업의 형태로 이어져오다가 2000년대 들어 본격적으로 추진하기 시작했다. 2001년 5년 주기의 '부품소재발전계획(1차)'을 수립했다. 2013년에는 '소재부품발전계획(3차)'으로 명칭을 변경했으며 4차 계획 기간 중인 2019년 '소재부품장비산업 특별조치법'으로 전면 개편해 소부장 산업 육성을 제도적으로 뒷받침해왔다. 최근에는 일본의 수출규제 조치 이후 공급망 안정에 필요한 100대 품목 기술 개발에 착수했고 차세대 원천 기술 개발, 인프라 구축, 제도 개선 등을 포함한 소부장 2.0을 추진하고 있다.[19]

소부장 산업은 2020년 기준 사업체 수 2만 5,000개, 종업원 수 132만 명, 생산액 707조 원, 그리고 무역 흑자 947억 달러를 기록했다. 또 소부장 산업은 우리나라 전체 제조업에서 사업체 수 37%, 종업원 수

44.6%, 생산액 44.9%로 거의 절대적인 비중을 차지하고 있다. 그런데 소부장 기업의 약 80%인 종업원 수 10명 이상 50명 미만의 중소기업은 전체 생산액의 17%가량을 차지하는 반면, 18%인 중견기업이 28%, 2%인 대기업이 55%의 생산액을 차지한다. 이는 소부장 산업이 중견기업과 대기업에 주로 의존하며 중소기업의 역량이 매우 취약하다는 점을 시사한다.

2011~2020년 소재 수출은 900억 달러 수준에 머물러 있다. 부품 수출은 2011년 1,600억 달러에서 2018년 2,200억 달러로 정점에 도달한 이후 2020년 1,750억 달러로 감소했다. 같은 기간 소재 수입은 700억 달러에서 600억 달러로 감소했으며 부품 수입은 970억 달러에서 1,100억 달러로 오히려 증가했다. 무역 흑자의 경우 소재 부문에서 200억 달러에서 300억 달러로 폭이 커졌으며, 부품 부문에서는 660억 달러에서 2018년 1,100억 달러를 기록한 후 2020년 650억 달러로 줄어들고 있다.[20] 유일한 무역 적자를 보고 있는 일본에서 적자 폭이 점차 줄어들고 있지만 적자 규모는 여전히 크고 첨단 소재의 수입 규모 자체가 줄지 않고 있다.

논문과 특허의 활동력 및 기술력을 기준으로 평가한 우리나라의 소재 분야 기술 개발 역량은 2020년 미국(1위)의 80.8% 수준이며 기술 격차는 2.5년으로 나타났다. 최상위 1% 논문 수 및 점유율을 기준으로 평가한 우리나라 재료공학 수준(KISTI)은 2000~2002년 8위(1위 미국), 2010~2012년 5위(1위 미국), 2017~2019년 7위(1위 중국)로 나타났다.

경쟁력 강화 방안

이제 소부장에 대한 높은 관심을 소재 강국으로 성장하기 위한 도약대로 삼는 지혜가 필요하다. 2008년 세계 금융 위기 이후 최근의 러시아-우크라이나 전쟁까지의 상황을 종합해보면 제조업 경쟁력이 곧 국가 경쟁력임을 실감할 수 있다. 우리 경제에서 제조업 비중이 큰 게 문제로 지적되기도 하지만 이로써 글로벌 경쟁력을 강화할 수 있다면 오히려 장점이자 서비스 산업의 경쟁력을 높이는 기반이 될 수도 있다. 우리나라 제조업은 2013~2016년 세계 5위까지 상승했지만, 인도·멕시코·타이완·브라질·싱가포르·폴란드 등이 우리의 위치를 넘보고 있다. 우리의 제조업 경쟁력을 높일 소부장 기술의 개발이 절실한 부분이다.

특히 소부장의 경쟁력을 강화하는 정책의 초점은 '속도'와 '질'을 동시에 잡는 것에 두어야 한다. 여기에서 속도는 급변하는 GVC에 대응할 민첩성 agility과 회복 능력 resilience을 말하며, 질은 GVC가 재편 또는 새로 구축될 때 핵심 위치를 차지할 수 있는 수월성 excellence(뛰어난 부분을 더욱 강화하는 것)을 말한다.

디지털화 및 인프라 강화

소부장 영역에서도 장차 디지털 수단으로 활용하기 위한 디지털화가 진행 중이지만 빠른 속도를 내지 못하고 있다. 그 이유는 소부장 기술 대부분이 암묵적으로 아는 암묵지의 성격이 강하기 때문이다. 하지만 그런 기술일수록 숨은 경쟁력의 원천이 될 수 있다. 디지털화하지 않은 정보는 쉽게 사라질 수 있고 공유하기도 어렵다. 기술 관리 차원에서, 그리고 기술 축적을 체계화하기 위해서라도 소부장 기술의 디지털화는 반드시 이루어져야 한다. 그렇게 디지털화한 정보는 빅데이터, 인공지능, 계산재료과학 등 디지털 기술을 융합할 수 있는 기반으로도 구축되어야 한다.

또한 소부장 기술은 그 실용성을 확인하는 과정에서도 그렇지만 개발 이후에도 지속적으로 개선·변형되는 과정을 거치므로 유망한 기술을 빠르게 검증하고 사업화할 수 있는 측정·분석·평가 인프라를 고도화하고, 그에 따르는 운영 인력을 정예화해야 한다. 특화된 전문 공정 시설을 구축해 3D 프린팅 전용 소재, 새로운 복합 소재, 신기능 코팅 소재 등을 적은 비용으로 시험 적용할 수 있게 함으로써 연구자나 기업이 비용에 대한 걱정 없이 다양한 시도를 해볼 수 있도록 해야 한다.

기술 개발 포트폴리오 다양화

수월성 있는 소부장 기술은 대부분 기초연구에 뿌리를 두고 있다. 기초연구에서 활용 가능한 성과가 나왔을 때 소부장 영역으로 연결할 수 있는 통로를 마련해야 한다. 즉, 유망한 성과를 신속하게 성숙시키고 사업화로 연결하는 파이프라인 혹은 패스트 트랙을 구축해야 한다. 처음 개발자뿐만 아니라 기술을 성숙시키거나 사업화에 기여한 개발자에게도 합당한 보상을 제공해 지식 생태계, 즉 과학(연구자)과 공학(개발자) 간 협업 체계가 작동하게끔 해야 한다.

소부장 기술 개발에서는 사업 기획이나 과제 선정 시 경제적 효과 외에 기술의 수월성, 가치사슬상의 위치, 기술의 확장성, 대체 혹은 경쟁 기술의 동향 등도 함께 평가해야 한다. 또한 시장이 요구하는 제품을 먼저 확인하고 필요한 소재를 개발하는 문제 해결 중심의 소재 개발 패러다임을 정착시켜야 하며, 공정 및 공정 장비를 포함한 소재 솔루션 개발을 지원해 성공률을 높이고 개발 기간을 단축해야 한다. 특히 소재 관련 연구 기관이나 연구 그룹이 기술을 지속적으로 축적해 산업계에 소재 솔루션을 제공하는 플랫폼으로 성장할 수 있도록 지원해야 한다.

또 탄소 배출 저감, 환경친화 강화, 지속 가능한 성장 목표 실행 등 글로벌 동향에 대응해 그린 소재, 탄소 자원화 촉매 소재 등의 전략 소재 개발에 집중해야 한다. 그와 함께 새로운 원가 체계나 거래 규정 등 국제 관계에 영향을 미칠 소부장 영역의 국제 표준이나 규제 동향을 적극적으로 모니터하고 대응해야 한다.

기업 및 투자 지원

소부장 기업을 지원할 때는 개별 제품 개발에 주목하기보다 특화된 소부장 영역의 역량을 강화하는 데 초점을 맞추어 강소기업, 플랫폼 기업, 히든 챔피언으로 성장하도록 유도해야 한다. 즉, 특정 제품 개발보다는 기업의 민첩성, 회복 능력, 기술 역량을 키워 GVC에 변화가 생겼을 때 대응력을 높이고 GVC 내 핵심 기업으로 자리 잡을 수 있도록 지원해야 한다. 또한 핵심 기술을 가진 기업이 대외 전략에서 지렛대 역할을 할 수 있도록 집중적으로 지원해야 한다. 특히 전체 소부장 기업 중 대다수를 차지하는 중소기업의 역량을 높여 소부장 영역의 기술혁신 기반을 강화해야 한다.

최근 벤처캐피털의 투자 추세 중 눈에 띄는 것은 이른바 '딥테크deep tech*'에 대한 투자의 확대다. 소재 기술은 대표적인 전통 기술 분야임에

• 딥테크는 기술 리스크와 시장 리스크가 모두 큰 기술을 말한다. 이를테면 최신 과학 발견(기술)에 기반을 둔 것으로 공학적인 해결 과정을 거쳐서 에너지 문제, 전염병 문제,

도 딥테크로 분류된다. 그만큼 소재 기술이 기초연구와 밀접한 관련이 있으며 글로벌 이슈를 해결하는 데 꼭 필요한 영역이기 때문이라고 할 수 있다. 소재 분야의 창업이 쉽지 않은 점을 고려해서 첨단 소재 스타트업 전용 펀드를 조성해 창업을 촉진하고 창업 기업이 계속 성장할 수 있도록 공공 부문 및 전후방 기업과 투자자가 참여하는 생태계를 조성해야 한다.

식량 문제와 같은 글로벌 이슈 해결에 필요한 돌파 기술이 될 수 있는 것을 일컫는다. 딥테크는 과학자, 공학자, 투자자, 정부 간의 공감과 협업이 필요하다. 최근 딥테크 영역에만 투자하는 전문 벤처캐피털이 생겨나고 있다.

초거대 인공지능을 구현할
AI 반도체 기술

2022년 여름 서울 대학로의 한 극장에서 이색적인 공연이 펼쳐졌다. 바로 인공지능AI '시아SIA'가 쓴 20여 편의 시로 구성된 시극詩劇 〈파포스〉였다. 시아는 인터넷 백과사전과 뉴스 등으로 한국어를 익혔고 1만 2,000여 편의 근현대시도 학습했는데, 글감을 입력하면 30초 만에 시한 편을 뚝딱 완성해낼 수 있는 것으로 알려졌다.[21] 인간의 창작 능력을 무색하게 하는 문학 천재 AI다.

AI 바둑 프로그램 알파고AlphaGo가 이세돌 9단을 꺾으며 그 위력을 대중적으로 각인시킨 이래 일상에서 접하는 AI의 능력이 나날이 새로워지고 있다. 2012년 인공 신경망 네트워크 알고리즘인 '알렉스넷Alex-Net'에 의해 딥러닝deep learning의 효용성이 검증된 이래 AI는 우리가 살아가는 디지털 사회와 모든 산업을 관통하며 어디에나 적용되는 만능의 기술로 진화 중이다. 최근에는 인간의 단순한 오감 또는 기능을 대체하는 수준을 넘어 인간처럼 스스로 추론하고 창작도 할 수 있는 단계에 들어서고 있다. 인간이 하는 모든 업무가 가능한 일반지능AGI, artificial general intelligence을 갖춘 초거대 인공지능hyperscale AI을 구현하려는 것이다. 인간처럼 종합적이고 자율적인 사고와 학습, 그리고 판단을 할 수 있는 수준의 AI다.

그런데 이를 위해서는 엄청난 양의 데이터 연산과 저장이 가능한 컴퓨팅 인프라가 필요하다. 즉, 거대한 컴퓨팅을 담당할 반도체 시스템이 인공지능과 선순환적 상승작용을 해내야 한다. 팬데믹 이후 가속도가 더 붙은 디지털 연결 사회의 '데이터 폭증data explosion'에 맞서기 위해서도 대용량 컴퓨팅 능력이 계속 요구된다. 하지만 성능 개선이 지체되고 있는 반도체 기술의 물리적 한계가 대용량 연산과 저장이 필요한 초거대 인공지능의 발전에 영향을 끼치는 상황이다. AI의 두뇌 역할을 해낼, 첨단 시스템 반도체인 AI 반도체 기술 개발에 글로벌 반도체 기업들이 사활을 걸고 있는 이유다.

AI, 어디까지 왔을까

사실 인공지능 연구는 오래도록 침체기에 빠져 있었는데, 여기에 다시 활기를 불어넣은 것이 인공 신경망 알고리즘 알렉스넷이다. 딥러닝은 수십 년간 연구해온 분야이지만 그 연산량이 과다해 이 기술을 현실적으로 작동시키는 방법을 누구도 알지 못했다. 그런데 알렉스넷이 2012년 AI의 영상 인식 수준 경연대회인 이미지넷ImageNet에서 기존의 컴퓨터 연산 방식과는 다른, 뇌의 작동 원리를 본떠 만든 심층 신경망deep neural network의 학습 방법을 적용한 알고리즘으로 우승을 차지하면서 지금의 딥러닝 기반 AI 연구에 불을 지폈다. 알렉스넷의 연구자들은 GPU graphic processing unit 반도체를 도입해 인공 신경망ANN, artificial neural network을 빠르게 구동할 수 있었고, 이를 활용해 딥러닝이 실제로 작동한다는 것을 밝혀냈다.

AI는 컴퓨터가 고도화한다면 인간의 능력과 구분하기 어려운 수준의 지능을 가질 수 있다는 개념에서 출발했다. 하지만 수십 년간 인공지능은 그다지 눈에 띄는 성과를 보여주지 못했다. AI가 본격적으로 디지털 기술의 중심축이 된 것은 이처럼 딥러닝이 효율적으로 작동할 수 있다는 사실이 밝혀진 이후다.

현재 가장 주목받는 AI는 여러 개의 '층'을 가진 인공 신경망으로 우리가 딥러닝 네트워크deep learning network라고 부르는 인공지능이다. 2012년 알렉스넷의 성공 이후 지금까지 약 10여 년간 딥러닝은 대부분의 디지털 컴퓨팅과 정보통신 분야에 적용되었고, 인간의 지능을 '흉내' 내는 데 있어 기존의 어떠한 알고리즘이나 방법론보다 우수하다는 것이 수많은 연구와 실증 사례를 통해 증명되었다.

딥러닝의 적용 분야는 영상처리, 컴퓨터 비전, 대화 인식, 화자 인식, 문자 이해, 언어 번역, 예술, 의학 정보처리, 로봇·제어, 바이오 인포매틱스, 사이버 보안, 금융 등 거의 모든 디지털 컴퓨팅 분야를 포함한다. 특히 딥러닝 기반의 초거대 AI 언어 모델인 GPT-3 Generative Pre-trained Transformer-3가 영국 일간지 〈가디언〉에 "나는 사람이 아니다. 나는 인공지능이다"로 시작하는 칼럼을 작성한 사례처럼,[22] 고차원적 사고를 필요로 하는 분야에서도 AI가 능력을 발휘하는 중이다. 지금도 전 세계적으로 매일 수십 종의 딥러닝 인공 신경망을 개발해 다양한 산업 분야에 적용하고 있다.

　물론 우리가 일상생활에서 만날 수 있는 AI는 그 정도로 똑똑하게 느껴지지는 않는다. 우리가 만나는 AI는 인간의 목소리를 듣고 그 내용을 텍스트로 변경해주거나, 자동차 운행 시 안전을 위해 보행자 또는 신호등을 인식하거나, 날씨가 어떠냐고 물어보면 알려주는 수준에 불과하며, 그마저도 가끔 오류를 일으킨다. 정치적 질문이나 사적이고 감정적인 질문에 자연스럽게 자기 의견을 답변하는 AI를 만나기는 쉽지 않다. 하지만 앞으로는 알 수 없다. 인간 뇌의 작동방식을 모방하려는 AI의 진화는 현재진행형이기 때문이다.

인간의 지능을 구현하려는 AI

최근 딥러닝 인공 신경망의 크기는 계속 증가하고 있다. 두뇌의 용량에 비유할 수 있는 인공 신경망의 '크기'는 신경망을 구성하는 파라미터parameter의 개수로 표현한다. 최근의 인공 신경망 크기를 분석한 결과에 의하면 인공 신경망의 파라미터 개수는 매년 10배씩 증가하고 있다. 2년만 지나면 인공 신경망의 크기가 100배로 증가할 거란 얘기다.

　인공 신경망은 여러 개의 층이 두뇌의 피질처럼 구성된 다층 구조이고, 각 층은 다차원의 행렬 구조인 텐서tensor로 이루어져 있다. 텐서와 텐서는 서로 복잡한 네트워크로 연결되는데, 텐서로 특정 연산을 수행한 결과가 다음 레이어 텐서에 입력된다. 학습을 실행하려면 매우 많은 프로세서, GPU 또는 NPU neural processing unit 반도체에서 아주 오랜 시간 동안 수천조 개 이상의 엄청난 연산을 수행해야 한다. 인공 신경망을 학습하는 데 소요되는 연산량의 규모는 2012년 이전에는 매년 2배의 속도로 늘어났지만, 이후부터 매년 10배씩 증가하고 있다. 연산량의 증가는 인공 신경망의 크기 증가로도 이어져 왔다.

그렇다면 인공 신경망의 크기가 계속 증가하는 초거대 인공 신경망을 우리는 왜 개발하는 것일까? 초거대 인공 신경망의 파라미터 개수는 인간의 시냅스 개수인 100조 개를 목표로 증가하고 있는데, 이는 곧 데이터 분석이나 학습 차원을 넘어 인간과 같은 '일반지능'을 구현하기 위해서다.

그런데 초거대 인공지능이 엄청난 양의 데이터를 학습하려면 그 컴퓨팅 역량이 뛰어나다는 것을 전제로 한다. 앞서 소개한 딥러닝 기반 언어 모델 GPT-3의 경우 파라미터의 규모가 1,750억 개에 달한다. GPT-2에 비해서 17배나 더 거대해졌는데, 2023년에는 1조 개의 파라미터를 넘어설 것으로 전망된다. 파라미터 수치는 AI의 성능을 가늠하게 하는 데 인간 뇌의 시냅스와 비슷한 역할을 한다. 그런데 이처럼 방대한 크기의 인공 신경망 학습을 위해서는 최신 GPU라 하더라도 GPU 1개로는 355년이라는 시간이 소요된다. 실제로 GPT-3를 학습하기 위해서 마이크로소프트는 28만 5,000개의 CPU와 1만 개의 최신 GPU로 이뤄진 전 세계 5위의 슈퍼컴퓨터를 구축했다고 알려지기도 했다.

방대한 데이터를 빠르게 처리할 수 있는 GPU가 등장하지 않았다면, 알렉스넷의 심층 신경망 알고리즘은 이론적인 차원을 넘어서지 못했을 수도 있다. 그리고 초거대 인공지능도 지금보다 훨씬 더 높은 컴퓨팅 성능이 뒤따르지 않으면 더 진화하기 어려울지 모른다. 따라서 AI의 비약적 발전을 위해서는 현재의 컴퓨팅 능력을 넘어 대용량 데이터의 학습과 추론을 초고성능·초저전력으로 실행할 수 있게 만드는 차세대 AI 반도체, 엄청난 규모의 데이터를 메모리에서 읽고 연산을 실행한 후 그 결과를 메모리에 다시 쓰는 초고성능의 반도체가 필요하다는 얘기다.

반도체와 AI의 선순환을 일으키다

반도체 성능이 18개월마다 2배로 증가한다는 '무어의 법칙Moore's Law'은 2015년을 기점으로 사실상 종료되었다. 반도체의 성능 향상 속도가 정체 단계에 들어섰다는 뜻이다. 현재의 어떠한 반도체 기술도 한 개의 반도체로는 GPT-3 규모의 인공 신경망 데이터를 100년 안에 학습하기란 불가능하다. 딥러닝 AI가 2012년 알렉스넷으로 탄생할 수 있도록 결정적 역할을 한 것은 앞서 설명한 것처럼 반도체였다. 그러나 10년이 흐르는 동안 인공 신경망이 발전을 거듭하면서 거대한 데이터 연산이 더 요구되고 있는데, 반도체의 성능이 이를 따라가지 못하는 상황이다. AI의 발전을 이끌었던 반도체의 성능 개선이 이제는 정체 단계에 머물면서 AI의 발전에 걸림돌이 된 셈이다.

이처럼 반도체 기술과 AI는 서로 선순환을 일으키는 기술 동반자 관계다. 점점 더 방대해지는 데이터의 학습과 추론을 처리하기 위해서는 CPU나 GPU 반도체로는 한계가 있다. 하나의 반도체 칩 안에서 데이터 저장과 연산을 동시에 효율적으로, 또 초고속으로 실행하는 지능형 AI 반도체가 필요한 것이다. 이는 AI의 딥러닝을 위한 두뇌 역할인데, 딥러닝에 특화되었다는 의미에서 신경망 처리장치, 즉 NPU라고 부르기도 한다. 또 GPU 반도체는 전력 소모량이 매우 크기 때문에 탄소 배출의 주범으로 지목되기도 했다. 이에 따라 AI 반도체는 전력 소모량을 낮추는 저전력 반도체 기술도 추구하고 있다.

AI 반도체 기술이 초거대 인공지능의 역량을 결정할 것이지만, 이러한 기술 발전이 AI 분야에서만 성능 개선 효과를 얻는 것은 아니다. 반도체 산업 역시 활용 폭이 커지면서 전체 산업 영역의 확장이라는 새로운 기회를 맞이할 것이다. 현재의 반도체 한계를 뛰어넘을 수 있는 새로운 반도체 기술의 개발이 더 절실한 이유이며, 이러한 선순환 관계는 계속 이어져야 한다.

새로운 기술을 통한 반도체의 도전

지금 전 세계는 미국과 중국을 중심으로 치열한 기술 패권 경쟁 속에 있다. 패권 경쟁을 벌이는 첨단기술 분야 가운데 하나가 AI 반도체다. 미국이 '혁신경쟁법' 등을 통해 반도체 산업에 대한 대대적 지원을 표방하는가 하면, 전통적인 반도체 기업뿐 아니라 구글 같은 빅테크 기업들도 AI 반도체 개발에 뛰어들고 있어 세계 각국의 AI 반도체 경쟁은 더치열해질 전망이다. 우리 정부도 반도체 초강대국 달성 전략 등을 통해 기술 개발과 인력 양성 계획을 포함한 지원 대책을 연이어 내놓고 있다. 그러나 우리나라는 메모리 반도체 분야에서는 세계적 위상을 지니고 있지만, AI 반도체 경쟁력은 상대적으로 취약한 상태다. 따라서 반도체의 지도가 다시 바뀌는 흐름 속에서 기존의 경쟁력을 지켜내면서도 신기술인 AI 반도체 부문에서의 도약이 필요한 시점이다.

이러한 맥락 속에서 물리적인 성능 한계로 정체 단계에 들어선 반도체 기술의 한계를 극복하려는 노력이 이어지고 있는데, PIM processing-in-memory 반도체에 관한 관심이 그중 하나다. 연산과 메모리를 통합한 지능형 반도체인 PIM은 연산 또는 컴퓨팅을 실행하는 로직logic 반도체와 데이터를 저장하는 메모리 반도체를 한 개의 칩 또는 한 개의 반도체 소자에 통합하는 새로운 반도체 기술이다. 1950년대 반도체의 기본 구성 소자인 트랜지스터 개발 이후, 고성능을 목표로 하는 로직 반도체와 대용량 저장을 목표로 하는 메모리 반도체는 산업적으로 분리되어 발전해왔다. 현재 로직과 메모리는 서로 다른 반도체 설계 구조를 가지며, 각각의 반도체 공장에서 서로 다른 공정으로 생산된다. 따라서 로직 반도체와 메모리 반도체를 통합한 NM-PIM near-memory PIM이나 로직의 기능과 메모리의 저장 기능을 한 개의 반도체 소자에 융합한 IM-PIM in-memory PIM을 구현하려면 반도체 산업 전반의 패러다임 전환이 필요하다.

NM-PIM 기술은 수많은 미세 와이어를 이용해 로직 반도체와 메모리 반도체를 연결하는 기술을 개발하면서 상용화가 상당히 진행되었다. IM-PIM 기술의 경우 현대 반도체 대부분을 차지하는 CMOS(상보성 금속 산화막 반도체 complementary metal-oxide-semiconductor)를 넘어서는 새로운 형태의 반도체 소자를 개발해야 하고, 그 반도체 소자를 대규모로 집적할 수 있어야 하며, 이를 적정 가격으로 생산할 수 있는 양산성을 담보해야 하므로 상당한 기술적·산업적 노력이 요구된다. 로직 반도체와 메모리 반도체의 통합 등 반도체의 다기능과 고집적화를 위해 이종 접합 heterogeneous integration, 데이터를 읽고 쓰는 속도를 기존 대비 수십 배 이상 개선한 HBM high-bandwidth memory, 초미세 공정 NPU 등이 주요 필수 기술로 꼽히고 있다. 그 밖에도 기존 반도체의 패러다임을 바꾸는 새로운 기술들이 시도되는 상황이다. AI 반도체는 미래를 바꿀 핵심 기술로 꼽히는 만큼 빅테크 기업들의 경쟁을 넘어 국가 간 기술 경쟁도 더 치열해질 전망이다.

미래 융합 서비스의 핵심 기술, 6G 이동통신

이동통신 인프라는 기술의 발전에 따라 10년 주기로 새롭게 구축되어 왔다. 3G, 4G, 5G라는 세대generation별 이동통신 명칭은 국제 표준 기술 명칭(IMT-2000, IMT-Advanced, IMT-2020)을 순서대로 표현한 것이다. 여섯 번째 이동통신인 6G의 표준 기술 명칭은 IMT-2030이다. 현재 핵심 기술에 대한 연구개발이 진행 중인 6G 이동통신 서비스는 2028~2030년이면 선도 국가에서 최초로 상용화할 것으로 예측된다.

6G 기술의 특징

6G는 전송 용량, 전송 속도 및 반응 속도, 최대 기기 연결 수, 고속 이동성mobility 측면에서 5G보다 월등한 기술적 특성을 가진다. 또 서비스 지

역도 지상을 벗어난 상공으로까지 크게 확대될 것으로 보인다. 개선된 6G의 주요 기술 특성을 좀 더 자세히 살펴보면 다음과 같다.

첫째, 6G의 기지국 전송 용량은 1Tbps(테라비트)로 20Gbps(기가비트)인 5G보다 50배 증가하며, 모바일 트래픽의 효과적인 처리와 저렴한 비용으로 더 빠른 서비스가 가능해질 것이다. 개선된 용량 덕분에 훨씬 많은 데이터를 더 낮은 통신 요금으로 이용할 수 있다는 의미다. 과거 3G → 4G → 5G로 진화하면서 동일 요금(서비스 초기 5만 원 요금제)으로 이용할 수 있는 데이터 용량은 700MB → 2GB → 200GB로 증가했다. 6G에서는 1TB가 넘는 데이터 용량을 같은 요금으로 이용할 수 있을 것으로 전망된다.

둘째, 6G 이용자 체감 속도는 1Gbps로 5G(100Mbps)보다 10배 빨라질 것이다. 이에 따라 기가급 인터넷을 움직이는 환경에서도 편리하게 사용할 수 있다. 즉 이동 중에도 초고화질의 게임·화상회의, AR/VR, 홀로그램 등 초실감 콘텐츠의 활용이 보편화할 것이다.

셋째, 6G의 무선 구간에서 반응 속도(전송 지연 latency)는 0.1ms(밀리초)로 5G(1ms)보다 10배 정도 개선될 것이다. 이에 따라 자율주행 자동차의 브레이크 구동 명령을 10배 빠르게 전달할 수 있으며, 실시간으로 조종하는 수술 로봇, 드론, 공장 자동화 로봇 등의 반응 속도나 정밀도도 그만큼 향상될 수 있다.

넷째, 6G에서는 1km²당 연결 기기 수를 5G(100만 개)보다 100배 늘린다(1억 개). 이는 한 개의 기지국에서 연결할 수 있는 센서·통신 모듈 수를 증가시켜 사물인터넷 서비스 비용과 품질을 크게 높일 수 있다는 의미다.

다섯째, 6G에서는 시속 1,000km의 이동 속도에서도 통신이 가능해진다(5G는 시속 500km까지 가능). 이에 따라 차세대 고속열차, 초고속 드론, 도심 항공 모빌리티UAM, urban air mobility 내에서도 고속의 무선통신 서비스를 이용할 수 있을 것이다.

여섯째, 5G로는 서비스 제공이 불가능했던 지역까지도 서비스가 이루어질 전망이다. 6G에서는 저궤도 위성과 지상 기지국 장비의 연동을 통해 공중에 뜬 항공기에서, 또 오지나 해상에서도 초고속 인터넷 서비스 이용이 가능해진다.

6G의 전략적 중요성

왜 우리는 6G 기술을 주목해야 할까? 6G 기술은 다른 첨단기술과 마찬가지로 산업적 측면만이 아니라 기술 안보는 물론 해결해야 할 미래 이슈와도 연결되기 때문이다. 6G의 전략적 중요성을 구체적으로 살펴본다.

산업: 스마트폰 및 기지국 장비 산업 경쟁력 제고

이동통신 기술은 현재의 4G(LTE)·5G에서 2030년쯤 6G로 발전할 전망이다. 이에 따라 관련 시장인 스마트폰과 기지국 장비는 6G 기술을 적용해 새로운 제품을 출시할 테고, 이를 활용한 신규 6G 이동통신 네트워크를 구축할 것이다. 따라서 6G 관련 기술력을 제대로 확보하지 못한 산업체는 이를 탑재해야 하는 스마트폰 시장이나 기지국 장비 시장에서 경쟁력을 상실하거나 도태될 수밖에 없다.

스마트폰으로 대표되는 휴대전화 시장에서 국내 업체는 5G까지의 이동통신 기술 진화에 성공적으로 대응하며 세계 1, 2위 자리를 차지해왔다. 그러나 프리미엄 제품, 스마트폰 운영체제, 그리고 앱 플랫폼까지 장악한 애플과의 경쟁에서 아직 우위를 확보하지 못하고 있고, 화웨이·샤오미·오포Oppo 등 중국 휴대전화 제조업체들이 가성비 높은 제품을 바탕으로 턱 밑까지 쫓아온 상황이다. 한때 세계 휴대전화 시장에서 2, 3위까지 도약했던 LG전자가 스마트폰 사업에서 철수했던 일 등을 고려해보면, 향후 국내 업체의 휴대전화 시장 경쟁력을 마냥 낙관할 수만은 없다. 새로운 6G 기술이 적용되는 6G 스마트폰 시장의 실적 결과에 따라 세계시장의 순위도 요동칠 것이기 때문이다.

이동통신 기술의 집합체인 기지국 장비 시장은 유럽의 선도 업체 에릭슨과 노키아, 그리고 강력한 내수 시장을 거느렸을 뿐 아니라 정부의 집중적 육성으로 부상한 중국 신흥 강자 화웨이와 ZTE가 장악하고 있다. 국내 업체들도 틈새 분야로 CDMA, WiBro 등이나 신규 시장, 즉 개발도상국 또는 차세대 장비 쪽의 공략을 통해 5위(삼성전자 기준)까지 도약했으나, 최근 몇 년간은 상위 업체들과의 격차가 거의 줄지 않는 상황이다. 앞서 언급했듯 10년 주기에 따라 새로운 세대의 이동통신 네트워크 시장이 열리면, 새로운 기술의 경쟁력 수준에 따라 기지국 장비 업체들의 실적과 순위도 바로 연동되어 나타날 것이다.

미래 이슈: 데이터 빅뱅, 통신 영역 획기적 확장, 디지털 전환 가속화

6G는 미래 이슈를 효과적으로 해결하고 관련 경쟁력을 확보하는 데에도 꼭 필요한 기술이다. 우리에게 다가올 미래 이슈는 크게 세 가지로 나눠 생각해볼 수 있다. 우선, 통신 서비스용 모바일 데이터 트래픽 증가와 융합 서비스 활성화에 따른 데이터 빅뱅 현상이다. 이때 6G 네트워크가 효과적으로 대응해 방대한 데이터를 처리해줄 것이다. 국제전기

통신연합 전파통신부문ITU-R의 연구보고서에 따르면, 2030년 통신 서비스용 모바일 데이터 트래픽은 2020년 대비 81배 정도 증가할 전망이다. 거기에 고용량 데이터를 요구하는 자율주행차, 메타버스, 홀로그램 등의 융합 서비스가 활성화하면 모바일 데이터 트래픽은 더 큰 폭으로 증가할 것이며, 6G 네트워크의 역할 또한 더 중요해질 것이다.

둘째, 이동통신 서비스의 수요는 기존의 지상 중심에서 2030년 이후에는 오지·해상·공중으로 확대될 전망이고, 6G는 이에 맞춰 서비스 제공 영역을 획기적으로 넓힐 것이다. 5G는 지상으로부터 최대 120m 높이까지 서비스를 제공했으나, 6G에서는 지상 10km까지도 서비스가 가능해진다. 따라서 6G부터는 지상 300~500km 상공에서 회전하는 저궤도 위성을 통한 이동통신 서비스의 제공이 보편화할 것으로 예측된다. 이미 스페이스X SpaceX, 원웹OneWeb, 텔샛Telsat 등 해외 선도 업체들은 다수의 저궤도 위성을 활용해 일부 지역에서 위성 네트워크를 구축하고 있으며, 위성 수를 계속 늘려 지구 전역으로 서비스 영역을 확대할 계획이다.

셋째, 5G의 이동통신 기술을 적용하기 시작한 융합 서비스들이 6G 단계에서는 완연히 일상화하면서 모바일 기술을 통한 디지털 전환에 더 속도가 붙을 전망이다. 스웨덴의 통신 장비 제조업체인 에릭슨에 따르면, 5G·6G가 가속하는 디지털 혁신 규모는 2030년쯤 1조 3,070억 달러에 이를 것으로 예상된다. 따라서 에너지, 제조, 재난 안전, 헬스케어, 대중교통, 미디어, 자동차 등 다양한 분야에서 신규 융합 서비스가 늘어날 것이고, 이를 효과적으로 처리하려면 디지털 전환의 핵심 인프라인 6G 네트워크의 기술이 정말 중요해진다. 국내 산업체의 경쟁력 확보가 필요한 이유다.

외교·안보: 공급망에서 전략적 가치 및 첨단기술 패권 경쟁 대응

미국과 중국 간 기술 패권 경쟁을 촉발한 계기는 바로 중국 화웨이의 장비를 통한 세계 주요 국가들의 5G 네트워크 구축이었다. 세계 1위의 기지국 장비 제조업체로 도약한 화웨이에 대응하기 위해 2021년 3월 미국 바이든 행정부는 반도체, 안테나, 배터리 등을 화웨이에 수출하는 것을 제한했다. 향후 6G 통신 모뎀·RF 부품, 저궤도 위성 등도 기지국 장비나 스마트폰의 핵심 요소로 공급망 차원에서 이러한 전략적 가치를 가질 것으로 예측된다. 따라서 우리도 이들 핵심 요소에 대한 공급망 확보는 물론 국내 업체 중심의 공급 전략을 마련해야 한다.

나아가 세계 주요국들은 자국의 이익과 산업 발전을 위해 국가의 첨단·전략 기술 분야 개입을 강화하는 방향으로 산업 정책을 변화시키고 있다. 대표적으로 글로벌 G2인 미국과 중국은 차세대 통신(5G·6G)과 AI 기반의 디지털 첨단·전략 산업의 발전을 위해 중장기 국가 전략을 수립하고, 전방위 지원을 통해 기술 역량 강화와 자국 중심의 산업생태계 구축을 추진하고 있다. 이러한 첨단·전략 기술 패권 경쟁에서 우리도 경쟁력을 갖기 위해서는 4차 산업혁명 핵심 기술을 더 발전시켜야 하며 6G를 그러한 전략 기술 가운데 하나로서 육성해야 한다.

국내외 동향

세계 각국은 어떻게 준비하며 대응하고 있을까? 주요국들은 6G 시장을 선점하기 위해 일찌감치 적극적인 정책을 펴고 있다. 6G 기술혁신 생태계 내 산학연 역할 분담을 통한 연구개발, 자국에 부족한 부문에 대한 해외 기업과의 제휴, 실효적인 정부 지원 체계 등 전방위 정책과 전략을 구사하며 미래의 통신 기술 패권을 둘러싼 전쟁을 이미 시작했다.

우리의 현주소

세계 휴대전화 시장 1위, 5G 이동통신 세계 최초 상용화 등의 성과를 이루었던 국내 이동통신 기술의 수준은 정확히 어느 정도일까? 정보통신기획평가원IITP의 최근 ICT 기술 수준 조사 결과를 살펴보면, 최고 기술국 미국을 100%로 놓았을 때 중국 99.2%, 우리나라 97.8%, 유럽 96.9%, 일본 94.4%다. 우리는 이미 유럽과 일본을 넘어섰고, 최고 수준 국가와의 격차도 상대적으로 근소한 상황이다. 우리나라 주요 ICT 기술의 수준은 평균 87.4%, 최저 81.3%, 최고 97.8%다. 또 국내 이동통신 기술 수준은 조사 대상인 ICT 18대 중점 기술 분야 중 1위를 차지한다. 세부 분야별로는 무선 전송과 이동통신 단말의 기술 격차가 최고 수준과 대비했을 때 0.3년으로 가장 적고, 이동통신 시스템과 이동통신 서비스의 기술 격차는 0.8년으로 가장 크다.

해외 주요국 현황

글로벌 시장 선점을 위해 세계 주요 국가들은 경쟁적으로 6G 전략을 발표하고, 첫 단계라고 할 수 있는 연구개발 투자를 본격적으로 진행하고 있다. 특히, 5G 이동통신에서 중국과 우리나라에 주도권을 빼앗겼던 미국과 일본이 6G 기술 선점에 훨씬 더 적극적으로 나서는 중이다. 미국은 6G에서는 자국이 리더십을 확보하겠다고 선언함과 동시에 '위험한 5G·6G'를 쓰는 국가에는 미군 주둔을 재검토하겠다며 중국을 직접 견제하고 있다. 구체적으로는 6G 기술 선점을 위해 2017년부터 국방

고등연구계획국DARPA 주도로 10개 주요 대학이 참여하는 장기적인 6G 연구개발에 착수했다. 또 2020년에는 미국 3대 통신사업자 AT&T, 버라이즌, T모바일, 통신 장비 업체 에릭슨, 노키아, 반도체업체 인텔, 퀄컴, SW·플랫폼업체 마이크로소프트, 메타 등이 참여하는 '넥스트 G 얼라이언스Next G Alliance'를 출범했다. 5G 서비스의 진전, 6G 기술 개발 등에서 글로벌 기업과의 협력을 통해 미국 중심의 글로벌 공급망을 구축하겠다는 의미다.

일본도 6G에서는 경쟁 우위를 선점해 세계 6G 통신 장비 시장에서 선두권에 진입하겠다는 비전을 수립했다. 이를 위해 6G 기술 관련 특허 점유율 10% 이상 달성을 목표로 하고 있으며, 세계 최초·혁신을 창출하는 산업생태계 구축, 자원의 집중 투자를 기본 방침으로 하는 'Beyond 5G 추진 전략'을 2020년 발표했다.

중국은 2018년부터 과학기술부 주도로 6G 연구개발에 착수했고, 2019년 범정부 차원의 공식 6G 전담 기구를 출범해 산학연의 역량을 총결집하고 있다. 2020년에는 세계 최초로 6G 인공위성 '톈옌天眼 5호'를 성공적으로 발사시킴으로써 공중에서의 통신 서비스 경쟁에 대비하고 있다.

향후 우리는 어떻게 대응해야 하는가?

위와 같은 세계 주요국의 사례에서도 볼 수 있듯이 초기 6G 연구개발은 정부가 이끌고, 중기 이후에는 민간 투자가 연계되는 것이 바람직하다. 정부는 6G 기술에 대한 중장기적 투자와 함께 종합적 대책을 만들어 지속적 지원 체계를 이끌어야 한다. 학계는 정부 또는 민간의 연구개발과 연계해 원천 기술 확보와 전문 인력 양성에 초점을 맞춰야 한다. 민간에서는 상용화 추진과 응용 기술 개발에 힘쓰는 한편, 글로벌 표준화 경쟁에 대비한 활동을 강화해야 한다. 6G 시장 선도를 위해 정부 차원에서 중점적으로 추진해야 할 전략을 제시하면 다음과 같다.

6G 조기 상용화 및 시장 선점을 위한 전주기 계획과 실행 방안 마련

6G의 조기 상용화와 초기 시장 선점을 통해 정부는 국내 산업체가 스마트폰, 기지국 장비 분야에서 경쟁력을 높이고 신규 융합 서비스 시장으로 진출할 수 있도록 지원해야 한다. 이를 위해서는 6G 비전 제시부터 기술 개발, 국제 표준 수립, 시범 서비스 실시, 상용화 및 전국망 구축까지의 6G 기술 전주기에 대한 계획을 유기적으로 수립하고 적시 대응해야 한다.

구체적으로 보면, 우선 6G 비전 수립, 요구 사항 정의 등 ITU의 국제 표준화 단계별 선제 기술 개발 연구와 국제 공조 강화를 통해 표준 경쟁에서 불확실성을 최소화하고, 우리 기술이 최종적으로 국제 표준을 선점할 수 있도록 견인하는 것이다. 이어 기술 개발을 완료하는 2026년부터는 5G+ 융합 서비스에 (상용화 이전) Pre-6G 기술을 적용하는 6G-Upgrade 시범 사업 추진을 통해 개발된 기술이 서비스로 안착할 수 있도록 지원한다. 이후, 6G의 핵심 기술 성능 검증과 핵심 부품·장비의 국산화에 활용할 수 있는 시제품을 개발해야 한다. 마지막으로 시제품들이 상용화 시점에 맞춰 국내 산업체로 효과적으로 이전될 수 있도록 지원 방안을 실행하는 것이다.

고위험 도전 기술에 대한 정부의 선제 개발로 생태계 위험부담 축소

저궤도 위성, 테라헤르츠THz와 같은 6G 신규 기술을 매개로 정부는 민간의 위험부담을 줄여주고 경쟁력을 확보하지 못한 통신 관련 핵심 부품의 기술력을 강화해야 한다. 저궤도 위성은 개발에는 엄청난 비용이 들어가지만, 향후 시장을 주도했을 땐 파급력이 큰 대표적인 고위험 고수익 분야다. 우주 기술에 대한 해외 선도 기업과의 기술 격차와 높은 투자 비용으로 현재 국내 민간 기업들은 투자를 주저하고 있다. 따라서 정부 주도로 저궤도 위성통신 시범망을 구축해 지상-공중 연계 서비스를 실증함으로써 국내 민간 기업들이 그 잠재력과 가능성을 확인하고 사업에 적극적으로 뛰어들 수 있는 기반을 마련해야 한다.

이동통신 모뎀과 RF 부품은 기지국 장비와 스마트폰에서 차지하는 비중이 가장 높다. 그러나 퀄컴, 미디어텍Mediatek, 브로드컴, 하이실리콘HiSilicon 등 해외 선도 업체들이 과점 중인 시장이다. 과거 우리나라도 이들 핵심 부품의 기술 자립화와 시장 진출을 모색해왔으나, 선도 업체들의 높은 기술력과 시장 장벽에 부딪혀 번번이 실패했다. 따라서 새로운 기술이 적용되는 6G에서 빠른 기술 개발과 조기 제품 출시를 통해 다시 한번 이들 핵심 부품 시장에 대한 공략을 시도할 수 있을 것이다. 특히, 완전히 새로운 시장이 열려 주도 세력이 없는 6G 테라헤르츠의 초기 시장 공략이 전략적일 수 있다. 테라헤르츠 모뎀과 RF 부품 시장을 선점함으로써 기술과 제품 경쟁력을 확보하고, 이를 기반으로 점진적으로 전체 이동통신 모뎀과 RF 부품 시장에서 우리의 점유율을 확대해갈 수 있을 것이다.

값싸고 오래가고 가벼운 충전 시대를 이끌 차세대 이차전지

우리의 삶은 이제 전기를 빼놓고는 얘기할 수 없게 되어버렸다. 전기는 실생활에서 이용하는 에너지 중 가장 비싸고, 가장 고급스러우며, 편리한 에너지다. 우리가 사용하는 다양한 전자기기도 모두 전기로 구동된다. 과거에는 벽에 설치한 콘센트에 플러그를 꽂아서 사용하는 것이 대다수였는데, 현재는 이동하면서 사용하는 전자기기가 생활의 많은 부분을 차지하고 있다. 영상물 시청만 보아도 그렇다. TV가 많이 보급되지 않았던 시절에는 동네 사람들까지 TV가 있는 집에 모여 함께 TV를 시청했다. 그러나 지금은 많은 사람이 스마트폰, 태블릿, 노트북 컴퓨터를 이용해 '나 홀로 시청'을 즐긴다. 또 집 안에서도 한 곳에서 붙박이로 시청하는 것이 아니라 여러 공간으로 이동하면서 영상물을 시청하는 풍경이 더는 낯설지 않다.

그런데 이런 환경이 되려면 휴대할 수 있는 소형 전자기기도 중요하지만, 어떻게 전기에너지를 공급할 것인지가 관건이다. 즉, 전기 자체도 전자기기와 함께 휴대해 이동할 수 있어야 한다. 이것을 가능하게 해주는 것이 배터리다. 배터리 중에서도 건전지 같은 일차전지와 달리 충전해 계속 사용할 수 있는 충전지, 학술적으로는 이차전지라고 부르는 배터리가 그 역할을 해낸다. 현재와 같이 배터리를 내장시켜 여러 번 충·방전해 사용하는 전자기기는 그 배터리에 많은 양의 전기에너지를 저장해야 하므로 이를 위한 이차전지의 역할과 중요성은 점점 커지고 있다. 나아가 가속화하는 디지털 전환 속에서 다양한 디지털 기기들의 사용이 한층 더 늘어나고 있으며, 이동성 확보를 위한 동력원으로 이차전지의 변신 혹은 기술 발전의 가능성도 무한히 커지고 있다.

이차전지란 무엇인가?

전지 혹은 배터리는 전기에너지를 화학에너지의 형태로 저장했다가 필요할 때 다시 전기에너지로 내놓아 사용할 수 있게 하는 장치를 뜻한다. 〈그림 2〉에서 볼 수 있듯이 화학에너지가 전기에너지의 형태로 변화하는 것을 방전이라고 하며, 이는 우리가 전기를 사용하는 상태를 뜻한다. 반대로 전기에너지를 공급해 다시 화학에너지의 형태로 변화시키는 것을 충전이라 한다. 전지 중에서 방전만 할 수 있는 것을 일차전지 혹은 통상적으로 건전지라고 부르며, 충전과 방전을 의미 있는 횟수만큼 반복적으로 진행할 수 있어 재사용이 가능한 전지를 이차전지 혹은 충전지라고 한다. 학술적으로는 일차전지와 이차전지라는 용어를 사용한다.

그림 2 이차전지의 원리

충전과 방전은 우리가 사용하는 휴대전화를 예로 들면 이해하기 쉽다. 방전은 평상시에 우리가 휴대전화를 사용할 때 휴대전화의 배터리에서 일어나는 현상이다. 저녁에 집으로 돌아가 충전기와 연결해 다시 휴대전화 배터리의 에너지 상태를 높이는 것이 충전이다. 이차전지는 이러한 충·방전을 의미 있는 횟수만큼 반복할 수 있고, 이를 '수명'이라고 한다. 휴대전화를 구입하면 최소 몇 년은 사용하는데, 이때 2년간 거의 매일 충·방전을 한다고 가정하면 그 횟수가 대략 600~700회 정도 된다. 그런데 통상 첫 번째 충·방전의 용량 대비 80% 수준으로 떨어지면 수명이 다했다고 볼 수 있다. 이러한 배터리 수명 문제는 대형 시스템으로 갈수록 더욱 중요성이 높아진다.

배터리의 탄생

배터리의 역사는 매우 길다. 최초의 배터리는 약 2,200년 전 바그다드에서 만든 것으로 추정된다. 바그다드 배터리는 파르티아제국 시대에 만든 것으로 알려졌으며, 1938년 독일 고고학자에 의해 바그다드 동쪽에서 발견되었다. 계란형의 항아리 안에서 구리 원통과 철심이 같이 나왔는데, 여기에 산을 전해액으로 사용하면 전기를 발생시킬 수 있어 아마도 도금하는 데 사용했을 것으로 여겨진다.

현대적인 형태의 배터리 원형으로는 볼타전지Voltaic pile를 들 수 있다. 이탈리아 물리학자 알레산드로 볼타Alessandro Volta가 1799년에 발명했는데, 서로 다른 금속인 구리와 아연판을 적층하고 그 사이에 소금물을 적신 종이 디스크를 끼워 넣은 것으로, 서로 다른 금속 간에 일어나는 반응으로 전기를 발생시켰다. 볼타전지는 배터리의 원형이었다는 점에서 과학적 의미는 매우 크지만, 실제로 상용화에 성공한 전지였다고는 볼 수 없다.

일차전지에서 이차전지로

최초로 실용화한 전지는 영국 화학자 존 프레더릭 다니엘John Frederic Daniell이 만든 다니엘 셀Daniell Cell이다. 구리와 아연 금속을 산 용액에 담가 전류를 생성하는 원리를 적용했는데, 안정적인 전압과 전류를 공급할 수 있어 전신electrical telegraph에 주로 사용되었다. 이후 일차전지는 건전지, 알카라인선시 등으로 발전하며 지금도 다양한 곳에서 쓰이고 있다.

한편 최초의 이차전지는 납축전지다. 기존의 배터리는 한번 쓰고 버리는 형태였지만 충전지, 즉 이차전지가 출현하자 여러 번 사용할 수 있게 되었다. 이것은 1859년 프랑스 물리학자 가스통 플랑테Gaston Planté가 발명했는데, 그 개량형이 현재까지도 사용된다. 전지의 이름에서 알 수 있듯이 납축전지는 납 전극에 전해질로 황산을 사용한다. 현재는 내연기관 자동차의 전기 공급 장치로 주로 쓰이고 있으며, 가격이 저렴하고 신뢰성이 큰 것이 장점이다. 납축전지는 최초로 상용화한 이차전지로서 주요 응용처가 생겼다는 데에 큰 의미가 있다.

납축전지 이후 개발된 이차전지는 니켈카드뮴전지다. 1899년 스웨덴

과학자 발데마르 융그너Waldemar Jungner가 발명했으며, 초기의 침수형 전지 형태에서 현재와 같은 밀봉 형태의 전지로 발전했다. 니켈카드뮴전지가 본격 생산되면서 소형 전자기기, 장난감, 전동공구, 무선전화기, 비상 조명 등 우리 생활 곳곳의 전자기기에 이차전지가 퍼져나갔다. 그러나 니켈카드뮴전지에 쓰이는 카드뮴에 독성이 있어 그 대안을 찾기 위한 연구가 이루어졌으며, 카드뮴 대신 수소 저장 합금을 사용한 니켈수소전지가 개발되었다. 니켈수소전지는 기존 니켈카드뮴전지 시장을 급속히 대체했으며, 니켈카드뮴전지보다 에너지밀도가 높다는 특성을 바탕으로 현재 하이브리드 자동차에도 사용된다. 납축전시에서 니켈카드뮴전지, 니켈수소전지로 발전하면서 이차전지의 응용처가 점점 넓어졌고, 소형 디지털 전자기기와도 접목되기 시작했다.

리튬이온전지의 출현과 이차전지 시장의 폭발적 성장

2019년 노벨 화학상은 리튬이온전지를 개발한 3명의 원로 과학자에게 돌아갔다. 미국 텍사스대학교 오스틴 캠퍼스의 존 구디너프John B. Good-enough 교수, 미국 뉴욕주립대학교 빙엄턴 캠퍼스의 스탠리 휘팅엄M. Stanley Whittingham 교수, 그리고 일본 메이조대학교 교수 겸 아사히카세이旭化成사의 명예 연구원 요시노 아키라吉野彰 박사가 그 주인공이다. 노벨위원회에서는 이 3명의 과학자가 충전할 수 있는 세상을 만들어냈다며 그들의 공로를 평가했다. 이러한 연구를 토대로 1991년 일본 소니에 의해 리튬이온전지가 상용화된 이후 리튬이온전지는 기존 이차전지 시장의 일부를 대체했을 뿐만 아니라 새로운 시장을 창출해 휴대전화, 노트북 컴퓨터, 디지털카메라, 태블릿 PC 등 거의 모든 분야에서 사용되고 있다.

이제는 사물배터리BoT, Battery of Things의 시대에 들어섰다고 해도 과언이 아니다. 사물배터리란 사물인터넷IoT, Internet of Things과 유사한 개념으로 모든 것에 배터리가 적용된다는 뜻이다. 전자기기 대부분이 이동형으로 변화하고 있으며, 필수적으로 이차전지를 적용하고 있다.

최근엔 전기 자동차 시장의 성장과 더불어 이차전지 시장도 매우 빠른 속도로 팽창하고 있다. 향후 10년간 약 8배 이상 성장할 것이라는 예측이 있을 정도다.* 2025년쯤에는 이차전지 시장이 메모리 반도체 시장 규모와 맞먹고, 우리의 주력 먹거리 산업 중 하나로 성장할 것이라는 예측도 있다.[23] 특히 미래의 자동차는 지금처럼 기계장치가 아니라 전자기기에 더 가까운 형태로 바뀔 것이다. 그리하여 자동차는 이동만을 위한 수단이 아니라, 차량 내부에서 운전자에게 다양한 정보와 편의를 제공할 것이고, V2Lvehicle to load** 기능으로 다양한 전자기기를 사용할 때 자동차에 탑재한 배터리의 전력을 사용하는 일이 더 늘어날 것이다.

자율주행차가 상용화한다면 이러한 현상은 더욱 가속화할 전망이다. 자율주행 환경에서는 자동차 안에서 온갖 업무, 오락, 일상이 이뤄질 것이기 때문이다. 이동하면서 업무, 오락, 일상이 가능해지려면 무선통신이 연결되어야 하므로 디스플레이, 입력 장치 등 디지털 환경으로의 강화도 일어날 것이다. 이러한 모든 환경에 전기를 공급할 수 있는 장치가

• 시장조사 전문 기관 SNE리서치는 이차전지 시장 규모가 2020년 461억 달러에서 2030년에는 3,517억 달러로 커질 것으로 봤다.

•• 전기 자동차에 탑재된 배터리의 전력을 외부 기기에서 사용할 수 있는 기술. 즉, 전자기기를 별도의 추가 장비 없이 전기 자동차에 꽂아 전력을 공급받아 사용할 수 있는 기술이다.

이차전지다. 미래 주요 동력원으로 사용될 이차전지의 역할이 더 커질 수밖에 없는 이유다.

차세대 이차전지의 필요성

이차전지가 발전하면서 새로운 연관 시장이 지속해서 생겨나고 있다. 기존에는 생각하지 못했던 환경에서도 전력을 공급받으면서 전선으로 부터의 자유가 주어졌고, 이를 십분 활용하는 새로운 응용처가 생겨난 것이다. 새롭게 창출될 시장 중에서 주목받는 분야 중 하나가 자율주행차 시장이다. 완전 자율주행 자동차의 상용화를 위해서는 기술의 완비도 필요하지만, 이와 함께 동력원을 개발해야 한다. 자율주행 자동차는 시간당 4테라바이트 이상의 데이터를 생성하고 처리할 것으로 예측된다. 이는 초고화질 영화 기준으로 5,000편 이상에 해당한다. 몇 시간 거리만 이동해도 운행 자체에 수십 테라바이트 이상의 데이터를 생성·처리해야 하는 자율주행 자동차는 전기 또한 엄청난 양을 사용할 것이다. 지금보다 에너지밀도가 높은 이차전지가 필요한 까닭이다.

이런 배경 속에서 차세대 이차전지에 대한 필요성과 기대가 계속 높아지고 있다. 가장 먼저 고려 중인 차세대 이차전지는 전고체전지sol-id-state battery다. 전고체전지는 전극 2개의 바이폴라 기술을 적용해 셀 내부에서 직렬연결이 가능하다. 이를 바탕으로 기존 리튬이온전지보다 에너지밀도를 높일 수 있다. 아직 상용화 단계까지 가지 못해 정확한 수치를 제시하기는 어려우나 리튬이온전지의 2~5배 정도가 될 것이라는 예측이 나온다. 이 외에도 금속공기전지, 리튬황전지 등도 모빌리티용 차세대 이차전지로 관심을 받고 있다.

다른 관점에서 보면 디지털 시대 자체의 진전을 위해서도 이차전지의 역할이 중요해지고 있다. 디지털 전환은 곧 전자기기의 사용이 늘어난다는 것이며, 이는 곧 전기에너지의 사용량 증가로 이어질 수밖에 없다. 그런데 지금 전 세계는 탄소 중립을 달성하기 위한 노력을 진행 중이다. 전기 사용량이 늘어나는 가운데 탄소 중립을 달성하기 위해서는 신재생에너지에 의한 전기에너지 생산이 확대되어야 한다. 그런데 신재생에너지에 의해 생산된 전기에너지는 간헐성과 품질 문제로 에너지저장장치ESS, energy storage system를 필수적으로 같이 설치해야 한다. 결국 우리에게 있어 ESS용 차세대 이차전지의 개발은 매우 중차대한 일이라는 뜻이다. ESS는 그 규모가 자동차와는 비교할 수 없을 정도로 큰 데다가 경제성, 안전성, 수명 등이 중요한 요소로 작용한다. 현재 레독스흐름전지redox flow battery, 나트륨이온전지, 대형수계이차전지 등이 ESS용 이차전지로 연구되고 있다.

이차전지 산업 강국 유지를 위한 우리의 대응

현재 우리나라의 이차전지 산업 경쟁력은 세계 선두권이다. 중국이 풍부한 내수 시장을 바탕으로 시장점유율 1위를 차지하면서 우리나라는 2위로 내려앉았지만, 중국을 제외한 세계시장에서의 상황과 이차전지의 품질 및 기술력 등을 종합적으로 판단했을 때는 실질적인 선두라는 평가도 있다. 그러나 산업연구원이 2022년 6월 내놓은 이차전지 산업의 가치사슬별 경쟁력 진단에 따르면 우리는 여전히 중국에 이어 2위를 기록하고 있다. 셀 제조 기술은 뛰어나지만, 원자재 부문의 해외 의존도가 높고 국내 수요 기반이 취약한 것이 성장의 한계 요인으로 꼽혔다.

따라서 우리나라가 선두권을 유지하고 1등 목표를 이뤄내려면 몇몇 취약한 부분들을 보완해가야 한다.

이차전지 소재·부품 기술 강화 및 원료 확보

이차전지의 이름을 보면 대부분 핵심 소재의 이름 혹은 특징과 연관이 있다. 납축전지, 니켈카드뮴전지, 니켈수소전지, 리튬이온전지 등의 이름에서 드러나듯 이차전지에서는 핵심 소재가 매우 중요하다는 것을 알 수 있다. 2019년 촉발된 일본의 수출규제 사태 당시, 이차전지 분야로 수출규제가 확대된다면 우리의 생산이 아예 멈출 수도 있다는 우려가 나왔다. 그만큼 우리의 소재·부품 의존도가 크다는 점을 시사한다. 따라서 소재·부품의 공급망을 다변화할 필요가 있고, 그보다 더 좋은 방법은 우리 기업들이 소재·부품 기술 경쟁력을 갖추는 것이다.

우리 기업들의 셀 제조 기술력과 비교할 때 소재·부품 기술력은 다소 뒤처지는 것이 사실이다. 그러나 일본의 수출규제 사태로 우리나라의 연구개발 투자에는 오히려 긍정적 분위기가 형성되었다. 소재·부품에 대한 연구개발 투자가 확대되고 있기 때문이다. 정부의 적극적인 연구개발 투자 속에 산학연이 힘을 합쳐 연구개발을 효율적으로 수행한다면 우리나라의 소재·부품 기술의 경쟁력도 크게 높아질 수 있을 것이다.

그런데 2021년 촉발된 중국발 요소수 사태는 또 다른 고민을 던져주었다. 중국으로부터 요소수를 수입할 수 없게 되자 경유 자동차들은 운행에 제약을 받았고, 이에 따라 물류 운송에 큰 차질이 빚어졌다. 그렇다면 이차전지의 원료를 수급할 수 없는 상황이 벌어지면 어떻게 될까? 일본의 소재·부품 수출규제는 우리의 적극적인 기술 개발을 통해 어느 정도 극복할 수 있었지만, 원료 자체의 수급 중단은 차원이 다른 문제다. 결국은 원료를 미리 확보해놓는 것이 가장 좋은 방안일 수밖에 없다.

그러나 기술 개발을 통해 원료 수급 문제를 해결할 방법이 전혀 없는 것도 아니다. 시간이 걸리기는 하지만, 이차전지의 종류를 다변화하면 된다. 응용처가 다양해지면 필요로 하는 이차전지의 요구 조건도 달라지는데, 응용처별 적절한 이차전지를 개발하고, 이를 여러 종류로 다변화한다면 원료 수급의 문제를 완화할 수 있다. 아예 원료 수급의 문제가 적은 원료를 사용하는 이차전지를 개발한다면 더욱 그러할 것이다. 예를 들어, 대규모 에너지저장장치에 현재의 리튬이온전지뿐 아니라 나트륨이온전지나 레독스흐름전지 등을 혼용해 사용할 수 있다면 특정 자원에 대한 의존성을 줄일 수 있다. 또 나트륨이온전지와 같이 구하기 쉽고 매우 흔한 원료를 사용하는 이차전지를 사용한다면 원료 수급으로부터 더 자유로워질 수도 있다.

발빠른 추세 대응과 인력 양성

리튬이온전지가 현재로서는 가장 우수한 이차전지지만, 세계 각국이 경쟁적으로 기술을 개발하고 있으므로 차세대 이차전지도 머지않아 시장에 등장할 것으로 예측된다. 우리도 셀 제조 기술 기반의 상용화 중심에서 부품·소재 및 원천 기술력까지 폭넓게 기술을 개발해가야 한다.

이차전지 시장에서 패권을 지키려면 인력 양성도 시급하다. 이차전지 시장이 급격한 속도로 팽창하면서 기본적으로 전문 인력이 부족한 상황인데, 여기에 더해 우리의 고급 인력이 해외로 빠져나가는 현상도 심각하다. 이차전지 전문 인력의 양성은 결국 대학원 과정에서 연구개발을 직접 수행하면서 이루어지기 때문에 학·연에서의 원천 기술 개발과 연계하는 것이 효율적일 수 있다. 또 전문 인력의 해외 유출을 최소화하기 위한 사회적 차원의 논의도 필요하다.

우리는 현재 이차전지 수출 강국이지만, 세계 각국이 디지털 전환과 에너지 전환 등의 추세를 고려해 자국 내 생산 체계 구축을 서두르고 있음을 간과해서는 안 된다. 지속적인 기술 개발과 종합 전략으로 '더 저렴하고 더 오래가는' 배터리, 그리고 에너지밀도는 높지만 '더 작고 더 가벼운' 배터리를 향한 무한 경쟁의 시대를 선도적으로 관통해야 할 것이다.

지정학적 패권 경쟁의 범위를 넓혀갈
우주탐사 기술

2022년 6월 21일 오후 4시, 우리나라에서 역사적인 사건이 일어났다. 한국형 발사체KSLV-II, Korea Space Launch Vehicle-II 누리호의 2차 발사가 이루어진 것이다. 누리호의 비행 종료 후, 과학기술정보통신부와 한국항공우주연구원은 누리호 원격 수신 정보를 분석해 누리호가 목표 궤도(700km)에 진입해서 성능 검증 위성을 성공적으로 분리 및 안착시켰음을 확인하고 발사 성공을 공식 발표했다. 누리호는 정해진 시퀀스에 따라 비행했고 1, 2, 3단 엔진 모두 정상 연소되었으며 페어링(위성 보호 덮개) 분리 및 성능 검증 위성 분리까지 완벽히 성공했다. 이로써 우리나라는 러시아, 미국, 프랑스, 중국, 일본, 인도에 이어 세계에서 일곱 번째로 1톤 이상 인공위성을 자력으로 발사할 능력을 확보한 국가가 되었다. 우리는 여기에 만족하지 않고 계속해서 달 탐사, 그다음에는 화성 탐사에 나설 계획이다.

이처럼 한국은 지난 30년 동안 우주 기술 개발에서 괄목상대할 만한 발전을 이루었다. 우주 기술은 개인 휴대기기와 차량 항법, 나아가 국민의 생명과 안전을 지키는 안보에 이르기까지 우리의 일상으로 깊숙이 들어오고 있다. 그런 점에서 우주 기술은 속성상 이중 용도 기술dual-use technology이면서 전략 기술strategic technology이기도 하다. 우주를 무대로 펼쳐질 '총성 없는 전쟁'은 미래의 새로운 패권 경쟁이 될 것이다.

본격적인 우주 주도권 경쟁이 펼쳐지다

우리나라의 우주탐사가 늦은 것에 비해 선진국의 우주 개발 경쟁은 일찌감치 시작되었다. 세계 최초로 인공위성 발사에 성공한 나라는 소련이다. 1957년 소련은 인공위성 스푸트니크 1호 발사에 성공함으로써 우주 경쟁을 촉발했고, 이에 뒤질세라 미국은 이듬해 인공위성 익스플로러 1호를 발사했다. 1961년 소련은 인류 최초의 우주인 유리 가가린을 태운 보스토크 1호를 발사하고 우주유영에도 성공해 유인 우주선 시대를 열었다. 소련에 한발 뒤진 미국은 그러나 1969년 아폴로 11호가 달 착륙에 성공하면서 우주 경쟁에서 패권을 거머쥐기 시작했다. 미국과 러시아의 우주선이 도킹에 성공한 후에는 우주 협력 시대에 접어들었고, 21세기에 이르러 우주는 세계 각국이 참여하고 도전하는 각축장이 되었다.

현재 우주 경쟁에서 가장 치열하게 주도권 다툼이 벌어지고 있는 영역은 달 탐사다. 한편에는 중국과 러시아가, 다른 한편에는 미국과 동맹국이 있다. 우주는 국제법이나 지상군 교리가 적용되지 않는 영역이라

경쟁국들은 아직 우주탐사에 대한 상호 합의에 이르지는 못하고 있다.

원래 미국의 방위 개념은 지구를 공전하는 표적에 국한되었으나 2021년 미 우주군이 지구에서 45만km 떨어진 달 궤도 공간에서 국가 자산 보호 임무를 담당하면서 상황이 급반전했다. 이즈음, 중국은 달 착륙에 성공했다. 미국 의회 과학·우주·기술위원회Science, Space and Technology Committee 소속 프랭크 루커스Frank Lucas 의원이 중국 창어 4호가 2019년 달 뒷면에 착륙한 사건을 제2의 '스푸트니크 순간Sputnik moment'으로 인식해야 한다고 경고한 것도 이러한 배경에서다.[24] 반면 2021년 화상 탐사 로버(이동형 탐사 로봇) 퍼서비어런스Perseverance가 화성에 착륙한 직후, 바이든 대통령은 제트추진연구소Jet Propulsion Labora-tory 연구자들에게 "여러분은 미국을 가장 미국답게 만들었다. 우리는 자긍심을 되찾았고 아이들에게 꿈과 희망을 주었다"[25]라고 치하했는데, 이러한 경고나 치하 모두 국가적 자긍심을 둘러싼 정치적 행위이자 치열해진 우주 경쟁의 일면을 보여준다.

한편, 지금까지 운영해온 우주 프로그램이라고 하면 '공공 우주'와 '국방 우주' 2개 분야에 국한되었지만, 최근에는 '상업 우주'가 급부상하고 있다. 민간 재활용 발사체와 소형·군집 위성 서비스, 민간 우주 관광은 이제 상업 우주의 아이콘이 되었다. 이에 따라 국가뿐 아니라 글로벌 기업들이 앞다투어 우주산업에 뛰어드는 '뉴 스페이스New Space 시대'가 펼쳐지고 있다. 냉전 시절 미국이나 러시아처럼 국가가 우주 개발을 주도하던 시대가 '올드 스페이스'였다면, 지금처럼 민간 기업체가 우주 개발에 뛰어들고 우주 산업 경쟁을 주도하는 새로운 단계는 '뉴 스페이스' 시대라고 할 수 있다. 스페이스X, 아마존 등 글로벌 민간 기업체가 우주 인터넷망 구축과 민간 우주여행 등 우주 개발에 뛰어들면서 앞으로의 우주 경쟁은 완전히 새로운 양상으로 펼쳐질 전망이다.

민영화 열기가 뜨거웠던 2000년대 초반, 국제기구로 설립되어 활동하던 국제 통신위성 기구들인 인텔샛Intelsat, 인마샛Inmarsat, 유텔샛Eutelsat은 모두 민간 주식회사로 탈바꿈했다. 비슷한 시기에 민간 위성 전화 회사 이리듐과 글로벌스타가 서비스를 시작했으며, 이후 관측 위성을 선두로 기상위성, 통신위성 등을 발사하는 민간 사업체들이 속속 등장하고 있다.[26] 최근의 우주 경쟁에서 또 한 가지 특징은 중국도 우주 강국으로 급부상했다는 점이다. 냉전 시절 우주 경쟁이 거의 미국과 소련 간 경쟁이었던 것과 다른 양상이다.

중국의 달 탐사, 화성 탐사와 우주 개발

중국은 2006년 화성 탐사에 첫 시동을 걸었다. 화성 탐사 5개년 계획(2006~2010) 추진 끝에 2011년 러시아 탐사선 포보스-그룬트Phobos-Grunt에 중국 탐사선 잉휘螢火 1호를 실었으나 모선이 엔진 점화에 실패하는 바람에 성공하지 못했다. 결국, 2022년에 쏜 톈원天問 1호가 중국의 첫 화성 탐사선이 되었다. 톈원 1호는 화성 지도를 작성하는 동시에 화성 흙 성분과 얼음 분포를 밝히고 이온권을 조사했다. 미국 나사NASA의 퍼서비어런스(2020년 7월 30일 발사)와 톈원 1호(같은 해 7월 23일 발사)는 과학 목표가 서로 유사하지만,[27] 중국은 미국조차 시도한 적 없는 화성 궤도선과 착륙선, 로버를 동시에 완벽하게 성공시킨 것이다.

중국은 '창어嫦娥' 프로그램을 통해 다양한 기술 실험을 시도했다. 창어는 달의 여신을 의미한다. 창어 1, 2호가 2007~2010년 달을 돌면서 3차원 달 지도를 완성한 데 이어 3호는 달 탐사 로버 '옥토끼(위투玉兎)'

를 착륙시켜 전 세계를 놀라게 했다. 2019년 1월, 창어 4호는 세계 최초로 달 뒷면 착륙에 성공했고, 통신 중계 위성 '오작교(췌차오 鵲橋)'가 '옥토끼'의 명령과 자료 전송을 맡았다. 2020년 말에 쏜 창어 5호는 달 토양 샘플을 채취해 지구로 귀환했는데, 달 표본을 수집한 것은 1976년 소련의 루나 24호가 지구에 월석을 가져온 지 45년 만의 일이었다.

중국은 과거 미국이 서베이어 Surveyor(1966~1968)와 아폴로 Apollo(1961~1972) 프로그램을 통해 성취했거나 아르테미스 계획(유인 탐사 프로그램, 2017~)을 통해 시도 중인 여러 과학적·기술적 도전을 펼치고 있다. 또 무인 탐사선으로 10년 안에 화성 흙을 가져온다는 계획과 화성 유인 탐사 계획까지 수립했다. 과학 탐사에서도 세계 2위 강국으로서 위치를 굳건히 다지고 있는 셈이다. 중국의 우주 프로그램이 펼칠 미래 비전은 미국과 비교해봐도 뒤처지지 않는다. 세계 1위 우주 강국 미국이 2위의 질주에 긴장하는 이유다.

우주 프로그램 군사화와 미·중 충돌 가능성

우리가 주목할 점은 중국의 우주 계획과 지휘 조직, 지상 지원 시설과 우주인을 모두 인민해방군이 담당하고 있다는 사실이다.[28] 중국 국가항천국 CNSA은 미국의 나사에 해당하며, 우주 프로그램의 국제 협력에 역점을 두고 있다. 유인 우주 사업을 총괄하는 조직은 중국 중앙군사위원회 장비개발부 산하 중국유인우주공학연구실 China Manned Space Engineering Office이다. 중국의 우주 프로그램 기반 시설은 모두 군사화되어 있고 발사 센터와 관제 센터, 그리고 상당수 위성은 인민해방군이 직접 관리한다. 과학 탐사와 상업 우주 부문에서 중국 우주 프로그램을 협력 기회로 활용할 수는 있지만, 우주 기술은 대륙간탄도미사일과 같은 전략무기에, 우주 상황 인식은 위성 요격에 활용되기 때문에 매우 신중한 접근이 필요하다.

한편 유엔은 1967년 지구 밖에서 핵무기와 군사작전, 군사시설의 운영을 금지하는 '우주 조약'을 체결한 바 있다. 이 조약은 우주에서 '잠재적으로 유해한 간섭이 일어날 수 있는' 조치를 발동하기 전에 '적절한 국제 협의'를 권고하고 있지만, 이행 조건이나 조약 내용이 충분치는 않다. 또 러시아와 중국, 미국은 조약에 서명하지 않았다. 따라서 이들 세 나라는 아무런 합의 없이도 월면月面 시설을 군사기지로 전환할 가능성이 있다.

지난 2021년 6월, CNSA와 러시아연방우주공사 로스코스모스Roscos-mos는 국제 달 연구 기지International Lunar Research Station[29]의 후보 장소를 물색한 뒤 2025년까지 건설 장소를 선정, 발표하겠다고 선언했다. 앞서 나사는 동맹국과의 아르테미스 협약Artemis Accords에 따라 아르테미스 기지Artemis Base Camp[30] 건설 계획을 발표했다. 또 미 공군연구소는 '달 궤도 순찰 시스템Cislunar Highway Patrol System'을 개발하고 있다. 이 우주 선은 2025년 지구와 달 사이에 있는 중력 안정 지역으로 발사돼 그 지역 주변에서 일어나는 우주 교통 상황을 감시하는 기술을 시험할 예정이다.[31] 지구에서의 패권 다툼을 넘어 미래에는 우주에서의 우주 강국 간 충돌 가능성도 배제할 수 없게 되었다.

세계 우주 경제와 한국의 우주 계획

지난 30년 동안 한국은 소형 위성 및 중형 위성 설계와 운용 분야에서 세계적 수준에 도달했다. 그리고 2022년 6월에는 누리호 발사에 성공해 소형 위성에 대한 저궤도 투입 능력을 인정받았다.[32] 누리호 개발은 독자적인 국산 기술로 이뤄졌으며, 위성 부품 가운데 상당 부분을 국산화했고, 수신 안테나를 비롯한 지상국 구축과 운영 부문에서도 빠른 성장을 이루었다. 1992년 우리별 1호 발사 이후 우주 분야에서 한국이 달성한 놀라운 성과다. 2022년 8월 달 궤도선 다누리 발사에 이어 2030년에는 우리 발사체로 달에 착륙한다는 목표도 세워놓았다.

그런데 2020년 세계 우주 경제의 수익 구조를 보면, 상업 우주 부문에서 한국의 상황을 짐작해볼 수 있다. 총 3,710조 달러 규모에 이르는 세계 우주 경제에서 전통적 위성과 발사체 제작, 발사체 서비스는 총수익의 4.6%에 지나지 않는다. 반면 지상국 장비와 서비스는 36.5%이고, 주요국 정부가 투자하는 우주 예산과 민간 유인 우주 비행 분야 예산을 합하면 27%다. 위성통신과 위성 영상 서비스를 포함한 활용 분야에서 나오는 수익이 31.8%라는 점에도 주목할 필요가 있다. 이에 비춰볼 때, 한국의 우주 산업은 대부분 위성체와 발사체 체계 사업에 집중하고 있으며, 위성 활용 분야는 여전히 성숙하지 못한 단계다.[33]

또 2020년 세계 우주 시장을 분야별로 구분해보면 공공 우주 부문(정부)과 국방 우주는 각각 9%이지만, 상업 우주는 82%에 달한다. 그러나 한국 정부의 계획에는 공공과 국방, 상업 우주 개념이 부족하다. 앞으로 우주 분야는 과학기술 외에 정보통신, 산업, 자원, 기후, 환경, 농림 수산, 해양, 국토 관리, 외교와 안보 전 분야에 걸쳐 영향력을 미칠 것으로 예측되지만, 부처 간 협력도 미진하다. 이렇게 부처별로 제각기 우주 관련 분야에 투자한다면 예산도 낭비될 것이다. 개별 사업만 존재할 뿐 관련 분야가 유기적으로 연결되지 않는 것은 상위 전략이 명확하지 않기 때문이다.

따라서 우주 분야 전담 기관을 명확히 해서 우주 전략의 체계적 수립과 추진을 위한 R&D는 물론 산업 진흥과 관련 정책을 총괄 운영하는 시스템이 체계적으로 작동해야 한다. 또 미래의 수요에 대비하기 위해, 예를 들면, 구조체와 모빌리티(기계, 제어, 로보틱스), 우주 재료(소재)와 우주 기지(건설), 원자력전지(원자력), 미소 중력 실험(의생명과학, 제약)과 인공지능(정보통신), 원격 탐사(국토 개발과 농림, 해양, 기상, 국방)를 기관의 업무에 포함하는 방안을 검토한 뒤 프로그램 단위로 장기 발전 계획을 수립할 필요가 있다.[34]

나아가 국제적인 우주과학 관련 협력도 필요하다. 우주탐사는 특정 국가가 단독으로 실행하기 어려운 경우도 많다. 또 우주 기술은 쉽게 돈으로 사거나 이전할 수 없는 전략 기술인 점에서 우주 선도국과의 긴밀한 관계는 매우 중요하다. 미국과 유럽, 일본, 캐나다 등은 국제우주정거장 협력에 이어 아르테미스 협약을 기초로 달 궤도 우주정거장 게이트웨이gateway[35]를 주도하고 있다. 2001년 미국이 한국에 국제우주정거장 참여를 요청했지만, 비용이 2억 달러에 달해 한국은 이를 포기한 바 있다.[36] 미국은 이제 '달에서 화성까지Moon-to-Mars' 탐사 프로그램에 네 가지 분야를 제시하면서 동맹국들에 동참을 요청하고 있다.[37] 여기에는 운송과 거주, 달과 화성 기반 시설, 시설 운영, 과학 연구가 포함된다. 이 가운데 당장 우리가 협력할 수 있는 가장 유력한 분야는 무엇일까? 종합적 전략과 선택이 필요한 시점에 와 있는 것이다.

지정학적 패권 경쟁, 지구에서 우주로

인간은 공간에서 살아가는 존재이므로 공간의 영향을 절대적으로 받을 수밖에 없다. 역사적으로 국가와 국가 간 관계와 갈등도 대부분 지리적 공간, 즉 영토에서 비롯되었다. 이런 지리적 관점의 전략을 다룬 영역이 바로 지정학이다.

근대 지정학에는 영미 앵글로색슨의 해양 세력 지정학과, 독일을 중심으로 한 대륙 세력 지정학 두 개의 전통이 있다. 독일의 대륙 세력 지정학은 '중부 유럽Mitteleuropa'의 패권 장악에 집착하며 중부 유럽, 동유럽 그리고 러시아의 지정학적 중요성에 주목했지만, 결국 나치 부역 학문으로 전락하면서 그 명맥이 단절되었다. 하지만 해양 세력 지정학은 여전히 미국 대외 정책의 기본적인 인식 틀로 남아 있다. "광활한 유라시아 대륙의 심장부, 즉 하트랜드Heartland를 장악하면 세계를 장악한다"라는 지정학의 창시자 해퍼드 매킨더Halford Mackinder의 하트랜드론, "대륙의 주변부, 즉 림랜드Rimland를 차지해야 육지와 해양을 이을 수 있고 하트랜드를 차지할 수 있다"라는 미국 지정학자 니컬러스 존 스파이크먼Nicholas John Spykman의 림랜드론은 해양 세력의 지정학이다.[38]

첨단 과학기술의 발전으로 인간은 공간적·지리적 한계를 극복하고 있으며, 21세기의 공간 개념에는 사이버공간과 우주 공간까지 추가되었다. 우주 기술의 발전으로 패권 경쟁은 새로운 국면에 놓였다. 해양과 대륙에서의 패권을 넘어 우주 공간의 패권을 둘러싼 치열한 경쟁이 펼쳐지고 있다. 대항해시대에 선박 기술과 항해술이 중요했다면, 우주 시대에는 우주탐사 기술이 중요하다. 우주탐사 기술은 여러 첨단기술 중 하나로만 볼 것이 아니라 우주 시대의 글로벌 패권을 좌우할 결정적 요인으로 봐야 할 것이다. 스파이크먼은 "림랜드를 장악하는 자는 유라시아(하트랜드)를 장악하고 유라시아를 장악하면 세계를 지배한다"라고 말했지만, 아마 미래 우주 시대에는 이런 말로 대체될지도 모른다.

"달과 화성 탐사를 주도하고 우주를 선점해야 글로벌 패권을 장악할 수 있다."

나노와 디지털을 넘어, 양자 정보 기술

갈수록 치열해지는 미국과 중국 간 기술 패권 경쟁은 차세대 정보 기술인 양자 정보 기술을 사이에 놓고도 팽팽하게 이어지고 있다. 그야말로 미국과 중국 양자兩者 사이의 양자量子 전쟁이다. 2021년 11월, 미국 상무부는 중국 기업을 포함한 28개의 양자컴퓨터 기술 관련 기업에 제동을 걸었다. 그런데 이 제재가 오히려 중국의 기술력을 인정한 것으로 해석되어 중국 회사 12개의 주가 급등으로 이어졌다. 양자 정보 기술이 국가의 안보와 미래를 좌우할 핵심 기술로 떠올랐다는 방증이다.

이러한 미중 간 양자 경쟁은 1950년대 스푸트니크 쇼크Sputnik shock로 시작된 미국과 소련의 우주 경쟁을 떠올리게 한다. 1957년 소련이 세계 최초로 인공위성 스푸트니크 1호를 우주 궤도에 올리자 미국 전역은 공포에 휩싸였다. 소련이 언제든 우주 궤도에서 미사일 공격을 해올지도 모른다는 우려 때문이었다. 이를 계기로 미국 정부는 과학기술 발전을 주도하기 위해 초·중등학교에서 수학과 과학교육을 강화하는 교육과정을 새로 마련하기도 했다. 당시 미국과 소련의 우주 경쟁이 우주 궤도로 확장된 무기 경쟁이라면, 한 세기가 흐른 지금 미국과 중국의 양자 경쟁은 정보와 보안을 둘러싼 정보 경쟁이라고 할 수 있다.

중국은 2017년 베이징에서 상하이까지 2,000km에 달하는 양자 암호통신망을 개통했다. 이듬해인 2018년에는 세계 최초 양자 통신위성 모쯔墨子호를 쏘아 올려 중국과 유럽 사이 7,600km를 양자 암호 통신으로 연결했다. 그러자 2019년 미국의 구글은 초전도 큐비트(양자비트) 53개짜리 양자컴퓨터 시카모어Sycamore로 '양자 우월'을 선언했다. 이에 맞서 중국의 씨텍은 2020년 광자 큐비트 76개짜리 양자컴퓨터 지우장九章을, 중국과학원은 2021년 초전도 큐비트 66개짜리 양자컴퓨터 쭈충즈祖仲之를 잇따라 발표하며 광자와 초전도 두 분야에서 양자 우월을 성취했다고 강조했다. 양자 정보 기술을 둘러싸고 숨 가쁜 각축전이 벌어지고 있는 모습이다.

양자와 보안, '병 주고 약 주기'

양자물리학은 정보 보안에 대해 이른바 '병 주고 약 주는' 관계다. 양자컴퓨터는 디지털컴퓨터의 어떤 암호도 풀어낼 수 있기에 '병'인 셈이고, 양자암호를 이용하면 양자컴퓨터를 비롯해 어떤 컴퓨터도 풀 수 없는 암호로 통신할 수 있기에 '약'인 셈이다.

양자컴퓨터 아이디어는 미국 물리학자 리처드 파인먼 등에 의해 꾸준히 제기되어왔다. 나노 기술의 문을 연 파인먼은 1980년대에 '양자물리학의 원리로 작동하는 조그만 컴퓨터'라는 아이디어를 제안했다. 파인먼은 양자 다체 문제quantum many-body problem*와 같은 복잡한 물리학 문제는 기존 디지털컴퓨터로는 감당할 수 없다고 주장했다. 자연은 양자역학적 체계에 속해 있어, 어떤 물리현상을 계산하기 위해서는 계산 장치 역시 양자역학적으로 구성되어야 한다는 것이 그의 지적이었다.[39] 디지털컴퓨터는 반도체라는 물리계를 기반으로 전자의 움직임을 제어해 연산을 수행하기 때문에 입자의 수가 늘어날수록 감당할 계산의 크기가 지수함수적으로 늘어나지만, 양자컴퓨터는 입자의 수에 비례하는 정도의 계산 자원으로 충분하다는 것이다.

양자컴퓨터는 무엇보다 암호해독이라는 정보 보안 분야에서 위력을 드러내고 있다. 오늘날 가장 널리 사용되는 비대칭 공개키 암호화 방식은 RSA 암호다. 이는 1977년 4월 리베스트Ron Rivest, 샤미르Adi Shamir, 애들먼Leonard Adleman 세 학자가 큰 수는 소인수분해하기 어렵다는 점을 이용해 만든 것이다. 누구에게나 공개된 긴 숫자는 암호문을 만드는 데에 쓰이는 자물쇠 역할을 하고, 수신자는 그 숫자의 두 소인수를 알고 있어야 이를 열쇠로 사용해 암호문을 풀 수 있다. 자물쇠와 열쇠가 다르기에 비대칭이라 하고, 자물쇠 역할을 하는 긴 수는 누구에게나 알려져 있기에 공개키라고 한다.

이들 세 학자는 그해 8월 현상금을 걸고 RSA129라는 이름이 붙은 129자리 자연수를 64자리와 65자리 자연수 둘로 소인수분해하는 퀴즈를 냈다. 자물쇠인 긴 수로부터 열쇠인 짧은 수를 알아내는 것인데, 현

• 양자 다체 상태란 전자 1개가 여러 원자에 나뉘어 존재하는 상태로, 근본적으로 많은 입자가 상호작용하는 응집 물질 현상이다.

존하는 디지털 슈퍼컴퓨터로는 불가능할 정도로 매우 어려웠다. 문제를 낸 지 17년 만인 1994년 25개국에서 600명의 지원자가 나와 1,600대의 컴퓨터를 연결해 시도했는데도 성공하기까지는 1년 가까운 시간이 걸렸다.

하지만 만약 충분한 크기의 양자컴퓨터를 실제로 만들어서 양자 소인수분해 알고리즘을 사용하면 RSA 암호 방식으로 만든 암호문은 모두 풀려버리고 만다. 이 알고리즘은 1994년 벨연구소의 응용수학자 피터 쇼어Peter Shor가 발표했다. 디지털컴퓨터로는 자릿수에 따라 지수함수적으로 오래 걸릴 소인수분해를 자릿수의 세제곱 정도로 단축한 것이다. 쇼어의 양자 소인수분해 알고리즘은 금융과 군사, 외교 등 일급비밀을 다수 보유한 분야에 엄청난 공포를 불러일으킬 수밖에 없었다. 이렇게 암호가 풀리면 은행 계좌는 물론 위성과 핵무기 암호 체계를 해킹하는 것도 시간문제였기 때문이다. 양자물리학이 정보 보안에 '병'을 주는 셈이다.

그런 한편, 같은 양자 원리를 이용해 어떤 컴퓨터도 해독 불가능한 양자 통신과 암호 기술도 개발되고 있다. 양자 기술의 모순矛盾이다. 양자컴퓨터가 암호를 뚫는 가장 강력한 창이라면, 양자 암호 기술은 이를 막는 가장 강력한 방패로 작용한다. 암호 기술에는 소인수분해와 같은 어려운 수학 문제를 이용하지 않는 일회용 난수 방식이 있다. 난수亂數는 이어지는 숫자들 사이에 아무런 관계가 없는 숫자로 규칙성을 전혀 찾을 수 없다. 소리로 치면 잡음에 해당한다. 난수를 이용한 암호 기술은 다음과 같다. A가 B에게 어떠한 비밀을 보내려 하면, A는 비밀에 난수를 더한 암호문을 만든다. 비밀에 난수를 더한 암호문은 마치 잡음처럼 되고, 암호문을 받은 B가 암호문에서 난수를 빼면 비밀을 복원할 수 있다.

문제는 이 난수를 한 번만 쓰고 없애야 한다는 데 있다. 같은 난수를 두 번 쓰면 비밀이 드러날 수 있다. 즉, 첫 번째 비밀에 난수를 더해 첫 번째 암호문을 만들고, 두 번째 비밀에 똑같은 난수를 더해 두 번째 암호문을 만들면, 둘 다 잡음처럼 보일 것이다. 그렇지만 첫째 암호문에서 둘째 암호문을 빼면, 같은 난수들이 사라지면서 두 비밀을 추측할 수 있다.

이 때문에 A와 B가 비밀통신을 지속하려면 새로운 난수를 계속 만들어 나누어 가져야 하는데, 이 과정에서 난수가 노출되면 치명적인 일이 된다. 이러한 단점을 보완할 수 있는 양자 암호 방식은 1984년 IBM의 찰스 베넷Charles Bennett과 몬트리올대학교의 질 브라사르Gilles Brassard가 제안했고, 1989년 첫 실험에 성공했다. 양자물리학의 원리로 보호되는 양자 암호는 빛의 가장 작은 단위인 광자에 정보를 담는 방식이다. 어려운 수학 문제를 풀 필요도 없다. 양자는 불확정성, 중첩성, 복제 불가 등의 성질을 갖고 있어 해킹 시도에 노출되면 신호 자체가 왜곡·변질되어 원본을 해석할 수 없다. 따라서 어떠한 컴퓨터 공격에 대해서도 원리적으로 안전하다.[40] 양자물리학이 정보 보안에 병을 주는 동시에 '약'을 주는 셈이다.

미국 국가안보국NSA을 비롯해 각국 보안 당국은 여러 양자 정보 과학 학술대회와 논문들을 계속 모니터하면서 공개키 암호 방식을 깰 양자 컴퓨터(창)와 어떤 컴퓨터로도 깨지지 않을 양자 암호(방패)의 기술 개발과 발전 상황을 주시하고 있다. 미국과 중국이 양자 기술 선점을 놓고 치열한 패권 경쟁을 벌이는 이유도 여기에 있다.

양자물리학의 등장

양자컴퓨터는 어떠한 원리로 인해 기존의 디지털컴퓨터보다 뛰어난 능력을 발휘하는 것일까? 양자컴퓨터의 기반이 되는 양자물리학은 1900년 독일 물리학자 막스 플랑크가 흑체복사*의 스펙트럼을 설명한 논문에 처음 등장한 이후, 우주 만물의 근본 원리로 여겨지고 있다. 그가 빛이 가진 에너지는 연속적인 양量, quantity이 아니라 하나, 둘, 셀 수 있게 덩어리져 있다고 하면서 양자量子, quantum라는 이름이 만들어졌다. 이후 다양한 물리량도 빛 에너지처럼 불연속적인 양으로 되어 있다는, 즉 양자화되어 있다는 사실이 알려졌다.

양자물리학 덕분에 연금술alchemy은 진정한 의미의 화학chemistry으로 재탄생했다. 러시아 화학자 멘델레예프가 처음 고안한 원소주기율표는 수많은 연금술사의 수백 년에 걸친 경험을 정리한 것이지만, 양자물리학으로 인해 비로소 이를 기반으로 원자나 분자 등 물질의 구조와 화학변화를 설명하고 새로운 물질을 합성할 수 있게까지 된 것이다.

망막에 있는 로돕신 분자가 눈으로 들어오는 빛 에너지의 알갱이인 광자와 부딪히면서 로돕신의 이중 결합 배치가 바뀌어 신경세포를 자극함으로써 시각 반응이 일어난다는 사실도, 코의 점막이나 혀의 미뢰에서 어떻게 화학작용이 일어나는가 하는 것도 모두 양자물리학으로 설명할 수 있다. 유전체를 이루고 있는 DNA 분자구조도, 태양의 빛 에너지를 먹을 수 있는 양분으로 변화시키는 광합성도 양자물리학으로

• 흑체(모든 파장의 전자기파를 완전하게 흡수하는 가상의 물체)에서 방출되는 열복사. 온도와 상관관계가 있어 어떤 물체에서 방출되는 복사에너지나 색을 측정하면 그 온도를 알 수 있다.

이해할 수 있다. 20세기 후반 정보혁명의 기반 기술인 반도체와 레이저도 양자물리학의 작품이다. 왜 도체는 전류를 흘리고 부도체는 전류를 흘리지 않는지를 양자물리학으로 설명함으로써 반도체 기술이 탄생했다.

양자, 나노와 디지털을 넘어

양자컴퓨터의 가장 큰 특징은 데이터를 구성하는 정보의 기본단위가 다르다는 점이다. 기존의 기본단위인 비트는 0 또는 1의 논리값을 가지는데, 양자 정보는 0과 1은 물론 이들의 '양자 중첩quantum superposition'까지 정보처리에 이용한다. 이를 양자비트 또는 큐비트라고 부른다. 양자 중첩이란 큐비트가 0 또는 1일 수도 있지만, 0의 확률과 1의 확률이 동시에 존재할 수도 있다는 것이다. 이들은 고전적으로는 설명할 수 없는 방식으로 서로 영향을 주고받을 수 있는데, 이를 '양자 얽힘quantum entanglement'이라고 한다.[41] 중첩과 얽힘은 양자 정보처리의 핵심 자원으로 평가받는다.

디지털컴퓨터는 전류가 흐를 때는 1, 흐르지 않을 때는 0으로 인식해 정보를 1과 0의 2진수 비트로 표현하고, 양자물리학으로 만든 하드웨어 반도체 소자(장치, 전자 회로 따위의 구성 요소가 되는 낱낱의 부품)로 제어된다. 정보를 담는 그릇인 하드웨어는 양자물리학의 원리를 사용한 반도체 기술로 이루어졌지만, 디지털 비트로 표현되는 정보와 이를 다루는 소프트웨어나 운영체제는 양자물리학과 전혀 관련이 없다. 1947년 벨 연구소에서 발명한 트랜지스터는 전류의 흐름을 제어하는 장치로 진공관의 220분의 1 정도 크기였다. 이는 '작게 더 작게' 만드는 나노 기술을 타고 점점 더 작아졌다.

하지만 트랜지스터 크기가 원자에 가까운 nm(나노미터, 10억분의 1m)를 지나 더 작아지면 0과 1이 모호해진다. 이를 '중첩 현상'이라고 하는데 디지털 정보 처리에 치명적이다. 여기서 양자물리학의 역습이 시작된다. 즉, 입자의 위치와 운동량을 모두 정확하게는 알 수 없다는 하이젠베르크의 불확정성 원리 등 양자물리학적 원리가 두드러지는 미시세계에서는 0과 1비트의 구분이 흐트러질 수 있으므로 적극적으로 양자물리학 원리를 하드웨어뿐 아니라 정보 그 자체와 이를 다루는 소프트웨어와 운영체제에까지 사용해야 한다는 것이다.

앞서 언급했듯, 디지털 정보에서는 0이면 0, 1이면 1로 서로 배타적인 상태만 존재하지만, 양자 상태에서는 0과 1이 동시에 될 수 있는 중첩 상태에 있을 수 있다. 예를 들어, n비트는 2의 n제곱 가지 상태에 있을 수 있지만, 이 모두는 서로 배타적이라 디지털컴퓨터에서는 한 번에 하나씩 다루어야 한다. 그런데 n큐비트는 2의 n제곱 가지 상태가 중첩 상태로 동시에 가능하므로 한꺼번에 다룰 수 있다. 디지털컴퓨터 소자의 한계가 2~3나노라면 큐비트는 원자 단계까지 갈 수 있다. 이 때문에 큐비트 개수가 늘어날수록 정보처리 능력은 기하급수적으로 늘어난다.[42] 디지털컴퓨터의 능력을 지수함수적으로 뛰어넘는 양자컴퓨터의 위력이 여기서 나온다. 한 가지 주의할 점은 중첩 상태 모두가 계산 과정에 동원은 되지만, 계산이 끝났을 때 이 모두를 다 얻을 수 있는 것은 아니고 그중 한 상태만 측정되어 기록으로 남는다는 것이다. 그래서 양자 알고리즘 설계는 디지털컴퓨터 알고리즘과 상당히 다르다.

여러 양자 상태가 중첩되어 있다가 어느 하나로만 '확률적으로' 귀착하는 양자 측정의 특성은 아인슈타인을 비롯해 수많은 물리학자의 반발을 불렀다. 여러 큐비트가 중첩되어 만들어지는 양자 상태는 대부분

각각의 큐비트 상태로 환원되지 않는다. 이를 양자 얽힘이라고 하는데, 두 큐비트가 최대로 얽힌 상태를 'EPR 쌍' 또는 '벨 상태'라고 한다.[•] 벨 상태에서는 큐비트 하나를 측정하면, 다른 큐비트가 아무리 멀리 떨어져 있어도 즉시 그 상태가 완전히 결정된다. 이것은 정보가 빛보다 빨리 전달될 수 없다는 아인슈타인의 특수상대성이론에 위배되는 것처럼 보였으나, 결국 양자 정보과학을 발전시키는 데 크게 기여했다. 최근까지 이뤄진 실험을 통해, 양자 얽힘에서 멀리 떨어진 곳에 있는 두 큐비트 사이의 측정 결과는 상관성을 보이지만 인과성은 없다는 것이 확인되었다.

양자 정보의 또 다른 특성은 선형성 때문에 복사할 수 없다는 것이다. 또 한 번 측정하면 여러 중첩 상태 중 하나로 귀착되어 이전 상태로 돌아갈 수 없다. 이런 특성 때문에 양자 암호 기술이 성립한다. 복사 가능한 디지털 정보와 달리 양자 정보는 도청자가 양자 통신 선로를 지나가는 양자 상태를 복사할 수도 없고, 한번 읽히고 나면 양자 상태가 달라져 도청 사실이 발각되기 때문이다. 양자 중첩 및 양자 얽힘 등에서 아주 작은 교란에도 큐비트가 특정 상태로 측정되어 귀착해버리는 초민감성은 양자 정보 기술 발전에 최대의 장애가 되고 있지만, 한편으로는 그 초민감성을 활용한 양자 센서의 탄생을 불러오기도 했다. 또 양자 얽힘의 상관성은 양자 계측과 양자 이미징처럼 기존 기술로는 불가능한 새로운 기술을 제시하고 있다.

• 'EPR 쌍'은 알베르트 아인슈타인이 동료 보리스 포돌스키, 네이선 로젠과 함께 제안한 사고실험에 등장하는 양자 상태. 나중에 벨이 일반적인 이론을 전개했기에 '벨 상태'라고도 부른다.

양자 정보 기술 전망

양자 상태는 쉽게 교란되고 깨어지므로 양자컴퓨터 등 양자 정보 기술의 발전을 회의적으로 보는 시각도 많다. 비용을 100배나 들여 2배 빠른 컴퓨터를 마련하는 게 큰 의미가 있을까? 하지만 경쟁에서 앞서고자 하는 기업들은 이런 투자를 마다하지 않는다. 6개월 걸릴 개발을 3개월에 마칠 수 있다면 경쟁에서 승리할 수 있기 때문이다. 사실 양자 정보 기술은 겨우 몇 배 빠른 정도의 열매를 논하는 것이 아니라, '불가능을 가능하게 하는' 기술이기에 여러 과학기술 선도국들이 치열하게 경쟁하고 있다.

물론 양자 정보 기술의 앞길에는 엄청난 불확실성이 가로놓여 있다. 디지털컴퓨터는 실리콘 반도체 기술이 대세이지만, 양자컴퓨터의 미래는 온통 불확실성뿐이다. 초전도, 이온 덫, 다이아몬드, 광학 중에서 어떤 방식으로 귀착될 것인가? 대규모 양자컴퓨터를 정말로 만들 수 있을까? 양자 암호 측면에서는 장거리 양자 통신에 필요한 양자 중계기를 과연 만들 수 있을지, 시장에서 수학적 암호 방식과 경쟁해 살아남을 수 있을지도 미지수다. 이에 비하면 양자 센서와 양자 계측, 양자 이미징 같은 기술은 사정이 나은 편이다. 양자컴퓨터나 양자 암호 통신보다 투자 비용이 적고, 기존 기술에 비해 확실한 우위 가능성이 보이기 때문이다. 전체적으로 보면 양자 정보 기술은 세계적으로 아직 태동기여서 우리에게는 도전의 기회가 살아 있는 분야라고 할 수 있다.

국내 양자 정보 기술 개발 현황

양자컴퓨터의 가능성이 대두되던 1990년대 후반, 국내서도 양자 정보 기술의 가능성에 주목하고 연구를 시작하긴 했다. 그러나 우리나라는 디지털과 나노 기술에만 너무 오래 머물렀다. 2000년대 중반 한국전자통신연구원ETRI, 고등과학원KIAS, 한국과학기술연구원KIST 등에서 양자암호를 비롯해 소규모 연구개발에 성공적 성과를 올렸지만, 정부의 조직 변화 등으로 연구 사업이 중단되면서 중요한 연구 인력과 기회를 놓친 바도 있다. 이제 미중의 양자 경쟁으로 우리도 비로소 양자 정보 기술의 중요성에 주목하고 투자를 늘려가고 있다. 최근에는 연구 인력 부족이 걸림돌인데, 이는 우리뿐 아니라 세계적 현상이다. 양자 정보 기술에 주목하는 나라와 기업이 폭발적으로 늘었기 때문이다. 이렇게 갑작스러운 투자 증가를 우려하는 목소리도 높다. 불확실한 기술이고 인력도 부족한데 너무 큰 투자를 하면 이 모든 게 허비될 수도 있다는 지적이다. 그러나 지금이라도 확실하게 미래를 대비하지 않으면 기회를 영영 잃게 될 것이다.

우리나라에서도 양자컴퓨터를 사용하는 젊은이가 수백 명에 이른다. 지난 몇 년 동안 IBM과 IonQ 등 기업의 양자컴퓨터 해커톤Hackathon에서 수많은 학생이 배우며 경쟁을 벌여왔다. 또한 국내외 대학이 배출한 박사급 인력들도 여러 연구소에서 경쟁과 협력 속에 생태계를 만들어가고 있다. 학술 활동 측면에서도 전문가 집단인 양자정보과학기술연구회QuIST가 최근 전문 학회인 한국양자정보학회QISK로 발돋움했다. 양자정보 기술을 기업에 확산하기 위해 양자 분야 대표 산학연이 모인 미래양자융합포럼FQCF도 활동 중이다. 양자 정보 기술에 대한 투자와 개발은 미국과 중국만의 문제가 아니라, 우리에게도 국가의 미래 경쟁력과 안보를 위해 반드시 추진해나가야 할 국가적 전략 과제다.

3

기술 패권 시대를 기회로 활용하는
100년 전략

발굴 전략 : 추격형 연구개발에서 선도형 연구개발로

육성 전략 : 국가 경쟁력의 원천이 될 과학 자본의 축적

확보 전략 : 기술 주권, 기술 식민지가 되지 않기 위한 열쇠

활용 전략 : 기술·경제·안보를 아우르는 통합 외교

발굴 전략 :
추격형 연구개발에서 선도형 연구개발로

미국과 중국을 중심으로 한 전 세계 기술 패권 경쟁이 치열하다. 첨단기술을 손에 쥐는 것이 곧 글로벌 패권을 차지하는 것이기 때문이다. 이 사실은 역사가 방증한다. 그런 점에서 21세기 세계 정치와 경제의 지형을 재편할 신기술을 누가 선점할 것인가에 관심이 쏠리는 가운데, 국가 연구개발R&D 정책의 중요성도 더 커지고 있다. 국가의 미래 성장 동력 발굴과 육성, 그리고 역동적으로 변화하는 기술패권주의 시대에 대한 대응 의지가 모두 여기에 담기기 때문이다.

그러나 우리나라의 국가 R&D 전략에는 아직 허점이 많다. '코리아 R&D 패러독스'나 '장롱 특허'란 표현[43]이 이를 명백히 보여준다. 투자는 했는데 성과는 미흡하고, 특허는 많은데 쓸 만한 것이 없다는 얘기다. 이러한 부분은 현실 지표로도 확인할 수 있다. 2021년에 집행된 국가 연구개발비는 전년 대비 13.1% 증가한 27조 4,005억 원이었다.[44] 국내총생산GDP 대비로만 따지면 세계 선두를 다툰다. 하지만 특허청의 조사 결과에 따르면 국내 특허 가운데 활용 건수는 약 57% 정도이며, 특히 국가 연구개발비를 투입한 출연 연구소와 대학의 특허 활용률은 33.7%에 불과했다. 과제 성공률은 90% 이상이지만 사업화 성공률은 20%에 그치는 식이다. 특허가 실제 활용으로 이어지지 못했거나 사업화가 불가능했다는 뜻이다.

기술 패권 경쟁 시대에 연구개발 전략의 중요성은 두말할 나위도 없다. 인구 감소에 따른 사회구조의 변화와 생산력 저하 등 수많은 현안 과제를 안고 있는 우리나라가 신기술, 특히 국가 경쟁력으로 직결되는 원천 기술을 확보하기 위해서는 연구개발 전략부터 재점검하고 혁신하는 일이 절실하다. 연구개발은 과거부터 축적해온 지식을 바탕으로 현재의 기술적 난제를 풀어가는 과정의 연속이며, 이는 곧 미래를 만들어가는 과정이다.

R&D가 미래를 결정한다

정부의 올해 R&D 예산 확대는 단기적으로는 코로나19 등 국가 위기 상황을 근본적으로 극복하기 위한 기반 기술을 개발하고, 장기적으로는 디지털화와 탄소 중립 등 가속화할 산업·기술 패러다임 변화에 대비하기 위한 것이다.[45] 미래의 메가트렌드 중 인구구조 변화, 에너지·자원 고갈, 기후변화 및 환경문제, 과학기술의 발달과 융·복합화 등은 특히 연구개발과 직접 연관이 있다. 여기에 코로나19에 따른 감염병 대응과 경제 회복, 그리고 바이오 헬스, 미래 자동차, 시스템 반도체 같은 미래 핵심 산업과 탄소 중립 실현을 위한 기술 등이 새로운 현안으로 떠오른 상태다. 연구개발을 통한 기술혁신으로 이러한 미래 메가트렌드에 얼마나 잘 대처하느냐에 대한민국의 미래가 달렸다.

혁신 방안: 선도형 R&D로 전략성 강화

우리나라 1인당 국민총소득 GNI은 1953년 67달러에 불과했으나 2006년에 2만 달러 시대를 열었고, 2017년에는 3만 달러를 돌파했으며 이제 4만 달러 시대를 앞두고 있다.[46] 이러한 압축 성장의 배경에는 수출 주력, 중화학공업 우선, 과학기술 우대, 추격자 전략 등의 정책과 전략이 있었다. 이러한 전략은 연구개발 분야에서도 유효했다. 1962년 〈제1차 기술진흥 5개년 계획〉 발표 당시 우리나라 연구개발 총투자(정부+민간)는 12억 원에 불과했다. GDP 대비 0.25% 규모였다. 그러나 경제협력개발기구OECD가 발표한 과학기술 분야 지표에 따르면, 2020년 한국의 GDP 대비 R&D 비용 비율은 4.81%로 이스라엘(4.94%)과 선두를 다툰다.

문제는 GDP 대비 투자 규모나 외형적 성과와 비교해 실제로 국민이 체감하는 연구 성과가 그리 높지 않다는 것이다. 그동안의 연구 성과가 국민의 현안 과제를 얼마나 해결했고, 국민의 삶을 개선하는 데 어떤 기여를 해왔는지 되돌아보지 않을 수 없다. 경제 분야 곳곳에서는 이미 추격형 전략의 한계가 여실히 드러나면서 선도형 전략으로의 전환이 필연적으로 요구된다. 지금 벌어지는 치열한 기술 선점 경쟁에서는 먼저 개발하는 자가 시장을 장악한다. 'all or nothing', 즉 전부 아니면 전무인 것이다. 이러한 변화 속에서 선도형 연구개발 전략이 나오지 않는다면, 우리에게 미래는 없다.

겹겹의 위기에 대응하는 R&D 정책

최근의 기술 패권 경쟁을 통해 알 수 있는 것은 과학기술이 경제나 산업에만 직접적 영향을 미치는 것이 아니라는 점이다. 과학기술은 정치 및 외교와도 밀접하게 연결되며 국가의 안보를 좌우하는 요인이다. 이에 따라 우리나라도 필수 전략 기술을 선정해 육성하기 위한 연구개발 정책을 펴고 있다. 우리가 강점을 지닌 반도체 분야나 이차전지뿐 아니라 새로운 개척 분야인 우주·항공 등의 기술 개발이 이루어져야 한다. 특히 2019년의 경우처럼 일본의 수출제한 조치로 어려움을 겪은 후에야 소재·부품·장비 관련 기술에 대한 R&D 투자를 늘리는 식의 대응이 아니라 선제적으로 원천 기술 확보가 필요한 분야를 찾아 지원하는, 장기적인 시각과 체계적인 접근이 바탕이 되어야 한다.

기술 안보 이슈 외에도 현안은 쌓여 있다. 인구구조 변동에 대한 대응이 대표적이다. 2050년 우리나라 인구는 약 4,700만 명이 되어 2022년 상반기 기준 약 5,163만 명[47]보다 줄어들 전망이다. 2024~2025년에는 65세 이상 고령 인구가 전체의 20%를 넘어서는 초고령사회가 될 것으로 예상한다. 그러나 2019년에 인구 자연 감소가 시작된 추세를 고려하면 초고령사회 진입 시기도 더 앞당겨질 수 있다. 인구 감소는 구매력 감소, 시장 감소, 일자리 감소, 경쟁력 저하로 이어진다. 또 고령화는 생산성의 저하, 복지 및 의료 비용 증가 등을 가져올 것이다. 이를 해결하기 위해서는 로봇 기술, 첨단 제조 기술, 정보통신기술, 바이오 융합 기술, 맞춤형 의료 기술 등의 기술혁신이 필요하다.

에너지 부족 문제도 심각하다. 전력 수요 증가, 화석에너지 고갈, 탄소 제로와 연계해야 하는 에너지 전환 문제 등은 에너지 안보 위협으로까지 발전할 수 있다. 탈원전 기조에서 재구축으로 바뀐 원자력발전을 비롯해 대체에너지, 재생에너지 등 새로운 에너지원의 연구와 개발을 더 적극적으로 추진해야 하는 이유다. 2022년 러시아-우크라이나 전쟁으로 유럽의 러시아 천연가스 공급망에 차질이 빚어지면서 에너지난을 겪은 최근의 사례를 참조해야 한다. 기술 패권 경쟁에서 뒤처지지 않는 선도적 국가, 지속 가능한 건강 장수 사회 등이 우리가 추구하는 미래의 모습이라면, 이에 맞춘 연구개발 계획을 수립하고 미비한 부분을 보완해야 할 것이다.

위드 코로나 시대의 과학기술 전략

과학기술은 무엇보다 장기적 안목 아래 안정적 지원을 지속해야 하는 분야다. 특히 코로나19로부터 얻은 교훈을 기회로 삼아야 한다. 이번에 입증된 K-진단·방역 시스템도 체계화하고 표준화해 언제 다시 등장할지 모르는 신종 감염병에 대비해야 한다. 나아가 이를 글로벌 표준으로 만드는 것은 물론 세계 각국과 노하우를 공유하고 협조해 지구촌 문제 해결에도 공헌해야 한다. 코로나19 위기가 던진 또 다른 시사점은 첨단 기술과 헬스케어 분야의 융합 발전이다. 감염병 대응 과정에서 원격의료 도입 필요성뿐 아니라 바이오 헬스 분야에 관한 관심도 높아졌다. 특히 이 분야는 단순히 건강관리 차원에서의 '헬스케어 health-care'가 아니라 생애 전주기를 책임지는 '라이프케어 life-care' 차원으로의 전환이 일어나고 있는 분야다. 관련 연구개발 정책과 컨트롤 타워 등을 재점검하고 전폭적 지원으로 확실한 성과를 거두도록 해야 한다.

비대면의 언택트 untact 문화가 교육 및 비즈니스 등 사회 전반으로 확대되면서 관련 기술과 실용화에도 관심과 기대가 쏠리고 있다. 최근 관심이 집중된 메타버스를 포함한 디지털 기술들이 순식간에 국경을 넘어 전 세계를 공략할 수 있는 분야인 점을 고려해 관련 기술 연구개발, 생태계 조성, 실용화 등에 중점적으로 지원해야 한다. 그러나 디지털 전환은 한편으론 디지털 격차나 정보 보안 문제와 같은 부작용도 가져올 수 있다. 기술 개발 초기 단계부터 이러한 문제에 대처할 방안을 함께 수립해야 한다. 이를 위해서는 지금부터 전문가 집단의 산학연 교류를 통한 연구와 정책 제안이 선도적으로 이뤄져야 한다.

지능화 시대를 대비하기 위한 R&D

많은 국가가 4차 산업혁명의 지능화 시대를 대비해 국가 차원의 기술혁신 프로그램과 정책을 추진하고 있다. 미국은 AI 기술의 주도권을 유지하기 위해 초거대 인공지능, 반도체, 고성능 컴퓨팅, 반도체 기술 등 관련 분야의 연구개발 투자를 강화하는 동시에 프라이버시와 지식재산권 등 파생 문제를 새로운 연구 주제로 다룬다. 유럽연합도 2021년부터 '호라이즌 유럽Horizon Europe'과 '2030 디지털 컴퍼스Digital Compass' 같은 정책을 기조로 첨단 제조, AI, 사이버 보안, 고성능 컴퓨팅, 마이크로·나노 전자 및 광자에 대한 투자를 확대하고 있다. 일본의 경우 사회적·산업적 패러다임의 전환을 가져오는 고령화와 스마트화 문제에 대응하기 위해 과학기술 관련 정책을 강화하고 있다. 첨단기술을 놓고 미국과 치열한 경쟁을 벌이는 중국도 AI, 빅데이터, 양자 정보 기술, 사물인터넷, 가상현실·증강현실 등 디지털 전환 관련 ICT 기술 투자를 확대하며 지능화 시대를 대비하는 중이다.

　지능화는 기술 그 자체뿐만 아니라 사회 전반의 차원에서도 고민해야 하는 개념이다. 노화·장애의 불편을 완화하는 기술, 정서적 소외계층을 위한 소통·공감 기술, 인류의 지속가능성을 위한 기술처럼 다양한 사회 혁신을 위한 기술과 정책을 이 안에서 발굴해야 하기 때문이다.[48] 이런 점에서 미래 지능화 시대를 대비하기 위한 국가의 연구개발 전략은 기본적으로 기술의 한계를 극복하는 핵심 원천 연구는 물론 사회생활의 문제를 해결하는 방향으로도 구축해야 한다.

R&D 전략의 원칙

연구개발 전략을 추진할 때 정부는 공공, 기초연구 및 전략산업 분야를 맡고, 민간은 실용화 기술 혁신을 주도해 상호 보완적 관계를 유지해야 한다. 이때 연구개발에 대한 적절한 투자와 지원은 필수적이다. 공공 연구개발은 특히 새로운 지식과 산업의 출현을 가능하게 만드는 토대로서 혁신 생태계 전체를 새로운 방향으로 이끄는 역할을 담당해야 한다.

기초 융합 연구를 위한 '선택과 집중'

'선택과 집중'은 자원이 부족한 우리나라엔 불가피한 전략이다. 오랫동안 우리나라는 연구개발 투자의 60% 이상을 기초연구가 아닌 '산업 생산 및 기술 분야'에 투자해왔는데, 이는 한정된 자원을 효율적으로 활용해 주력 산업을 육성해야 하는 상황에서의 생존 전략이었다. 그러나 이제는 추격형 모델을 벗어나 선도형 모델로 전환해야 하는 시점에 도달했다. 이를 위해서는 기초연구 분야에 더 초점을 맞춰야 한다.

미국의 대표적 기초연구 지원 기관 국립과학재단NSF은 정부의 전체 연구개발 예산 중 약 15%를 기초연구에 투자한다. 그리하여 창조적 아이디어가 주도하는 혁신 연구를 뒷받침해주고 있다. 우리나라도 전 세계적 기술 패권 경쟁에서 뒤처지지 않기 위해서는 스마트 지능형 ICT 기술에 관심을 기울이되 창의적인 원천 기술 연구에도 집중함으로써 미래 기술을 선점해야 한다.

자율성과 창의성을 추구하는 도전적 R&D 확대

우리나라가 그동안의 연구개발 투자와 비교해 그 성과는 미흡하다는 비판에는 근거가 있다. 활용 가치가 적은 특허 건수만 늘리고, 단기 실적에 급급한 데다, 국민이 체감할 수 있는 과학기술 연구와도 거리가 멀었다는 것이다. 이러한 결과에는 여러 원인이 있겠지만 다음의 몇 가지를 꼽아볼 수 있다. 이 문제를 빨리 파악하고 해결하는 것이 곧 미래전략 수립의 원칙이 되어야 한다.

첫째, 연구자들의 도전 정신이 부족하다. 연구는 미지에 대한 도전이다. 그런데 한국의 연구는 90% 이상이 성공으로 기록된다. 이게 좋은 현상일까? 성공률 90%의 연구라는 것은 사실 말이 안 된다. 이는 너무 쉬운 것, 결과가 확실한 것에만 도전한다는 뜻이다. 정부는 실패해도 용인해주는 분위기를 만들고, 연구자는 과감하게 불확실성과 미지에 도전해야 한다. 이를 위해 주요 선진국은 국가가 주도해 도전적 R&D 프로그램을 이끌고 있다. 인터넷, GPS, 지능형 음성 인식 등의 기술을 주도했던 미국 고등연구계획국은 연구 실패의 용인과 도전적 연구를 강조하며, 특히 잠재적 기술 이전 파트너와의 협력 같은 개방형 혁신을 추구한다. 일본도 '문샷Moon-Shot' 프로젝트를 통해 인공 동면, 우주 엘리베이터, 플라스틱 쓰레기 자원화 등 10~20년 후 필요할 국가 차원의 기술을 선정해 집중적으로 투자·개발하고 있다.[49]

둘째, 연구 평가 제도를 바꾸어야 한다. 논문과 특허 건수 중심의 양적 평가를 지양하고 질적 평가로의 전환이 필요하다. 연구를 논문 수로만 평가하면 연구 과정은 수월하겠지만, 실질적으로 유용한 연구 결과가 나오기는 어렵다. 또 성공이나 실패로만 나누는 이분법적 평가 체계도 개선해야 한다. 이러한 평가 방식이 결과가 확실하고 쉬운 연구만 하게 만드는 요인이다.

셋째, 연구자 지원 정책을 개선해야 한다. 연구자들의 기본적 생활, 고용 구조 등 연구 주변 환경의 안정성이 연구 생산성에 영향을 주기 때문이다. 선진국처럼 연구에만 몰두할 수 있는 연구 환경을 조성해야 한다. 이는 곧 인재들의 해외 유출을 막는 중요한 변수가 될 수도 있다.

넷째, 정부의 간섭을 최소화해야 한다. 연구 결과가 언제 나올지 장담할 수 없는데 정부가 실적을 독촉하면 연구자는 심각한 압력을 느낀다. 심지어 대형 장기 연구조차 빨리 구체적 성과를 보여주지 않으면 중단될 위험에 놓인다. 그렇게 독촉을 받다 보면 결국 단기 성과만을 목표로 하게 되고, 단기 성과에 매달리다 보면 큰 열매를 맺는 결과가 나올 수 없다. 안타까운 악순환이 계속되는 것이다.

국가 R&D 투자의 시너지 효과 강화

국가 R&D 투자는 양적인 규모 이외에도 현재의 투자가 국가의 전략 기술 개발을 위해 적절하게 운용되고 있는지 검토하는 과정이 필요하다. 가령, 과학기술정보통신부는 2023년 R&D 투자 방향을 확정하며 주요 필수 전략 기술의 육성과 디지털 전환, 그리고 2050 탄소 중립 실현을 목표로 제시한 바 있다. 그런데 이렇게 선정한 투자 대상 기술은 서로 긴밀한 영향을 주고받는 것들이 많다. 일례로 소재·부품·장비는 우주·항공, 시스템 반도체, 미래 모빌리티 등과 무관하지 않다. 따라서 기술 간 포트폴리오와 부처 간 R&D 포트폴리오를 마련해 통합·분화·배분·조정 등이 이뤄질 수 있도록 해야 한다. 전략적 투자도 중요하지만, 투자의 효율성 측면에서 서로 주고받는 영향을 검토해 시너지 효과를 낼 수 있는 부분을 찾는다면 투입한 예산 이상의 효과를 얻을 수 있을 것이다.

실행 전략의 원칙

눈에 띄는 결과가 나오지 않는 분야에 대해서는 연구개발 투자를 축소해야 한다는 의견도 있다. 하지만 이러한 시각은 위험하다. 연구개발은 국가의 미래를 위한 최소한의 투자다. 연구개발 성과가 당장 크지 않아도 과도한 비판을 자제하고, 연구 제도와 환경을 개선해 더 나은 결과가 나올 수 있게 해야 한다. 기초과학 기술은 마치 공장에서 물건을 찍어내는 것처럼 성과를 도출해내거나 상업화할 수 없는 분야다. 장기 계획을 갖고 기다려야 한다. 또 여러 대학을 각각의 특정 분야 연구의 거점으로 키우는 방법도 인재의 분산과 교류, 경쟁 분위기를 만들어 과학기술 발전으로 이어질 것이다.

정부는 중장기 기초·원천 기술 연구, 민간은 기술의 상용화 연구

○ 정부는 민간 차원에서 시도하기 어려운 기초연구와 파급효과가 큰 원천 기술 연구에 집중

○ 민간 부문에서는 기술의 실용화·상용화·사업화에 집중하고 상용화 아이디어에

대한 글로벌 지식재산권 확보 노력

o 정부 출연 연구 기관은 민간에서 할 수 없는 기초 및 원천, 공공 연구에 몰두

o 대기업에 대한 연구개발 지원 규모는 축소하고, 중소기업과 벤처기업에 대한 지원은 확대

o 대학과 정부 출연 연구 기관에서 확보된 글로벌 지식재산권의 기술 이전 및 공동 상용화를 위한 개방형 혁신 연구개발 확대

연구 분야의 특수성과 자율성을 고려하는 도전적 연구 문화 장려

o 특허의 질적 가치와 인용 추이를 정확히 평가해 가치가 낮은 특허 양산 방지

o 연구 분야에 따라 양적 지표와 질적 수준 평가를 교차하는 평가 체계 다양화

o 연구와 개별 사업 특성을 반영한 질적 지표의 개발 및 전문가 정성 평가 확대

o 과제 평가 시 중간·연차 평가 폐지 및 행정 절차 간소화

o 실패를 용인하는 연구 문화를 통해 독창적이고 도전적인 연구 지원

o 도전적 연구 아이디어와 신진 연구자의 독창성 등을 고려하는 과제 선정 및 지원

혁신 창업이 가능한 연구개발 생태계 구축

o 수많은 스타트업이 실험실에서 탄생한 이스라엘처럼, 실험실에 머물러 있는 기초연구 성과를 빠르게 시장으로 이전해 사업화하는 정책을 적극적으로 추진

o 공공 기술 기반 창업 지원 사업과 기존 창업 지원 사업의 연계를 강화해 대학 및 국책 연구 기관에서 나온 공공 기술을 실용화해 시장에서 수용할 수 있는 체계 확보

o 공공 기술 기반 창업 지원 사업에서 초기 비즈니스 모델 설정과 실용화 가능성을 고도화시킨 이후 본격적인 창업 지원 사업 트랙으로 연계하는 시스템 마련

o 산·학, 산·연 개방형 협업 연구개발 생태계를 통해 대학과 연구소는 글로벌 지식

재산권을 확보하고, 기업은 이러한 연구성과를 효과적으로 연계·활용하는 정책 방안 확대

○ 국가과학기술지식정보서비스NTIS와 국가기술은행NTB 등의 특허 기술 정보 DB 개선과 민간 이용 효율 활성화를 통한 개방형 연구개발 혁신 생태계 구축 강화

○ 한국과학기술정보연구원KISTI의 국가 연구 데이터 플랫폼인 '데이터온DataON'을 통해 국내외 연구 정보의 공유와 활용 확대

육성 전략:
국가 경쟁력의 원천이 될 과학 자본의 축적

2022년 취임 1년여 만에 처음 아시아 순방에 나선 바이든 미국 대통령의 첫 번째 방문국은 새 정부가 갓 출범한 동맹국 한국이었다. 바이든 대통령은 5월 20일 에어포스원을 타고 오산 미군 기지에 도착한 후, 곧바로 경기도 평택으로 향했다. 한미 정상의 첫 만남이 이루어진 곳은 바로 삼성전자 평택 반도체 공장이었다. 양국 정상은 첨단기술 산업의 현장에서 이른바 '반도체 동맹'을 약속했다. 다음 날 양국이 발표한 공동성명서에서는 반도체를 비롯해 핵심 신흥 기술 파트너십을 증진하고 글로벌 공급망 협력도 강화한다는 내용이 강조되었다. 또 원자력 협력 확대와 수출 진흥, 그리고 소형 모듈 원자로SMR 공동 개발 등 '원전 동맹' 의제도 여기에 포함되었다. 우리나라와 미국 모두 전통적인 군사·안보 동맹을 넘어 반도체, 원전 등 첨단기술 부문에서 실사구시적 동맹을 강화하겠다는 의지를 보여주었다고 할 수 있다.

이처럼 국제 외교에서 주요 축이 된 '기술 동맹'이 상징하듯 4차 산업 혁명과 디지털 대전환의 시대에 과학기술은 그 어느 때보다 위상이 높아졌다. 물론 과학기술은 근대 산업혁명 이래 산업 발전과 사회변동의 주요 원동력이었지만, 미래에는 사회경제에서 차지하는 역할과 기능이 더 커질 전망이다. 그런 점에서 과학기술 문화의 중요성도 더 커질 수밖에 없다. 과학기술에 대한 대중적 인식과 사회적 수용도를 반영하는 과학기술 문화가 결국은 국가 경쟁력을 좌우하는 과학기술의 주요 토대이기 때문이다.

국가 경쟁력의 원천, 국부에서 과학기술 혁신 역량 지수까지

국가가 경쟁력을 갖는다는 것은 어떤 의미인가? 그리고 구체적으로 어떤 것을 갖추어야 하는가? 국가 경쟁력과 관련한 개념으로는 국부, 국력, 국가 경쟁 우위, 국가 경쟁력, 국가 과학기술 혁신 역량 지수 등을 들 수 있는데, 각각의 의미를 살펴보자.

우선 '국부'는 영국의 정치경제학자 애덤 스미스의 저작《국가의 부에 대한 성질과 그 원인에 관한 탐구An Inquiry into the Nature and Causes of the Wealth of Nation》(1776)에 나오는 고전적 개념이다. 이 책은 국가의 부 형성에 대한 과학적 설명을 담고 있으며 이후《국부론》이라는 제목으로 알려져 경제학의 고전으로 읽히고 있다. 스미스에 의하면, 국부란 모든 국민이 해마다 소비하는 생활 필수품과 편의품의 양을 말한다. 그는 자유경쟁에 의한 자본의 축적과 분업 발전에서 한 국가가 동일한 재화를 생산할 때 더 적은 생산요소 투입으로 생산이 가능한 것, 즉 '절대 우위'가 중요하다고 보았다. 한편 스미스의 뒤를 이은 경제학자 데이비드 리카도는 '비교 우위'라는 보완적 개념을 제시하며 국제 교역에서 한 나라가 두 상품 모두 절대 우위이고 상대국은 절대 열위라도 생산비가 더 적게 드는, 즉 기회비용이 더 적은 상품을 특화해서 교역하면 상호 이익이 가능할 것이라고 설명했다. 절대 우위, 비교 우위 등은 국부 창출을 위한 핵심적인 국가 경쟁력으로 이해할 수 있다.

두 번째는 일반적으로 많이 사용하는 '국력' 개념이다. 국력은 보통 국방력, 경제력 등의 경성 국력(하드 파워)과 국정 관리력, 정치력, 외교력, 문화력, 사회자본력, 변화 대처력 등 연성 국력(소프트 파워)으로 구분할 수 있다. 제국주의 시대에는 경성 국력이 압도적으로 중요했지만 21세기에는 연성 국력의 중요성이 점점 더 올라가고 있다. 소프트 파워의 힘을 강조했던 미국의 정치학자 조지프 나이Josephe Nye는 소프트 파워란 단순히 하드 파워에 대응하는 개념이 아니라 상대방을 매료시키고 상대가 자발적으로 변화하게 함으로써 원하는 바를 얻어내는 능력이라고 설명했는데 그 핵심이 바로 문화다.

세 번째는 하버드대학교 교수 마이클 포터Michael Porter의 '국가 경쟁 우위' 개념이다. 포터 교수는 저서《국가 경쟁 우위The Competitive Advantage of Nation》(1990)에서 어떤 국가의 기업이나 특정 산업이 경쟁 우위를 가질 수 있는지 여부는 1) 요소 조건, 2) 수요 조건, 3) 연관 산업과 지원 산업, 4) 기업 전략, 구조, 경쟁 관계 등 네 가지 속성에 달려 있다고 설명했다. 이들 조건이 상호작용하면서 산업을 활성화하고 혁신의 장애 요인을 극복하도록 이끌기 때문이다. 특히 기업 경쟁 우위의 많은 부분은 기업 '외부'의 영향을 받는데, 지리적 입지를 포함해 산업 클러스터가 중요하다는 것이 포터 이론의 핵심이다. 포터가 국가 경쟁력에서 중요한 요소로 본 것은 전문화와 생산성을 높이는 '산업 클러스터'였다.

네 번째는 '국가 경쟁력'이다. 사전적 정의는 한 나라의 총체적인 경제적 수준을 의미하며, 사회간접자본 같은 경제의 하드웨어뿐 아니라 국제화, 경영 능력, 금융 등 경제의 소프트웨어까지 포괄하는 개념이다. 스위스 국제경영개발대학원IMD과 세계경제포럼WEF은 매년 각국의 경쟁력 보고서를 발표한다. 그리고 IMD 산하 세계경쟁력센터WCC의 경우 1989년부터 매년 경제 성과, 정부 효율성, 기업 효율성, 인프라 등 4대 분야에 대한 국가 경쟁력 순위를 발표하고 있다. 이에 따르면 2022년의 경우, 한국은 국가 경쟁력 순위에서 63개국 중 27위를 차지했다. 전년도보다 4계단 하락한 순위다. 총 연구개발 투자, GDP 대비 연구개발비 비중, 총 연구개발 인력, 과학기술 분야 졸업자 수, 과학기술 논문 수, 지식재산권 보호 정도 등 다양한 항목을 종합적으로 평가하는 과학 인프라도 한 계단 떨어졌다. 그렇지만 2020년 3위, 2021년 2위, 그리고 2022년 3위를 기록할 만큼 한국의 과학 인프라 순위는 매우 높은 수준을 유지하고 있다.

다섯 번째는 '국가 과학기술 혁신 역량 지수COSTII, Composite Science & Technology Innovation Index'다. COSTII는 OECD 국가들의 과학기술 혁신 역량 수준을 종합적으로 진단하는 모형으로, 이들 국가를 대상으로 자원·활동·과정·환경·성과 등 5개 부문별 과학기술 혁신 역량을 비교·분석해 지수화한 것이다. 2006년 이래 과학기술정보통신부와 한국과학기술기획평가원이 매년 평가 결과를 발표하고 있다. 이는 한국 과학기술 혁신 역량의 강점과 약점을 파악하고, 이러한 과학기술 혁신 역량 강화를 위한 정책적 시사점을 제시하기 위함이다.

2021년 COSTII 평가 보고서에 따르면, 평가 대상국 36개국 중 미국이 31점 만점에 종합 점수 19.081점으로 1위였고, 스위스(15.371점), 네덜란드(13.897점), 독일(12.763점)이 뒤를 이었다. 한국은 12.658점으로 전년도보다 3계단 상승해 종합 5위다. 세부 분야별로 보면 인구 1만 명당 연구원 수, 세계 상위 대학 및 기업 수 등의 항목으로 구성된 자원 분야는 5위, GDP 대비 연구개발 투자 총액, 연구 중 창업 비중 등 항목으로 구성된 활동 분야는 2위로 상위권이다. 하지만 제도, 문화, 교육 등의 항목으로 구성된 환경 분야는 22위에 불과해 하위권이다. 구체적으로 법·제도 지원 정도, 새로운 문화에 대한 태도, 교육 방식에서의 비판적 사고 장려 정도 등에서 점수가 매우 저조하다는 사실에 주목할 필요가 있다.

국가 경쟁력은 이처럼 다양한 개념으로 정의되고 각기 다른 측정 기준이 있지만, 과학 기술이 국가 경쟁력에서 주요 요인이라는 점을 확인할 수 있다. 문제는 과학기술도 여러 가지 요소로 이뤄진 복잡한 총체라는 것이다. 영국 정치경제학자 수전 스트레인지Susan Strange는 국제정치에서 국가의 구조적 힘으로 안보력, 생산력, 재정, 그리고 지식, 네 가지를 꼽았다. 국가의 존립을 결정하는 안보 능력이나 자본주의 국제질서에서 국가의 경쟁력을 보여주는 생산력과 재정은 모두 매우 중요하다. 그런데 수전 스트레인지가 네 가지 중 가장 중요하다고 강조한 것은 바로 지식이었다. 지식이 있어야 어떻게 안보를 지켜낼지, 어떻게 생산하고 어떻게 돈을 벌 수 있을지 알 수 있기 때문이다. 마찬가지로 복잡한 요소들의 총체인 과학기술의 발전도 과학기술에 대한 지식의 축적에서 비롯된다는 사실을 미루어 짐작할 수 있다.

확장되는 자본 개념

우리가 살아가는 세상은 자본주의 체제다. 자본주의는 생산수단을 자본으로 소유한 자본가가 재화나 서비스 생산을 통해 이윤을 획득하는 경제체제를 말한다. 자본주의 체제의 생산 활동에서 기본이 되는 자금과 생산수단을 우리는 자본이라고 한다. 자본의 사전적 의미를 살펴보면 첫째 장사나 사업 따위의 기본이 되는 돈, 둘째 상품을 만드는 데 필요한 생산수단이나 노동력을 통틀어 일컫는 말이다. 그러나 근래 들어 자본 개념은 경제적 생산의 영역을 넘어 '가치 창출'이라는 적극적 개념으로 확대되었다. 물건, 상품, 자본 중심의 기존 경제가 가치, 경험, 지식 중심의 경제로 변화하고 있기 때문이다.

자본 개념을 누구보다 현대적으로 독특하게 재해석한 이론가는 프랑스의 석학 피에르 부르디외Pierre Bourdieu였다. 그는 경제 자본으로 환원할 수 없는 자본의 다양한 형태를 현대적 관점으로 재해석하면서 경제 자본 외에 '문화 자본'이라는 새로운 개념을 제시했다. 그리고 문화 자본을 다시 세 가지로 세분화했다.

첫 번째는 '체화된 문화 자본'으로 자본의 소유 주체인 인간이 문화적 성격의 자본을 체화된 형태로 가지고 있는 것을 말한다. 즉, 지식·교양·기술·취향·감성·습관 등 사회적 관계와 사회화 과정을 통해 획득한 것으로, 물건이나 돈처럼 독립적으로 존재해 주고받을 수 있는 것이 아니라 몸에 배어 체화된 습관·태도 같은 것이다. 이는 선천적으로 주어지는 것이 아니고 돈으로 살 수 없으며 교육, 학습, 양육 환경, 사회적 관계를 통해 시간을 두고 천천히 얻을 수 있다. 특히 고상한 취향이나 고급 지식, 암묵지, 숙련된 기술 등은 중요한 문화 자본이다. 가령 클래식 음악에 대한 고상한 취미, 미술품이나 예술 작품을 보는 심미안, 특정 전문 분야에서 타의 추종을 불허하는 고급 지식, 경험을 통해 길러진 암묵지와 인사이트(통찰), 미래를 예측하는 능력 등을 체화된 문화 자본이라고 할 수 있다.

두 번째는 '객체화한 문화 자본'으로 주체가 소유/보유하고 있는 문화적 물건, 즉 고가의 문화 상품이나 소장 골동품, 수집 예술 작품 등이다. 세 번째는 '제도화한 문화 자본'으로 졸업장, 인증서, 자격증, 학위 등 공식적 교육과정이나 제도적 절차를 거쳐 획득하는 공인된 자격을 의미한다.

이 셋 중 가장 중요한 것은 체화된 문화 자본이다. 과거엔 자본가라고 하면 경제 자본을 많이 가진 사람뿐이었지만 이제는 그 자본이 경제 자본에만 국한되는 것이 아니라, 지식·소양·인사이트·기술 등 체화된 문화 자본도 포함하며, 그 중요성도 점점 더 커지고 있다. 개인을 넘어 국가 단위로 확장하더라도 다르지 않다. 따라서 국가가 가진 경제 자본이나 금융자본뿐만 아니라 소프트 파워라고 할 수 있는 문화 자본에도 관심을 더 기울여야 한다.

국가 경쟁력의 토대, 과학 자본

국가 경쟁력을 가늠하는 주요한 잣대 중 하나인 과학기술 수준은 과학기술 문화를 통해서도 유추해볼 수 있다. 즉, 고급 지식이나 인사이트·암묵지 같은 체화된 문화 자본 가운데서도 과학 지식, 과학 소양, 경험과 훈련을 통해 몸에 밴 숙련 기술 등을 살펴볼 수 있는데, 이를 별도로 과학 자본이라고 할 수 있다. 앞의 자본 개념 확장 논의에서 살펴본 것처럼 과학 자본은 일종의 문화 자본이다. 문화 자본을 이루는 다양한 요소들 가운데 과학 자본은 과학과 관련한 지식, 환경, 경험, 관계 등을 총칭한다고 볼 수 있다.

영국 런던대학교 교수 루이스 아처Louise Archer는 2021년 국립중앙과학관이 주최한 '과학 자본과 과학관Science Capital and Science Museums'이라는 제목의 심포지엄에 참석해 기조 강연을 하며 과학 자본의 개념을 좀 더 자세히 설명한 바 있다. 아처 교수는 과학 자본을 구성하는 요소로 △ 과학 소양과 지식(science literacy, "what you know"), △ 과학에 관한 태도 및 가치와 생각(science-related attitudes and values, "how you think") △ 학교 밖에서의 과학 활동(out of school behaviors, "what you do") △ 가정에서의 과학 활동(science at home, "who you know")을 꼽았다. 특히 "어릴 때 과학을 좋아하는 사람은 많지만 정작 과학자를 꿈꾸는 경우는 적다"며 그 차이는 과학 자본에서 비롯된다고 강조했다. 가령 과학 친화적인 가정환경, 유년기 과학관에서의 과학 경험, 꾸준한 과학 교양과 지식의 습득과 같은 요소는 과학 자본을 형성할 수 있게 해주며, 이러한 과학 자본이 풍부해야 우수 과학 인재로 성장할 수 있다는 것이다.

이를 확대해보면 국가 차원에서의 과학 자본이란 과학기술 연구개발, 과학기술 맨파워, 과학기술 문화 등과 관련한 유무형의 모든 자본을 가리킨다고 할 수 있다. 훌륭한 과학기술 출연 연구소나 과학관, 과학기술 연구개발 성과나 특허, 과학기술 지식 데이터베이스, 우수한 과학기술 인재 역시 과학 자본에 속한다.

과학 자본 축적을 위한 정책 방향

문화 자본은 한순간에 축적되지 않는다. 지속적 학습, 자연스러운 환경, 사회적 관계 등을 통해 오랜 시간에 걸쳐 천천히 형성된다. 과학 자본도 마찬가지다. 과학기술 발전의 기초 자산이자 국가 경쟁력의 기반이 되는 과학 자본의 축적을 위한 몇 가지 정책의 기본 관점과 큰 방향을 제시하면 다음과 같다.

첫째, 과학기술 정책은 과학기술 연구개발만으로는 부족하며 과학교육과 과학 문화가 뒷받침되어야 한다. 즉, 과학교육을 통한 우수 과학자 양성, 연구개발을 통한 가치 창출, 과학 문화 확산을 통한 과학기술 가치 확산과 향유 등을 유기적으로 연계하고 선순환하는 정책이 필요하다.

보통 과학기술이라고 하면 가장 먼저 떠올리는 것이 연구개발이다. 물론 과학기술에서 핵심 영역이 연구와 기술 개발이라는 데에는 이론의 여지가 없다. 하지만 연구개발만 잘한다고 과학기술이 저절로 발전하는 것은 결코 아니며, 연구개발이 과학기술의 전부인 것도 아니다. 연구개발을 뒷받침하는 교육과 문화의 역할이 절대적으로 중요하다. 과학 문화와 과학교육의 뒷받침 없이는 연구개발이 이어지기 어렵고 사회적 의미를 지닐 수도 없다.

축구에 비유하자면, 토트넘 홋스퍼 FC나 레알 마드리드 같은 세계 정상급 프로 축구단이 오랜 기간 경쟁력을 유지하며 인기를 누려온 이유가 그저 훌륭한 선수를 선발하고 훈련해 최강의 팀을 만들었기 때문만은 아니라는 것이다. 축구를 사랑하는 문화 없이는 프로 축구 리그 운영이 불가능하다. 차세대 스타를 발굴하기 위한 유소년 축구 인재 양성 훈런 시스템도 있어야 하고, 각 프로 축구팀에 충성도가 높은 팬덤fandom도 필수적이다. 또 무엇보다 중요한 것은 축구에 대한 대중의 관심과 애정이다. 이런 것을 축구 문화라고 할 수 있다.

축구 발전을 위해 축구 문화가 필요하듯이 과학기술 발전을 위해서는 과학기술 문화가 중요하다. 국가 경쟁력의 기반이 될 과학 자본의 축적을 위해서는 내실 있는 과학교육과 사회적으로 탄탄히 뿌리를 내리고 있는 과학 문화가 필요 불가결하다. 총량적인 과학 자본에는 과학 친화적 사회 풍토, 과학관 등의 과학 문화 인프라, 우수 과학 인재를 선발하고 양성하고 지원하는 교육 시스템 등까지 포함된다. 국가 전체의 과학 자본이 탄탄하지 않으면 과학 강대국으로 발전할 수 없다.

요컨대 과학기술은 과학교육으로 시작해 연구개발을 통해 발전하고 과학 문화로 완성된다고 할 수 있다. 과학 자본이 탄탄해야 과학 강대국이 될 수 있으며 과학 강대국은 과학기술 연구개발, 과학교육, 과학 문화가 선순환 구조를 이루는 국가다. 특히 과학 자본 축적을 위해서는 학교에서의 과학교육 혁신, 평생 과학교육 프로그램 개발 운영 등 과학교육과 과학 인프라 구축, 과학에 대한 국민의 관심과 이해 증진, 과학 친화적인 사회 풍토 조성 등 과학 문화에 더 많은 정책적 관심과 투자가 필요하다. 과학교육과 과학 문화에 대한 국가적 투자는 과학 강국의 미래를 위한 투자다.

둘째, 인재 중심의 관점을 일관되게 견지해야 한다. 기술이 중요하지만, 기술의 주체는 사람이다. 우수 인재의 양성은 곧 우수한 기술 개발로 이어진다. 혁신적 첨단기술은 혁신적 과학기술 인재가 만들고 혁신 기업은 창조적 인재들이 이끌어간다. 마이클 포터가 국가 경쟁력의 핵심으로 꼽은 혁신 클러스터도 결국은 혁신 인재들이 모인 곳이다. 과학

기술의 성패가 인재에 달려 있다는 말은 결코 과언이 아니다. 따라서 혁신 클러스터를 조성할 때도 과학기술 인재, 혁신 인재들이 지역에 매력을 느낄 수 있도록 유인책을 만들고 창의적 업무 환경과 주거 환경을 조성하는 것이 중요하다. 연구개발에 대한 투자와 지원도 역량 있는 연구자와 개발자에 대한 지원이라는 관점에서 이루어져야 한다.

나아가 더 근본적으로는 우수 인재를 양성하기 위한 토대를 만들어야 한다. 예를 들어, 최근 4차 산업혁명의 디지털 대전환 과정에서 반도체 분야의 중요성이 더 커지고 있는데, 반도체 기술의 미래는 곧 반도체 인재가 결정한다. 한국은 반도체의 위탁 생산, 즉 파운드리foundry 부문에서 2021년 기준 점유율 14%로 세계 2위를 기록했지만, 반도체 설계를 전문으로 하는 팹리스fabless 부문의 경쟁력은 점유율 1.0%로 매우 취약하다. 이 부문을 이끌어가려면 훌륭한 인재 확보가 우선이다.

그런 점에서 반도체 위탁 생산과 설계 분야에서 고루 약진하는 중국의 사례는 주목할 만하다. 우리는 이제야 반도체학과 증원이나 신설에 국가적 관심을 기울이고 있지만, 중국은 이공계 인재들이 모여 있는 칭화대학교가 '반도체 산업 인큐베이터'라고 불릴 정도로 반도체 인재를 대거 배출하고 있다.[50] 단지 반도체 기술뿐 아니라 디지털 전환 기술들의 수요 전망에 맞춰 장기적 비전을 세우고 단기적 변화에도 대응할 수 있는 정책적 지원이 이루어져야 한다.

셋째 '모두를 위한 과학교육science education for all'이 필요하다. 그러자면 형식 과학교육뿐 아니라 비형식 과학교육에 대한 지원을 대폭 확대해야 한다. 교육은 형식 교육과 비형식 교육으로 나뉜다. 학교 같은 공식적 장소에서 표준 교육과정대로 의도적, 계획적, 체계적으로 진행하는 교육은 '형식 교육'이다. 반면 '비형식 교육'은 형식 교육과 달리 의

도성, 체계성, 지속성이 없거나 약하지만 학교 교육 이외의 다양한 형태로 이루어지는 교육이며, 학교 밖 교육이라고도 부른다.

교실에서 가르치고 배우고 지식을 전달하는 것만이 교육이 아니다. 가령 과학교육은 학교에서 과학 교과서를 통해서만 이루어지는 게 아니라 과학관이나 과학 센터에서 직접 실험하고 만져보는 체험을 통해서도 이루어진다. 하루가 다르게 새로운 지식과 기술이 만들어지고 신기술과 지식이 끊임없이 기존의 지식과 기술을 대체하고 있는 지금은 학교 졸업 후에도 새로운 과학 지식과 신기술을 꾸준히 학습해야 하는, 평생 학습이 요구되는 시대다. 따라서 국가 경쟁력을 높이기 위해서는 제도권 교육과정 안에 있는 학생뿐만 아니라 일반 시민들에게도 새로운 과학 지식과 과학 교양을 교육하는 전주기적 평생 과학교육 학습 체계 구축이 필요하다.

최근 과학계는 오픈 사이언스, 오픈 데이터 정책을 표방하고 있다. 과학계 측은 모두를 위한 공공재로서 과학 데이터와 정보를 일반에게 개방해야 하고, 일반 시민은 새로운 과학 지식과 소양을 얻기 위해 다양한 과학 활동에 더욱 적극적으로 참여할 필요가 있다. 과학 개방과 과학 참여는 사회 전체의 과학 자본 축적에 기여하는 효과적인 방법이다. 이와 동시에 빠르게 변화하는 디지털 시대의 속성을 고려해 제도권 교육에만 의존할 것이 아니라, 다양한 산업 현장에서도 지속적이고 체계적인 교육이 이루어질 수 있도록 시스템을 마련해야 할 것이다.

넷째, 과학과 사회를 이어주고 과학계와 대중이 서로 소통할 수 있는 과학 커뮤니케이션의 활성화가 중요하다. 과학기술은 어디까지나 사회의 한 부분이며 과학의 발전은 사회의 발전과 별개의 것이 아니다. 과학기술의 주요한 역할 중 하나는 사회문제 해결과 지구 인류의 난제 해결이다. 그러려면 과학과 사회의 소통, 과학자와 대중의 과학 소통이 활성화해야 한다. 과학기술 이슈도 정치·사회에서 주요 어젠다가 되어야 하며, 다양한 분야와 여러 계층에서 이에 대한 이해와 참여가 필요하다. 파급효과가 큰 미디어에서 더 많은 과학 관련 또는 과학 소통 프로그램이 만들어진다면 과학 지식의 확산이 용이해지고, 사회 전체의 과학 자본 형성에도 매우 효과적일 것이다. 과학 소통 활성화를 통해 과학기술에 대한 사회적 관심을 높이는 것이야말로 과학 자본의 형성과 축적의 출발점이 될 수 있다.

확보 전략 :
기술 주권, 기술 식민지가
되지 않기 위한 열쇠

현대적인 기술 주권 개념은 유럽에서 처음 나왔다. 세계의 지식 허브로서 자부하던 유럽의 과학 경쟁력이 미국에 추월당하고 주요 첨단산업 분야에서 한국·일본·중국에 연이어 추격당하는 과정에서 유럽의 산업 경쟁력에 불어닥친 위기의식이 그 출발점이었다. 특히 유럽은 제조·생산 영역에서는 추격을 당하더라도 부가가치가 더 큰 연구개발 같은 영역에서의 경쟁력은 유지해오고 있었는데, 최근 들어 후발 주자들의 공격적인 기술혁신으로 그간의 경쟁 우위도 흔들리는 게 사실이다.

이러한 위기의식 속에서 등장한 유럽의 기술 주권 담론은 미중 무역 분쟁에서 시작된 G2 간의 대립이 과학기술·첨단산업 분야에 집중되고, 팬데믹이 장기화해 공급망이 교란되고, 미국·일본·호주·인도의 안보 협의체 쿼드QUAD와 인도태평양경제프레임워크IPEF가 출범하고, 러시아가 우크라이나를 침공하는 등 글로벌 안보 환경이 급격하게 변화하면서 전 세계로 확산하고 있다. 이렇게 대내외적으로 불확실한 환경에 대응하기 위해 세계 각국은 경제·사회·국방의 안보에 핵심적인 기술을 개발하고 확보하기 위한 전략을 추구한다.

기술 주권의 정의와 범위

'주권sovereignty'이란 '해당 주체(국가·국민)가 특정 영역(영토·영해·외교 등)에서 보유하고 있는 권리를 자주적으로 행사할 수 있는 불가침한 권리'를 의미한다. 최근 들어 이러한 주권의 개념은 다양한 지정학·지경학geo-economics적 위기와 충돌에 대응하는 의미에서 경제, 산업, 기술 분야에도 광범위하게 적용되고 있다. 이런 맥락에서 기술 주권은 "어떠한 국가·연방이 자국의 복지, 경쟁력에 없어서는 안 될 기술을 직접 공급하거나 다른 경제권으로부터 일방적인 구조적 의존 없이 조달할 수 있는 능력"[51]으로 정의할 수 있다. 디지털 플랫폼이나 데이터 측면에서의 전략적인 자립도 유지를 주장하는 '디지털 주권' 또는 높은 대외 의존도로 인한 안보 위협 해결에 초점을 두는 '전략적 자율성strategic autonomy' 등과 궤를 같이하는 개념이다.

위 정의에서 알 수 있듯이 기술 주권은 기술 그 자체와 이를 개발하는 주체의 완벽한 자급자족이나 민족주의를 추구하지는 않는다. 다만 핵심 기술 역량의 내재화와 함께 안정적인 조달·협력 체계 구축을 통해 필수적critical이고 유망한emerging 기술을 확보할 수 있는 통합적 역량을 의미한다. 기술 주권은 또 경제 주권과 혁신 주권의 하위 개념으로[52] 디지털 주권, 데이터 주권, 미디어 주권 등도 포괄한다.[53] 특히 최근의 기술 주권 논의에는 AI, 5G, 양자 정보 기술, 반도체, 배터리, 에너지 등의 첨단 과학기술과 제조 생산 기술, 그리고 공급망 이슈가 포함된다. 주권을 빼앗겼던 제국주의 시대 식민지처럼 기술패권주의 시대에서 기술 주권을 확보하지 못하면 기술 식민지가 될지도 모른다.

기술 주권의 유형 및 측정

기술 주권은 위기의 유형이나 기능에 따라 크게 1) 국방·안보, 2) 사회의 공공 인프라·서비스, 3) 경제성장 등 세 가지 영역으로 나누어 살펴볼 수 있다. 국방·안보 영역의 경우, 군사적 충돌·테러·침략 등이 대표적 위기 유형이며 이를 해결하기 위해서는 자주적 국방 역량과 지정학적 위치 설정이 중요하다. 사회의 공공 인프라·서비스 영역에서는 국가의 핵심 인프라와 서비스의 안정성을 유지하기 위한 기술 주권 확보가 필요하고, 이를 위해서는 높은 대외 의존도나 낡은 시스템을 과감하게 전환해야 한다. 또 경제성장 측면에서는 디지털 전환에 따른 산업 경쟁력 확보가 핵심적이며, 이를 위해서는 국가 차원에서 최적의 성장 경로를 탐색할 필요가 있다.[54]

기술 주권은 또 1) 전략성·취약성 2) 유형별 분석 3) 경계 정의 등의 과정을 통해 측정할 수 있다.[55] 우선 전략성과 취약성을 측정하려면 대상 기술이 외부의 충격으로 어느 정도 영향을 받는지, 즉 기술의 필수불가결성criticality을 분석해야 한다. 만약 해당 기술의 난이도와 복잡성이 높아도 큰 어려움 없이 조달할 수 있거나 여러 선택적 대안을 갖고 있다면 그다지 내재화를 추진할 필요가 없다. 반대로 기술의 난이도나 복잡도가 낮은데도 대외 의존도가 높고 대체하기 어려운 경우라면 취약성이 높으니 대응책을 고려해야 한다.

표 2 기술 주권의 기능적 유형

		기술 주권		
		전통적 주권 임무	사회 수요 충족	경제 경쟁력
확보 및 보호	경제적 위치 및 국가 기능	• 국방, 안보, 행정	• 공공서비스 (의료, 교육) • 핵심 인프라 (전기, 교통)	• 고용 창출 • 산업적 가치 창출
	위기 유형	• 군사적 충돌 • 테러	• 팬데믹 • 기후 위기	• 시스템 전환으로 인한 구조적 위기
동태적 발전		• 정보 자기 결정 • 지정학적 위치 설정	• 시스템 전환(에너지, 물류, 교통 등)	• 신성장 동력 산업 육성을 위한 새로운 성장 경로 창출, 또는 기존 경로의 수정

＊자료: Edler et al., 2020; 백서인 외, 2021

　기술 주권은 국방 안보, 사회 안보, 경제 안보 등 그 필요성이 존재하는 영역에 따라 각기 다른 특징을 보이기 때문에 유형별로 더 정밀하게 검토해볼 수도 있다. 예를 들어, 공공서비스·인프라 영역에서 살펴본다면, 해당 국가나 기업의 기술, 제품, 원자재 등의 가치사슬을 통해 각각의 대외 의존도를 측정함으로써 취약성을 분석할 수 있다. 이러한 분석을 토대로 단기적으로는 비축량을 늘리거나 대안을 모색할 수 있고, 중장기적으로는 기술·시장의 의존도를 분산시키거나 내재화 및 자립화를 추진할 수 있을 것이다.

　또 지정학적, 기능적, 그리고 시간적 측면으로 구성되는 경계boundary의 관점에서도 기술 주권을 측정해볼 수 있다. 먼저 '지정학적 경계'는 정치·문화·가치 관점의 경계를 의미하며, 단순한 이념 대립 차원을 넘어 실질적인 제재와 통제를 포함한다. 미국의 대중국 수출입 통제가 대표적 사례다. 미국이 정한 블랙리스트에 올라간 중국 기업에 대한 미국 기업의 수출과 투자 제한, 미국의 기술을 사용한 제3국 기업들의 중국 기업에 대한 수출 통제, 중국의 기술을 활용하거나 구조적으로 중국에 정보가 유출될 위험이 있는 기업과 제품에 대한 제재 등이 해당한다.

'기능적 경계'는 국방·사회·경제 관점에서의 경계를 뜻하며, 어떠한 영역에서 어느 수준까지 기술 주권을 확보해야 하는지를 시사한다. 하지만 국방·사회·경제, 이 세 가지 기능적 관점에서의 경계 설정에 모순적인 부분이 있는 것도 사실이다. 예를 들어, 국가와 사회의 안보 관점에서 기술 주권을 확보하려면 기술·원자재 또는 생산의 내재화가 핵심적이지만, 경제성 확보 차원에서는 경계 밖 국가와 협력하고 이들의 기술과 제품을 활용하는 것이 불가피하기 때문이다.

'시간적 경계'는 핵심 요인들의 장기성과 상시성 판단을 의미한다. 예컨대 기술 블록화의 장기 지속 가능성, AI 규제, 탄소 국경 조정 같은 국제 규범의 도입 시기, 팬데믹의 상시 발생 가능성 등은 기술 주권 확보를 위한 시간적 경계 설정에 매우 민감하고 핵심적인 요인들이다.

주요국의 기술 주권 확보 전략

국가의 경제성장과 안보에 핵심적인 기술 주권 확보를 위해 세계 각국은 국가 차원에서 총력을 기울이고 있다. 미국의 경우, 중국의 도전에 대응해 최강의 과학기술 혁신 국가의 지위를 유지하고, 나아가 압도적인 비대칭적 역량을 지속하기 위해 전략 기술의 육성과 확보에 온 힘을 쏟는다. 특히 대중국 견제 내용을 담은 상원의 미국혁신경쟁법과 하원의 미국경쟁법이 초당적 지지로 통과된 바 있다. 여기에는 전략 기술과 첨단산업의 연구개발과 사업화, 그리고 인재의 육성·보호·관리를 위한 연방 정부의 투자 확대안이 담겼다. 또 전략적 기술 동맹 외교의 강화를 명시하며, 핵심 전략산업 분야의 경우 자국 내에 생산 기반을 구축하도록 지원함으로써 대외 의존도를 완화하겠다는 내용도 들어 있다.

미국의 이러한 초강수 견제 정책에 대응하기 위한 중국의 기술 주권 확보 전략도 강력하다. 국가 차원에서 과학기술·첨단산업 분야의 기술 자립과 혁신 시스템의 고도화를 위해 대대적 지원을 아끼지 않고 있다. 동시에 디지털 실크로드 확충을 통해 국내외 수요 시장을 넓히고 있으며, 핵심 미래 기술 분야의 인재 육성과 확보에 주력하고 있다. 그 밖에도 환경보호를 내세워 희소 광물과 같은 전략자원의 보호·관리를 강화하고 있다.

유럽연합의 경우 미국과의 동맹 관계를 기반으로 하면서도 중국과의 전략적 균형을 활용한 혁신 경쟁력과 리더십 확보를 꾀한다. 대외 의존도가 높은 산업 분야의 역내 경쟁력과 관련 산업생태계의 역량 강화를 추진하며, 글로벌 도전 과제를 해결하기 위해서는 유럽 최대 규모의 연구 지원 프로그램인 '호라이즌 유럽'을 통해 유럽의 혁신성 강화, 산업 경쟁력 제고, 개방성 강화도 도모하고 있다.

일본은 특히 미국 및 타이완과의 기술 동맹을 강화하고 있다. 미·일 정상회담을 통해 과학기술·첨단산업 분야의 협력 강화를 확인했으며, 쿼드와 인도태평양경제프레임워크에서도 주도적 역할을 하고 있다. 또 타이완과의 반도체 협력을 대대적으로 강화해 자국의 생태계 약점을 보완하는 한편, 자국이 경쟁력을 가지고 있는 소재·부품 분야에서의 전략적 불가결성 강화 등을 추진하고 있다.

호주는 미국과의 동맹 강화와 전략적 자원 활용을 통해 글로벌 경쟁력 강화에 힘쓴다. 2021년 총리실 산하에 전략기술정책조정실CTPCO을 설립해 국가 차원에서 연구개발 전략을 수립하고 있다. 또 쿼드에 참여함으로써 첨단 전략자원 공급망의 안정화를 추구한다.

표 3 주요 국가들이 지정한 핵심 과학기술 및 첨단산업 분야

미국		중국	
• AI·머신 러닝 • 고성능 컴퓨터 하드웨어·반도체 • 퀀텀 컴퓨팅 • 로봇·자동화 • 첨단 제조 • 자연재해 예방 대응	• 첨단 통신 • 바이오·의료 • 사이버 보안 • 데이터 관리 • 첨단 에너지 • 배터리 • 첨단 소재	• AI • 양자 정보 기술 • 뇌과학 • 집적회로 • 유전자 및 바이오 • 임상의학·헬스케어 • 우주·심해·극지	• 신소재 • 중대 기술 장비 • 스마트 제조 및 로봇 • 항공기 엔진 • 위성항법 시스템 • 신에너지·스마트 카 • 첨단 의료 장비·신약 • 농업 기계

유럽연합	독일	일본	호주

• 소재
• 배터리
• 바이오 제약
• 수소
• 반도체
• 클라우드 컴퓨팅
• 엣지 컴퓨팅
	• 정보통신기술
	• 2세대 양자 정보
	  기술
	• 재료 기술
	• 바이오공학
	• 제조 기술
	• 환경 기술
	• 지속 가능 에너지
	  기술
	• 분석 측정 기술
		• AI
		• 바이오·헬스케어
		• 재료
		• 포스트 5G
		• 슈퍼컴퓨터
		• 양자 정보 기술
		• 우주
		• 에너지 및 환경
			• 바이오 소재
			• 유전 기술
			• 신경학
			• AI
			• 자율주행·드론·로봇
			• 컴퓨팅 화학
			• 우주
			• 사이버 기술

＊자료: 백서인 외, 2021

한국의 기술 주권 확보 전략

이러한 정세 속에서 우리에게 가장 시급한 것은 한국의 상황과 국익을 충분히 반영하는 기술 주권 전략 수립을 위한 담론의 형성이다. 기술 주권이나 경제 안보와 관련한 현재의 논의에서는 미국이나 유럽연합같이 풍부한 자원·기술·경험·수단을 보유하고 있는 강대국의 담론이 주를 이룬다. 우리는 이들이 제공하는 기술 주권 탄생 배경과 개념에 대한 이해를 기반으로 우리가 무엇을 지키고 무엇을 얻을 것인지, 그리고 어느 정도까지의 비용을 투자할 것인지 등 우리의 상황에 맞는 논의와 분석을 선행해야 한다. 다른 국가들이 법과 제도를 제정하거나 어젠다를 제시했다는 이유로 충분한 논의나 고민 없이 그대로 추진하는 식의 설익은 제도 도입은 역효과를 가져올 가능성이 크다.

근본적인 논의를 충분히 진행한 다음에는 어떤 기술이 우리에게 필수적이고 핵심적인지에 대한 과학적인 선정 작업이 뒤따라야 한다. 단순히 주요국이 필수 기술로 선정했다고 해서, 혹은 우리가 높은 시장점유율을 보유하고 있다고 해서 특정 기술을 기술 주권 확보가 필요한 전략 기술로 규정할 수는 없다. 얼마나 필수 불가결한 기술인지, 그 해당 기술에 대해 우리가 경쟁력을 확보할 방안이 얼마나 제한적인지, 안보적 파급효과가 얼마나 클 것인지 등에 대해 다층적이고 입체적인 분석을 선행해야 한다. 물론 이 과정에서 특정 주체의 이권이 개입하거나 경로 의존적인 방식으로 수행하는 일은 금지해야 하며, 불가능한 목표나 수단 설정도 지양해야 한다.

이러한 과정을 거친 다음에는 지속적인 모니터링과 전략적인 미래 예측을 통해 실시간으로 대상 기술과 주권 확보 방식을 유연하게 조정해야 한다. 현재 주요국의 기술 주권 확보 전략 기조는 급변하는 국제 정세에 크게 영향을 받고 있다. 미·중·유럽연합의 삼각관계와 중·인·러 삼각관계의 변화, 그리고 세계적 경제 불황과 팬데믹 등으로 외교·안보적 가치와 경제적 가치가 빈번히 충돌하고 있다. 이로 인해 각국의 기술 주권 확보 전략도 수시로 변화할 가능성이 크다. 우리도 이처럼 요동치는 기술 안보 환경을 면밀하게 모니터함으로써 주권을 확보해야 할 기술군과 주권 확보 방식(자체 개발 또는 협력 조달)을 효율적으로 조정해나갈 필요가 있다.

이와 함께 유사 입장국 간 연대를 구축하는 식의 개방적 기술 주권open technological sovereignty을 추구해야 한다. 자원과 인재, 과학기술이 부족한 우리가 궁극적으로 모든 기술의 자급자족을 이루겠다는 욕심에 빠져서는 안 된다. 유사 입장국과의 적극적 연대와 공감대 형성을 통해 글로벌 기술 패권 경쟁에 대응하는 전략을 함께 추진할 필요가 있다.

그 밖에도 기술 주권 확보를 위해 거시적 전략과 세부 이행 방안을 전담할 국가 차원의 컨트롤 타워 구축과 거버넌스 설계가 필요하다. 주요국의 사례에서 확인할 수 있듯이 기술 주권 확보 전략은 R&D 투자, 세제 혜택, 인재 양성, 수요 조성, 규제 완화, 표준 선점 등의 과학기술·산업·통상·외교·안보·교육을 총망라하는 통합적 정책으로 만들어진다는 점을 주목해야 한다. 또 그 대상 역시 국내의 혁신 주체뿐 아니라 전세계의 혁신 주체여야 하며, 효율적인 정책 조정을 위해서는 꾸준한 정보 수집과 공유, 분석과 조정 작업을 병행해야 한다.

활용 전략:
기술·경제·안보를 아우르는 통합 외교

모두들 질서가 변했다고 이야기한다. '대전환의 시대'가 최대의 화두로 꼽히고 있다. 대전환의 담론은 위기와 기회의 인식을 극대화하면서 모든 국가가 뒤처지지 않기 위해, 혹은 도약하기 위해 무언가를 대담하게 해내야 한다고 압박한다. 그렇다면 오늘날 화두로 떠오른 대전환이란 무엇일까? 세계가 바라보는 대전환은 어떠한 것인가? 대전환 담론의 핵심은 국제질서에서 힘의 이동과 그 이면에 있는 신흥 기술emerging technologies(신기술)의 대두, 즉 기술혁신에 있다. 중국과 아시아가 부상하면서 일어난 힘의 이동, 그리고 AI와 같은 신흥 기술의 등장으로 국제질서에 거대한 지각변동이 전개되고 있다는 것이다.

대전환의 시대, 신흥 기술 주도권과
미래 리더십 경쟁

대전환의 담론은 미래 리더십을 둘러싼 강대국 간 전략 경쟁의 심화, 그리고 강대국 정치의 부활을 초래하고 있다. 미국은 중국의 부상과 영향력 확대를 권위주의의 등장으로 규정하고, 규범에 기반한 자유주의 국제질서가 위협받고 있다고 경고한다. 2022년 미국의 국방전략보고서는 중국을 미국의 가장 강력한 전략적 경쟁자로 규정하고 있다. 특히, 중국의 첨단기술력이 오랜 기간 미국 패권의 핵심 토대였던 기술 우위를 위협하고 있음을 지적하고, 4차 산업혁명 시대 신흥 기술을 적극적으로 활용해 중국에 대응할 것을 강조한다.

한편, 중국 또한 '100년간 없었던 큰 변화百年未有之大変局'가 온다는 세기의 대변화론으로 국제질서의 대전환을 규정한다. 중국은 중국의 부상이 이 대전환을 이끌고 있으며, 21세기 중엽이면 중국이 세계 일류의 강국이 될 것으로 전망하고 있다. 그리고 그 핵심 동력은 과학기술 혁명이라고 역설한다.

AI와 같은 신흥 기술을 주도하는 국가가 미래의 리더가 될 것이라는 인식 아래 신흥 기술, 첨단기술은 미국과 중국 간 전략 경쟁과 패권 경쟁의 핵심이 되고 있다. 패권 상실의 위기를 강조하면서 인공지능과 반도체 등에 대규모 투자를 추진하는 미국, 그리고 중화민족의 위대한 부흥 실현의 기회를 강조하면서 핵심 기술 돌파와 과학기술의 자립·자강을 강조하는 중국이 이러한 대전환의 주요한 축이다.

미중 기술 패권 경쟁 시대,
기술·가치·안보의 통합과 기술 진영화

미중 간 기술 패권 경쟁으로 인해 기존의 동맹과 우호 그룹 간 관계도 신흥 기술을 중심으로 재편되고 있다. 미중 간 전략 경쟁이 신흥 기술을 주도하려는 경쟁과 밀접히 연계되면서 양국이 기술혁신 경쟁을 넘어 기술 연대 경쟁을 확대하고 있기 때문이다. 미중 간 기술 주도 경쟁이 동맹국이나 우호국like-minded countries과의 연대 및 공동 대응으로 확대되면서 기술의 블록화, 진영화의 가능성도 커지고 있다.

민주주의 vs. 권위주의: 기술 경쟁과 가치의 연계

중국 기술의 급속한 부상과 확산에 대한 서구의 대응을 미국은 '민주주의 대 권위주의'로 규정한다. 중국이 첨단기술을 앞세워 세계에 진출하는 것을 권위주의 기술의 부상과 확산이라고 강조하면서, 이를 억제하기 위해서는 자유민주주의 국가들과 우호국들의 연대가 필요하다고 강조한다. 중국의 첨단기술에 대한 탈동조화decoupling 전략의 정당성과 당위성의 근거를 자유주의 국제질서의 수호에 두면서, 이를 위한 자유민주 진영의 파트너십을 강조한다.

동맹의 진화: 기술과 안보의 연계

신흥 기술이 미래 질서 재편과 안보 이슈에도 주요한 요소로 인식되면서 전통적인 군사동맹에 기술협력의 중요성이 새로 덧붙여지고 있다. 나토NATO는 최근 집단방위, 집단 안보, 위기관리의 세 가지 전통적 핵심 임무에 더해 제4의 임무로 혁신을 통한 집단 탄력성collective resilience을 내세웠다. AI와 같은 신흥 기술에 대한 협력을 강화하겠다는 것이다. 미국과 유럽연합은 이러한 신흥 기술협력을 강화하기 위해 2021년 무역기술위원회TCC를 설립했다. 유럽연합은 인도와도 이와 유사한 무역기술위원회 설립을 추진 중이다. 미국, 일본, 호주, 인도의 안보 협의체인 쿼드 또한 신흥 기술 분야에서의 협력을 강화하고 있다. 2022년 5월 출범한 인도태평양경제프레임워크의 주요 과제 가운데 하나도 디지털 협력이다. 러시아-우크라이나 전쟁 이후 동맹국과 협력국 중심의 과학기술 협력 논의가 급격히 확대되는 등 기술 논리와 안보 논리의 연계성은 더욱 강화되고 있다.

기술 동맹과 기술 네트워크 경쟁: 기술의 진영화

기술이 가치·안보와 연계되면서 미중 기술 패권 경쟁은 가치와 안보를 공유하는 글로벌 네트워크 경쟁, 즉 우호 진영 구축 경쟁으로 확대되고 있다. 미국은 전통적 대서양 동맹과 함께 인도·태평양 지역의 다자 체제를 기술협력과 연대의 핵심축으로 활용하고 있다. 중국은 일대일로 프로젝트를 디지털 기술과 첨단기술 네트워크의 토대로 활용하면서 이 프로젝트에 참여한 개발도상국 그룹을 중국이 주도하는 기술 블록화의 주요 대상으로 삼아 연대하고 있다. '디지털 일대일로', '일대일로 국제 과학조직연맹' 등은 중국의 글로벌 과학기술 네트워크의 주요한 플랫폼이라고 할 수 있다. 중국은 또한 '표준연결 일대일로'를 통해 정보통신기술, 첨단 장비 제조 등에서 일대일로 국가들과의 표준 협력을 강화한다.

이러한 미중 간 기술 연대 경쟁은 글로벌 가치사슬과 기술 표준의 진영화 및 이원화의 가능성을 높인다. 특히 러시아-우크라이나 전쟁에 따른 지정학적 불안정성과 진영 간 연대가 확대되면서 기술협력의 진영화와 블록화 가능성은 더욱 심화할 것으로 보인다.

기술 패권 경쟁 시대, 혁신과 연대의 전략

중국이 내세우는 세기의 대변화론은 새로운 기술의 부상과 함께 글로벌 리더가 변화한다는 국제질서의 '리더십 장주기 이론theory of leadership long cycle'을 닮았다. 이는 신흥·첨단 기술을 새롭게 주도하는 국가가 패권국의 교체를 가져왔던 역사적 변동을 이야기하는 것이다. 국제정치학자 윌리엄 톰슨William Thompson은 새로운 첨단기술로 인공지능, 우주 기술, 바이오 기술을 지목했는데, 이러한 신흥·첨단 기술을 주도하는 국가가 21세기의 패권국으로 떠오른다는 것이다. 그런데 신흥 기술의 부상과 기술혁신은 패권의 이동뿐만 아니라 선도 국가 그룹의 질서에도 영향을 끼치는 주요한 요인이라고 할 수 있다. 신흥 기술 주도 여부에 따라 국가의 상대적 위상과 영향력이 변화할 수 있다는 의미다. 따라서 신흥·첨단 기술의 경쟁력 강화를 위한 '기술혁신' 전략이 곧 미래 국가 전략의 핵심이라고 할 수 있다.

또 오늘날 신흥 기술 주도 전략은 단순히 기술혁신 전략에 국한되지 않는다. 미중 전략 경쟁이 촉진하는 연대 경쟁과 네트워크 경쟁이 이를 방증한다. 그리고 기술 연대 경쟁은 가치·규범 경쟁과 연계되어 있다. 결국, 4차 산업혁명이라는 새로운 기술혁신의 시대를 맞은 한국의 미래 전략은 이러한 신흥 기술과 연계된 경제, 안보, 가치·규범의 복합 구조를 명확히 인식하고 새로운 기술혁신 시대의 글로벌 리더가 되기 위한 종합적이고 체계적인 혁신과 연대의 전략을 구축하는 것이 핵심이라고 할 수 있다.

기술 패권 경쟁 시대 세계 각국의 대응

그렇다면 한국이 연대해야 하는 다른 국가들의 전략적 인식은 어떠하며, 그들은 이러한 시대적 변화에 어떻게 대응하고 있을까? 미중 전략 경쟁의 심화와 기술·경제 협력의 이원화 가능성 속에서 국가마다 기술 패권 경쟁의 부정적 영향을 최소화하고, 경제적·안보적 이익을 보호하기 위한 전략적 방향을 고민하고 있다. 특히, 유럽·일본·호주 등 선진국들은 기술 주권을 강조하면서 기술 패권 경쟁 시대에서도 전략적 자율성과 함께 전략적 불가결성integrality을 높이기 위해 다양한 방안을 모색하고 있다. 상대적으로 첨단기술 분야에서 경쟁 열세에 있는 아프리카·중남미·중동 등의 개발도상국들은 미중 전략 경쟁 속에서 자국의 디지털화 전략 실현에 필요한 외적인 지원을 확대하기 위해 균형과 헤징hedging의 외교 전략을 전개한다. 선진국과 개도국 모두 어느 일방에 대한 의존을 회피하고, 전략적 자율성과 공급망 안정성 제고에 필요한 외교의 다변화를 모색하고 있는 셈이다.

이처럼 미중 간 기술 패권 경쟁 속에 놓인 세계의 국가들은 혁신을 통한 기술 경쟁력과 기술 주권 강화, 전략적 자율성 확대, 외교적 다변화와 제3의 파트너십 모색 등을 전략의 핵심으로 추구한다.

한국의 미래전략: 기술혁신과 가치·규범을 주도하는 '글로벌 혁신 리더'

국제질서의 변화와 기술혁신이 동시에 전개되는 대전환의 시대를 맞아 세계 각국은 신흥 기술이 주도할 미래 질서에서의 우위를 확보하기 위해 치열한 전략 전쟁을 펼치고 있다. 신흥 기술을 둘러싼 세계의 경쟁은 미래 경제 리더십만이 아니라 가치·규범 경쟁 및 군사 안보 경쟁과도 연계되어 있기 때문이다. 한국의 미래 국가 전략 또한 이러한 기술-경제-외교·안보-가치·규범의 연계 구조를 반영해, 글로벌 혁신을 이끄는 선도국으로 떠오르기 위한 대전략을 구상해야 한다.

중장기 관점의 종합 전략 구축

우선 기술 패권 경쟁 시대에 글로벌 혁신 리더가 되기 위해서는 중장기적 관점에서의 종합 전략이 필요하다. 미중 기술 패권 경쟁의 표층적 특성만이 아니라 첨단기술의 앞선 경쟁력이 패권 질서를 재편해온 그 구조적 복잡성과 장기성도 주목해야 한다. 그 속에서 AI와 바이오 기술 같은 신흥·첨단 기술의 경쟁력을 높이면서 연대와 혁신의 전략을 함께 모색해야 한다. 특히 한국의 기술이 글로벌 협력을 주도하는 방향으로 나아갈 수 있도록 고민해야 한다.

기술, 경제, 안보, 가치·규범을 포괄하는 융합적 접근

이젠 기술 문제를 단순히 경제 분야에 국한해 바라보기보다 국제정치의 구조와 질서, 안보, 가치·규범 등의 요소와 연계해 분석하고 접근해야 한다. 즉 전통적인 군사·안보 개념의 외교 전략을 넘어 기술, 경제, 안보, 가치·규범을 아우르는 융합적 접근과 복합적 외교 전략이 필요하다. 기술, 경제, 그리고 외교·안보 분야를 잇는 적극적 소통과 전략적 공유가 더 중요해진 시점이다.

개방적 기술 주권 추구

한국판 '혁신경쟁법Innovation and Competition Act'을 통해 중장기적 관점에서 핵심 기술을 육성하며 기술 주권을 확보해야 한다. 특히 기술 주권의 추구는 개방성의 확대와 병행해야 한다. 그런 점에서 기술협력을 위한 다자 체제에 적극적으로 참여해 신흥 기술 분야와 디지털 분야의 표준 논의, 나아가 가치·규범 관련 국제사회의 논의에도 적극적으로 관여해야 한다.

기술 협력의 다변화

한국 기술의 글로벌 영향력도 적극적으로 확대해가야 한다. 유럽·일본·호주 등 선진국들과의 기술협력으로 신흥 기술 선도를 추구하면서, 다른 한편으로는 중남미·중앙아시아·아프리카 지역의 개발도상국들과의 과학기술 협력을 통해 글로벌 혁신 리더십을 구축해갈 필요가 있다. 특히, 중견국들과의 연대와 협력을 통해 경제와 기술의 진영화를 극복할 다자적 협력 채널을 활성화해야 한다.

과학기술 외교의 확대

외교 영역에서도 과학기술의 중요성이 점점 더 커지고 있다. 동시에 과학기술의 발전에도 외교의 역할이 더욱 중요해져서 국제 과학기술 협력에 과거와 달리 외교·안보적 고려를 반영해가는 추세다. 한국 또한 과학기술의 경쟁력을 높이면서 신기술 동맹이라는 질서에 대응하기 위해서는 과학기술과 외교·안보 이슈 간 융합적 소통과 전략의 모색을 보다 확대해야 한다.

통합적 거버넌스와 협력

글로벌 혁신 경쟁이 주요 과제가 된 이 시대의 국가 전략은 범부처 차원의 거버넌스를 통해서만 성공적으로 추진할 수 있을 것이다. 기술 안보나 경제 안보 담론에서 보듯 과학기술과 산업, 외교·안보, 교육, 법에 이르기까지 신흥 기술 주도의 글로벌 혁신은 모든 분야를 망라하는 과제다. 따라서 범부처 차원의 통합적 거버넌스는 국가 경쟁력을 높이기 위한 선결적 조건이다. 또 민관 협력을 통해 과학기술 연구 기관과 기업 등 실제 현장의 정보와 수요를 그 어느 때보다 국가 전략에 반영해야 할 것이다.

2
변화에 대처하는
STEPPER 전략

TECHNO-POLITICS

1

사회 분야 미래전략
Society

가상이자 현실, 메타버스의 진화

젠더와 MZ 이슈로 더해진 사회 갈등

AI 시대의 교육은 어떻게 바뀌어야 하는가

디지털 전환 시대, 일과 노동의 미래

AI 알고리즘이 만드는 '유리 감옥' 감시 사회

가상이자 현실, 메타버스의 진화

급변하는 사회와 경제 분야에서 앞으로 가장 많이 언급될 기술 용어는 AI와 메타버스일 것이다. 특히 코로나19라는 전대미문의 감염병이 전 세계에 가져온 위기로 인한 사회적 거리 두기 혹은 언택트라는 제약에 대한 대응에서 메타버스는 큰 기대를 모은 바 있다. 하지만 동시에 메타버스는 취약점도 드러냈다. 코로나19가 종식되면 메타버스는 과거 AI의 경우와 같이 관심에서 멀어지는 부침을 겪을 수도 있다. 아무리 환경이 유리해도 내부 동력이 부족하거나 그 이상의 진화가 없으면 관심 영역에서 사라지고 마는 것이 기술의 속성이기 때문이다. 메타버스 관련 주식 역시 폭등했다가 다시 폭락하는 과열 현상을 보이고 있다. 이제 어떻게 하면 메타버스가 일시적 주목에서 벗어나 계속 진화해나갈 것인가를 생각해볼 시점이 되었다. 메타버스의 진화가 어떤 의미인지, 그리고 비즈니스 플랫폼은 어떻게 발전해갈 것인지 짚어본다.

소설에서 현실로 등장한 메타버스

'메타버스metaverse'는 가상·초월을 의미하는 '메타meta'와 세계·우주를 의미하는 '유니버스universe'라는 단어를 결합해 만든 신조어다. 의미상 가상 세계 또는 초월 세계라고 할 수 있는데, 가상 세계는 이미 인터넷과 함께 등장한 개념이며 초월 세계는 이와 차별을 두기 위한 번역이라고 할 수 있다. 그러나 '현재 세계를 초월한 세계'라는 것을 어떻게 정의해야 할지 여전히 모호함이 남는다. 메타버스의 개념을 이해하기 위해서는 결국 메타버스라는 용어가 처음에 어떻게 쓰이게 되었는지를 들여다봐야 한다.

메타버스라는 말을 처음 사용한 사람은 닐 스티븐슨Neal Stephenson이라는 미국 소설가다. 그는 아바타avatar라는 산스크리트어 단어를 '가상 세계에서의 나'라는 의미로 처음 사용하기도 했다. 스티븐슨이 1992년 출간한 소설《스노 크래시Snow Crash》(문학세계사, 2021)에서 메타버스를 묘사한 부분을 옮겨보면 다음과 같다.

양쪽 눈에 서로 조금씩 다른 이미지를 보여줌으로써 3차원적 영상이 만들어졌다. 그 영상을 1초에 72번 바뀌게 함으로써 … 3차원적인 동화상을 한 면당 2K 픽셀의 해상도로 나타내면 시각의 한계 내에서는 가장 선명한 그림이 되었고 작은 이어폰을 통해 디지털 스테레오 음향을 집어넣으면 … 사용자가 그 자리에 있는 것이 아니라, 컴퓨터가 만들어내서 사용자의 고글과 이어폰에 계속 공급해주는 가상의 세계에 들어가게 되는 것이었다. 컴퓨터 용어로는 메타버스라고 불리는 세상이었다. … 가상 세계에는 빌딩, 공원, 광고판들이 세워졌고, 현실 세계에서 불가능한 것들도 만들어냈다.

요약해보면 소설 속 메타버스는 고글과 이어폰이라는 시청각 출력 장치를 이용해 접근할 수 있는, 컴퓨터 기술을 통해 3차원으로 구현한 상상의 공간을 의미하며, 그 공간에서 경제적·사회적 활동이 가능한 가상 세계다. 메타버스라는 개념의 독특함은 컴퓨터 기술로 3차원 상상의 공간(가상 세계)을 구현하는 기술이라는 측면에서 더 나아가 가상의 공간이지만 현실 세계에서 하던 것처럼 경제적·사회적 활동을 할 수 있는 세계로 정의한 데 있다. 다시 말해, 가상의 공간이면서도 현실 세계와 같은 경제적·사회적 활동이 가능하며 현실과 중첩된 또는 결합·연결된 공간이라는 개념이 메타버스의 독특한 점이다.

메타버스가 등장하기까지의 과정을 되돌아보면 모호한 개념을 좀 더 이해하는 데에 도움이 될 수 있다. 2003년 현실을 잊고 가상의 세상에서 살아보고자 하는 사람들의 바람과 상상을 바탕으로 만들어진 서비스가 등장했다. 가상현실 플랫폼 '세컨드 라이프Second Life'다.

미국의 게임 개발 회사 린든랩이 개발한 세컨드 라이프는 이용자의 분신인 아바타(일종의 '부캐')를 통해 다양한 가상 체험을 즐긴다는 포맷으로 높은 인기를 누렸다. 그러나 현실을 그대로 투영한 가상 세계 속의 삶은 게임과 같은 해방감도 실제와 같은 긴장감도 줄 수 없었다. 또 아이폰이 촉발한 스마트폰 혁명이 시작되면서 세컨드 라이프는 점차 대중의 관심에서 멀어져갔다.

그 사이에 헤드 마운티드 디스플레이HMD, head mounted display를 쓰고 3차원 영상을 볼 수 있는 기술과 증강현실 기술이 발전하면서 메타버스의 기반이 갖춰져갔다. 결정적으로 메타버스에 대한 개념을 대중에게 각인시킨 것은 2018년에 나온 스티븐 스필버그의 영화 〈레디 플레이어 원Ready Player One〉이다. 영화 속에서 주인공은 빈민촌 폐차장의 낡은 자동차 안에서 고글, 헤드셋, 글러브 등으로 구성된 햅틱 슈트haptic-suit를 착용한 채 오아시스OASIS라는 가상 세계에 접속해 모든 감각을 실제처럼 느끼고, 트레드밀 위를 달리는 것으로 3차원 가상 세계를 자유롭게 이동하고 탐험한다. 이 영화는 소설《스노 크래시》와 같은 메타버스에서 활동하는 미래 세상을 그렸다. 한 가지 아쉬운 점은 현실 속 세계와 메타버스에서 호환되는 사회경제 활동은 표현하지 않았다는 것이다.

메타버스가 대중이 이용하는 서비스로 등장한 것은 코로나19가 한창 확산 중이던 2020년 4월이었다. 미국의 힙합 가수 트래비스 스콧Travis Scott은 '포트나이트Fortnite' 게임 속의 3D 소셜미디어SNS 서비스 '파티 로열Party Royale'에서 유료 콘서트를 개최했다. 콘서트는 트래비스 스콧의 아바타가 노래하고 유저들의 아바타가 관람하는 방식으로 진행되었다. 콘서트에는 1,230만 명이 동시 접속했으며 게임 속 굿즈goods 판매로 2,000만 달러(약 220억 원)의 매출이 발생했다.

이 콘서트는 온라인 중계도 가상 콘서트도 아니고 실시간으로 가수의 아바타와 관객의 아바타가 상호 반응하는 형태로서, 새로운 개념의 서비스, 즉 메타버스 서비스의 가능성을 보여주었다. 동시에 메타버스 속에서 굿즈 판매라는 사회경제적 활동을 보여줌으로써《스노 크래시》에서 정의한 메타버스의 모든 측면을 구현했다. 이후 가상과 현실을 넘나들며 활용할 수 있는 다양한 서비스가 메타버스라는 이름으로 등장하면서 본격적인 메타버스 시대가 열렸다.

이전의 3D 가상 서비스와 메타버스 서비스의 가장 큰 차별점은 가상의 공간에서 현실 세상과 같은 사회경제 활동을 할 수 있다는 것, 즉 이용자의 콘텐츠 창작과 거래를 이어주는 가상 화폐와의 결합이라고 할 수 있다. 일례로, 메타버스를 기반으로 한 게임 플랫폼 '로블록스Roblox'

에서 이용자는 자신만의 게임을 개발·유통해 경제적 이득을 얻을 수 있다. 블록체인 기술로 디지털 자산에 별도의 고유한 인식값을 부여해 소유권을 보장해주는 NFT(대체 불가능한 토큰non fungible token)는 가상공간에 존재하는 아이템을 자산으로 거래하는 배경이 되었다. 가상 세계에서 취득한 가상 화폐가 실제 화폐와 교환되면서 메타버스는 사회경제적 활동의 플랫폼으로 자리 잡았다.

메타버스에 대한 정의와 유형

한 편의 소설에서 처음 등장했던 메타버스라는 용어에 대한 정의는 새로운 서비스가 더해지면서 점점 더 확장되고 있다. 메타버스의 정의는 우선 미국의 비영리 기술 연구 단체인 가속연구재단ASF이 2007년 발표한 〈메타버스 로드맵〉에서 찾아볼 수 있다. 여기서 메타버스는 "현실 세계의 대안 또는 반대의 가상(상상) 공간이 아니라, 현실 세계와 가상 세계의 교차점junction·결합nexus·수렴convergence의 공간"으로 정의된다. 현실과 가상을 분리해 바라보는 이분법적 시각이 아니라 통합의 시각으로 파악한다는 점을 알 수 있다. 또 "메타버스는 물리적 실재와 가상의 공간이 실감 기술을 통해 매개·결합되어 만들어진 융합된 세계"[56]라는 정의도 있다. 실감 기술인 헤드 마운티드 디스플레이, 3D 매핑·모델링, 시청각 인터페이스(VR/AR), 5G 등 실제와 유사한 경험을 할 수 있는 기술이 메타버스를 가능하게 했다는 점을 강조하는 것이다. 이 외에도 한국정보처리학회는 2021년에 "메타버스는 경제활동(소비, 판매, 투자 등), 사회·문화 활동(다양한 이해관계, 소통, 규범), 현실과의 연결-확장, 실시간성과 지속성이 존재하는 가상 세계"라고 정의한 바 있다.

이상의 정의를 살펴보면 메타버스는 '현실적 자아가 실감 기술을 통해 일정한 규칙에 따라 형성된 가상 세계에 접속해 사회경제적 활동을 가능하게 하는, 현실과 융합 또는 매개된 가상공간이나 가상 세계'라고 종합해볼 수 있다.

한편 ASF는 메타버스 세계의 유형을 네 가지 범주로 나누는데, 구현 공간과 초점을 맞추는 대상 및 정보 형태 등에 따라 증강현실, 라이프로깅, 거울 세계, 가상 세계로 구별된다.

증강현실augmented reality은 디바이스를 통해 현실의 이미지나 배경에 2D 또는 3D로 표현되는 가상의 이미지를 겹쳐 보이게 하면서 상호작용을 하는 것이다. 포켓몬고 게임이나 운전석 앞의 헤드업 디스플레이HUD 등이 이에 속한다. 증강현실이 이렇게 외적 세계의 증강이라면 라이프로깅lifelogging은 내적 세계의 증강이라고 할 수 있다. 다양한 형태의 개인정보(텍스트, 이미지, 영상 등)를 편집해 일상의 삶과 경험을 가상의 공간에 기록하고 공유하는 것으로 페이스북과 인스타그램, 카카오스토리 등 소셜미디어 활동이 그 예다.

거울 세계mirror worlds는 외적 세계를 가능한 현실처럼 묘사하고 투영해 시뮬레이션하는 것으로 세계 곳곳의 위성사진과 거리 사진을 결합해 실제와 같은 풍경을 보여주는 구글 어스Google Earth가 대표적이다. 가상 세계virtual worlds는 내적 시뮬레이션으로 현실과 유사한 가상공간이나 혹은 세컨드 라이프에서와 같이 완전히 새롭게 만들어진 또 하나의 가상공간을 디지털로 구축한 것이다. 게임을 넘어 가상현실 플랫폼으로 진화하고 있는 슈팅 게임 '포트나이트', 조 바이든 미국 대통령이 선거운동에 활용해 화제가 된 닌텐도 게임 '모여봐요 동물의 숲' 등을 예로 들 수 있으며, 이용자가 아바타를 통해 게임과 같은 놀이의 개념을 넘어 현실 세계의 사회경제적 활동과 유사한 행위를 하는 방향으로 진화하는 것이 특징이다. 물론 이러한 유형도 점차 혼합되고 있으며, 이렇게 진화를 거듭하는 실감형 기술을 토대로 메타버스는 '초실감의 초세계' 를 더욱 확장해갈 것이다.

메타버스 생태계와 비즈니스 플랫폼

메타버스는 여러 층위의 기능과 서비스로 구성되는데, 게임 플랫폼 비머블Beamable의 대표 존 레이도프Jon Radoff는 메타버스 생태계의 가치 사슬을 7개의 핵심 층으로 구분해 설명했다. 경험experience, 발견discovery, 창작 경제creator economy, 공간 컴퓨팅spatial computing, 탈중앙화decentralization, 휴먼 인터페이스human interface, 그리고 인프라infra가 그것이다.

　가장 최상의 층은 경험 층으로 이용자들이 메타버스 안에서 경험을 확장하게 하는 서비스들을 뜻한다. 로블록스·포트나이트·제페토 등의 게임, 소셜미디어, 스포츠, 콘서트 등 다양한 이벤트로 구현되는 경험은 메타버스의 성패를 좌우하는 층으로 여러 분야와 형태의 서비스를 더 실감이 나도록 제공하는 방향으로 발전하고 있다. 다음으로 발견은 이용자들에게 경험을 제공하는 메타버스 안의 다양한 콘텐츠를 검색하거나 정보를 선별·수집해 제공하는 푸시push 또는 풀pull 기능으로 구성되는 층위다. 발견 층위는 콘텐츠의 구매·유통이 일어나는 곳이기도 하다. 세 번째 창작 경제는 이용자가 콘텐츠를 직접 만들 수 있도록 제작 도구를 제공해주는 층위다. 창작 도구는 쉽게 다양한 콘텐츠를 제작할 수 있는 방향으로 발전하고 있다. 창작 경제 층위는 메타버스에서 경제적 활동을 가능하게 해준다.

　네 번째 공간 컴퓨팅은 가상공간의 이미지를 표현해주는 3D 엔진,

XR, VR, AR을 가능하게 하는 기술 층위다. 이 층위는 공간 매핑, 객체(사물, 동작, 음성 등) 인식 기능 등을 포함한다. 다섯 번째 탈중앙화는 메타버스를 블록체인과 NFT, Web 3.0 등을 활용해 분산적 환경에서 구축되게 하는 층위다. 여섯 번째 휴먼 인터페이스는 시각적 · 감각적 정보를 전달해주는 역할 관련 층위다. 이 층위는 VR과 AR을 지원하는 고글, HMD, 스마트 글래스 등 시각적 정보 디바이스를 비롯해 동작을 인식하거나 촉각 정보를 전달하는 웨어러블 디바이스와 센서 등으로 구성된다. 마지막으로 일곱 번째 인프라는 메타버스 장치를 작동시키고, 네트워크에 연결하고, 콘텐츠를 제공하는 기술 층위다. 대역폭을 넓히고 지연 시간을 줄이는 통신 및 클라우드 컴퓨팅 기술은 메타버스를 더욱 현실 세계와 동일하게 만들고 있다.

　이러한 핵심 층위는 층위별 공급자로 구성된 비즈니스 생태계를 이루며, 메타버스의 비즈니스 유형은 크게 플랫폼, 콘텐츠, 인프라, 인터페이스의 4개 영역으로 구분되기도 한다. 플랫폼은 공간 컴퓨팅(VR, AR, 3D 등)의 메타버스 기술로 만들어진 다양한 콘텐츠의 공급자와 이용자가 활동하는 공간이며, 메타버스 서비스를 경험하고 발견하는 범주에 해당한다. 콘텐츠 영역은 게임, 영상, 소셜미디어 등 이용자의 경험 대상이 되는 객체(콘텐츠)와 그 객체를 만드는 창작자와 공급자, 브랜드 마케팅으로 구성된 비즈니스 영역이다. 아티스트, 엔터테인먼트 회사, 브랜드 등 전문적인 기업만이 창작자와 공급자의 역할을 맡는 것이 아니라, 이용자도 창작 경제 층위에 참여해 콘텐츠를 공급할 수 있다. 인프라는 메타버스 플랫폼의 기반이 되는 통신 인프라나 클라우드 서비스 영역이다. 인터페이스 영역은 HMD, 웨어러블 디바이스, 센서 등으로 시각 · 감각 정보를 전달하는 디바이스 영역이다.

메타버스의 활용과 기술 발전 방향

메타버스는 플랫폼 비즈니스 이외에도 다양한 콘텐츠를 제공하고 활용하는 방향으로 확대되고 있다. 문화·예술과 엔터테인먼트 분야는 특히 실감 나는 경험을 제공할 수 있다는 점에서 빠르게 성장 중이다. 가상공간에서의 전시나 공연만이 아니라 아바타 등을 활용한 팬들과의 소통, 굿즈 판매, 홍보 마케팅 등 다양한 활동이 개발되고 있다.

앞으로 더 많은 콘텐츠를 개발 및 서비스할 분야는 교육과 훈련 분야다. 메타버스 안에서는 현실에서 직접 해보기 어려운 다양한 실험이 가능하다. 따라서 교육과 훈련도 수월하게 이행할 수 있으며, 특히 디지털 트윈digital twin 기술과 결합하면 물리 실험이나 제작 같은 활동이 용이해진다. 현실에서의 구현이나 반복 진행이 어려운 훈련도 시뮬레이션 기능을 활용하면 습득할 때까지 몇 번이고 되풀이해서 연습할 수 있다. 메타버스 교육 방식은 생산이나 제조 현장에서 활용되기도 한다.

새롭게 주목받고 있는 분야는 원격 업무 분야다. 코로나19로 인해 재택근무가 일상적으로 활성화한 상황에서 원거리 협업을 지원하는 방식으로 메타버스가 주목받고 있다. 사무실이 아닌 곳에서 사무실에 있는 것과 같이 원격의 실감 환경이 만들어지고 협업할 수 있도록 하는 다양한 방식의 제품과 서비스가 등장했다. 예를 들어, 부동산 플랫폼 직방은 사무실을 없애고 가상공간으로 출근해 근무하는 가상 오피스 '메타폴리스'를 개발하였고, 이후 업그레이드 버전인 '소마'를 출시했다.

특히 메타버스 공간에서 사람들이 만나고 상호작용하는 방식의 발전이 두드러진다. 단순히 자신을 표현하는 아바타와 사진 이미지를 이용하는 것에서 텔레프레즌스tele-presence, 즉 실재감을 높이는 기술로 발전하고 있다. 실제 자신의 이미지와 영상 객체를 가상공간에 등장시키기도 하고, 현실 공간에 3차원 홀로그램으로 상대방의 바로 옆에 있는 것과 같이 보여주기도 한다. 예를 들어, 구글은 3D 영상 채팅인 스타라인Starline 프로젝트를 추진하고 있고, 위워크WeWork는 홀로그램 영상을 통해 서로 떨어져 있는 사람이 같은 공간에서 함께 대담을 나누는 것 같은 효과를 내는 홀로프레즌스HoloPresence[57] 서비스를 도입했다. 텔레프레즌스 기술과 서비스가 메타버스 자체는 아니지만, 실감성을 높인다는 측면에서 향후 이러한 기술을 기반으로 한 메타버스 서비스가 더욱 발전할 수 있을 것이다.

메타버스의 미래

메타버스를 구현하는 기술과 서비스는 계속 발전하고 있지만, 여전히 풀어야 할 과제도 많다. 흔히 전망되는 것처럼 PC와 모바일을 잇는 포스트 모바일 플랫폼과 서비스로 진화하려면 이용 기기의 경량화나 배터리 지속성 같은 기술적 난제도 풀어야 하고, 이러한 서비스가 선순환할 수 있도록 관련 비즈니스의 생태계도 안정적으로 유지해야 한다. 메타버스 분야를 선점하기 위한 글로벌 경쟁이 치열한 것도 아직은 최강의 플랫폼이 없기 때문이다. 그 밖에도 개인정보나 데이터 보호부터 메타버스 과몰입 현상과 지식재산권 이슈까지 여러 사회적 문제도 함께 해결해야 한다.

이러한 과제들을 안고 있는 메타버스의 미래는 어떤 모습일까? 많은 전문가가 전망해왔듯이 메타버스는 일상의 시공간이 서로 연결된 가상의 세계로 무한히 확장할 것이며, 이용자들이 그 안에서 자유롭게 창작과 경제활동을 추구하는 완벽한 혼합 현실의 세계가 만들어질 것이다.

그런 점에서 메타버스의 미래는 메타버스를 가능하게 하는 기술적 측면만이 아니라 인간의 욕구 측면에서도 전망해볼 필요가 있다. 인간의 역사에는 인간의 욕구가 그대로 반영되기 때문이다. 인간은 계속해서 자신의 능력을 강화하고 힘의 범위를 확장하려는 욕구 아래 정보 소통 기술(언어, 문자, 인쇄술)을 발전시키고 더욱 강력한 도구를 개발해 사용하며 활동 공간을 넓혀왔다. 교통수단의 발달로 더 많은 공간이 연결되었고, 결국 세계는 지구촌이라는 글로벌화를 이루었다. 또 인간은 시간적 제약을 극복하기 위해서 전파라는 실시간 통신 기술을 개발해 시간의 확장을 이루어냈다. 인터넷 통신 기술은 손에 잡히지 않는 가상공간을 만들어냈으며, 2차원의 인터넷 시대를 완전히 넘어서는 메타버스 시대의 가상공간은 현실의 공간과 합쳐져 다양한 사회 소통과 경제활동을 가능하게 한다.

이처럼 인류의 역사는 인간 활동을 제약하는 시공간의 한계를 극복해 공간과 시간을 넓혀온 역사였다고도 할 수 있다. 그리고 시공간 확장에 이어 인간은 다시 자아를 확장하는 단계로 나아가고 있다. 집과 일터, 학교에서 존재하는 자아를 벗어나 제3의 공간에 존재하는 또 다른 자아로 자신을 확장해가는 것이다. 물질적 공간에서의 물리적 자아는 여러 가지 한계를 가질 수밖에 없는 존재다. 그러나 가상 세계에서의 디지털 자아는 시공간과 물질의 제약을 벗어나 계속해서 비물질적 공간을 만들고 부수고 다시 만드는 무한한 경험의 세계에 자신을 투영할 수 있다. 이것이 인간이 메타버스에서 추구하고자 하는 것이며, 메타버스는 이러한 인간의 욕구를 만족시키는 방향으로 진화해나갈 것이다.

젠더와 MZ 이슈로 더해진 사회 갈등

젠더와 세대에 대한 사회적 관심이 부쩍 커지고 있다. 2022년에 치러진 20대 대선과 8회 지방선거에서 젠더와 세대 관련 이슈는 역대 그 어느 선거 때보다 주목받았다. 선거 결과도 성별과 세대에 따라 뚜렷하게 갈렸다. 전통적으로 우리나라 선거 정치를 지배하던 '지역과 이념'에 더해 '성별과 세대'라는 새로운 사회적 균열social cleavage이 나타난 것 아니냐는 분석이 제기되고 있다.

물론 성별과 세대에 따라 정치적 이념이나 정책 선호는 다를 수 있다. 이것만으로 갈등이 심각하다고 진단할 수는 없다. 문제는 그 차이를 다루는 방식에 있다. 최근 온라인에 퍼지는 혐오성 표현이나, 언론과 정치권이 이슈를 확산하는 방식을 보면 갈등을 효과적으로 관리하지 못하고 오히려 소모적 방식으로 조장한다는 인상을 지우기 어렵다. 우리나라의 사회 갈등 수준이나 관리 능력에 관한 연구 중 적잖은 수가 갈등 요인보다 갈등을 관리하는 능력이 더 중요하다고 지적한다. 가령, 갈등 요인이 경제성장에 미치는 영향은 통계적으로 유의하지 않은 데 반해, 갈등 관리는 경제성장에 유의미한 긍정적 영향을 미친다고 밝힌 연구[58] 등이 이를 잘 보여준다. 갈등 관리가 효율적으로 이루어지면 불필요한 사회적 비용을 크게 줄일 수 있다는 의미다.

젠더와 세대로 보는 사회 갈등

갈등을 효과적으로 관리하려면 우선 정확한 진단이 필요하다. 최근 우리 사회의 중요한 갈등 이슈로 부상하고 있는 젠더 갈등과 세대 갈등이 어떠한 양상을 띠고 있는지, 그 원인은 무엇인지, 나아가 그 갈등을 해결하려면 어떠한 노력이 필요한지 더 적극적으로 고민해야 한다.

젊은 세대를 중심으로 젠더 갈등의 심각성에 대한 인식 확산

서울연구원이 2020년 서울시민을 대상으로 한 조사에 따르면 가장 심각한 사회 갈등으로 40대 이상이 이념 갈등을, 30대가 부동산 정책 갈등을 꼽은 데 반해 20대는 남녀 갈등이 가장 심각하다고 응답했다. 향후 심해질 갈등에 대해서도 다른 연령대는 이념 갈등을 꼽았지만 20대는 남녀 갈등을 꼽았다.[59]

특히 대선과 지방선거를 치른 2022년에는 젠더 갈등이 더 심각해진 양상이다. 2022년 5월 실시한 한 설문 조사 결과 20대 대선을 통해 젠더 갈등이 심화되었다는 응답 비중이 여러 갈등 분야 중 가장 높았다.* 실제로 같은 해 6월 치른 8회 지방선거에서 20대 이하 남녀 유권자 출구 조사 결과는 대선 때보다 더 극명하게 갈렸다.** 20대 이하 남성 65.1%는 여당 후보를, 여성 66.8%는 야당 후보를 지지했다고 답했다. 이와 같은 지지 성향 격차는 다른 연령대에서는 거의 찾아보기 어려운 수준이다.***

젠더 갈등 배경에 존재하는 페미니즘 이슈

최근 젠더 갈등이 격해지는 원인은 무엇일까? 한 설문 조사에서 젠더 갈등이 심해진 원인을 물은 결과 '온라인상의 혐오와 원색적 조롱'(38.3%), '페미니즘 성평등에 대한 이해 부족'(35.4%), '성인지 감수성(성평등 의식)이 높은 젊은 세대의 등장'(32.2%), '정치권의 편 가르기식 발언 및 정책'(29.6%), '실제로 남녀 차별이 심각해져서'(21.3%), '청년 일자리 감소와 부동산값 상승 등 경제적인 이유'(18.6%) 순으로 응답이 많았다.[60] 대선 이후 실시한 투표 동기 관련 설문 조사에서도 20대 남녀는 각각 페미니즘에 대한 특정 정치인의 행보 때문에 다른 후보를 지지했

• 20대 대선을 통해 젠더 갈등이 심해졌다는 응답 점수는 5점 만점에 3.75점으로 세대(3.70점), 이념(3.68점), 지역(3.44점) 갈등이 심해졌다는 응답 점수보다 높았다(YTN, 유권자 인식 조사, 2022.6.1.).

•• 2022년 3월 9일 실시한 제20대 대통령 선거 출구 조사 결과에 따르면, 20대 이하 남성 58.7%가 국민의힘 윤석열 후보를 지지했다고 응답했고, 20대 이하 여성 58.0%가 더불어민주당 이재명 후보를 지지했다고 응답했다.

••• 여당을 기준으로 성별 간 지지율 차이(남성 지지율-여성 지지율)를 보면, 20대는 35.1%p, 30대는 16.0%p, 40대는 −3.5%p, 50대는 −6.2%p, 60대는 −1.8%p, 70대는 6.0%p이다.

다고 밝혔다.* 페미니즘에 대한 남녀 간 인식과 태도 차이가 젠더 갈등의 주요 원인으로 작용하고 있음을 알 수 있다.

자신을 구조적 성차별 피해자로 인식하는 20대

그렇다면 페미니즘이 특히 20대에서 폭발적인 이슈로 자리매김한 원인이 무엇인지 살펴볼 필요가 있다. 언론과 정치권의 그릇된 대응, 그리고 혐오와 차별에 취약한 온라인 소통의 특성도 거론되지만, 그에 앞서 더 근본적인 고찰을 선행할 필요가 있다. 사실 20대는 기성세대와 비교하면 성평등 의식이 높고 성역할 고정관념으로부터도 자유로운 편이다. 2020년 통계청 사회조사 결과를 보면 연령층이 낮을수록 부부가 가사를 공평하게 분담해야 한다는 인식이 높게 나타났다.** 출산·육아 부담과 군 복무에 대한 보상이 필요하다는 데에도 20대 남녀 모두 동의했다.[61]

그런데 성별로 인한 차별이 없어야 한다고 생각하는 사람은 성별로 인한 차별의 피해자가 자신이 될 때 느끼는 불만과 분노도 크다. 한 설문 조사에 따르면 20대 남성은 남성이, 20대 여성은 여성이 차별받는다고 인식하는 것으로 드러났는데, 남성 차별이 심각하다는 데 20대 남성

• 윤석열 후보를 선택한 이유 중 '이준석 대표 등의 반페미니즘 행보에 찬성해서'라고 응답한 비율은 전체 응답자 중 31.9%에 그쳤지만 20대 남성 응답률은 73.1%에 달한다. 반대로 이재명 후보를 선택한 이유로 '이준석 대표 등의 반페미니즘 행보에 반대해서'라고 응답한 비율은 전체 응답자의 59.8%였고, 20대 여성 응답률은 76.5%에 달한다(시사IN, 〈열심히 투표한 당신 왜 찍고 왜 안 찍었나〉, 2022.3.24.).

•• 가사를 '부부가 공평하게 분담'해야 한다는 의견에 전체 응답자의 62.5%가 동의하는 데 반해, 20~29세는 84.8%가 동의하고, 13~19세는 85.8%가 동의한다.

78.9%가 동의했지만 20대 여성은 33.4%만이 동의했다. 반면 여성 차별의 심각성에 동의한 비율은 20대 여성은 84.1%에 달했지만 20대 남성은 38.0%에 그쳤다.[62] 특히 20대 남성 상당수는 페미니즘 운동으로 인해 남성이 역차별당하고 있다고 느낀다. 또 기성세대 남성이 누렸던 가부장적 특혜를 자신들은 누리지 못하고 오히려 각종 여성 우대 정책으로 인한 피해를 입고 있다고 여긴다. 반대로 20대 여성은 성별 간 임금 격차가 여전히 크며 정부와 민간 부문을 막론하고 고위직에서 여성이 과소 대표되는 등 구조적 성차별이 엄연히 존재한다고 생각한다. 서로 간 인식의 격차가 큰 상황이다.

세대 갈등의 심각성과 원인에 대한 인식

세대 갈등에 대한 우려도 커지고 있다. 2022년에 실시한 한 여론조사에 따르면 우리 사회의 세대 갈등이 심각하다는 데 응답자 81%가 동의했다. 앞으로 세대 갈등이 지금보다 악화하거나 지금 상태를 유지할 것이라는 데도 86%가 동의할 정도로 미래 전망도 비관적이다.[63] 한국보건사회연구원이 실시한 인식 조사에서도 유사한 결과가 나온 바 있다. 특히 세대 갈등에 대한 인식은 연령별로 다르게 나타났는데, 세대 갈등의 심각성에 19~29세(73.8%)가 가장 많이 동의했다. 갈등 원인에 대한 인식을 살펴보면 연령층이 높을수록 세대 간 교류 부족이나 가정 내 의사결정 과정에서 노인이 배제되는 점을 원인으로 지목했지만, 반대로 연령층이 낮아지면 직장 내 업무 성과, 정치, 일자리 등 경제·정책 자원 배분 문제에 노인층이 부정적 영향을 미치기 때문에 세대 갈등이 발생한다고 보았다.[64]

MZ세대의 경제적 취약성과 세대 갈등

세대 갈등도 소위 'MZ세대'라고 불리는 젊은 층을 중심으로 이슈가 만들어지고 확산하는 양상을 보인다. MZ세대는 1980년대 초에서 2000년대 초에 출생한 밀레니얼millennials 세대와 1990년대 중반부터 2000년대 초반 출생한 Z세대Generation Z를 통칭하는 말이다. 미디어에서 자주 언급하는 MZ세대의 특징으로는 공정성, 일과 삶의 균형, 친환경, 개성, 경험 등을 중시하고 새로운 콘텐츠와 디지털 미디어에 능숙한 점 등을 꼽을 수 있다. 하지만 경제 상황 측면에서 보면 그들은 어느 세대보다도 소득, 자산, 부채, 소비 등의 부문에서 취약하다는 특징이 있다.[65] 실제로 논란이 된 많은 MZ세대 이슈들, 예를 들어 인천국제공항공사 정규직 전환 사례나 부동산 정책 갈등, 국민연금 고갈 문제, 정년연장 문제 등은 모두 MZ세대의 취약한 경제적 여건과 무관하지 않다.

젠더·세대 갈등의 근본적 원인, 불평등 심화

이처럼 젠더 갈등과 세대 갈등 모두 20대 청년층이 가장 심각하게 인식하고 있으며, 그 배경에는 사회경제적 자원 배분의 문제가 있다는 공통점이 있다. 최근 논란이 된 여성가족부 폐지 이슈에 대한 20대 남성의 지지는 여성을 향한 적개심의 발로라기보다는 경쟁 열위에 놓이고 싶지 않은 불안의 결과로 해석하는 것이 타당할 수 있다. 또한 MZ세대를 주축으로 한 각종 직장 내 갈등은 가치관이 다른 세대 간 충돌로 종종 표현되지만, 실질적으로는 임금, 승진, 직무 배분 등 직장 내 자원을 둘러싼 이익 갈등인 경우가 적지 않다.[66]

지금의 청년 세대를 "'신자유주의적 글로벌화'의 경험이 낳은 필연적 결과물이자, 총체적 불안이 생애의 전 과정에 걸쳐 전면화된 집단"

으로 표현한 연구는 청년 세대가 처한 현실을 그대로 보여준다.[67] 실제로 2000년대 이후 진행된 저성장, 노동시장의 이중 구조화, 저출산·고령화 등의 사회 변화는 20대 청년층을 소득, 자산, 교육, 노동시장, 주거, 가족 형성 등 다차원에 걸친 불평등에 봉착하도록 만들었다.[68] 한 번의 실패가 평생의 낙오로 이어질 수 있다는 불안 속에 경쟁을 내면화한 청년층은 성별이든 나이든 '수저'든 내 노력으로 바꿀 수 없는 그 무엇 때문에 경쟁을 해보기도 전에 결과가 정해진 상황에 분노하는 것이다. 사회가 불평등할수록 그들은 세대 간 사회이동을 비관적으로 인식하고 개인 수준에서는 연령과 소득수준이 낮을수록 그럴 확률이 높다.[69] 나아가 계층 이동 가능성에 대해 부정적으로 인식할수록 외부의 소수자를 배타적으로 여기는 것으로 나타났다.[70] 불평등이 심화하고 계층 이동성에 대한 좌절이 커질수록 나와 다르거나 열위에 있다고 판단되는 계층에 대한 배타적 인식이 확산하는 것이다.

장기적 방향과 단기적 실천을 통한 갈등 해소와 관리 전략

오늘날 한국 사회에서의 젠더 갈등과 세대 갈등은 근본적으로 앞서 살펴본 것처럼 저성장과 불평등 속에서 희소성이 커지거나 적어도 커지는 것처럼 느껴지는 사회경제적 지위를 둘러싼 분투에서 비롯되는 경향이 크다. 따라서 불평등을 줄이고 계층 이동성을 회복하기 위한 사회정책과 미래 성장 동력을 확보하기 위한 경제정책을 병행하는 것이 장기적 차원에서 추구해야 할 가장 근원적 해법이다.

그러나 저성장과 불평등은 단기간에 해결할 수 있는 문제는 아니다. 갈등 양상 또한 단기간에 쉽게 사라지지는 않을 것이다. 하지만 갈등의 근본적 원인을 짧은 시간 안에 해소할 수는 없어도, 갈등을 관리하는 우리 사회의 역량은 그보다 빠르게 키울 수 있다. 젠더 갈등과 세대 갈등을 효과적으로 관리하고 제도화함으로써 불필요한 사회비용의 지출을 막기 위한 고민이 필요한 이유다.

우선 갈등의 근본적 원인과 이로 인한 사회적 비용에 대한 사회적 논의가 필요하다. 젠더 갈등이나 세대 갈등에 대한 단편적 보도와 논쟁은 넘쳐나지만, 공적 책임을 지는 주체들 간의 생산적 논의는 찾아보기 어렵다. 그런 점에서 정치권과 언론이 우선 변화해야 한다. 언론과 정치가 갈등을 키웠다는 지적을 겸허히 받아들일 필요가 있다. 일례로 젠더 갈등에 대한 언론 보도의 문제점으로 시민들은 '자극적인 주장과 단어만을 보도하는 선정성'(37.9%), '일부 커뮤니티 의견을 부각시키는 과잉 의제화'(32.4%), '여혐이나 남혐 등 한쪽의 주장만을 보도하는 편향성'(19.0%), '혐오를 논란으로 축소하는 본질 회피'(10.7%) 등을 꼽았다.[71] 드러난 갈등은 사회문제를 포착하고 해결하는 계기가 될 수도 있는데, 언론의 선정적 보도와 과잉 의제화가 갈등 사안에 대해 합리적으로 고찰할 기회를 놓치게 만들 수 있다는 점을 시사한다.

따라서 갈등을 표출하고, 조직하고, 통합함으로써 민주주의가 제대로 작동할 수 있게 해야 한다. 대화와 토론을 통해 사회적 합의를 형성하고 해결 기제를 함께 마련할 수 있어야 한다.[72] 그러나 최근 젠더 갈등과 세대 갈등에 대한 정치권의 대응을 보면 그러한 역할을 제대로 했다고 평가하기 어렵다. 여러 갈등 요소들이 각 정치 진영의 의제가 되는 과정에서 세대, 연령층, 계층 내 이분법적 대결 구도를 오히려 강화해왔기 때문이다.

따라서 정치권은 사회 갈등을 정쟁의 소재로 삼는 것을 지양하고 토론과 숙의를 통해 상호 합의의 영역을 넓혀가야 한다. 이를 위해서는 소선거구제, 단순다수대표제 등 승자독식의 대결적 정치 문화를 낳는 선거 제도를 개선할 필요가 있다.[73] 당론을 넘어 의원 개개인이 합리적 의사결정을 할 수 있도록 권위적인 정당 운영 방식을 개선함으로써 토론과 합의의 정치 문화를 구축해야 한다. 언론 또한 갈등의 근본적 원인에 천착해 합리적 대안을 위한 소통의 공간을 마련하기 위해 더 노력해야 한다. 갈등 이슈 자체만을 반복하고 확대하면 문제는 해결되지 않는다. 대결 양상과 현상만을 선정적으로 보도하는 행위를 지양하고, 다양한 의견이 교차하고 논의될 수 있는 사회적 환경을 만들어가야 한다.

시민사회의 역할도 중요하다. 사회 갈등의 순기능과 역기능에 대한 이해를 넓히고, 갈등을 함께 해결하는 훈련이 필요하다. 호주 네이버후드 저스티스 센터Neighbourhood Justice Center가 지역사회 주도로 지역 내 갈등을 해결한 사례,[74] 서울시가 갈등조정담당관을 신설해 공공 갈등을 적극적으로 예방하고 조정한 사례 등을 참고하면 된다.

갈등은 불필요한 사회적 비용을 발생시키기도 하지만, 사회문제를 포착할 기회를 제공하는 순기능도 있다. 최근의 젠더 갈등과 세대 갈등을 우리가 지닌 갈등 관리 능력의 취약성을 알려주는 계기로 인식하고 갈등 관리 역량을 높이는 데 사회적 노력을 쏟아야 하는 시점이다.

AI 시대의 교육은 어떻게 바뀌어야 하는가

디지털 전환이라는 거대한 흐름 속에서 고도화한 AI와 이를 응용한 시스템이 산업뿐 아니라 일상 속으로도 빠르게 유입되고 있다. 그야말로 기존의 틀을 넘어서는 변화가 곳곳에서 일어나는 중이다. 이러한 변화에 있어 교육 분야도 예외일 수 없다. 인간과 AI의 역할 관계를 놓고 봤을 때, 교육은 디지털 전환을 가속화하는 4차 산업혁명 시대에 가장 주목해야 할 분야다. 한편, 교육과 관련해 특히 고려해야 할 사항으로 고용시장의 변화를 들 수 있다. 우수한 인적자원이 고용을 새로이 창출하기도 하지만, 일반적으로는 고용시장의 수급 상황에 학교교육이 영향을 받고 따라가기 때문이다.

코로나19 장기화의 여파는 학교교육에도 큰 변화를 가져왔다. 코로나19 위기 이전에도 다양한 방식으로 미래를 대비하자는 논의가 이루어졌고 새로운 시도도 이어졌지만, 실제로 혁신적인 시스템 변화가 일어나지는 않았다. 그러다가 코로나19를 계기로 갑작스럽게 온라인 원격 교육을 시행한 것이다. 시행착오도 적지 않았으나, 동시에 첨단기술 기반의 미래 교육에 대한 기대 또한 커졌다. 앞으로 AI가 사회 각 부분에서 핵심적 역할을 할 기술 전환의 시대에 과연 교육은 어떻게 바뀌어야 할까? 2040년쯤에는 AI가 인간의 지능을 뛰어넘는 '싱귤래리티sin-gularity' 시대로 진입할 것이라고 미래학자들은 예측한다. 우리는 이러한 첨단 디지털 환경을 교육의 바탕으로 잘 활용하되, AI에 종속되는 학습자가 아닌 AI가 대체할 수 없는 창의적 역량을 갖춘 인재를 키우기 위해 교육의 미래와 그 방향에 대해 진지하게 고민해야 한다.

시대의 변화에 발맞춘 교육 전략

미래 전망은 AI 로봇 등 지능화, 무인화 기술이 거스를 수 없는 대세라는 점을 시사한다. 일자리를 두고 AI 로봇과 경쟁을 벌이든 조화를 이뤄 새로운 경제를 구성하든, 어떤 경우에도 미래 인간은 AI와 협업하는 존재가 될 것이다.

앞으로의 인간-기계 협업에서 인간은 창의적 사고와 문제를 만드는 일에 주력하고, AI는 지식을 제공해 문제를 해결하는 역할을 할 것이다. 오늘날 자동차와 달리기 경주를 하는 사람이 없듯 미래에는 잘 정의된 문제의 해결을 위해 AI와 경쟁하는 사람이 없을 것이다. 그런데 AI는 이미 단순 반복적인 일만 하는 단계를 넘어서고 있다. 인간과 자연스러운 대화를 할 수 있는 초거대 인공지능의 출현이 예고되고 있는데, 이 인공지능은 더욱 똑똑해져서 언젠가 인간의 역할을 도맡을지도 모른다.

지금과 같은 교육으로는 첨단기술이 만드는 이러한 시대적 변화를 따라가기 어렵다.

AI 시대의 교육 전략이 달라져야 하는 이유는 지금 일어나는 변화의 배경을 살펴보면 더 명확해진다. 저출생과 고령화로 바뀌는 인구구조, 사회적 양극화에 따라 증가하는 사회적 약자와 더불어 심화된 교육 격차는 우리 사회가 해결해야 할 구조적 문제가 되었다. 또 대량생산 시스템의 시대가 가고 AI를 필두로 한 혁신적 기술들이 사회 변화의 원동력이 되면서 교육에 대한 사회적 요구가 변화하고 있다. 사회가 변화하면 요구하는 인재상도 바뀐다. 이는 곧 미래 사회를 책임질 미래세대를 양성하는 교육 역시 근본적으로 바뀌어야 한다는 뜻이다. AI의 활용으로 교수 방법 또한 기술적으로 다양해지면서 교육에 대한 혁신 요구를 촉진하고 있다.

근대 학교 제도의 재설계

코로나19의 여파로 우리 사회와 개인 모두 큰 변화를 경험하고 있다. 사회 각 영역에서 비대면의 다양한 소통 방식이 일상화하면서 비대면 시스템이 '뉴노멀new normal'로 자리 잡았다. 대학에서는 원격 강의가 자연스러운 수업 방식이 되었고, 초·중·고등학교에서도 2020년부터 2022년 4월까지 학생 540만 명과 교직원 50만 명이 원격으로 정규 수업을 소화하는 '역대급' 교육 실험을 진행하기도 했다.

하지만 원격 교육이 시행되는 동안 학생과 학부모들 사이에는 불만이 일었다. 서울시교육청 교육연구정보원이 2021년 발표한 〈2020학년도 2학기 원격수업 인식조사〉 보고서에 따르면, 중·고등학생은 원격 수업 하에서의 '자기 관리'가 어려웠고, 코로나 이전과 비교해 수업 태도와 자기 주도 학습 능력이 낮아졌다고 밝혔다.[75] 학부모들은 자녀들의 '학습 결손과 그로 인한 기초학력 하락'을 걱정했다. 교사들 역시 학생 출결과 학습 참여 관리, 원격 수업 콘텐츠 녹음 및 촬영, 학습 평가에서 어려움을 토로했다. 한국교육학술정보원이 교원 1만 883명을 대상으로 실시한 '초중등 원격교육 실태조사'(2021)에서도 학생들의 학력 격차가 심해지고, 특히 중하위권 학생들의 학업 성취도가 떨어졌다는 결과가 나왔다.[76] 인식 조사에 참여한 교사들은 코로나19 초기였던 2020학년도와 2년 차인 2021학년도를 비교했을 때 교육 격차가 더 심해졌다고 생각했다. 학부모들은 56.0%가 원격 수업에 따른 '공부 잘하는 학생과 못 하는 학생의 차이'를 우려했고, 학생 42.9%도 원격 수업의 단점으로 '학력 격차'를 들었다. 이러한 결과는 모두 그동안 획일적으로 이루어져 온 우리 교육의 문제점을 총체적으로 보여준다.

근대식 학교 제도는 과거와 비교해 상당히 효율적인 시스템으로서 산업사회 인력 양성 측면에서 큰 성과를 일궈냈다. 특히 해방 이후 우리나라는 근대화 과정에서 세계가 주목할 만큼 빠른 속도로 교육의 양적 성장을 이룩했다. 많은 학생을 효율적으로 가르치기 위해 학교 시스템은 2차 산업혁명의 대량생산 시스템과 닮은 대량 교육의 형식을 취했다.[77] 하지만 2차 산업혁명의 산물인 표준화, 전문화, 관료제, 분업 등의 방식이 그대로 녹아 있는 학교 제도는 여러 가지 문제를 안고 있는 게 사실이다.

학생은 누구나 각자 고유한 소질과 적성을 지니며, 다양한 경험을 통한 학습 결과를 저마다 체화하고 있다. 그럼에도 학교 제도는 학생들의 이러한 다양성을 북돋아주지 못한다. 기본적인 학년제 운영 방식은 마치 공장의 벨트 컨베이어와 같은 원리로 돌아간다고 할 수 있는데, 실제 운영 과정에서 개별 학생의 학습 성과 관리는 거의 이뤄지지 않는다. 평가는 교육적 성장보다 사회적 선별 차원에서 이루어진다. 그 대표적인 형태가 집단 내 서열을 매기는 상대평가다. 학교의 시설과 구조도 학생의 자발적이고 자유로운 학습보다 위에서의 효율적인 관리를 고려해 설계되었고, 이는 전국적으로 큰 차이가 없다.

이러한 학교 시스템을 개선하기 위한 노력이 계속 이어져왔지만, 여전히 근본적 문제에 대한 접근은 요원하다. 근대식 학교 제도의 한계를 넘어서서 새로운 시대적 흐름에 대응하기 위해서는 교육 시스템의 재설계가 수반되어야 한다. 무엇보다 학생 개개인의 소질과 적성을 정확히 진단하고 맞춤 처방을 하는 맞춤형 교육으로 나아가야 한다.[78]

'6C 역량' 갖춘 미래 인재 양성

새롭게 다가올 미래가 요구하는 인재와 역량은 어떤 모습일까? 현재 우리 사회에는 AI 지능형 로봇이 인간의 일자리를 대체하는 사례가 늘어나고 있다. 앞으로 이러한 현상은 더욱 흔해져 마침내 대세가 될 것이다. 이런 시대에는 간단한 지식 습득과 업무 처리는 AI에게 맡기고, 자신은 보다 창의적이고 전문성 있는 분야에서 다양한 능력을 발휘하는 메타인지metacognition 역량을 갖춘 인재가 필요하다.

현재의 교육과정은 개별 과목의 모든 내용을 학생에게 주입하는 방식이다. 그러나 온라인으로 쉽게 검색하고 활용할 수 있는 지식과 정보를 단순히 암기하기 위해 대부분의 학습 시간을 사용하는 것이 바람직할까? 이제는 핵심 원리와 개념 중심의 교육과정으로 개편해야 한다. 그래야만 학생들이 각 분야의 핵심 원리를 내면화해 눈앞에 닥쳐오는 여러 복잡한 문제를 자신의 힘으로 해결해나갈 수 있다. 개념 지식을 제공하지 못하는 내용은 배제하고 실제 세계의 다양한 측면을 이해하는 데 도움이 되는 내용을 포함해야 한다.

이처럼 AI 시대에 무엇을 가르칠 것인지에 관한 질문은 미래의 인재상에 대한 논의로 바꿔볼 수 있다. 최근 강조되는 미래 인재의 역량은 '6C'로 요약할 수 있는데, 가장 핵심적인 '개념 지식conceptual knowledge', '창의성creativity', '비판적 사고critical thinking', '컴퓨팅 사고computational thinking', '융합 역량convergence', 그리고 '인성character'을 일컫는다. 여섯 가지 핵심 역량의 내용을 구체적으로 살펴보면 다음과 같다.

첫째, 6C의 중심을 차지하고 있는 '개념 지식'은 교과의 핵심 내용이다. 학습 결과의 전이를 일으키는, 즉 단순한 정보에 그치는 것이 아니라 다양한 범주와 상황에 적용할 수 있는 지식을 뜻한다. 창의적 학습을 위해서는 기본적으로 교과의 핵심 개념을 이해해야 한다. 예컨대 단순히 수학 공식을 암기하고 만들어진 문제를 푸는 것에서 나아가 그러한 공식이 도출되기까지의 과정을 이해하고, 그러한 공식이 산업 현장에서 어떻게 활용될 수 있는지 이해할 필요가 있다.

둘째, '창의성'은 새로운 생각이나 개념을 찾아내고 기존의 생각이나 개념을 새롭게 조합해 문제를 해결하는 역량이다. 개인 수준을 넘어선 사회적 수준의 창의성은 문제를 새롭게 인식하고 최적의 해결 과정을 찾아가면서 사회적 수준에서의 보람을 만들어나가는 것이다.

셋째, '비판적 사고'는 어떤 상황이나 내용을 판단할 때 편향되지 않은 분석을 하거나 사실적 증거를 토대로 평가하는 역량이다. 정보를 얻을 수 있는 형태와 매체가 더욱 다양해지는 미래 사회에서 무엇보다 중요한 역량이다.

넷째, '컴퓨팅 사고'는 문제를 정의하고 그에 대한 답을 찾아가는 사고 과정 일체를 일컫는다. 다양한 문제 상황에서 해당 문제에 대한 분석, 자료 표현, 일반화, 모형화, 알고리즘화 등이 가능한 역량을 말하며, 최근에는 데이터 리터러시나 디지털 리터러시, AI 리터러시 등으로도 표현한다.

다섯째, '융합 역량'은 문제를 해결하기 위해 여러 학문과 실생활의 지식과 정보를 통합적으로 적용할 수 있는 역량이다. 내용적 측면에서는 학문과 학문 간 융합, 새로운 학문의 창출, 학문과 실제 생활과의 융합이 이뤄질 수 있으며, 방법적 측면에서는 AI, VR, AR 등의 기술을 활용한 혁신적 융합이 가능하다.

여섯째, '인성'은 동양에서는 인간 본연의 성질을 의미하며, 서양에서는 사회 정서 역량과 같은 비인지적 역량을 의미한다. 특히 사회 정서 역량이란 자기 인식, 자기관리, 사회적 인식, 관계 기술, 책임 있는 의사 결정으로 이뤄지며, 글로벌 문제와 공동체 의식이 강조되는 미래 사회에서 더욱 중요한 핵심 역량이라 할 수 있다.

AI와의 공존을 준비하는 AI 공교육

지금의 젊은 세대를 포함한 미래세대는 AI와 인류가 공존하는 시대를 이끌어야 하는 세대다. AI가 인간의 지능을 뛰어넘을 것으로 예측되는 시대를 살아가려면 무엇보다 AI와 관련한 교육이 기본이 되어야 한다. 그러나 AI 교육은 기술적 측면만 추구해서는 안 된다. 코딩이나 데이터 수집·분석·활용 능력뿐 아니라 AI와 공존하는 시대의 윤리 교육까지 아우를 수 있어야 한다.

정부도 '2022 개정 교육과정'을 통해 AI를 포함한 디지털 리터러시 교육을 강화할 예정이다. 〈2022 개정 교육과정 총론〉에 따르면 AI 시대에 대응해 2025년부터 초중학교 정보 수업이 2배 늘어나고, 모든 과목에 AI가 접목되며,[79] 고등학교 과정에 정보 과목을 신설하는 등 디지털 전환에 맞춰 교육과정과 내용이 대폭 바뀐다. 여러 교과를 학습하는 데 기반이 되는 '소양'에 언어나 수리처럼 AI나 소프트웨어에 대한 이해와 비판적 평가를 포함하는 '디지털 소양'이 추가되는 것이다.

AI가 교육 분야에 도입되어 가져올 주요 효과로는 다음의 다섯 가지를 꼽아볼 수 있다.[80] 첫째, 개인의 수준과 지식 격차를 고려한 개인 맞춤형 교육이 가능하다. 둘째, 디지털 기반의 다양한 스마트 교육 콘텐츠를 제작할 수 있다. 셋째, 자동화로 교사의 행징 업무가 간소해지면서 교육 활동에 더욱 집중할 수 있다. 넷째, 개인 학습 프로그램의 AI 튜터나 챗봇으로 개인의 학습 시간에 맞는 개별적 관리가 가능하다. 마지막으로 청각장애, 시각장애, 자폐 스펙트럼 장애ASD 등 특별한 도움이 필요한 학생들에게 교육에 대한 접근성을 높여줄 수 있다. 즉, 기존 교육 체계가 가지고 있던 한계를 극복할 뿐 아니라 교육의 효과도 높일 수 있다.

다만 교육과정 개정을 통한 디지털 공교육 확대나 AI대학원의 신설만으로 시대의 변화를 전부 따라가기는 어려울 것이다. 제도와 교육과정은 물론 교육과정의 수행, 변화를 인식하고 수용하는 문화 등의 문제를 계속 고민하며 대응해가야 한다.

에듀테크를 활용한 창의적 학습 체계 구축과 운영

에듀테크edutech는 교육education과 기술technology의 합성어로서 교육 분야에 AI, 빅데이터, AR/VR, IoT 등과 같은 최신 ICT 기술을 융합한 새로운 교육 패러다임을 의미한다.[81] 에듀테크를 활용하면 개인별 맞춤 학습이 가능해지는데, 학생의 학습 이력과 속도에 맞추어 학습 목표를 설정하고 과정을 안내해주는 적응적 학습adaptive learning이 이에 해당한다.[82]

해외에서는 이미 대학 연구소와 기업 등이 협력해 적응적 학습이 가능한 지능형 튜터링 시스템intelligent tutoring system을 개발해 활용하고 있다. 영국의 경우 2021년 초·중학교에 수학 학습용 프로그램인 '서드 스페이스 러닝Third Space Learning'을 도입했는데, AI가 학생의 부족한 부분을 파악해 담당 강사에게 알리면, 담당 강사가 이를 토대로 일대일의 온라인 과외를 해주는 일종의 국가 과외 프로그램으로 효과를 내고 있다. 교육심리 연구를 바탕으로 핀란드 헬싱키대학교가 만든 '클랜드Claned'는 개인 맞춤별 교육은 물론 학업 스트레스까지 관리해준다.[83]

미국도 많은 학교에서 지능형 튜터링 시스템을 도입해 학생들이 무료로 활용할 수 있도록 지원하고 있다. 애리조나주립대학교는 수학과 화학 수업에서 AI 튜터 '알렉스'를 제공해 맞춤형 성과를 내고 있고, 조지아공과대학교에서도 IBM의 AI 시스템 왓슨을 기반으로 한 AI '질 왓슨'을 도입해 인간 대신 조교 업무를 수행하도록 했다. 미국 카네기멜론대학교의 매티아MATHia는 미국의 K-12(유치원에서 고등학교까지) 학생들을 위해 개발한 AI 기반의 맞춤형 수학 학습 시스템인데, 학생들의 주제별 학습 성취 수준을 확인해 마치 학생별 개인 교사처럼 지도한다. 빅데이터 분석을 기반으로 학생들이 왜 틀렸는지 설명할 뿐만 아니라 어떻게 옳은 답을 찾을 수 있는지에 대한 설명도 제공한다.[84]

국내 에듀테크의 경우 2021년 12월에 개최된 교육부·산업통상자원부 주관 '에듀테크 코리아 페어'를 살펴보면 아직은 지능형 학습보다는 화상 수업, 출결 관리, 학부모 네트워크 통합과 같은 학습 보조 도구로서 인프라적 성격이 강한 단계다.

한편 'AI 보조교사 시스템'도 지능형 튜터링 시스템의 하나로 볼 수 있다.[85] 교사들은 이 시스템을 활용해 학생 개인별 수준을 진단하고, 개별화한 맞춤형 학습을 지원 및 지도하는 역할을 할 수 있다. 교육과정 재구성과 수업 디자인, 교수-학습 운영, 평가와 학습 결과 기록, 학생 개인별 피드백과 학습 동기부여에 이르기까지 AI에게 교사의 역할을 분담하게 하는 것이다. AI 보조교사 시스템은 교사에게 부과된 불필요한 행정 업무를 줄여주며, 개인별 맞춤형 학습의 설계 및 운영 등 미래 교육으로 전환하는 지렛대 역할을 할 수 있을 것이다.

앞으로 맞춤형 교육을 실현해가려면 학교 단계에 맞춘 차별화differentiated, 개인화individualized, 개별화personalized 교육을 다양하게 활용해야 하는데, 이 부분에서 교원의 책임과 역할이 다시금 강조된다. 교원은 표준화한 교육과정을 정해진 대로 가르치기만 하는 지식 전달자에서 학생의 성공적 학습을 지원하는 학습 멘토나 코치 또는 컨설턴트가 되어야 한다. 새로운 지식을 창출해내는 능동적 학습자로 학생이 성장할 수 있도록 지원해줄 수 있는 창의적 교원이 필요하다. 이렇게 미래 교육을 이끌어갈 창의적 교원을 확보하기 위해서는 교원의 자격, 양성 과정, 임용, 연수 체제에 대한 전반적인 재설계가 이뤄져야 할 것이다.

다양성 부족과 알고리즘 편견 등의 문제 해결

미래에는 AI를 활용한 교육 프로그램이나 애플리케이션이 더욱 다양해지면서 그만큼 학생, 교사, 그리고 사회에 더 큰 영향력을 미칠 것이다. 따라서 AI를 교육적 차원에서 더 폭넓게 활용하기에 앞서 예상되는 여러 문제도 고민해야 한다.

우선 AI를 활용한 프로그램의 효과를 더 면밀하게 연구할 필요가 있다. 지금까지 다양한 교육 프로그램을 개발했지만, 교육 현장에서는 기대보다 많이 활용되지 못했다. 교육 성과가 아직 검증되지 않았기 때문이다. 이미 활용되고 있는 지능형 튜터링 시스템도 창의적 교육에 어느 정도 효과가 있는지 살펴볼 필요가 있다. 지능형 튜터링 시스템은 무엇을 어떤 순서로 학습할 것인지를 시스템 설계자가 결정한다. 학생은 지능형 튜터링 시스템의 결정대로 학습 경로를 따라가는 식이다. 그렇기에 교사의 역할도 매우 제한적이다. 학생이 무엇을 배울 것인지에 대한 결정권을 교사가 아닌 시스템이 갖고 있기 때문이다.

협력 학습, 탐구 학습, 블렌디드 러닝 등 다양한 학습 방식이 충분히 고려되어 있지 않은 점도 아쉬운 한계점이자 개선이 필요한 부분이다. 유럽연합은 '신뢰할 수 있는 AI 윤리 기준 권고안'에서 AI가 인간을 대신해 핵심 의사결정을 할 수 없고 인간이 AI를 통제·제어할 수 있도록 해야 한다는 원칙을 제시한 바 있는데,[86] 이 권고는 교육 분야에서 더욱 중요하게 다룰 필요가 있다. 향후 AI 교육 추진 시에도 교사에 의한 의사결정 영역과 AI를 통한 교육 기술의 진보를 구분해 접근해야 할 것이다.

알고리즘은 태생적으로 개발자의 편견이나 개발자도 미처 인지하지 못한 데이터의 편견으로부터 영향을 받는다는 윤리적 한계를 지닌다. 만약 컴퓨터 알고리즘이 사회적 편견을 포함한 데이터로 훈련받게 된다면 편견을 증폭시킬 가능성이 충분하다. 이미 개발된 지능형 튜터링 시스템은 사회적 편견이나 윤리적 문제를 스스로 개선하기 어려우며, 이것을 활용하는 교사나 학생도 이러한 부분에 개입하거나 교정할 수 없다는 점이 문제다.

우리는 이제 막 흰 종이 위에 새로운 미래 교육 시스템을 그려 넣어야 하는 상황이다. 데이터 편견이 사회적 편견을 강화할 수 있듯이 성급하고 무리하게 미래 교육의 그림을 그려서는 안 된다. 무엇을 어떻게 가르칠 것인지 밑그림이 이미 그려졌다고 해도 정밀하고 다양한 추가 스케치를 통해 더 나은 계획을 세우고 예상되는 문제는 사전에 대처해나갈 수 있도록 준비해야 한다.

사회 변화에 대처하는 평생교육

AI 시대에 대응하기 위해서는 기술 변화에 뒤처지기 쉬운 일반 사회인들의 재교육을 위한 평생교육 체제도 함께 마련해야 한다. 이 기회를 통해 주요 선진국에 비해 취약한 평생교육과 직업 교육을 강화함으로써 AI 시대가 필요로 하는 기술과 역량을 적시에 학습할 수 있게 하는 서비스 복지 차원의 성인 교육 체제가 구축되어야 한다.

디지털 전환 시대, 일과 노동의 미래

유명 석학들의 말처럼 인간 노동에는 종말이 오고 노동의 시대는 끝이 나게 될까? 미국의 경제학자이자 미래학자 제러미 리프킨Jeremy Rifkin 은 1996년 저서 《노동의 종말》에서 "결국 노동은 기계가 하는 것이 될 것"이라며 "노동은 단지 효용을 생산하는 데 관한 것"이라고 전망했다. 그러나 이 말은 인간이 노동에서 해방된다는 장밋빛 선언이 아니라 기계화·자동화로 인해 제조업·농업·서비스업 등에서 수천만 개의 일자리가 사라질 것이고, 새로 생겨나는 일자리는 대부분 저임금 임시직에 불과할 것이며, 중산층은 위축되고 대량 실업 위기를 맞을 것이라는 다소 암울한 예측이었다. 문제는 발전된 기술이 인간의 육체노동을 대체하는 정도를 넘어 점점 인간의 정신적·인지적 노동까지 대체하기 시작했다는 점이다. 이러한 정황은 영국 경제학자 대니얼 서스킨드Danial Susskind가 2020년에 쓴 《노동의 시대는 끝났다》에 잘 담겨 있기도 하다. 이제 정말 '노동의 종말 시대'가 오는 것일까? 기술 문명의 전환기마다 제기되었던 이 질문을 다시 생각해보지 않을 수 없다.

노동의 미래

리프킨이 말한 노동의 종말은 현재 두 가지 흐름을 보인다. 하나는 기술 발달로 인해 노동의 필요성 자체가 없어지는 것이고, 다른 하나는 인간이 노동할 수 있음에도 그 일자리를 타자에게 빼앗기는 것이다. 노동의 종말은 결국 인간이 노동으로부터 해방되는 '해피 엔딩'이 아니라 양극화, 기술 실업, 일자리 격차 심화 등으로 나타나는 일자리의 상실이며 암울한 디스토피아다. 4차 산업혁명의 진원지 다보스포럼은 2018년 발표한 보고서 〈일의 미래〉에서 일이 앞으로 맞이하게 될 미래에 영향을 끼칠 주요 요인이 로봇의 발달과 자동화라고 밝혔다. 다보스포럼은 이때부터 일자리 감소와 대량 실업의 위험을 경고해왔다. AI와 로봇공학의 발달로 지금도 기계화와 자동화가 계속 진행되고 있으며, 그 속도는 점점 빨라지고 있다. AI와 기계가 인간의 일자리를 차지하는 것은 어쩔 수 없는 우리의 미래일지도 모른다.

역사적으로 보면 산업혁명 초기에도 노동자들이 기계화에 반대해 격렬하게 저항했다. 대표적인 것이 러다이트운동이다. 하지만 그때만 해도 기계가 인간의 일자리를 모두 빼앗아가지는 않았다. 일자리가 사라지는 만큼 새로운 일자리들이 만들어졌다. 기술 진보가 기술 실업과 대량 실직을 불러온다는 주장은 대부분 기술결정론적 관점에 입각한다. 그러나 고용시장 변화에 영향을 주는 변수는 과학기술 외에도 많다. 기술 문명 시대에 기술이 사회변동의 주요한 동인인 것은 맞지만 그것이 미래를 일방적으로 결정할 수는 없다. 기술을 개발하고 수용하는 것은 인간이며 기술을 정책에 반영하는 것도 사회적 합의와 인간의 자유의지다. 아무리 뛰어난 첨단기술이더라도 사회적 갈등을 일으키거나 그럴 우려가 있다면 사회에서 거부당하거나 도태된다.

물론 AI 로봇은 단순 반복적인 일자리routine jobs를 주로 대체할 것으로 예상된다. 또 자동화에 의한 노동 대체가 계속되면 특정 직무가 대량 소멸할 수도 있다. 하지만 과학기술 발전으로 일자리가 감소할 것이라고 단정할 수는 없다. 단순히 자동화 기술 여부 하나로 일자리의 생성과 소멸, 고용시장의 성장과 몰락이 이루어지지는 않기 때문이다.

한국고용정보원이 발표한 연구보고서는 고용 변동의 요인으로 여덟 가지를 꼽았다. 인구구조 및 노동인구의 변화, 산업 특성 및 산업구조의 변화, 과학기술의 발전, 기후변화와 에너지의 부족, 가치관과 라이프스타일의 변화, 대내외 경제 상황의 변화, 기업의 경영 전략 변화, 정부 정책 및 법·제도의 변화 등이다. 과학기술의 발전은 이 여덟 가지 요인 중 하나일 뿐이다. 과학기술의 발전으로 일자리가 줄어든다고 하더라도 그 영향은 정부의 고용시장 개입 정책, 경제 상황의 변화 등 다른 사회적 요인에 의해 충분히 상쇄될 수도 있다. 중요한 것은 이러한 기술 변화에 사람은 어떻게 적응하고, 사회제도는 어떻게 대응하느냐 하는 것이다. 자동화로 인한 노동시간의 단축 또한 불가피하지만 이런 문제는 정책과 제도로 충분히 보완해갈 수 있을 것이다.

기술 발전과 고용시장의 변화

일자리는 언제나 중요한 사회적 관심사라고 할 수 있다. 그런데 일자리 이슈에서 몇 가지 생각해볼 것이 있다. 가령 자리가 딱히 필요 없는 일이 있고, 일은 없는데 직책만 있는 자리도 있다. 요컨대 우리는 '일자리job'와 '일거리work'를 구분할 필요가 있다. 보통 일자리와 일거리를 구분하지 않고 혼용하지만 엄밀하게 말하면 이 둘은 다르다. 일자리는 '직장'이고, 일거리는 '일감'이다. 한자어 '직업職業'에서 '직'은 일자리를, '업'은 일거리를 의미한다. 노동은 일자리보다는 일거리에 가깝고 직과 업 중 본질적인 것은 업이다. 또 일자리를 늘리는 것과 일거리를 만드는 것은 의미가 다르다. 일자리가 생긴다고 저절로 일거리가 생기는 것은 아니며, 일거리를 만든다고 꼭 일자리가 늘어나는 것도 아니다.

그렇다면 로봇이나 AI 등 기술 발전이 위협하고 있는 것은 인간의 일자리인가, 일거리인가? 통상 사람들이 우려하는 것은 일자리에 대한 위협이다. 사람들은 일거리가 줄어들기를 원하지만, 일자리가 없어지는 것은 절대 바라지 않는다. 기술이 대신하는 것은 대부분 인간의 일거리일 것이다. 로봇에게 일거리는 아웃소싱하더라도 직함이나 자리, 지위까지 로봇에게 위탁하지는 않을 테니 말이다. 또 어느 정도의 일거리를 기계에 내준다고 해도 인간은 그 일거리의 진행 과정이나 결과를 평가하는 등 인간의 능력으로만 해결 가능한 일을 맡을 것이다.

자본주의 경제와 기계 노동력의 전환

자본주의 경제에서 기계는 양면성을 갖는다. 자본주의적 생산체제를 움직이고 효율성을 높이는 동력이면서, 다른 한편으로는 인간 노동을 축출하는 위협 요인이다. 경제학에서는 그동안 기술 진보가 실업을 초래한다는 가설을 두고 논쟁을 계속해왔는데, 많은 경제학자들이 기계가 인간 노동을 대체하더라도 결과적으로는 생산성을 높이고 국부를 증대시키며 노동자의 구매력을 높여 새로운 수요와 일자리를 창출해왔다고 주장한다. 생산성 관점에서만 보면 스위스 경제학자 시스몽디J. C. L. Simonde de Sismondi의 이야기처럼 "왕 혼자서 로봇을 사용해 영국 전체의 산출량을 생산해내는 것이 가장 이상적"일지도 모른다. 하지만 그런 식의 이야기는 결코 현실적 대안이 될 수도 없고 가능하지도 않다.

MIT 슬론경영대학원의 에릭 브린욜프슨Erik Brynjolfsson과 앤드루 맥아피Andrew McAfee 교수는 인류가 이제 제2의 기계 시대를 맞이하고 있다고 주장한다. 증기기관의 발명으로 시작된 18세기 산업혁명은 제1의 기계 시대를 열었고, 디지털과 컴퓨터 기술이 제2의 기계 시대를 열고 있다. 제1의 기계 시대에서는 기계가 저임금 육체노동을 대체했고, 제2의 기계 시대에서는 인간의 지적 업무를 컴퓨터와 자동화가 대체한다. 물론 지금은 제2의 기계 시대도 넘어섰다는 분석도 있다. 4차 산업혁명으로 상징되는 디지털 대전환 시대에는 AI로 무장한 기계가 인간의 육체노동과 지적 업무는 물론, 정서적 측면까지 도맡아 기능을 발휘하면서 노동의 시대를 끝내버렸다는 것이다. 로봇이 육체노동을 대신하고 컴퓨터 알고리즘과 AI가 인지와 감성 영역까지 대신할 때 인간에게 남은 노동은 무엇일까?

인간은 생존을 위해 노동해왔고, 그러한 노동이 인류의 문명과 문화를 만들어왔다. 그런데 4차 산업혁명과 디지털 대전환 시대를 맞아 문명의 핵심 동인인 인간 노동이 고도의 정보통신기술과 지능화한 기계로 인해 생산 과정으로부터 체계적으로 배제·소외되는 상황에 직면한 것이다. 기계가 인간 노동을 대체하려는 문명사적 위기를 맞은 지금, 우리는 다시금 노동의 의미와 본질을 생각하게 된다.

인간의 관점에서 보면 노동은 단지 생산 활동이나 생계 수단에만 국한되지 않는다. 노동은 자연에 대한 적응이고 다른 인간과의 관계이며 자아실현의 한 부분이기도 하다. 협의의 노동은 생계 수단으로서 직업을 의미하지만, 광의의 노동은 사회적 존재인 인간의 생존 방식으로서 철학적이고도 실존적인 활동을 의미한다. 기술 진보와 자동화가 인간의 직업을 위축시킬 수는 있겠지만 광의의 인간 노동을 위협하거나 완전히 대신할 수는 없을 것이다.

AI와 '자율'의 문제

육체노동과 인지 노동은 전혀 다른 차원의 노동이다. 사실 인지 노동은 대체하기가 매우 복잡하다. AI는 약한 인공지능weak AI과 강한 인공지능strong AI으로 구분되는데, 데이터 분석·처리, 자연어 통·번역, 복잡한 연산 등은 약한 인공지능만으로도 가능한 작업이다. 하지만 강한 인공지능의 경우 더욱 복잡하고 미묘한 문제가 수반될 수 있다. 가령 극단적 선택이 요구되는 상황에서의 자율적 판단이나 결정 등 '인격적' 책임이 따르는 경우, AI는 무엇을 근거로 어떠한 결정을 내릴 수 있을까?

과학철학자나 윤리학자들은 어떠한 상황에서도 AI가 자율성을 갖도록 허용해서는 안 된다고 주장한다. 강한 인공지능이라면 자율적·인지적 판단과 의사결정을 통해 고도의 인간 노동을 대신할 수 있겠지만, 그 경우 판단과 결정에 대한 책임이라는 문제가 남는다. 인간은 자유의지를 가진 자율적 존재로서 자율에는 반드시 책임이 따른다. 그런데 AI에도 그것을 똑같이 적용하는 게 가능할까? AI가 자율성을 갖는다면 책임이 따라야 하며, 만약 책임을 지우려면 AI에 대한 법적 인격권 부여와 과세, 사고 발생 시의 법적 처벌 규정 등 복잡한 문제들이 발생한다. 결국 AI가 인간의 인지 노동을 완전히 대체하는 것은 불가능에 가깝다.

또 인공지능 기술과 관련해 자동화와 자율화, 두 용어를 명백히 구분해서 사용해야 한다. 가령 AI 기술을 장착한 무인 자율자동차를 자율성을 가진 모빌리티라고 할 수 있을까? '자율성autonomy'의 철학적 의미는 '자유의지를 갖고 행동한다'는 것이다. 생명의 위험을 앞두고 둘 중 하나를 어렵게 선택해야만 하는 트롤리 딜레마 같은 상황에서 자동차 소프트웨어의 AI 알고리즘이 고도의 윤리 의식을 갖고 자율적으로 판단하고 결정할 수 있다면, 우리는 이를 완전한 자율주행차라고 할 수 있다. 하지만 이 정도로 높은 수준의 윤리 의식과 자율성을 가진 자율주행차가 과연 가능한가?

자동차는 기계적 장치를 통해 무인 주행할 수 있고, 자동으로 운행할 수도 있다. 그러나 자율성과 자유의지를 갖는다는 것은 전혀 다른 차원의 문제다. 이는 기술보다는 윤리적·사회적 문제다. 자율성을 가진 무인 자율자동차의 상용화에 대한 사회적 합의는 현실적으로 매우 어렵다. 자율주행의 최고 단계 수준에 도달한 무인 자동차가 상용화된다 해도 인간으로부터 단 1%의 힘도 빌리지 않을 것을 기대하기란 힘들다.

지하철과 첨단 항공기도 대부분 자동화 기능을 장착하고 있으므로 무인 운행과 무인 비행이 기술적으로는 가능하다. 하지만 완전 무인 운행 시스템으로 전환하는 것은 어렵다. 가령 1964년 런던 지하철은 무인 기차 시험 운전에 성공했고 그 후 런던, 파리, 코펜하겐 등 대도시 지하철에 무인 운행 시스템이 일부 도입되었다. 그러나 런던 교통국은 무인 기차의 사고 위험성과 기차 노동자의 일자리 이슈 때문에 기차 운전을 다시 인간 기관사에게 맡겨야 했다. 즉, 컴퓨터가 자동운전하고 인간 기관사는 감독 역할을 맡는 방식으로 절충했다. 이러한 사례에서 볼 수 있듯이 인간 노동을 완전히 대체하는 것은 사회적으로 어려우며, 완전 대체가 가능한 기술 수준에 도달하더라도 이를 결정하기 위해서는 기술에 대한 완전한 신뢰와 사회적 합의가 필요하다.

노동의 미래와 일자리 전략

노동은 인간의 존재 방식이자 이유이기도 하다. AI 기계가 육체노동과 인지 노동을 대신한다고 해서 인간의 모든 노동을 대체할 수는 없다. 노동이 사라진 인간의 삶은 인간 존재에 대한 심각한 위협이 될 수 있기 때문이다. 노동은 그 본질에서 인간과 자연의 관계이고, 또한 인간과 다른 인간의 관계다.

로봇과 AI에 의한 인간 노동의 대체는 완전한 대체가 아니라 제한적인 아웃소싱에 비유할 수 있다. 다만 이러한 아웃소싱도 미래 인간 노동의 개념과 범위, 그리고 방식에는 적지 않은 변화를 가져올 것이다.

세탁기라는 인류의 위대한 발명품은 빨래 노동으로부터 인간을 자유롭게 한 혁신적 기계로 인식된다. 하지만 세탁기가 빨래라는 가사 노동을 완전히 대체한 것은 아니다. 세제를 넣어주고 빨래를 분리하고 옷감에 따라 버튼을 선택하는 등 최소한의 인간 노동은 여전히 남아 있다. 인간은 빨래를 물에 적시고, 세제에 비비고, 헹구는 등 근육을 사용하는 육체노동 부분만 세탁기에 아웃소싱한 것이다. 인지 노동에 해당하는 사무 노동 역시 과거에는 일일이 수작업으로 하던 노동을 컴퓨터라는 첨단 기기를 사용해 한 번 입력으로 저장, 복사, 전송 등 다양하게 자료를 활용하게 된 것이라고 할 수 있다.

기술 발전으로 인간의 절대적 노동량은 줄어들었다. 더불어 노동 방식도 바뀔 것이며 평생 직업이라는 개념도 사라질 것이다. 또 미래에는 AI 로봇을 조작하고 제어하고 모니터하는 노동이나 아웃소싱한 기계

노동을 관리하는 메타 노동 등 노동의 형태도 다양해질 것이다. AI 기계의 노동과 인간 노동의 공존, 인간과 기계의 협업 또한 미래 노동의 새로운 풍경으로 자리 잡게 될 것이다.

한편 생산과 마찬가지로 노동도 사회적 성격을 지닌다. 노동의 방식·범위·강도, 그리고 노동시장에서의 고용 등 노동의 패러다임은 사회 변화와 함께 근본적으로 바뀔 것이고 더욱 복잡해질 것이다. 노동 격차와 양극화로 인해 사회 전체의 부를 재분배하는 국가의 역할과 기능도 강화될 수밖에 없다. 자동화로 인한 노동시간 단축은 불가피하며 인간 노동의 아웃소싱으로 야기되는 고용 불안 문제는 공공 일자리 창출, 일자리 나눔, 기본 소득 지급, 로봇세 부과, 고용 복지 제도 등 다양한 사회 정책으로 보완 및 해결해야 한다. 또 새로운 디지털 환경에 대응할 수 있도록 업무 역량을 보완하거나 새롭게 업그레이드하는 데도 사회적 차원의 노력이 필요하다. 업무 역량의 숙련도 제고up-skilling, 재숙련re-skilling, 그리고 다숙련화multi-skilling 등의 직무 교육과 산업 환경 변화에 따른 노동 인력 전환 정책 등을 사회적 차원에서 마련해야 하는 이유다. 로봇과 AI로 생산성과 사회적 총가치를 획기적으로 늘리고 이로 인해 야기되는 고용 불안의 충격은 다시 세제와 제도로 흡수하는 것이 바람직한 방향이다.

미래의 건강한 노동 환경을 위해서는 다양한 이해 집단 간에 충분한 토론과 협의, 공감대 형성을 통한 사회적 합의가 필요하다. 노동과 일자리의 미래는 결국 인간이 결정하고 사회가 조절한다. 요컨대 노동의 미래를 예측하는 가장 좋은 방법은 사회가 바람직하다고 생각하는 노동의 미래상을 사전에 함께 합의하고 이를 정책으로 실현하는 것이다.

AI 알고리즘이 만드는 '유리 감옥' 감시 사회

그리스신화 속에 나오는 아르고스Argos는 100개의 눈을 가진 거인으로 일부 눈이 감겨도 다른 몇 개는 반드시 뜬 상태였기에 언제나 모든 것을 볼 수 있었다. 그런데 현재의 AI 기반 감시 기술은 아르고스보다 훨씬 더 정밀하고 광범위하게 우리의 생활 곳곳을 들여다보고 있다.

'일반개인 정보 보호법GDPR'이라는 강력한 개인정보 보호 법안을 만들었던 유럽연합은 2021년에는 세계 최초로 '인공지능규제안AI ACT'을 발표했다. 미국 상·하원에서도 AI를 사용하는 기업의 알고리즘 작동 원리를 모니터하고 불공정과 편향이나 차별 없이 작동되는지 감시하는 것을 주요 내용으로 하는 '알고리즘책무성법안Algorithmic Accountability Act'을 2019년 발의한 데 이어 내용을 보완해 2022년 2월 다시 발의한 상태다.[87] 이 작업들은 모두 AI 기반 알고리즘의 잠재적 위험성을 최소화하기 위한 대응책이다. 하지만 AI의 발전 속도와 비교하면 여전히 준비와 논의가 매우 부족한 실정이다. AI 기술이 가져오는 혜택을 누리는 동시에 AI 기반 감시 사회에서 발생할 수 있는 인간의 기본권 침해를 비롯한 각종 위험 요인을 통제하는 방안을 마련하는 작업은 AI와의 공존을 위한 필수 불가결의 과제가 될 것이다.

AI 기반 감시 기술의 현황

4차 산업혁명의 대표 기술인 AI의 알고리즘은 정확성, 효율성, 속도의 세 가지 측면에서 인간이 따라갈 수 없는 고차원의 성능을 보여주며, 그 격차는 점점 더 벌어지고 있다. 예를 들어, 은행에서 대출 심사를 할 때는 대출을 받으려는 사람이 대출금을 갚을 수 있을지 없을지 그 신용도를 판단하는 일이 매우 중요하다. 대출자의 신용 등급에 따라 위험도를 고려해 대출 금리를 책정하기 때문이다. 이전에는 대출자가 각종 서류를 준비해서 제출하면 이를 은행 담당자가 점검하고 결재를 받아 대출 금리를 산정했다. 그러나 이제는 비대면으로 본인 인증만 하면 4차 산업혁명의 대표 기술인 AI 알고리즘이 대출자의 신용과 관련한 데이터를 끌어와 순식간에 대출 여부와 금리까지 산정한다. 이 AI 알고리즘은 사람이 직접 수행할 때보다 정확성, 효율성, 속도 면에서 비교할 수 없는 성과를 낸다. 이런 방식으로 AI 알고리즘은 안면 인식, 신용 결정, 보험료 산정, 범죄 통계 등 많은 부분에서 활용되고 있다.

그런데 AI가 다른 기술들과 접목되어 우리 생활 곳곳으로 스며들면서 뜻하지 않았던 부작용을 우려하는 목소리도 커지고 있다. 인류 사회는 이미 AI 기술에서 비롯된 많은 편리한 서비스를 누리고 있고, 앞으로

AI가 모든 분야에서 인간의 삶에 가장 큰 영향을 미칠 것이라는 데에는 이견이 없지만, AI가 가져오는 부작용과 위험도 서서히 드러나고 있기 때문이다.

우선 AI가 인간이 만든 편향된 데이터를 학습한 결과 인종과 성별 등에 따라 차별적 의사결정을 내리는 것이 대표적 사례다. 이뿐만이 아니라 AI 기반의 다양한 개인 맞춤형 추천 시스템이 이용자의 편향적 시각을 강화함으로써 이용자를 자신만의 좁은 세계에 가두는 필터 버블filter bubble도 문제다. 이에 더해 최근에는 AI 기반의 다양한 감시 기술이 사회적 보안과 관리 시스템 차원에서 적용·활용되면서 이전과는 또 다른 차원의 문제를 가져온다. AI의 작동 과정과 결과를 감시하고 상황에 따라서는 AI 기반 감시 기능의 작동을 중지할 수도 있는 AI 통제 체계를 만들어나가는 것이 필요한 시점이다.

현 단계에서 AI의 위험성으로 부각되는 부분 중의 하나가 감시 기술의 핵심이라고 할 수 있는 안면 인식 기능이다. 소프트웨어는 물론 AI 알고리즘 영역에서 가장 앞선 나라는 미국이다. 그런데 안면 인식 소프트웨어 분야에서는 예외적으로 중국이 기술과 시장점유율 모두 세계 1위를 차지한다. 이를 이끄는 중국의 AI 기업이 바로 미국 정부가 투자 제한 블랙리스트에 올린 센스타임Sense Time·商湯科技이다. MIT 출신 탕샤오어우湯曉鷗 등이 2014년 설립한 센스타임은 안면 인식, 영상 분석, 자율주행 등의 분야에서 AI 솔루션 기술을 보유하고 있는데, 특히 안면 인식 분야에서 세계 정상급의 기술력을 갖추었다고 평가받는다.[88]

센스타임이 이렇게 세계 1위의 기술 발전을 이룰 수 있었던 것은 전체 매출의 40% 이상을 중국 정부로부터 지원받았기 때문이다. 2019년 기준으로 중국 100여 개 도시가 센스타임의 안면 인식 기술을 사용했으며 상하이 내에 있는 보안·감시 카메라 수만 7만 대가 넘는다. 지금은 훨씬 더 많은 감시 카메라가 중국 전역에서 작동하고 있을 것이다.

센스타임의 주요 사업 영역은 보안 카메라 영상 분석과 용의자 식별 분야로 그 정확도가 무려 99%에 가깝다. 어두운 사각지대에서도 팔이나 다리 등 몸의 특정 움직임 같은 데이터까지 학습한 동작 인식 기술을 통해 용의자를 식별해낼 수 있을 만큼 기술 수준이 고도화했다.

중국은 이런 안면 인식 기술을 2010년대 중반부터 광범위하게 활용해왔으며, 기존의 신분증도 이러한 방식으로 대체하는 중이다. 예를 들어, 중국어 '쇄롄刷臉'은 얼굴을 스캔한다는 뜻으로 사용되는데, '쇄롄루주刷臉入住'는 호텔 체크인을 말하며, '쇄롄즈푸刷臉支付'는 간편 결제, '쇄롄취첸刷臉取錢'은 ATM 출금을 뜻한다. 이와 같은 단어들이 일상생활에서 편하게 쓰일 정도로 중국의 안면 인식 기술은 이미 고도화 및 일상화되었다.

AI 기반 감시 사회의 특징, '스마트화한 유리 감옥'

21세기에 중국과 같은 권위주의적 국가는 그 정치 체계가 그리 오래가지 못할 것이라는 전망이 많았다. 그런데 이러한 전망과 달리 중국의 권위주의적 정치 체계는 적어도 현재 기준으로는 안정적으로 유지되는 중이다. 여기에는 안면 인식 등 지능형 AI 알고리즘 기반 감시 기술의 활용이 큰 역할을 한다. 이러한 감시 기술은 중국 신장위구르자치구의 분리 독립 활동을 저지하기 위한 인권 탄압에도 사용되는 것으로 알려졌다. 미국 정부가 센스타임을 제재하는 것도 이곳에 센스타임의 안면 인식 기술을 적용하고 있다고 보기 때문이다.

과거 독재국가의 경우에는 시민사회의 저항과 민주화 혁명 등을 통해 새로운 사회 체계를 수립할 수 있었다. 또 소셜미디어는 중동 일부 국가에서 민주화 운동을 촉발하는 수단으로 활용되기도 했다. 그러나 AI 기반 첨단 감시 기술이 폭넓게 사용되면서 앞으로는 이 기술이 권위주의 정치 체계의 지속성을 탄탄히 뒷받침해주는 주요 수단으로 자리 잡을 것이라는 우려가 나온다.

문제는 중국의 일반 시민들이 이러한 감시 체계에 매우 익숙하고 예상외로 그에 대한 만족도가 높다는 점이다. 그 이유는 감시 기술을 활용한 보안에서 감시 과정의 폐해는 딱히 와닿지 않지만, 혜택과 안정감은 바로 체감할 수 있기 때문이다.

조지 오웰의 소설《1984》가 그려낸 디스토피아는 사람들이 자유를 빼앗긴 채 획일적으로 생활하는 세상이다. 그 속의 사람들, 적어도 주인공과 같은 일부는 억압을 느끼고 괴로워한다. 그러나 현재 고도화하고 있는 AI 알고리즘이 만드는 '현대판 감시 세계'는 아예 빅브라더의 존재를 느끼지 못하게 한다. 중국만 해도 예전에는 언론 통제나 사회 감시를 위해 검열, 삭제, 체포 같은 가시적이고 강압적인 방법을 동원해왔다. 그러나 이제는 AI 기반 소프트웨어 기술 통제 등의 방법을 통해 눈에 보이지 않는 형태의 일상적 감시가 가능해졌고, 이에 따라 일반 시민은 반정부적 발언을 자발적으로 억제하는 쪽으로 바뀌고 있다. 중국 정부가 AI 기반 기술을 활용해 더 정밀하고 촘촘한 감시 체계를 가동함으로써 개개인은 중국 정부가 설정해놓은 규제의 틀에서 벗어나지 않도록 생각과 행동을 통제당하고 있는 것이다.

또 한편으로는 AI 기반 감시 기술이 다른 기술과 달리 편의성, 안정성 등 일반 개인에게 유용한 편익과 함께 제공됨으로써 개인이 그로 인한 문제점을 분리해내기가 어려운 측면도 있다. 벨기에 정치학자 루브

루아Antoinette Rouvroy와 베른Thomas Berns의 논문에 언급된 '알고리즘적 통치성algorithmic governmentality'이라는 개념이 이를 잘 설명한다. 지능형 알고리즘이 개인의 생활을 자동화하는 한편, 아무도 감시하지 않지만 사실 이 지능형 알고리즘에 의해 한 사람 한 사람의 행동과 생활 전체가 유리 벽 안을 들여다보듯 정밀하게 감시·관리·통제되고 있다는 것이다. '스마트화한 유리 감옥'이다. 과거와 같은 강제적 통제는 없지만, 모든 것이 데이터로 기록되어 실시간 감시와 추적이 가능한, 훤히 보이는 원형 감옥 같은 감시 체제, 즉 '새로운 팬옵티콘panopticon'의 등장이다.

감시 사회의 대응 방안

AI 지능형 알고리즘은 안면 인식 기술이 보여주는 것처럼 범죄를 예방하거나 범죄자를 추적하는 데 결정적 역할을 하며 시민들의 안전과 편의를 증진하는 반면, 개인의 인권과 프라이버시를 침해한다는 문제가 있다. 규제가 너무 심하면 AI로부터 얻는 혜택이 줄어들고, 너무 느슨하면 AI의 과도한 개입으로 인간의 기본권이 침해될 수 있다. 이런 부분에서 적절한 균형점을 찾기 위해서는 사회적 논의 과정을 심화하고 방안을 만들어 법과 규정에 반영하는 작업이 필요하다.

아울러 AI를 활용하는 경우 사회적 감시와 규제를 의무화해 AI로 인한 부작용을 막고 인간의 권리를 보호하는 것을 목표로 하는 체계를 만들어야 한다. 지금은 AI 기반 감시 기술을 본격적으로 사회 전반에 적용하기 시작한 단계라고 할 수 있다. 이런 시기에 더 늦지 않게 '투명성'과

'설명성'을 강화하는 방식으로 AI 규범을 만들어야 한다. AI 기반 감시 사회의 위험을 통제하기 위한 다양한 아이디어도 필요한데, 몇 가지를 제시하면 다음과 같다.

첫째, 안면 인식을 비롯한 AI 기반 알고리즘 감시 기술이 개인의 일상이나 정보를 조회 또는 이용했을 경우 이를 해당 개인에게 알리는 것을 의무화해야 한다. 현재도 정부 기관이나 은행이 개인의 신용 정보를 조회했을 때 이를 통보해야 하는 의무가 있다. 이는 신용 정보를 포함한 개인정보 남용을 방지하고 투명성을 유지하려는 조치다. 이러한 방식의 알림 메시지를 통해 개인에게 통보할 수도 있고, 반대로 정보공개 청구 방식으로 개인이 요청할 시 본인의 정보 사용 내역을 확인할 수 있도록 해야 한다.

둘째, 고도화한 기능의 AI 감시 기술이 적용되는 경우 이를 이용할 수 있는 조건과 적용 상황에 대한 명확한 기준을 마련해야 한다. 그 기준으로 '필요성', '비례성', 그리고 '합법성'을 생각해볼 수 있다. 사람의 감정 상태를 측정하고 판단하거나 미래에 일어날 범죄를 예측하는 상황을 예로 들어보자. 이런 상황에서는 AI 기반 감시 기술의 가동 조건을 꼼꼼히 따져 공공의 안전과 이익을 위해 정말 필요한 감시인지 확인해야 한다. 그리고 일부 침해가 있더라도 감시로부터 얻는 사회적 이익이 현저하고 명확하게 큰지 '비례성'의 관점에서 확인할 수 있어야 한다. 또 덜 침해적인 다른 방법이 있는지도 반드시 검토해야 한다. 마지막으로, 이 감시가 법 규정과 사회적 합의 내용에 비추어 합법적으로 수행되고 있는지 증명해야 하며, 이를 점검할 수 있도록 모든 감시 과정의 로그 기록을 남겨야 한다.

셋째, 감시 기술 사용 내역을 정해진 기준과 틀에 맞춰 주기적으로 공개하도록 해야 한다. 마치 기업이 재무제표를 회계 기준에 따라 공개하듯이 AI 기반 감시 기술 활용 내역도 사회가 정한 기준에 따라 기간별로 공시하고 이를 일반 시민사회가 열람할 수 있도록 제공하는 것이다. 보안이 필요한 경우, 공적 기관이 먼저 감사하고 이를 재처리해 일반 대중에게 공개하는 방식을 고려할 수 있다.

그 밖에도 AI 기반 감시 기술의 위험을 통제하기 위한 다양한 방법에 대해 사회 주체들의 적극적 의견 개진과 검토가 이루어져야 하고 감시·감독 거버넌스를 수립해야 한다. 현재 국내에서도 기본적 인권 보호와 고위험 AI 사용 규제를 위해 '알고리즘 및 인공지능에 관한 법률안', '인공지능에 관한 법률안' 등이 국회에 계류 중이다. 그러나 AI 관련 법정책 정립을 위해서는 입법 기관들의 전향적 노력이 더 필요하다.

AI 시대에는 궁극적으로 모든 정보와 지식이 AI 시스템에 집중될 것이다. 그 대가로 우리의 생활은 자동화하고 편의가 증진되며 안전을 보장받을 수 있겠지만, AI 시스템을 운용하는 특정 기업이나 기관 등이 대부분 정보를 독점함으로써 이전의 전체주의 국가도 누리지 못했던 특권을 누릴 가능성도 있다.

또 AI 기반 감시 기술을 활용하면 '아무도 신고하지 않은 위험'까지 식별해 대응함으로써 사회에 놀라운 편익을 제공할 수 있겠지만, 반대로 정치적 목적이나 사업적 목적, 혹은 기타 온당치 않은 이유로도 AI 기반 감시 기술을 이용해 개인의 일거수일투족을 감시하고 조종함으로써 결국 인간의 기본권까지 침해하는 위험을 초래할 수도 있다. 불법적으로 AI 기반 감시 기술을 이용하는 기관의 권력이 지나치게 비대해져 개인의 통제력을 무력화하고 결국 선택의 여지 없이 그 체제에 순응하게 하는 암울한 미래가 닥쳐올지도 모른다.

그런 위험을 피하려면 지금 시점에서 AI 기술의 개선과 확장에 들이는 사회적 에너지의 일정 부분을 AI의 부작용과 잠재적 위험을 최소화하는 일에 사용해야 하며, 나아가 감시 영역의 활동 범위와 한계에 관한 사회적 합의를 이끄는 데에 사용해야 한다. AI가 제공하는 우월한 판단력과 기능을 무비판적으로 수용하는 것이 아니라, 사회적 '필요'에 의한 기능만 수행하도록 해야 한다. AI 기반 감시 알고리즘도 미래에 일어날 잠재적 위험을 파악하기 위해 임의로 각 분야의 데이터를 통째로 수집하고 활용하는 것이 아니라, 사회적 합의에 따라 설정된 일부 영역에 대해서만 미리 정해진 기준과 틀로 감시 기능을 수행할 수 있도록 시스템을 만들어야 한다. 감시 영역은 향후 인간의 '필요'에 따라 추가하거나 보완하도록 하면 될 것이다.

우리를 감시하는 '감시자', AI 기반 감시 알고리즘을 다시 인간에 의한 사회적 통제와 점검을 통해 '감시'함으로써 인간의 기본권을 위협하는 극단적 위험을 예방하고 인간 삶의 행복을 증대하는 데 도움이 되는 방향으로 발전해나가는 환경을 만들어야 한다.

2

기술 분야 미래전략
Technology

일상에 스며드는 지능형 로봇

점점 똑똑해지는 AI 기술과 합쳐지면서 로봇은 공장이라는 울타리를 벗어나 우리 사회와 일상으로 진출하고 있다. 로봇 청소기나 수술 로봇은 이제 가정과 병원에서 자리를 잡았다고 해도 과언이 아니다. 물론 많은 로봇 기업이 실패하거나 소기업 상태에 머물러 있는 것도 사실이다. 그런데 최근 로봇 산업 분야에서 주목할 만한 변화가 감지된다. 코로나19의 여파는 로봇 기술의 확산을 촉진하는 계기로도 작용하고 있는데, 비대면 사회로 강제 전환하면서 방역, 안내·접객(키오스크 로봇 포함), 물류(배송) 분야에서 로봇이 도입되기 시작했으며, 외국인 노동자의 본국 귀국과 국내 입국 제한으로 간호·간병, 서빙, 중소 제조업, 농업 등의 분야에서 부족해진 일손을 로봇으로 대신하려는 움직임도 증가했다.

로봇 산업의 확대를 위한 로봇의 지능화 기술

로봇 산업이 일상으로 확장되려면 로봇 도입 비용의 감소와 로봇 지능화 기술의 발전이 필요하다. 무엇보다 상업적 경쟁력을 갖추려면 인건비 대비 로봇의 운용 비용이 낮아야 한다. 현재 자동차 공장에서 로봇의 운용 비용은 동일 노동 인건비의 5분의 1 이하이며, 휴대전화 조립 공정에서의 로봇 운용 비용도 2018년부터 인건비의 5분의 1 이하로 떨어졌다. 이처럼 로봇의 도입과 운용에 들어가는 비용은 기술의 발전에 따라 조금씩 낮아지고 있으나 이를 더 크게 낮추기 위해서는 대규모 수요가 뒷받침되어야 한다. 자동차와 휴대전화의 경우를 보아도, 최초 출시 때보다 지금 상대적으로 훨씬 저렴하게 살 수 있는 이유는 많은 수요로 인해 대량생산이 가능해졌기 때문이다. 최근 우아한형제들과 베어로보틱스 등에서 개발한 자율주행 서빙 로봇도 이러한 수요에 힘입어 비용을 어느 정도 낮추는 것이 가능해졌다. 물론 가격 경쟁력을 갖추려면 더 큰 수요가 바탕이 되어야 한다.

일단 비용 절감을 했다고 해도 로봇이 일상 속으로 더 진출하려면 사람의 일을 대신할 만큼 똑똑해져야 한다. 산업 현장에서 이용되는 협동 로봇 같은 경우 작업 과정의 일정 부분을 담당하는 등 효율성 측면에서 의미가 있었다면, 최근 일상으로 나오기 시작한 지능형 로봇은 인간처럼 시각이나 청각을 이용해 외부 환경을 파악할 뿐만 아니라 인공지능의 지능화 기술이 더해지면서 인간의 생활을 보조하는 역할도 해내고 있다.

이러한 지능형 서비스 로봇이 마주하는 환경은 넓고 단순한 공장과는 달리 장애물도 많고 매우 복잡하다. 사람의 행동을 예측해야 하고 사람과 의사소통이 가능해야 한다. 따라서 로봇이 서비스 목적을 달성하기 위해서는 지능화 기술의 확보가 매우 중요한데, 딥러닝으로 대변되는 AI 기술은 물체 인식 능력에 있어 사람의 수준을 뛰어넘는 수준으로 발전했다. 또 음성 대화 기술은 사람과 어느 정도 의사소통이 가능한 수준에까지 도달했다. 예전보다 로봇이 활용할 수 있는 '장착 기술'이 많아진 것이다.

가사용 로봇 가운데 가장 대중화한 로봇 청소기의 경우, 2001년 첫 제품* 출시 이후 그 지능을 계속 높여왔다. 무작위로 돌아다니며 청소를 하던 1세대에 이어 공간을 파악하고 기억해 청소하는 2세대를 거쳐, 물체를 인식하는 것은 물론 영상 촬영 및 전송 기능, 방범·대화 기능, 애완동물 돌봄 기능 등이 추가된 3세대로까지 발전했다. 3세대 로봇 청소기는 휴대전화 수준의 프로세서를 탑재하고 있어 수건이나 케이블 선처럼 기존에 인식하기 어려웠던 물체까지 구별해낸다. 또 네트워크를 통해 소프트웨어 기능을 자동으로 업데이트하기도 한다.

가령, 삼성전자에서는 2021년 국제전자제품박람회CES에서 한 손으로 물체를 조작할 수 있는 삼성봇 핸디를 선보였는데, 로봇 팔로 식기세척과 테이블 세팅 같은 가사 작업을 할 수 있다. 그 밖에도 요리, 빨래 개기, 정리 정돈 등 다양한 집안일을 할 수 있는 로봇이 개발되고 있는 등 로봇의 지능화 기술이 점점 발전하고 있다. 인식 기능의 발전은 특히 농업 분야의 수확 로봇에도 적용되는데, 토마토·파프리카·키위·사과 등 과실의 숙성도와 위치를 인식해 수확하는 로봇이 개발 중이다. 최근에는 사람의 표정과 감정까지 읽어내고 반응하는 기술을 로봇에 적용

• 2001년 스웨덴의 일렉트로룩스에서 개발한 트릴로바이트 로봇 청소기로 300만 원의 고가였다.

하고 있는데, 일본의 소프트뱅크사에서 개발한 AI 로봇 페퍼나 소니사에서 개발한 반려 강아지 로봇 아이보 등이 대표적이다.

미래 사회에서 로봇의 의미

어쩌면 미래 사회에서 인간은 로봇과 평화롭게 공존하는 삶을 살지도 모른다. 한편으로는 로봇이 자율주행, 센서, AI, 빅데이터와 같은 신기술을 만나면서 점점 더 똑똑해지고 있기 때문이고, 다른 한편으로는 똑똑해진 로봇들이 우리가 직면할 미래 이슈의 해결사로 나서고 있기 때문이다. 우리 삶과 사회에서 로봇이 어떤 의미를 지니게 될지 몇 가지 짚어본다.

우리가 기피하는 일에서의 해방
노동 조건이 열악하거나 임금 수준이 낮은 분야의 일손 찾기가 점점 더 어려워지고 있다. 그동안 근로 기피 현상이 주로 나타났던 이른바 '3D 업종'의 경우 외국인 근로자가 내국인 인력을 대체해왔다. 외국인 근로자들은 중소 제조업뿐만 아니라 건설업, 서비스업, 농축산업 등 다양한 기피 직종에 근무하고 있다. 통계청 자료에 따르면 국내 거주 외국인 근로자 수는 2019년에 최대치를 기록했다. 그러나 코로나19 여파로 귀국하는 사람들이 늘어나고 신규 입국이 제한되면서 외국인 인력이 부족해졌다. 또 외국인 근로자들 사이에서도 일하기 편한 직종으로 이동하는 비율이 점점 높아지는 추세다. 우리나라뿐 아니라 대부분의 선진국에서 양질의 일자리에서는 구직난이, 일하기 힘든 업종에서는 구인난이 벌어지고 있다. 이런 상황에서 인력 대체안의 하나가 바로 로봇이다.

최근 일손을 구하기 어려운 음식점에서 사람을 대신해 음식을 나르는 서빙 로봇이 확산하고 있으며, 일손이 부족한 공장이나 농촌에서도 협동 로봇이나 농업용 로봇을 다양하게 활용하고 있다. 저개발 국가의 값싼 노동력이 현재의 풍요를 유지해왔다면 앞으로는 로봇의 노동력이 그 일을 대신하는 시대가 올 것이다.

저출생·고령화 사회를 지탱하는 노동력 보급

향후 저출생·고령화에 따른 노동력 감소는 노동시장의 불균형을 넘어 사회적 위기로 나타날 것이다. 통계청이 2022년 발표한 〈2021년 인구주택총조사 결과〉에 따르면 2021년 65세 이상 고령 인구는 870만 명을 넘어섰다. 전체 인구에서 차지하는 비율은 16.8%인데, 2024~2025년 쯤에는 20%를 넘어설 전망이다. 이처럼 고령화 속도는 점점 더 빨라지고 있다. 우리보다 먼저 초고령사회에 진입한 일본에서 간호·간병 로봇이나 안내·접객 로봇 개발에 힘쓰고 있는 것도 이와 같은 이유에서다. 따라서 인간이 기피하는 일을 대신하는 것뿐만 아니라 변화하는 인구구조가 빚어낸 부족한 노동력 문제를 해결하기 위해서도 다양한 기능을 가진 로봇의 개발이 필요한 상황이다.

사회 구성원으로서 기능

로봇은 인간의 육체적 노동뿐만 아니라 사회 구성원의 역할도 대신 수행할 것이다. 핵가족화, 1인 가구 확대 등으로 현대인들의 사회적인 고립이 계속 증가하고 있는 가운데 이러한 추세와 맞물려 우울증을 호소하는 경우도 많아졌다. 수년째 이어지고 있는 코로나19에 따른 비대면 문화는 이러한 현상을 더 심화해왔다. 반려동물을 키우는 가구가 늘어나는 것도 이러한 외로움을 완화하려는 노력과 무관하지 않다.

그런데 최근에는 음성인식 기능이 개선되고, 감성 인지 기능까지 향상되면서 정서적으로 효용을 주는 다양한 소셜 로봇이 늘어나고 있다. 대표적으로 소니의 AI 로봇 강아지 아이보는 수백만 원대의 높은 가격에도 불구하고 일본에서 반려 가족으로 인기를 누리고 있다. 국내서도 AI 소셜 로봇이 속속 등장하며 '또 한 명의 가족 구성원' 역할을 해내고 있다. 독거노인이나 요양원의 고령자에게는 소통의 대상이 되어 우울증 경감의 정서적 기능을 해내고, 치매 환자 등 돌봄이 필요한 고령자에게는 식사 및 약 복용 시간 알림 등의 생활 관리를 비롯해 센서로 움직임을 감지하는 안전 상황 관리까지 하는 등 그 역할을 확대해가고 있다.

로봇 산업 활성화를 위한 전략 방안

산업 자동화를 위해 활용되었던 로봇은 이제 인간과 상호작용하는 방향으로 진화를 거듭하고 있다. 이러한 확산을 놓고 기대와 우려가 교차하기도 한다. 로봇 시대의 새로운 가능성을 엿보면서도 로봇에게 인간의 일자리를 빼앗기는 것이 아닌가 하는 우려부터 AI 활용 전반에 제기되는 윤리적 차원의 문제에 이르기까지 종류도 다양하다. 그러나 로봇은 우리의 미래 사회를 유지하는 데 꼭 필요한 요소가 될 것이 분명하다. 따라서 예측되는 문제들을 풀어가면서 로봇 산업의 글로벌 주도권을 갖기 위한 기술의 개발도 이어져야 한다.

로봇 산업 생태계 조성

로봇 산업을 활성화하기 위해서는 로봇의 부품 생산, 제조·조립, 소프트웨어와 서비스 개발 등 제품이 나오기까지의 전 과정을 분업화하고 전문화해야 한다. 지금까지는 로봇의 수요가 적어 로봇 개발 업체 혼자서 부품 생산부터 서비스 개발까지 모든 과정을 수행하는 경우가 더 많다. 하지만 산업이 발전하기 위해서는 각 단계가 전문화하고 체계적으로 고도화한 산업생태계를 조성해야 한다. 서빙 로봇을 예로 들면, 서빙 로봇의 부품을 생산하는 업체, 조립과 제조를 담당하는 업체, 서빙 로봇을 이용해 관련 업무를 하도록 만드는 소프트웨어의 개발과 운용을 담당하는 업체로 세분화해야 한다. 휴대전화 개발 업체가 응용 소프트웨어까지 모두 개발하지 않는 것처럼 로봇도 산업을 활성화하고 활용 영역이나 기능을 넓혀가기 위해서는 전문 분야별로 특화된 생태계를 구성해야 한다.

이런 생태계 구성의 연장선에서 대기업과 중소기업이 협력할 수 있는 구조가 필요하다. 최근 삼성·LG·현대·두산 등 대기업에서 로봇 사업에 뛰어들어 차기 먹거리를 확보하기 위한 전략을 수립하고 있는데, 대기업은 전국적 서비스망을 가지고 있으므로 핵심 원천 기술과 서비스 기술에 집중하고, 중소기업에서는 로봇 하드웨어나 공통 플랫폼 기술을 개발하는 형태로 협업할 수 있을 것이다. 반대로 대기업이 공통 플랫폼을 제공하고 중소기업이 특정 서비스 도메인 지식을 바탕으로 서비스 기술을 개발하는 것도 가능하다. 최근 KT에서 로봇 제조업체와 협력해 호텔 서비스 로봇을 개발한 것이 협력의 좋은 사례로 볼 수 있다. KT에서는 광역 통신망 기술을 이용한 서비스 기술을 개발했고 로봇의 제조는 중소기업에서 담당했다.

새로운 서비스 시도에 대한 규제 완화

로봇이 다양한 업무에 활용되면서 로봇 개발 기업은 새로운 제약에 직면하게 되었다. 무인 자율주행 배송 로봇이 인도에서도, 차도에서도 주행할 수 없는 것과 개인 서비스 로봇이 개인정보 보호 문제로 카메라를 장착하기 어려운 것 등이 그 예다. 이러한 문제는 현재 규제 샌드박스 실증 특례를 통해 개발 기간 시범 서비스 지역에서만 규제를 풀어주는 형태로 추진되고 있는데, 향후 로봇의 활용 범위가 늘어날수록 더 많은 법률적인 문제가 발생할 것이다. 새로운 기술을 적용하기도 전에 규제에 막혀 새로운 시도가 불가능해지면 기술 발전도 요원할 수밖에 없다. 규제 완화를 추진하면서 동시에 예상되는 문제와 실시간 감지되는 문제를 풀어갈 수 있도록 상시적인 논의가 함께 이루어져야 한다.

국가 R&D의 사업화 초기 지원 연계

정부에서는 미래 먹거리와 기술 확보를 위해 많은 R&D를 추진하고 있다. 하지만 R&D 개발이 실제 사업화로 연결되는 비율은 낮은 편이다. R&D가 사업화로 연결될 수 있도록 기술 개발 R&D와 사업화 R&D로 나누어 지원을 집행해야 한다. 기술 개발 R&D 이후에 우수 연구 과제를 대상으로 사업화 R&D를 더 지원할 수 있는 구조로 개편한다면 정부 R&D 지원으로 인한 사업화 성공률을 높일 수 있을 것이다.

지능화 데이터 확보를 위한 서비스 로봇 테스트 필드 제공

로봇 산업의 확대를 위해서는 분야별 서비스 데이터 확보가 중요하다. 이런 점에서 국가적 차원에서 서비스 로봇 실증 환경을 만들어 기업들이 데이터를 확보하고 활용할 수 있는 기반을 제공해주면 기업의 시장 진입이 용이해질 것이다. 예를 들어, 산업통상자원부와 한국로봇산업진흥원이 추진하는 '국가 로봇 테스트 필드'는 2023년부터 7년간 선정된 부지에서 실제 환경 기반 인프라를 제공함으로써 서비스 로봇 신시장 창출을 지원하려는 프로젝트다. 이러한 테스트 필드가 확장되어 다양한 시도와 활용으로 이어져야 한다.

사회 활용 전략 방안

로봇은 상업적 차원의 활용은 물론 인구 감소와 고령화, 1인 가구 증가, 노동력 부족, 우울증 같은 현대인의 정서적 이슈 증가 등 미래 사회의 여러 문제에도 대응할 수 있는 좋은 활용안이다. 따라서 기업 차원의 활용을 넘어 국가 차원에서 공공의 목적을 위한 활용 방안을 만드는 전략도 필요하다. 특히 요양원·양로원, 공공시설 등 사회적 약자 돌봄과 공공 복지 용도의 로봇 활용을 통해 로봇 산업 초기의 수요도 유도할 수 있을 것이다. 이러한 수요는 결국 로봇 산업의 생태계를 더 확장해 지능화한 서비스 기술의 발전을 가져오는 선순환 효과로도 이어질 수 있다.

　나아가 산업용·상업용 로봇뿐 아니라 다양한 소셜 로봇이 등장하면서 미래 사회에서는 인간과 로봇의 교감 문제도 중요한 주제가 될 것이다. 지금까지는 로봇을 인간에게 종속된 도구로만 여겼다면, 이제는 인간과 공존하는 대상으로서 새로운 관계를 정립할 필요가 있다. 지능화 기술의 개발과 함께 인문학적 연구와 사회적 논의를 병행해야 하는 이유다.

디지털 휴먼의 부상

광고 모델부터 가수·쇼호스트 등으로 맹활약 중인 로지와 김래아, 루이, 그리고 릴 미켈라Lil Miquela와 이마Imma…. 이들은 이 세상에 존재하지 않지만, 우리 시대의 존재들이다. 그런가 하면 20세기를 살았던 과학자 알베르트 아인슈타인이 이 세상을 떠났음에도 우리는 '디지털 아인슈타인'을 계속 만날 수 있다. 이들은 모두 가상공간에서 살아 숨 쉬는 디지털 휴먼이다. 최근 디지털 휴먼이 급격히 부상하면서 많은 관심이 쏟아지고 있다.

특히, 메타버스 세계가 점점 확대되면서 더 많은 디지털 휴먼의 등장이 예상되며, 관련 산업도 확장 추세다. 그러나 이들은 영화 속에 잠깐 등장했다가 사라지는 볼거리가 아닌 만큼 다양한 기술적, 윤리적, 법적 이슈도 불러오고 있다. 일상으로 걸어 들어오는 다양한 소셜 로봇뿐 아니라 현실과 합쳐지는 가상 세계 속 디지털 휴먼과의 공존도 준비해야 하는 시점이다.

디지털 휴먼의 과거와 현재

2022년 국제전자제품박람회CES에서도 눈길을 끈 디지털 휴먼이 여럿 있었다. 브랜드 홍보 등을 담당한 LG전자의 김래아를 비롯해 자유로운 의사소통 능력을 자랑하는 에린ERIN이 대중 앞에 등장했다. 에린을 만든 AI 기업 솔트룩스는 다른 가상 인간과 차별화하기 위해 그를 '메타 휴먼'이라고 명명하기도 했다. 그러나 이러한 가상의 인공 인간artificial human의 등장이 우리에게 처음은 아니다. 국내서도 1998년에 이미 사이버 가수 아담이 있었다. 당시 아담은 인기를 누리던 TV 가요 프로그램에서 노래를 하고 CF에도 등장했다. 짧은 기간에 많은 화제를 불러 일으키고 수익을 올렸지만 대부분 CG 디자이너의 작업에 의지해야 했기 때문에 엄청난 제작비와 오랜 제작 기간으로 대중들이 원하는 수준의 콘텐츠를 연이어 만들지 못했고 결국은 2년이 채 안 되어 사라졌다. 아담의 경우 CG로 제작했기 때문에 AI 기반의 기술을 적용하는 지금의 디지털 휴먼 실사 수준과는 차이가 컸고, 목소리도 사람이 대신해야 했다.

반면 2021년 한 보험사의 광고 모델로 등장한 로지는 만약 디지털 휴먼이라는 사실이 알려지지 않았다면 실제 20대 여성으로 착각할 만큼 '인간 같은' 모습이었다. 광고 속 로지는 네이버의 음성 합성 기술로 만든 자신만의 목소리도 갖고 있었다. 신체 표현은 실제 사람을 대역 모델로 활용했고 얼굴만 3D 모델링으로 구현했다는 점에서 로지는 엄밀히 말하면 '반디반인半D半人'이다. 2020년부터 활동을 시작한 버추얼 유튜 버 루이의 경우에도 얼굴만 AI로 만들었으며 딥페이크 기술을 활용해 적용했다. 로지와 마찬가지로 얼굴은 가짜, 몸은 진짜인 루이 역시 디지 털 휴먼 완전체로 보기는 어렵고 반디반인에 해당한다.

이처럼 1998년에 나왔던 아담과 최근 등장하는 가상 인간 사이의 가 장 큰 차이는 사실감이다. 아담은 등장했을 당시에는 파격적인 CG였 지만 요즘 사람들의 눈에는 오래된 3D 게임의 캐릭터 수준으로 조악하 다. 반면 최근의 디지털 휴먼은 실제 사람과 거의 구분하지 못할 정도 로, 이른바 '불쾌한 골짜기uncanny valley'를 넘어선 수준이다. 불쾌한 골 짜기는 일본의 로봇공학자 모리 마사히로森政弘가 발견한 심리적 현상 인데, 사람들이 인간을 닮은 로봇에 처음에는 흥미를 느끼지만 어설프 게 닮으면 오히려 불쾌함이 증가한다는 것이다.

이러한 불쾌한 골짜기는 미국의 서던캘리포니아대학교 USC가 2009년 '디지털 에밀리 프로젝트'를 통해 실제 사람과 분간이 어려울 정도의 얼굴 모델링 기술을 선보이며 극복했고, 2019년에는 USC와 구 글이 실사 수준의 전신 모델링까지 구현해내면서 더 확실하게 벗어났 다. 하지만 실사 수준의 전신 모델링은 상당히 난해한 기술로 현재는 영 화나 광고의 특수 효과 정도로만 쓰이고 있다. 많은 기업이 디지털 휴먼 을 표방하면서도 로지나 미국의 버추얼 인플루언서 릴 미켈라처럼 얼 굴 모델링 수준에 머무르는 이유이기도 하다.

디지털 휴먼을 구현하는 기술 요건

사람을 쏙 빼닮고 사람처럼 말을 하는 3D 가상 인간을 뜻하는 디지털 휴먼은 형상, 동작, 대화 등을 디지털로 제어하는 3D 모델이다. 디지털 휴먼은 탄생의 근원에 따라 두 가지로 구분된다. '버추얼 인플루언서'처럼 완전히 새롭게 창조되어 실제 인간은 아니지만 자기 정체성을 가지고 자유롭게 활동하는 '버추얼 휴먼'이 있고, 또 유명인이나 인기 스타를 사실적으로 만든 '디지털 더블' 혹은 디지털 클론이 있다. 버추얼 휴먼이 새로 만들어진 가상 인간이라면, 디지털 더블은 일종의 복제 인간이다.

디지털 휴먼을 구현하기 위해서는 다양한 기술이 기반을 이루어야 한다. 우선 얼굴이나 신체 등을 사실적으로 구현하는 형상 모델링 기술부터, 표정이나 동작 같은 행동 표현 기술, 대화 기능을 위한 음성인식과 합성 등의 언어 처리 기술, 그리고 기억과 인지, 지식 같은 지능을 구현하는 기술을 총망라해야 한다.

디지털 휴먼이 외형적 측면만 강조하면서 통상적으로는 실제 사람과 구분하기 어려울 정도의 디지털 합성 수준으로 이해되고 있지만, 다양한 분야에 응용할 수 있도록 실사에 가까운 외형만이 아니라 자연스러운 표정과 동작, 의미 있는 대화 능력, 사용자와의 경험을 기억하고 인지하는 지능까지 갖춰야 진정한 의미의 디지털 휴먼이라고 볼 수 있다.

디지털 휴먼을 구현하는 데는 3D 모델링 기술뿐 아니라, AI의 생성적 적대 신경망GAN, generative adversarial network 알고리즘을 활용한 딥페이크, 모션 캡처, 딥러닝, AI 기반 자연어 처리, 음성합성, 컴퓨터 비전, 감정 분석 등 다양한 기술이 적용된다. AI 기술을 응용하면서 급격한 기술 발전이 따른 것은 사실이지만, 아직은 한계도 많다. 가령, CG로 얼굴을 합성하는 경우에는 얼굴의 생기나 실제 환경의 빛 반사가 제대로 반영되지 않고, 딥페이크로 합성하면 부드럽고 자연스럽지만 선명함이 떨어지는 식이다. 머리카락이나 투명한 실루엣 등은 특히 사실적으로 표현하기 어려운 부분인데, 최근에는 2D 사진을 3D 장면으로 빠르게 전환하는 '뉴럴 렌더링' 기술 등을 도입해 사실감을 높이는 노력을 하고 있다. 또 과거에는 디지털 휴먼의 표정과 동작을 생성하기 위해 모션 캡처 스튜디오에서 다수의 카메라로 모델을 촬영해 데이터를 얻었지만, 최근에는 딥러닝 기술이 발전하면서 일반 스마트폰으로도 정밀한 표정 캡처가 가능해졌고 3차원 자세를 복원하는 기술도 등장하고 있다.

무엇보다 디지털 휴먼이 '살아 숨 쉬기' 위해서는 대화 기술이 중요하다. 대화 과정은 사용자의 음성을 인식해 텍스트로 변환하고 자연어 처리 기술로 학습한 내용을 토대로 문장을 출력한 뒤 다시 음성으로 합성하는 단계를 거친다. 자연어 학습은 언어의 문법적 규칙을 사전에 정의해두고 이에 기반해 처리하는 규칙 기반 기술과 대규모 자료를 스스로 학습하는 인공 신경망 기반 기술로 구분된다. 자연어 처리 성능은 최근 크게 개선되었지만, 사람들 간의 실제 대화 수준으로 향상되기 위해서는 아직 기술 개발이 더 필요하다.

나아가 디지털 휴먼을 더 넓은 분야에 응용하기 위해서는 다양성을 가미해야 한다. 아무리 같은 질문을 여러 번 받는다고 하더라도 매번 똑같은 답변을 하는 사람은 없다. 사람은 기분에 따라, 상황에 따라, 조금씩 다른 패턴을 보이게 마련이다. 그런데 디지털 휴먼이 언제나 동일한 대답에 동일한 표정, 그리고 동일한 행동을 한다면 일반적인 기계와 다를 바 없을 것이다. 게임이 재미있는 이유도 매번 할 때마다 다른 결과가 나오기 때문이다. 동일한 질문에도 다양한 방식으로 답변하는 진짜 사람처럼 '사람다움'이 보태져야 한다.

디지털 휴먼의 미래

디지털 휴먼은 메타버스의 확장이 시사하듯 현실과 가상의 경계가 흐릿해질수록 인간과의 소통을 더 넓혀갈 것이다. 또 간단한 응대나 정보 전달 수준을 넘어 실제 사람 간 대화와 같은 소통도 가능해질 것이다. 디지털 휴먼의 미래 모습은 〈그녀Her〉, 〈블레이드 러너 2049 Blade Runner 2049〉, 〈매트릭스The Matrix〉 등 인간의 상상력을 바탕으로 만든 많은 영화를 통해서도 유추해볼 수 있다. 이를 토대로 디지털 휴먼의 진화 방향을 제시해보면, 버추얼 인플루언서(비실시간 상호작용), 버추얼 어시스턴드(제한적인 실시간 상호작용), 인텔리전트 어시스턴트(지능적인 실시간 상호작용), 버추얼 컴패니언(인간적인 교감이 가능한 상호작용), 메타 휴먼(인간과 구분이 불가능한 상호작용)으로 발전해갈 것으로 상상해볼 수 있다.

현재는 버추얼 인플루언서나 단순 대화가 가능한 버추얼 어시스턴트 정도의 단계다. 그러나 여기서 더 진화하면 인간 대신 이메일을 확인해 답장까지 해주는 식의 개인화된 서비스를 제공하는 인텔리전트 어시스턴트로 나아갈 것이다. 또 더 발전하면 개인 디지털 업무를 보조하는 수준을 넘어 물리적 접촉을 제외한 정서적 교류도 가능한 버추얼 컴패니언 단계가 될 것이다. 그리고 더 먼 미래에는 가상과 실제 세계가 연결되어 우리의 의식을 전송하거나 복제하는 메타 휴먼이 등장할지도 모른다.

또 디지털 휴먼은 사람을 대신하는 디지털 휴먼, 사람과 공존하는 디지털 휴먼으로도 나눠볼 수 있다. 가상 인플루언서나 AI 아나운서, 키오스크 안내는 사람을 대신해 사용자가 요구하는 정보를 제공하고 일정 작업을 수행하긴 하지만, 사용자를 특별히 관찰하거나 사용자에 따라 피드백이 달라지지는 않는다. 즉, 특정 개인을 위한 디지털 휴먼은 아니다. 지금의 디지털 휴먼은 매우 제한된 입력 정보를 기반으로 작동한다.

그런데 특정 사용자가 지속적으로 상호작용을 해 개인화가 진행된다면 해당 사용자에게 특화된 디지털 휴먼이 탄생할 것이다. 특히 요즘처럼 가정 내 전자기기가 자동화하는 상황에서 AI 스피커가 해오던 일을 디지털 휴먼이 하게 되는 것이다. 디스플레이로 나타나거나 AR 글래스를 통해 집 안에 상시 존재하면서 마치 한 집에서 동거하는 집사처럼 공존하는 식의 디지털 휴먼도 머지않아 등장할 것이다.

경쟁력 있는 디지털 휴먼을 위한 기술 전략

디지털 휴먼 분야의 경쟁력을 확보하려면 형상, 표정과 동작, 대화, 지능을 구현하는 요소 기술의 확보가 필요하다. 또 특정 콘텐츠에 맞추어 디지털 휴먼을 만드는 방식은 제작 비용도 많이 들고 호환성도 떨어진다. 따라서 디지털 휴먼 제작 플랫폼에서 다양한 분야의 사용자가 원하는 형상, 말투, 동작, 그리고 기능을 선택해 개인화된 디지털 휴먼을 만들 수 있어야 한다.

디지털 휴먼은 가상의 존재이기 때문에 사람이나 현실 객체와 물리적 상호작용까지 가능하게 만들려면 또 다른 기술이 부가되어야 한다.

가령, 한국과학기술연구원이 '메타휴머노이드'라는 기술로 디지털 휴먼을 휴머노이드 로봇에 증강시켜 상호작용 기술을 개발하는 것도 이에 속한다. 현재 국내에는 AI 통합 플랫폼인 'AI 허브'에 많은 사람의 대화, 음성, 얼굴, 신체, 동작을 촬영한 영상 데이터들이 공개되어 있다. 이를 활용해 디지털 휴먼 생성과 상호작용에 필요한 기술을 개발해야 한다. 다만 디지털 휴먼 관련 원천 기술이나 소프트웨어 부문에서 미국이나 중국의 경쟁력이 앞서 있는 만큼 차별적 전략도 필요하다. 즉, 원천 기술을 계속 개발해가는 한편 디지털 휴먼의 주요 활동 무대가 될 메타버스 플랫폼을 선점하고 메타버스에서의 응용·활용 능력을 키우는 방향도 함께 고려해야 한다.

디지털 휴먼의 의미와 미래 과제

디지털 휴먼은 디지털 시대의 도래를 방증하는 또 하나의 사례이지만, 역설적으로 인간적 접촉의 가치를 구현한다. 인간과 교감하는 소셜 로봇과 마찬가지로, 디지털 휴먼은 문자나 음성으로만 소통이 가능한 챗봇이나 가상 비서와 달리 서로 표정을 읽으며 더 인간다운 대화를 추구할 수도 있다. 또 교육과 훈련, 유통, 의료, 상담, 금융 등 다양한 전문 분야의 디지털 전환 영역에서도 기술과 사용자가 인간적으로 교감하는 접점을 만들 수 있는데, 디지털 교사, 디지털 점원, 디지털 컨설턴트, 금융 어드바이저 등으로 구현되어 디지털 소통 방식을 인간화하는 식이다.

그런가 하면 경쟁력 있는 마케팅 자원으로 활약하는 '엔터테이너' 디지털 휴먼은 인간이었다면 피하기 힘든 리스크를 줄인다는 장점도 있다. 즉, 사생활 논란으로부터 자유롭고 시공간의 제약 없이 상시 활동이 가능하며, 아프거나 늙지도 않아 활동 기간에 제한이 없다. 기획 단계부터 추구하려는 이미지를 구현해 탄생했기 때문에, 특정 목표에 특화된 디지털 휴먼보다 더 완벽하고 이상적인 스타를 찾아내기는 쉽지 않을 것이다.

그러나 디지털 휴먼의 등장이 반드시 반가운 것만은 아니다. 로봇 사례에서 이미 많은 논쟁이 진행되듯이, 디지털 휴먼도 인간의 일자리와 역할을 위협하고 있다. 예를 들어, 디지털 점원은 유통 사이트에서 소통 서비스를 강화하기 위해 없던 역할을 부가한 경우로 볼 수 있지만, 기존에 인간 모델이나 쇼호스트가 하던 일을 디지털 휴먼이 대체한다면 이는 일자리 박탈에 해당한다. 또 윤리적 이슈도 적잖다. 2020년 등장했던 AI 챗봇 이루다가 혐오와 차별 등의 발언으로 서비스 중단 사태를 빚었던 것처럼, 디지털 휴먼도 AI 기반 언어 학습을 통해 대화 기능을 발전시켜나가기 때문에 이러한 문제에서 완전히 벗어나 있지 않다. 디지털 휴먼을 생성할 때 활용하는 딥페이크 기술의 악용은 이미 큰 이슈다. 또 디지털 휴먼이 개인화된 서비스를 확대할수록 개인정보 관련 문제가 더 커질 수 있다.

따라서 디지털 휴먼의 흥미 요소나 상업적 활용 가치만이 아니라 해결되지 않은 다양한 이슈도 함께 고민하며 법·제도적 관리 방안을 논의해야 한다.

디지털 초지능을 구현할
인간 뇌와 AI의 결합

생각만으로 커뮤니케이션을 하고 자동차를 운전하는 일이 가능할까? 이것이 테슬라 CEO 일론 머스크의 호언장담만은 아닐지도 모른다. 눈 깜짝할 사이에 뇌로 지식을 전송하고, 중요치 않은 정보는 외부 메모리 장치로 보내버리는 일도 현실이 될 수 있다. 뇌와 컴퓨터를 연결하려는 뇌-컴퓨터 인터페이스BCI, brain-computer interface 기술이 상용화를 향해 달려가고 있기 때문이다. 일론 머스크가 설립한 뇌 연구 스타트업 뉴럴 링크Neuralink는 2021년 원숭이가 말 그대로 텔레파시만으로 비디오게 임을 하는 영상을 공개했다. 이 원숭이의 뇌에는 컴퓨터 칩이 이식되어 있었다. 또 2022년 7월에는 미국의 또 다른 뇌-컴퓨터 인터페이스 개 발 업체 싱크론Synchron이 인간의 뇌에 스텐트로드stentrode 칩을 이식하 는 임상 시험에 성공했다는 소식을 알렸다. 심장 스텐트 시술과 비슷하 게 중증 마비 환자의 정맥에 칩을 삽입·이동시켜 이식한 것이다.

뇌-컴퓨터 인터페이스 기술은 이처럼 현재는 질병 치료 목적으로 추진되지만, AI의 능력을 인간의 두뇌에 연결해 디지털 초지능을 얻으려는 욕망이 어디까지 구현될지 알 수 없는 일이다.

인간의 뇌에 던진 도전장

"인류가 그 잠재적 위험에 대처하는 방법을 익히지 못한다면 AI는 인류 문명사에서 최악의 재앙이 될 수 있다." 천재 물리학자 스티븐 호킹이 한 말이다. 그의 경고대로라면 언젠가 AI는 인간의 능력을 넘어설 것이고, 결국 인간을 대체할 수도 있다. 그렇게 AI로 무장한 로봇이 인간을 지배하는 미래가 온다면 인간은 어떻게 될까? 일론 머스크의 우려처럼, 인간보다 똑똑해진 슈퍼 AI가 인간을 공격하고, 인간은 AI의 '반려 고양이house cat'가 될지도 모른다.

이런 미래가 너무 암울하다면 다른 미래를 상상해보자. 미래에는 공부하는 일이 전혀 힘들지 않을 것이다. 영어 시험을 볼 때는 언어 영역인 뇌의 좌측 베르니케 영역에 삽입한 마이크로칩에 전류를 흐르게 해서 독해 능력을 높인다. 또 수학 문제를 풀 때는 두정엽에 삽입한 마이크로칩에 전류를 흐르게 해 탁월한 수학 계산 능력을 발휘한다. 그뿐만 아니라 베르나르 베르베르의 소설 《뇌》(열린책들, 2002)에 나오듯이 식물인간의 뇌에 전극을 이식해 컴퓨터를 조작하게 하거나, 영화 〈매트릭스〉의 네오처럼 인간의 뇌와 AI 컴퓨터를 합쳐 무엇이든 순식간에 통달하게 할 수도 있다. 영화에서는 주인공 네오의 머리에 기다란 바늘 형태의 전극을 꽂고 뇌에 주짓수 프로그램을 업로드하자 곧바로 무술의 고수가 되었다.

2017년에 설립된 뉴럴링크는 인간의 뇌 신경계neural를 무언가와 연결한다link는 뜻이다. 뉴럴링크가 연결하려는 대상은 여러 가지다. 컴퓨터와 연결하면 생각만으로 마우스 커서를 제어할 수 있고, 로봇 팔과 연결하면 생각만으로 물건을 집어 올리거나 그림을 그릴 수 있다. 하지만 뉴럴링크의 궁극적 목표는 앞의 상상처럼 인간의 뇌와 AI를 연결하는 데 있다.

일론 머스크의 계획은 뉴럴 레이스neural lace라고 불리는 그물망 형태의 전극을 머릿속에 삽입해서 뇌 활동을 매우 정밀하게 읽어들이고 지식과 정보를 뇌에 주입하는 장치를 만들겠다는 것이다. 인간의 자연 지능과 AI를 연결함으로써 초지능을 구현하겠다는 의미다. 그는 인간 뇌의 모든 활동을 읽어들이면 우리 생각을 컴퓨터에 저장하는 것도, 반대로 뇌에 특정 지식을 주입하는 것도 가능할 것이라고 말한다. 물론 현재 기술로는 불가능한 일이지만, 그렇다고 해서 앞으로도 불가능할 것이라는 추측은 섣부른 예단일 수 있다.

실제로 뉴럴링크 설립 2년이 지난 2019년 일론 머스크는 그간의 연구 결과를 발표했다. 이날 발표의 백미는 '신경 실' 기술이었다. 신경 실은 머리카락 굵기의 20분의 1에 불과한 4~6µm 굵기의 가느다란 실에 32개의 전극을 코팅한 뒤, 이 실을 뇌 표면에 바느질하듯이 박아 넣는다는 개념이다. 뉴럴링크는 이를 위해 초정밀 '바느질 로봇'을 만들었다. 이 로봇은 뇌혈관을 피해 출혈을 최소화하면서 자동으로 분당 6개의 실을 뇌 표면에 이식하도록 설계됐다. 머스크는 쥐의 대뇌피질 표면을 따라 '박음질'한 실 전극의 사진을 공개하기도 했는데, 이 전극들은 신호 증폭 기능이 있는 시스템 칩을 거쳐 USB-C 포트를 통해 외부 컴퓨터와 연결된다.

다시 1년이 지난 2020년에 그는 '링크Link'라는 이름의 뇌-컴퓨터 접속 장치를 발표했다. 동전 크기의 작은 디바이스를 두개골 아래에 이식하고 로봇을 이용해 1,024개의 신경 실을 뇌에 심어넣은 다음 무선으로 데이터를 송수신하는 시스템을 1년 만에 구현한 것이다. 이날의 발표를 한마디로 요약하자면 뇌와 컴퓨터, 더 나아가 뇌와 AI를 결합할 가능성을 좀 더 열었다는 것이다.

이러한 기술을 인간에게 적용할 수 있게 되었다고 해서 일론 머스크가 추구하는 '지식 업로드'나 '텔레파시'를 바로 구현할 수 있는 것은 아니다. 우리는 여전히 신경세포가 만들어내는 암호를 거의 이해하지 못하고 있기 때문이다. 하지만 뇌 활동을 정밀하게 관찰하는 것이 가능해진다면, 우리가 '뇌의 언어'를 이해하는 데 보다 더 가까이 다가갈 것은 분명하다.

감정을 읽고 인생을 기록하는 브레인 블랙박스

일론 머스크는 링크를 통해 인간의 뇌와 AI를 연결하겠다는 계획을 밝혔지만, 인간의 뇌는 전기적 활동만으로 설명할 수 없는 부분이 많다. 뇌는 다양한 호르몬과 신경전달물질의 변화에 따라서도 크게 영향을 받기 때문이다. 이러한 측면에서 볼 때, 브리티시 텔레콤의 전직 CTO이자 저명한 미래학자 피터 코크레인Peter Cochrane 박사의 접근법은 색다르다. 그의 아이디어는 한 사람의 머릿속에 마이크로칩을 삽입해 그 사람의 일생을 기록한 뒤, 후대 사람들이 그의 일생을 생생하게 경험할 수 있도록 하겠다는 것이다. 그가 '소울 캐처soul catcher'라고 이름 붙인 이 마이크로칩이 측정하는 것은 신경 신호에만 국한되지 않는다. 이를 통해 뇌에서 발생하는 다양한 신경전달물질이나 호르몬, 예를 들어 도파민, 세로토닌 등을 측정할 수 있다면 그 사람의 '감정'까지도 읽어낼 수 있을 것이다.

마인드 업로드

2014년에 개봉한 영화 〈트랜센던스Transcendence〉에는 주인공인 윌 박사의 마음을 컴퓨터에 업로드하는 장면이 등장한다. 이러한 수준까지는 아니지만, 핀란드 헬싱키대학교 연구팀은 2020년 뇌파와 신경망을 연결해 인간이 생각하는 것을 컴퓨터에 시각적 이미지로 구현할 수 있는 AI 기술을 제안하기도 했다. 향후 인간의 뇌에 있는 모든 신경 회로망의 연결성 정보를 알아낸다면 컴퓨터 안에서 그 사람의 생각 전체를 구현해내는 일이 가능해질지도 모른다.

지구상에 존재하는 다세포 생명체 중에서 유일하게 모든 신경세포의 연결성 정보가 밝혀진 생명체는 1mm 정도의 몸길이를 가진 예쁜꼬마선충 *C. elegans* 뿐이다. 그리고 인류는 마침내 이 생명체의 움직임을 컴퓨터 시뮬레이션으로 재현하는 데 성공했다. 이러한 연구는 마인드 업로딩의 가능성을 시사한다. 실제로 2018년 MIT 출신의 로버트 맥킨타이어Robert McIntyre가 설립한 벤처회사 넥톰Nectome은 냉동보관 방법을 적용해 뇌 구조를 변형 없이 보존하는 기술을 확보했다. 넥톰에 따르면 죽은 사람으로부터 분리된 뇌는 영하 122도에서 보관되며 수백 년 동안 원래 상태를 유지할 수 있다고 한다. 넥톰의 아이디어는 간단하다. 언젠가 인간 뇌의 구조적·기능적 지도가 완성된다면 보존한 뇌로부터 모든 기억과 경험을 추출해서 컴퓨터에 업로드하겠다는 것이다.

물론 아직은 믿기 어려운 일이다. 하지만 인간이 지구를 벗어나 우주를 여행하는 것이 상상에서나 가능한 일이었던 때를 떠올린다면 우리의 마음을 컴퓨터에 업로드하는 일도 결코 허황한 꿈이 아닐지 모른다.

뇌공학 기술과 함께 생각해볼 문제들

이러한 일련의 뇌공학 기술의 도전에 대한 대중의 반응은 다양하다. 신체 마비 환자가 다시 걷게 되지 않을까 하는 희망적인 반응도 있지만, 영화 〈공각기동대〉에서처럼 뇌에 브레인 칩을 삽입하고 살아갈지도 모른다는 두려움과 걱정도 있다. 지금까지는 의사소통이 어려운 질병을 치료하거나 인간의 생각과 마음의 상태를 이해하기 위한 의학·심리학적 목적으로 뇌공학 기술을 시도하고 있지만, 이를 넘어 정상인들의 인지 능력을 높이는 인지 증강 수단으로 사용된다면 어떤 일이 생겨날까?

신체적 안전 이슈

지금 개발되고 있는 뇌-컴퓨터 인터페이스 기술들은 무엇보다 의료 분야에서 유용하게 활용할 수 있다. 이들은 간질이나 기억상실증처럼 뇌 관련 질병을 치유하는 데 도움을 줄 것으로 기대된다. 그러나 무언가를 뇌에 이식하는 기술이기 때문에 위험이 따르고 최종 안전을 담보할 수 없다는 문제가 크다. 인간 머리카락보다 가늘고 유연한 실을 이용해 뇌의 손상 및 위험을 최대한 줄인다거나 뇌에 삽입하는 것이 아니라 정맥을 통해 뇌의 피질까지 밀어 올리는 방식도 제기되긴 하지만, 이러한 물질을 장시간 이식한 상태에서 지닐 경우 생체 조직에 어떠한 영향을 끼칠지 좀 더 연구가 필요하다.

브레인 칩이 만들 계층 사회

만약 대학 입시나 국가고시에서 인지 증강 기술로 기억 능력을 향상시킨 사람이 좋은 결과를 낸다면, 누구나 브레인 칩 이식을 받고 싶어 할 것이다. 그런데 브레인 칩 이식에는 상당한 비용이 따를 수밖에 없다. 결국, 경제적 이유로 이식 수술을 받지 못해 인지 능력을 높이지 못한 채 경쟁에 뒤처지고 사회에서 소외되는 계층이 생겨날 것이다. 경제적 격차가 지능 격차로 연결되어 기술의 힘으로 증강된 지능과 그렇지 못한 지능에 따라 계층이 나뉜다면 지금과는 또 다른 끔찍한 불평등을 낳을 수도 있다. 또 인지 증강 기술을 특정 국가만 독점하게 된다면 선진국과 후진국 사이의 빈부 격차는 더 커지고 전 지구적으로 불공정이 확대될 것이다.

전자두뇌 쇼핑 사회

본인의 가치관이나 의사와 관계없이 단지 사회에서 인정받기 위해, 혹은 더 좋은 직장에 들어가기 위해 두개골을 열고 마이크로칩을 삽입하는 사람들이 생길 수도 있다. 마이크로칩의 성능이 회사에 따라 차이가 있어 A 회사의 칩을 썼느냐 B 회사의 칩을 썼느냐에 따라 개개인의 능력이 달라질 수도 있을 것이다. 사람들은 새로운 성능을 추가한 생체 칩이 출시될 때마다 스마트폰을 바꾸듯이 손쉽게 교체하기 위해 메모리 슬롯 같은 것을 머리에 뚫고 다니거나, 너 나 할 것 없이 재수술을 받으려 할지도 모른다.

뉴로 해킹의 위험

무시무시한 일이지만 머릿속의 정보를 컴퓨터에 업로드하거나 컴퓨터 속 정보를 머릿속에 내려받는 과정에서 해커들이 개입할 위험성도 생각해볼 필요가 있다. 이미 '뉴로 해킹neuro-hacking'이라는 용어가 만들어졌을 정도로 이것이 미래에는 심각한 문제가 될 가능성이 있다. 지금 논의되는 데이터 보안과는 전혀 다른 차원에서 '생각 보안' 문제가 발생할 것이다.

미지의 부작용

우리는 아직도 인간의 뇌에 관해서 완전히 이해하지 못하고 있다. 이러한 상황에서 뇌를 섣불리 건드림으로써 뜻밖의 부작용이 발생할 가능성도 있다. 세계적인 연구 성과를 내고 싶은 욕심에 전두엽에 인지 증폭을 위한 마이크로칩을 이식한 수학자가 있다고 가정해보자. 그는 뇌전기 자극을 통해 얻은 통찰력과 향상된 수학 능력을 이용해 많은 수학 난제를 풀어내겠지만, 전두엽 기능의 과도한 활성화로 인해 균형을 잃고 감정이 메마른 차가운 인간으로 변하거나 정신 질환에 걸릴지도 모른다. 이렇게 인위적으로 인간의 지능을 높이는 것이 인류의 행복을 위해 바람직한지, 사회적 논의가 필요하다. 뇌공학 분야 연구가 초래할지도 모르는 다양한 사회적 문제에 대응해 뇌공학의 올바른 발전 방향을 제시할 필요가 있다. 이 문제를 고민하지 않는다면 인류는 자신이 만든 기술에 의해 자신의 자유와 행복을 잃어버리는 우매함에 빠질 것이다.

공인인증서를 넘어선
신기술 디지털 신분증

최근 IT 기술의 발달과 코로나19의 여파로 비대면 문화가 확대되는 등 디지털 전환이 사회 곳곳에서 빠르게 진행 중이다. 코로나19 사태 이전에도 원격·재택 근무와 비대면 회의의 필요성이 제기되어왔지만, 효율성과 경제성 측면에서 그리 활성화하지는 못했다. 그러나 코로나19 상황이 길어지면서 많은 사람이 비대면의 온라인 환경에 익숙해졌고, 디지털 전환이 모두의 예상보다 앞당겨졌다. 또한 코로나19 감염에 대한 우려로 불특정 다수가 모이는 상점 방문 대신 빠르고 간편하고 감염으로부터 안전하게 느껴지는 온라인 주문이 폭발적으로 증가했다. 이렇듯 온라인 상거래뿐만 아니라, 정치·경제·사회·문화 등 다양한 분야에서 늘어난 비대면 활동은 디지털 신원 확인의 중요성도 부각하며 본격적인 '디지털 신분증' 시대, 통합된 디지털 One-ID 시대를 예고하고 있다.

신원 증명 방식의 진화

신원 확인 또는 본인 인증이란 특정한 수단을 통해 특정인의 본인 여부를 식별하고 증명하는 방법이다. 우리나라의 대표적 신원 확인 수단인 주민등록번호는 1962년 주민등록법을 제정하면서 도입되었다. 초기에 두 부분으로 구분된 6자리 숫자(모두 12자리)로 이뤄졌으나, 이후 1975년 주민등록법 시행령과 시행규칙 개정으로 생년월일, 성별, 지역을 식별할 수 있게 13자리 숫자 체계로 바뀌어 현재에 이르고 있다.

이후 디지털 시대에 접어들면서 가상공간에서 주민등록번호를 대신해 본인 확인을 하는 수단으로 공공 아이핀i-PIN, internet personal identification number, 인터넷상 개인 식별 번호가 도입되었다. 공공 아이핀은 행정안전부가 인터넷에서 주민등록번호의 불법적 수집과 유출을 사전에 방지하기 위해 개발한 서비스로, 공공·민간 웹사이트에서 주민등록번호를 사용하지 않고 본인 인증을 함으로써 개인정보 침해를 방지할 수 있었다. 또 공공 아이핀은 변경할 수 없는 주민등록번호와 달리 노출이 되었다 해도 언제든지 새로 발급받거나 기존 아이핀 사용을 중지할 수 있어 도용 위험이 낮다는 장점이 있었다. 하지만 발급이 불편하고 효용성이 감소하면서 2018년 폐지·종료되고 민간 아이핀만 남게 되었다.

전자 서명의 첫 법제화, 공인인증서

1990년대 후반 초고속 정보통신망 구축으로 전자상거래가 본격화하면서 신원 증명을 위한 새로운 수단이 필요해졌고, 그 해결책으로 고안한 것이 '전자 서명'이다. 1999년 정부는 '전자서명법'을 제정해 전자 문서와 전자 서명에 법적 효력을 부여했다. 공인 인증 기관이 확인한 디지털 서명, 즉 공인인증서를 서면상의 기명날인과 동일한 것으로 그 법적 효력을 인정한 것이다. 전자서명법에 기초한 공인인증서는 지난 20여 년 동안 인터넷뱅킹, 온라인 증권, 전자상거래, 전자정부 민원 서비스, 4대 사회보험, 국세청 홈텍스, 전자 세금계산서, 전자 입찰·조달, 온라인 교육, 예비군 등 다양한 분야에서 신원 확인 수단으로 활용되었다.

그러나 'ActiveX' 등 프로그램 설치와 영문, 숫자, 특수문자까지 포함한 10자리 이상의 복잡한 비밀번호, 1년이라는 짧은 유효기간으로 매년 갱신해야 하는 등 여러 불편함이 있었다. 특히 ActiveX 기반으로 작동하는 공인인증서는 개인정보 유출이나 해킹 사고가 날 때마다 그 취약한 보안성을 지적받았다. 이에 따라 2020년 공인인증서 폐지를 골자로 하는 전자서명법 개정안이 의결·공표되면서 같은 해 12월 공인인증서는 역사 속으로 사라졌다.

생체인증 기술 기반의 신원 증명

스마트폰의 대중화로 생체인증이 신원 증명 기술의 중요한 요소로 자리매김하고 있다. 특히 FIDO fast identity online* 표준을 따르는 지문 인식 기술이 잠금 해제 등에 널리 활용되면서부터다. FIDO는 비밀번호, PIN, 패턴, 얼굴 인식, 지문 인식 등 다양한 본인 인증 수단을 포함하지만, 지문 인식 같은 생체인증 방식이 가장 많이 사용되면서 FIDO 표준이 곧 생체정보 인식 기술이라는 의미로 받아들여지고 있다.

무엇보다 신속한 인증이 가능한 FIDO 기반 인증 솔루션은 결제 등

---

* 국제 인증 표준 중 하나로, 비밀번호를 대체하는 UAF와 아이디(이메일)+비밀번호+2단계 인증인 U2F로 나뉜다. 대표적인 경우로 삼성페이의 생체인증을 들 수 있다.

금융거래와 온라인 서비스 분야로 활용 폭을 넓히며 기존 인증 수단을 대체하고 있다. FIDO 표준은 사용자 기기 인증 장치를 통해 인증 결과 값을 생성하고, 이 값을 서버에 전송해 인증한다. 이는 신원 정보 주권 개념을 적용한 방식으로 FIDO 대중화의 가장 큰 요인이 되고 있다. 사용자 생체정보가 기업 중앙 시스템이 아닌 개인 소유 기기에만 저장된다는 점이 사용자들의 거부감을 줄였기 때문이다. FIDO2 표준이 발표되면서 생체인증 기술은 스마트폰뿐만 아니라 사물인터넷 장치, 구글 크롬 등 주요 웹 브라우저와 윈도우, 리눅스 등 다양한 OS에서 폭넓게 활용되고 있다.

블록체인 기반 탈중앙화 신원 증명 기술, DID

최근 잇따른 개인정보 유출 사고와 더불어 데이터 주권에 대한 관심이 고조되면서 블록체인 기반의 탈중앙화 신원 증명 DID, decentralized identity 기술을 도입하고 이를 다양한 분야에서 활용하는 사례가 늘고 있다. DID는 개인정보를 사용자의 스마트폰 등 개인 단말기에 저장해두고, 서비스 제공 기업에 필요한 정보만을 골라 마치 개인 파일에서 서류를 꺼내주듯 선택적으로 제공하게 하는 전자 신원 증명 기술이다.

기존에는 온라인에서 본인 인증을 하기 위해서 신뢰할 제3의 기관이 필요했다. 공인인증서가 대표적인 예로, 이러한 방식은 민감한 개인정보를 기업이나 기관 등의 중앙 서버에 전달해 보관·관리하는데, 한 번의 외부 해킹으로도 대량의 개인정보가 유출될 위험이 있다. 실제로 페이스북 등 유수의 IT 기업에서도 고객의 개인정보를 보호하지 못하는 사고가 발생해왔다. 또 기업들이 개인정보 비식별화 방식을 통해서 개인의 동의 없이도 원하는 대로 해당 정보를 분석하고 활용할 수 있지만,

이를 개인들이 직접 제어하기는 매우 어려운 상황이다.

이와 달리, DID는 블록체인을 통해 분산된 시스템을 구축해 특정 기업에 종속되거나 힘을 빌리지 않아도 사용자가 자신의 정보를 직접 관리할 수 있다. 다시 말해, 데이터 주권과 신원 정보 결정권이 중앙에서 개인으로 이동한다는 의미다. 블록체인 기술 발전과 더불어 이제 DID는 단순 신원 인증에 머물지 않고 비대면 전자 계약 시스템, 전자 투표 등과 연계한 다양한 분야에서 활용되고 있다. 특히 법 준수 여부를 본인이 직접 확인할 수 있는 것과 같이, 개인화된 데이터의 관리도 가능하게 만들고 있다.[89]

한편, 국내외에서 새로운 DID 인증 서비스들이 소개되고 있지만, 기술 구현을 위한 구체적인 체계는 아직 미흡한 상태다. 무엇보다 시급한 것은 표준의 정립이다. 상호 호환이 되지 않는다면 시장에서 자리 잡을 수가 없기 때문이다. 이러한 필요성에 따라 인터넷의 표준을 정하는 월드와이드웹 컨소시엄w3c에서 DID 표준을 만들고 있으며, 국내에서도 디지털 신원 확인에 대해 신뢰를 보장하는, 표준화되고 상호 호환이 가능한 프레임워크 개발을 추진하고 있다.

자기 주권 신원 증명 '모바일 신분증'

전자서명법 개정으로 공인인증서의 독점적 지위가 폐지되면서 자기 주권 신원 증명 등 새로운 개념을 적용한 전자 서명 기술이 속속 등장하고 있다. 최근 디지털 전환과 지능형 정부 서비스 확대에 맞춰 선을 보인 '모바일 신분증'도 그중 하나다. 2022년부터 시범 발급, 서비스에 들어간 모바일 운전면허증은 디지털 신분증 형태로 기존 플라스틱 신분증과 동일하게 국가신분증으로서 공신력을 가진다. 온라인에서 로그인,

신원 정보 입력 등에 이용할 수 있고, 사용 절차를 대폭 간소화해 편의성을 높였다. 모바일 운전면허증 하나로 모든 금융 관련 거래가 가능하도록 한 금융기관들도 늘어나는 상황이다.

특히 행정안전부는 모바일 운전면허증 서비스를 시작으로 향후 정부가 새로 발급하는 모바일 신분증은 신원 확인 인증 과정에서 발생할 수 있는 프라이버시 침해를 차단하기 위해 '자기 주권 신원 증명self-sovereign identity' 개념을 적용할 것이라고 밝혔다. 자기 주권 신원 증명은 현재 보편적으로 이용되고 있는 기관이나 기업의 중앙 집중식 신원 증명과 대조되는 개념으로, 신원 정보의 소유와 이용 권한을 신원 주체인 개인이 갖는다는 의미다. 모바일 신분증은 개념적(자기 주권 강화), 기술적(DID 기술 적용), 형태적(디지털 신분증), 활용적(온·오프라인 통합) 측면에서 큰 변화를 이끌 것으로 전망된다.

차세대 디지털 신분증의 전망과 비전

해외에서는 온라인 상호작용이나 비대면 거래가 증가하면서 '디지털 신분증digital ID, eID'의 정의를 대폭 확장하고 관련 시스템 구축과 서비스 개발에 적극적으로 나서고 있다. 이를테면 스마트 키smart key 개념을 적용해 유럽 전역에서 디지털 통합 신분증으로 사용을 확대하고 있는 유럽연합의 디지털 신분증 등이 그 예다.[90] 이러한 방식은 스마트폰의 생체인증과 금융·연금·부동산 등 정부 서비스를 융합해, 여타 신분증이나 부대 서류를 제출할 필요 없이 디지털 신분증 제시만으로 공공서비스 접속은 물론 디지털 서명과 디지털 계약이 가능하도록 설계된다. 최근에는 블록체인 기술에 힘입어 특정 중앙 기관을 통한 인증이 아니라 탈중앙화 방식으로 신원을 증명하는 탈중앙화 신원 증명DID을 도입해 단순 신원 확인 용도를 넘어 전자 투표 등의 분야로도 활용 범위를 넓히고 있다.

국내에서도 지능 정보 기술의 급속한 발전과 디지털 대변혁에 맞춰 기존의 주민등록번호나 공인인증서 등을 대체할 새로운 디지털 신원 인증 방식을 도입하고 있다. 2021년 모바일 공무원증에 이어 2022년에 발급을 시작한 모바일 운전면허증 등이 그 예다. 이는 정부 서비스 영역 외에 증명서 발급이나 전자 계약 시스템 등에도 활용된다. 자기 주권 신원 증명을 실현하는 DID는 자신의 정보에 대한 통제권을 스스로 확보해 개인이 주체적으로 개인정보를 취급할 수 있는 기술이란 점에서, 즉 자기 주권의 강화를 의미한다는 점에서 더 주목받고 있다.[91]

DID 기반의 새로운 디지털 신분증은 공공 분야를 넘어 교육, 금융, 헬스케어 등 다양한 분야에서 폭넓게 활용될 수 있을 것이다. 통신사, 카드사, 금융사 등이 서로 제휴해 은행·증권 서비스나 증명서 발급 시 새로운 디지털 신분증 개념을 적용한 다양한 서비스를 발굴하고 있는 배경이다. 메타버스와 같은 비대면 플랫폼이 활성화할수록, 위·변조가 불가능하고 데이터 주권과 신원 정보의 자기 결정권을 강화한 디지털 신분증은 더욱 중요해질 수밖에 없을 것으로 보인다.

다만 디지털 신분증, 특히 통합된 하나의 디지털 신분증으로 이동해 간다는 것은 단순히 플라스틱 신분증을 디지털 이미지로 교체한다는 뜻이 아니다. 편의성을 높이고 생체인식 기술이나 블록체인 기술을 활용해 보안성을 높인다는 장점이 있지만, 기반 기술의 완성도도 높여야 하고 아직은 단계적으로 도입하고 있는 디지털 신분증을 결국 하나로 통합해야 하는 문제도 있다. 또 국내는 물론 세계로 활용 폭을 넓히려면 국가 간 상호 연동을 위해 국제 표준과 연계된 표준화 작업이 필요하며 국제 표준화 활동에도 적극적으로 참여해야 한다. 나아가 양자컴퓨터 상용화 시대도 대비해야 한다. 양자컴퓨터가 상용화하면 현재의 디지털 인증 암호 체계에도 보안 이슈가 발생할 수 있기 때문이다.

그 밖에도 디지털 신분증 시대로의 전환은 디지털 형태의 모든 개인정보를 연계시켜 축적 및 관리할 수 있다는 뜻이다. 이는 편리하고 유용한 서비스로 확장해가는 토대일 수도 있지만, 어떠한 디지털 사회로 우리를 이끌고 갈지 알 수 없는 측면도 있다. 따라서 디지털 신분증 시대로의 전환도 기술적 특성만이 아니라 이러한 기술이 가져올 사회적·문화적 변화에 대한 고민과 그에 대한 준비를 병행해야 한다.

웹3.0 시대의 핵심, 블록체인 기술

우리는 수많은 센서와 디바이스가 네트워크에 연결된 디지털 세상에서 산다. 이 디지털 세상에는 국경이 없어 24시간 다양한 정보를 주고 받고 상품과 서비스를 거래할 수 있으며 소통도 가능하다. 우리가 인터넷을 편리하게 사용하게 된 것은 월드와이드웹을 멀티미디어 콘텐츠로 구현한 넷스케이프Netscape를 상용화한 1994년부터다. 이렇게 출발한 웹1.0은 일방향으로 정보만 제공하던 플랫폼이었지만 전 세계를 연결하며 급속히 확산되었다. 이후 2000년대 중후반부터 이용자들도 정보를 올릴 수 있는 참여와 소통의 양방향 플랫폼인 웹2.0을 거쳐 지금은 탈중앙화와 투명성, 그리고 정보 주권과 보상의 가치를 추구하는 웹3.0 시대를 향하고 있다.

웹3.0의 실현 가능성은 논쟁적이지만, 글로벌 혁신 기업들은 대부분 웹3.0을 새로운 디지털 문법으로 인식하고 이에 맞게 조직과 사업을 개편하고 있다. 페이스북의 경우 2021년에 기업 명칭을 메타Meta로 변경하기도 했다. 웹3.0으로의 전환 배경에는 현실 세계와 가상 세계가 융합하는 혼합 세상 트렌드가 담겨 있기 때문이다. 이러한 웹3.0이 구현하려는 기술철학은 특히 블록체인 기술에 잘 녹아 있다. 물론 웹3.0을 가능하게 하는 다른 기술도 많고 블록체인 기술이 모든 것에 적용되는 것은 아니지만, 웹3.0을 이끄는 결정적 기술로서 블록체인의 역할이 커지고 있다.

블록체인 기술의 진화와 웹3.0의 가치

'블록체인'은 한마디로 '분산형 데이터 저장 기술'이다. 이를 통해 중개기관의 보증 없이 신뢰를 보장하는 탈중앙화가 가능해진다. 블록체인은 하루아침에 등장한 기술이 아니라 1979년부터 제시되었던 분산 네트워크, 암호 기술, 전자 서명 등의 기능이 융합해 마침내 블록체인 형태로 나타난 것이다. 근대를 여는 역사적 계기가 된 존 로크의 천부적 인권 사상처럼, 블록체인은 디지털 세상에서도 누구든지 자신의 생명·자유·재산에 대한 불가침의 권리를 보장받아야 하며, 이를 분산 합의 알고리즘 등의 기술로 구현하겠다는 기술철학적 배경도 갖고 있다.

이렇게 등장한 블록체인 시스템은 운영 체계 역할을 하는 네트워크인 메인넷mainnet을 비롯해 합의 알고리즘, 스마트 계약, 분산앱dApp, 전자지갑, 탐색기 등으로 플랫폼이 구축되며, 분산원장DLT, 암호 기술, 토큰 경제 등과 결합해 디지털 세상에서 탈중앙, 보안성, 투명성, 익명성, 진본성을 구현하게 된다. 블록체인의 상징처럼 여겨졌던 암호화폐 비트코인은 2009년 1월 첫 번째 블록을 생성한 이래 13년이 지났지만, 중개인 없이도 작업 증명PoW, proof of work 합의 알고리즘에 의해 안정적 시스템을 유지하고 있다. 그러나 블록체인이 암호화폐에만 적용되는 것은 아니다. 암호화폐를 넘어 최근 화제를 모은 NFT에 이르기까지 블록체인은 다양하게 활용되고 있다.

특히 블록체인은 웹3.0이 추구하는 가치의 구현 과정에서 핵심적 기술로 사용되며 그 활용 폭을 넓히고 있다. 웹3.0의 주요 특징은 맞춤형, 탈중앙화, 혼합 세상, 그리고 토큰 경제로 요약할 수 있다. 먼저, 맞춤형은 상황과 맥락을 이해해 맞춤형의 개별 서비스를 제공한다는 의미다. 여기에는 지능형의 시맨틱웹, AI, 블록체인의 스마트 계약 등이 적용된다. 탈중앙화의 가치는 기존의 분산 시스템 외에 블록체인 기반의 분산원장, 분산 앱, 탈중앙 금융DeFi, 분산 신원 확인DID, 탈중앙 자율 조직DAO 등으로 구현된다. 현실과 가상을 경계 없이 연결하는 혼합 세상은 가상현실VR, 증강현실AR, 혼합현실MR, 디지털 트윈, 메타버스 등으로 만들어지고 있는데, 특히 메타버스 시스템에서 신뢰성을 부여하는 응용 기술로 블록체인이 융·복합하면서 새롭게 도약하고 있다.

토큰 경제는 기존 디지털 경제에서 한발 더 나아가 공정성을 강화하기 위해 블록체인 기반으로 보상과 처벌 시스템이 담긴 알고리즘을 적용한 것이다. 암호화폐(코인/토큰), NFT, P2E(돈 버는 게임play to earn) 등이 대표적인 활용 사례다. 네트워크, 센서, 디바이스, 콘텐츠, 인터페이스 등이 웹3.0의 주요 구성 요소이지만, 블록체인은 웹3.0의 가치를 실현하는 기술적 요체인 점에서 의미가 크다고 볼 수 있다.

표 4 웹 단계별 특징

구분	웹1.0	웹2.0	웹3.0
가치 추구	접속, 개방	개방, 공유, 참여	탈중앙화, 투명성, 정보 주권, 보상과 처벌
상호작용	단방향(읽기)	양방향(읽기-쓰기)	다방향(읽기-쓰기-소유)
이해관계	공급자	공급자-이용자	공급자-이용자-운영자
경제 형태	실물 경제(사적 경제)	디지털 경제(플랫폼 경제)	암호 경제(토큰 경제)
인프라	인터넷, PC	초고속 인터넷, 클라우드, 모바일	분산 네트워크, 고성능 자율 센서, 스마트 기기
콘텐츠	텍스트	텍스트, 비디오	가상/증강/혼합, 초실감
주요 언어	HTML 등	AJAX 등	Node.js, Solidity 등
신원 주권	개별 사이트(ID/PW 등)	플랫폼 소셜 연동 (포털, SNS 계정 등)	자기 주도 신원 확인 (SSI, DID 등)

＊자료: 임명환, 〈웹3.0 시대와 블록체인 위상〉, 2022.6

웹2.0의 문제점을 해결하는 블록체인

블록체인 기술은 웹2.0의 문제점도 일부 해결할 수 있다. 기존 ICT 시스템의 효율성이 완벽하거나 불공정 경제활동에 법·제도를 엄격히 적용한다면 어떤 면에서는 블록체인이 필요하지 않을 수도 있다. 그러나 디지털 경제의 현실은 글로벌 플랫폼 기업들 FAANG(페이스북, 애플, 아마존, 넷플릭스, 구글)의 사례에서 보듯이 불공정 이슈와 독과점 규제로 법적 공방이 끊임없이 발생한다. 국내에서 지배력을 행사하는 포털 사업자, 유통 물류 중개업자, 소셜미디어 사업자 등도 마찬가지다. ICT 플랫폼의 특징인 네트워크 효과, 공급자와 이용자·소비자로 구성되는 양면 시장two-sided market 형성, 거버넌스 지배, 멀티호밍multihoming 차단 등이 시장 독점, 승자 독식, 부의 편재, 기술 오남용 같은 부작용을 유발하고, 그 결과 사회적 비용을 가중시키고 있다.

이러한 문제점들은 자체적으로 해결하기에는 한계가 있으며, 블록체인이 부분적으로나마 대안이 될 수 있다. 기존 ICT 시스템에 블록체인 기술을 적용해 초신뢰 가치를 부가할 수 있다는 의미다. 현실과 가상이 함께하는 웹3.0 시대의 경제사회는 플랫폼 중심의 종속 경제가 아니라, 투명성, 공정성, 진본성, 자율성, 효율성의 보장을 지향한다. 거버넌스 구조도 독과점의 중앙화가 아닌 탈중앙화한 분권화와 분산화로 다수가 직·간접적으로 참여하는 생태계로 변화해야 한다.

웹3.0 시대의 토대가 될 블록체인의 역할과 과제

웹3.0 시대의 ICT 생태계는 끊임없는 융·복합과 함께 변화해갈 것이다. 현실(실물)과 가상(디지털)이 융합하고 나아가 혼합(메타버스)되는 추세는 이어질 것이며, 이 과정에서 불공정했던 기존의 플랫폼 독과점을 해소하기 위해 탈중앙화(분권화, 분산화) 욕구도 이어질 것이다. 이에 따라 중앙화한 플랫폼과 탈중앙화한 시스템 간 거버넌스 경쟁이 치열해질 것으로 보인다. 여기에 시스템적 해결 방안이 필요하며, 해킹과 같은 악의적 이용도 진화하는 만큼 웹3.0 시대에는 초신뢰를 확보하기 위한 강력한 보안 기술과 안전장치도 요구된다.

이런 측면에서 블록체인은 고성능 분산합의 알고리즘, 이용자 중심 스마트 계약, 자기 주권 기반 신원 증명, 탈중앙·확장성·보안성을 동시

충족하는 솔루션, 보상과 처벌 시스템이 작동하는 토큰 경제 등으로 기존의 플랫폼 경제에서 제기되었던 불공정 문제들을 해결해가야 한다. 즉, 웹3.0의 토대가 되는 초성능(AI 등), 초연결(6G 등), 초실감(MR 등) 기술이 블록체인 기반의 초신뢰(DLT, dApp, DeFi, DID, DAO, NFT 등) 기술과 융·복합해 조화를 이루어야 한다.

토큰 경제로 새로운 경제 패러다임 형성

암호 경제 개념을 포함한 블록체인 기반의 토큰 경제는 분산원장, 암호 기술, 가상 자산 등을 융합해 탈중앙 방식으로 경제활동 관련 의사결정, 거래 유통, 자산 관리, 보상 체계 등을 공정하고 효율성 있게 운영하는 생태계를 의미한다.

토큰 차원에서 디지털 경제와 암호 경제를 비교하면, 디지털 경제에도 토큰이 있으나 이것은 원래 상품(제품, 서비스)에 내재된 가치의 일부를 보상하는 의미로 고객 관리 차원에서 제공하는 것이다. 용도에 따라 포인트, 쿠폰, 마일리지 등으로 나뉘며 법정화폐 기반이다. 하지만 암호 경제에서 토큰은 분산앱 서비스를 제공하는 플랫폼에서 생성된 가상 자산과 증명·인증 개념의 토큰(FT, NFT 등)으로 활용성, 유통 속도, 수수료 등에 따라 내재된 가치가 유동적이며 암호화폐 기반으로 작동한다.

바람직한 경제사회의 모습을 토큰 경제가 내재된 블록체인 중심으로 설명하면 〈그림 3〉과 같다. 가로축은 현실 경제tangible와 가상 경제intangible, 세로축은 대체 가능fungible과 대체 불가non-fungible로 나누어 현실 세계와 가상 세계, 그리고 혼합 세계 영역으로 구분할 수 있다. 현실 세계에서 법정화폐는 실물 화폐로 주고받을 수 있다. 가상 세계는 토큰화,

유동화가 진행되어 블록체인 기반의 코인·토큰 형태로 나타나게 된다. 예를 들어, NFT 콘텐츠는 '대체 불가'와 '가상 경제'의 영역에서 각기 대체 불가능한 고유한 객체로 인증받고 다른 가치의 토큰으로 등록·거래·유통할 수 있다. 마지막으로, 혼합 세계는 어떤 대상(정보, 객체, 행위 등)이 현실과 가상에서 혼합되어 상호작용하는 것으로 법정화폐와 암호화폐의 두 가지 특성을 모두 나타내는 중앙은행의 디지털 화폐CBDC 와 실물 주민등록증을 전자 신분증에 탑재한 신원 확인이 대표적 사례다.

그림 3 블록체인 기반의 경제사회 모습

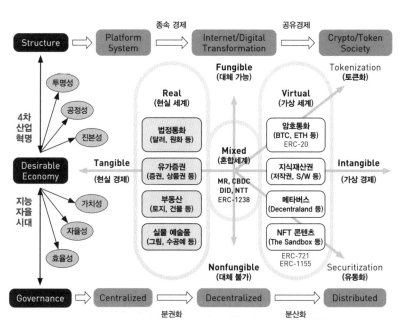

＊자료: 임명환, 〈Blockchain-powered Meta World〉, 2021.12

소유권 증명을 넘어 NFT로 가치 창출

특정 콘텐츠 또는 객체에 고유성, 소유권 등을 증명하는 블록체인 솔루션은 웹3.0 시대에 걸맞은 새로운 자산 가치도 만들어갈 것이다. NFT는 그 대표적 사례다. 대체할 수 없는non-fungible 개별 토큰마다 다양한 가치를 지니며, 이러한 특성을 이용해 원본성·진본성, 고유성·희소성, 내재 가치, 전체·분할 소유권, 거래 투명성, 실물 연계성 등을 구현할 수 있기 때문이다. 예를 들어, NFT로 소유권을 부여한 디지털 아티스트 비플Beeple의 작품 〈매일: 첫 5,000일Everydays: The First 5,000 Days〉은 2021년 3월 크리스티 경매에서 우리 돈으로 약 786억 원에 팔린 바 있다.

NFT의 기본 취지는 고유한 가치를 지닌 객체나 콘텐츠를 토큰으로 발행한 것으로서 다른 토큰으로 대체하는 것이 불가능하다. 이에 따라 예술품, 가상현실 게임, 메타버스 등에서 가치를 부여하고 유통의 투명성을 제공하는 데에 활용된다. 글로벌 NFT 전체 시장에서 절대적 점유율을 차지하고 있는 발행 표준은 이더리움 기반의 ERC-721과 ERC-1155인데, 이더리움 기반의 토큰 형태를 비교하면 〈표 5〉와 같다.

그러나 NFT는 디지털과 실물의 원본 보존(저장·보관) 및 그림이나 영상 등의 콘텐츠를 NFT로 디지털 자산화하는 민팅minting 과정에서 저작권 침해 또는 구별하기 어려운 위작·모작 콘텐츠의 NFT 저작권 혼란과 같은 문제를 발생시키고 있다. 또 경매 과정에서 일부 참여자가 담합해 가격을 조작하거나 내부 거래 등으로 NFT의 가치를 왜곡하는 사례도 발생하고 있어 이에 대한 해법도 촉구된다. 따라서 공급자와 이용자들이 공감할 수 있는 공정한 규범을 정립해야 한다.

소유권을 증명하는 NFT는 기본적으로 블록체인 기반의 암호화폐.

표 5 토큰의 개요 및 비교

구분 (이더리움)	대체 가능 토큰(FT) (Fungible Token)	대체 불가능 토큰(NFT) (Non Fungible Token)	양도 불가능 토큰(NTT) (Non Transferable Token)
토큰 개요	블록체인 플랫폼 기반의 스마트 콘트랙트로 생성되는 디지털 자산으로서 토큰마다 동일한 가치를 유지하며 거래, 유통에 활용	스마트 콘트랙트에서 고유한 식별값을 통해 진본성, 소유권 등의 검증이 가능한 디지털 인증서로 토큰마다 다양한 가치를 지님	스마트 콘트랙트에서 한번 할당되면 양도할 수 없는 토큰이며, 상태를 식별할 수 있으므로 경험/경력, 평판 등에 적용
표준 예시	ERC–20	ERC–721 ERC–1155	ERC–1238
토큰 특징	메인넷 플랫폼과 특정 dApp에서 발행한 토큰은 표준 인터페이스와 지갑, 탈중앙거래소를 통해 제3자가 동일한 가치로 거래·전송 가능	NFT는 쉽게 민팅 가능하며, 디지털 콘텐츠 속성에 대한 정보(작품명, 내용, 계약 조건, 링크 주소 등)가 담긴 메타 데이터와 외부 저장소 중요	개인 신원을 나타내는 식별을 NTT로 발행 가능하며, 배지 토큰은 양도·공유할 수 없지만 스테이킹(예치) 이후 만료될 수 있음
적용 사례	Tether(USDT), Chainlink(LINK), Gnosis(GNO), Golem(GLM), Augur(REP) 등	CryptoKitties, Decentraland(MANA), The Sandbox(SAND), OpenSea, Cryptopunk 등	유사 적용 사례 : Opencerts, Credly, Velocity Network, StickerCard.eth 등

＊자료: 임명환, 〈NFT 개요, 특징, 이슈 및 비교〉, 2022.4

한 번에 수천 개씩 디지털 자산화할 수 있는 솔루션들이 개발되어 발행 남발, 모작·표절 등 공정성과 저작권에 부정적 영향을 끼치므로 토큰 경제의 원칙을 준수해야 한다. 또 NFT를 단순히 특정 객체나 콘텐츠를 대체 불가능 토큰으로 발행하는 것으로만 생각하면 곤란하다. NFT는 블록체인의 기술 특성인 오픈 소스open source와 정보 독점이 아닌, 공유를 뜻하는 카피레프트copyleft를 적용한 소유 증명 콘텐츠이자 디지털 자산으로 인식해야 한다. 기술적 측면에서도 디지털 자산화 과정의 프로토콜을 개선해야 하며, 원본(저작물, 콘텐츠)을 NFT로 연계할 때 저작권법 가이드라인을 만들고 윤리와 보안 부분도 강화해야 한다.

3

환경 분야 미래전략
Environment

기술이 기후 위기를 해결할 수 있을까

교통과 환경 문제를 해결할 도심 항공 모빌리티

엔데믹 시대의 위험관리

생물다양성을 복원하는 생태 전략

신뢰할 수 있는 완전 자율주행을 향한 도전

기술이 기후 위기를 해결할 수 있을까

하루가 다르게 발전하는 첨단 신기술이 사회 곳곳에서 디지털 전환을 이끌고 있다. 이러한 신기술이 기후변화에 대처하는 해결사가 될 수는 없을까? 지금 지구는 때아닌 폭염과 혹한이 반복되는 등 기후변화를 넘어 기후 위기에 봉착했다. 기후 위기는 단순히 환경의 변화뿐만이 아니라 식량 위기는 물론 난민을 발생시켜 국가 위기나 국제 분쟁의 소지가 될 위험까지 안고 있는 시한폭탄과도 같다. 이런 상황에서 전 지구적 과제인 온실가스 감축 기술을 개발한다면 그 국가의 경쟁력은 상상할 수 없을 만큼 높아질 것이다.

이 같은 환경 위기와 과학기술의 상호 관계에 대한 논쟁은 이미 꽤 오래되었다. 예나 지금이나 환경 담론의 양극단에는 두 가지 이론이 버티고 있다. 현대 과학기술이야말로 환경 위기의 근원이라는 '과학기술 비관주의'와 과학기술은 환경위기를 해결할 수 있는 거의 유일한 수단이라는 '과학기술 만능주의'다. 최근에는 4차 산업혁명과 관련한 논의가 활발해지면서 비관론보다는 낙관론이 우세해졌다. 인류가 AI, 빅데이터, 사물인터넷, 지구공학 등을 활용할 경우 기후변화의 해법을 찾을 수 있을 것이라는 주장이 그 낙관론을 대표한다.[92]

기후 위기에 대한 기술적 대응

신기술이 기후변화에 대처하는 해결사가 될 수 있다는 희망은 두 갈래로 나뉜다. 하나는 AI 같은 4차 산업혁명 기술을 통해 생산과 소비의 효율을 높임으로써 온실가스가 줄어드는 데 기대를 거는 것이다. 또 다른 하나는 기후 시스템에 인위적으로 개입해 지구온난화의 속도를 늦추려는 지구공학이다.

4차 산업혁명 기술을 활용한 기후변화 대응

전 세계 온실가스 배출량의 약 75%를 차지하는 에너지 부문을 포함한 각종 사회·경제 시스템에 초연결·초지능·초융합의 특성을 가진 4차 산업혁명 기술을 접목하는 방법으로, 온실가스 배출을 억제해 기후변화에 대응하는 방안이다. 전력, 산업, 수송, 건물, 여가, 토지 이용 및 생태계 변화 관측 등 폭넓은 부문에 스마트 기술을 적용한다.

지구공학을 통한 기후변화 대응

자연의 기후 순환 시스템을 인위적으로 조작하는 지구공학을 통해 지구온난화 속도를 늦추려는 시도도 이어지고 있다. 그러나 지구공학은

표 6 기술 적용 사례

구분	적용 분야 사례
3D 프린팅	3D 프린팅 태양광 및 소형 풍력, 식품의 지능형 포장 등
신소재	저탄소 콘크리트, 초강력 단열재, 탄소섬유, 그래핀 등
AI	토지 이용 변화 자동 관측, 지능형 교통·에너지 수요 예측 등
로봇	수송 및 물류 효율 개선을 위한 유지 관리와 수리 등
빅데이터	기후변화 관측 및 원격 감지, 소비자 행동 변화 분석 등
드론 & 자율주행 자동차	토지 이용 현황 파악, 전력망과 에너지 기반 시설 모니터링 등
바이오 기술	바이오 플라스틱, 합성 바이오 연료, 생체 모방 등
에너지 저장/차세대 전력망	차세대 배터리, 분산형 그리드 등
블록체인	P2P 분산형 에너지 시스템, 공급망 추적과 투명성 제고 등
사물인터넷	센서 기반 교통 및 에너지 관리, 폐기물 추적 관리 등
최신 컴퓨팅 기술	초정밀 건물 정보 모델링, 초물류 및 공급망 초고율화 등
가상·증강·혼합 현실	증강현실 여행, 가상현실 모임, 시설 관리를 위한 가상 훈련 등

일각에서 '지구 해킹'이라 부를 정도로 아직 논란이 많은 신기술이다. 보통 '태양복사 제어'와 '온실가스(이산화탄소, 메탄, 아산화질소 등) 제거'의 두 가지 유형으로 구분된다. 국내에서 논의되는 기후변화 대응 신기술은 정부가 2021년 발표한 〈탄소중립 기술혁신 추진전략〉 등에서 찾아볼 수 있는데, 이산화탄소를 배출 단계에서 포집·저장·활용하는 기술 등을 기후 위기를 극복할 신기술로 제시한다.

표 7 지구공학을 통한 기후변화 대응

태양복사 제어	• 지표면: 극지방 해빙 또는 빙하의 인위적 확장, 해양의 밝기 조절, 반사율이 높은 작물의 대규모 재배 등 • 대류권: 구름층을 백색으로 변화시켜 반사율을 높이기 위해 바닷물 분사 • 대기권 상층: 성층권 황산염 에어로졸과 자기부상 에어로졸처럼 태양복사를 반사하는 물질을 인위적으로 형성 • 우주: 거대한 거울을 우주 궤도 위에 쏘아 올려 햇빛을 반사하는 '우주 거울' 등
이산화탄소 제거	• 비옥한 흑토와 혼합할 수 있는 바이오 숯biochar 활용 • 바이오에너지 탄소 포집·저장 • 주변 대기 중 이산화탄소를 제거하는 탄소 공기 포집 • 이산화탄소 흡수를 위한 조림, 재조림 및 산림 복원 • 이산화탄소를 흡수하는 식물플랑크톤을 증식할 목적으로 바다에 철 성분 살포

신기술을 통한 탄소 중립 가능성과 편익

파리협정 제2조는 "기온 상승 폭을 산업화 이전 대비 2℃보다 '훨씬' 아래로 억제하고, 1.5℃를 넘지 않도록 노력한다"라고 규정하고 있다. 1.5℃ 목표를 달성하려면 2050년 온실가스 순배출량이 제로net zero에 도달해야 하며 에너지, 토지, 도시 인프라(교통과 건물), 산업 시스템의 급속하고 광범위한 전환이 요구된다.[93] 1.5℃ 경로에서 재생에너지는 2050년에 필요한 전력의 70~85%를 공급하게 될 것이다. 2050년 산업 부문의 이산화탄소 배출은 2010년 대비 75~90% 감소해야 하는데, 이는 지속 가능한 바이오에너지와 대체원료, 탄소 포집 이용 및 저장 등 새로운 기술이 상용화되어야 달성 가능한 목표다.

표 8 탄소 중립 기술혁신 추진 전략

10대 핵심 기술	전략
① 태양광 초고효율화/풍력 대형화	태양광 초고효율화 및 육·해상 대형 풍력 국산화
② 수소 전주기 기술 확보	수소 생산 단가 저감, 안정적 공급 기술 확보
③ 바이오에너지 선도 기술 확보	다양한 연료 기술 경제성 확보
④ 철강·시멘트 산업 저탄소 전환	저탄소 연료·원료 대체 기술과 수소 환원 제철 기술 확보
⑤ 저탄소 차세대 석유화학 구현	저탄소 원료, 공정 전기화 기술 확보
⑥ 산업 공정 효율 극대화	배출 제어 고도화, 대체 가스 확보
⑦ 무탄소 차세대 수송 기술 개발	고성능 전원 및 고속 충전 기술 확보
⑧ 탄소 중립 건물 기반 기술 확보	단위 설비, 운영 최적화 기술 확보
⑨ 디지털화 기반 효율 최적화	ICT 고효율화, 차세대 전력망 확보
⑩ CCUS* 상용화 기술 확보	혁신 소재 및 대형화 개발 및 실증

　　국제에너지기구IEA에 따르면 탄소 중립은 특히 에너지 부문에서 한계 돌파형 혁신 기술의 발전이 요구된다. 에너지 효율 향상과 재생에너지 확대가 기후변화 완화의 핵심축이지만 탄소 중립을 달성하려면 다양한 기술의 도움이 꼭 필요하기 때문이다. 여기에는 차세대 배터리 등

---

* carbon capture, utilization and storage. 이산화탄소를 배출 단계에서 포집, 저장, 활용하는 친환경 기술.

최종 에너지 부문의 광범위한 전기화를 가능하게 하는 기술, 탄소 포집·활용·저장 기술, 수소 관련 연료 기술, 바이오에너지 기술 등이 포함된다.[94]

탄소 중립 목표의 달성 여부는 한계 돌파형 혁신 기술에 대한 강력하고 목표 지향적인 연구개발과 각 기업의 끊임없는 혁신 노력에 달려 있다. 현재 탄소 중립 기술의 개발 현황을 보면 약 40%는 시제품 또는 시연 단계에 머물러 있는 것으로 분석된다. 탄소 중립은 이들 기술이 시장에서 상업성을 확보하는 단계까지 발전해야만 가능한 일이다.

신기술 적용의 위험과 한계

기후변화에 관한 정부 간 협의체IPCC가 2018년 발간한 〈지구온난화 1.5도 보고서〉는 지구공학 중에서도 이산화탄소 제거 방식의 하나인 '바이오에너지 탄소 포집·저장BECCS' 기술을 핵심 기술의 하나로 제시했다. 지구공학의 방법을 옹호하는 쪽에서는 그 근거로 사람들의 행동 방식은 쉽게 변화하지 않으며, 애써 변화한다고 하더라도 지구온난화를 멈추는 데는 역부족이라는 점을 꼽는다. 그래서 기후변화 협상에는 오랜 시간이 걸리는데, 지구공학을 활용한 해결 방식은 그렇지 않기 때문에 기후변화의 긴급성에 부합한다는 것이다.

하지만 여기에도 많은 비판과 우려가 제기되는 것이 사실이다. 지구공학은 기후변화의 근본적 원인 제거에는 관심이 없고, 대부분 실험실 수준에서만 그 효과가 증명된 기술일 뿐이라는 것이다. 실제로 식물플랑크톤을 증식할 목적으로 바다에 철 성분을 살포하는 것이 어떤 부작용을 가져올 것인지, 에어로졸을 성층권의 오존층에 유입시켰을 때 환경에 어떤 변화가 일어날 것인지 누구도 장담하지 못하고 있다.

BECCS는 대기 중 이산화탄소 농도를 줄이는 데 활용할 수 있는 유망한 '역배출 기술negative emission technology'로 분류된다. 나무나 작물과 같은 바이오매스를 태워 에너지로 활용한 다음 이산화탄소가 대기 중으로 방출되기 전에 포집하는 기술이다. 일부 과학자들은 BECCS가 탄소 중립 달성에 도움이 될 것이라고 주장한다. 하지만 최근 BECCS가 야생동물, 산림 및 수자원에 피해를 줄 수 있다는 연구 결과가 나왔다.[95]

연구자들은 BECCS 사용이 생물다양성과 담수 자원을 포함해 총 9개의 '지구 위험 한계선planetary boundaries'에 어떻게 영향을 미칠 수 있는지 분석했다. 지구가 수용할 수 있는 한계 내에서 자원을 얼마나 많이 사용할 수 있는지 식별하는 것으로, 연구자들은 안전한 경계 내에서 BECCS를 구현하면 연간 최대 6,000만 톤의 탄소를 '역배출'할 수 있다는 사실을 알아냈다. 이는 현재 전 세계 이산화탄소 배출량의 1% 미만에 해당한다. 하지만 정작 BECCS를 도입하면 전 세계 산림 면적의 10%가 감소하고 생물다양성은 7% 감소하는 것으로 분석되었다. 광범위한 면적의 토지를 바이오 연료 농장으로 전환해야 하기 때문이다.

태양복사 제어SRM, solar radiation management 방식도 생물다양성에 부정적 영향을 미친다는 연구 결과가 나왔다.[96] 성층권에 에어로졸을 주입하는 것과 같은 유형의 SRM은 에어로졸이 대기에 유입되면 지구 주변에 보호막을 형성해 햇빛을 반사해내고, 그 결과 지구의 온도를 낮출 수 있다는 가설에 기초해 제안되었다. 그런데 성층권에 존재하는 에어로졸의 수명엔 한계가 있어 효과를 지속하려면 에어로졸을 일정한 시간 간격으로 계속 방출해야 한다. 문제는 에어로졸의 방출이 갑자기 중단되면 지구 기온이 다시 빠르게 상승할 수 있다는 점이다. 연구진은 SRM 종료 시 생길 기온 변화율이 기후변화에 의한 것보다 2~4배나 더 클 수 있다고 경고했다. 이렇게 되는 경우 양서류·파충류 등 많은 생물 종이 기온의 변화에 적응하지 못하고 한순간 멸종 위험에 처할 수 있다는 것이다.

4차 산업혁명 기술 역시 기후변화 대응과 지속 가능한 발전에 엄청난 잠재력을 지니고 있지만, 한편으로는 여러 위험을 동반하는 것이 사실이다. 예컨대 AI를 적용했을 경우 예상되는 위험을 〈표 9〉와 같이 성과, 안전, 제어, 경제, 사회, 윤리의 6개 분야로 구분해 살펴볼 수 있다.[97]

표 9 AI 적용 시 예상되는 위험

AI 위험 유형	내용
성과 리스크	'블랙박스'와 유사한 특성을 가진 AI 알고리즘은 성과의 정확도와 적절성을 확신하기 어려움
안전 리스크	해킹을 통해 이루어지는 AI의 오용은 자동화 무기 개발 등 지구 공동체의 안전을 심각하게 위협하는 결과 초래
제어 리스크	자율적으로 일하거나 상호작용하는 AI 시스템은 기계 중심의 피드백 장치를 새롭게 만들어내면서 예기치 않은 결과를 초래
경제 리스크	AI 활용으로 시장의 생태계가 변화하면서 경쟁에서 앞서가는 기업과 뒤처지는 기업으로 이분화
사회 리스크	광범위한 자동화는 수송, 제조, 농업, 서비스 부문에서 고용 감소를 초래할 수 있음
윤리 리스크	의사결정에서 알고리즘 의존도 증가 및 인간 역할의 점진적 감소로 인한 인권 및 프라이버시 침해의 가능성

신기술 활용을 위한 과제

지구공학이 초래할 수도 있는 부작용이나 위험은 일단 일어났을 때 결코 돌이킬 수 없다. 그런 점에서 실현 가능성, 효과, 환경 영향 등에 대해 엄격한 기준의 적용이 필요하다. 그에 반해 4차 산업혁명은 앞선 산업혁명들과 달리 환경친화적이며 생태적인 산업혁명이 될 것이라고 낙관적으로 전망하는 시각이 많다. 자율주행차는 이산화탄소를 비롯한 대기 오염 물질 배출량을 획기적으로 줄일 수 있는 잠재력이 있고, AI 시스템은 재활용에 필요한 쓰레기 선별을 눈 깜짝할 사이에 해치우고 전력 송전과 배전을 한 치의 오차도 없이 정확하고 효율적으로 해낼 것이니 말이다.[98]

하지만 기술의 진보가 자동으로 기후 위기 탈출의 보증수표나 해결의 열쇠가 된다고 생각하는 것은 위험하다. 최근에는 기술이 기후변화를 막을 수 있다는 인류의 막연한 낙관과 신뢰가 오히려 더 강력한 대응과 실천을 회피하고 미루는 효과를 낳고 있다는 지적이 나오고 있다.[99] 신기술이 탄소 중립 시대의 해법이 실제로 될 수 있을지는 다음과 같은 과제의 해결 여부에 달려 있다.

과학기술의 사회적 책임 강화

신기술에는 현대 문명이 맞닥뜨리고 있는 위험을 낮춰줄 수 있는 잠재력이 분명히 있다. 하지만 반대로 위험을 증폭시킬 가능성도 있다. 앞에서 AI 적용 시 예상되는 위험에 대해 살펴본 것처럼 오작동과 시스템 붕괴, 자동화와 효율 개선에 따른 리바운드 효과rebound effects,* 고용 감소와 불평등 심화, 프라이버시 침해 등의 문제를 일으킬 수 있는 것이다. 따라서 기술 적용 과정에서 투명성을 강화하고 신기술의 편익을 소수가 독점하지 않도록 공정한 규칙을 마련하는 것이 중요하다. 특히 사회안전망 확충, 직업 훈련과 전환의 기회 확대, 신산업 육성, 시민 참여 등을 통해 고용 감소와 프라이버시 등 인권침해 가능성에 대비해야 한다.

사회 혁신과 경제 혁신의 병행

과거 수백 년간 다양한 분야에서 기술은 비약적으로 발전했지만, 온실가스 배출량의 증가 같은 지구 생태계에 가해지는 환경 부하는 전혀 줄지 않았다. 기술의 쓰임새, 더 나아가 기술 발전의 방향과 속도는 사회경제적 제도의 영향 아래 놓여 있다. 신기술이 등장했을 때 기술 그 자체보다 중요한 것은 그것을 받아들여 생산 및 생활 영역에 활용할 수 있는 사회적 시스템이다. 따라서 과학기술의 문제 해결 능력만을 과신하기보다는 자원 및 에너지 이용 시스템의 전환과 사회와 경제의 구조적 혁신을 통해 신기술의 효용성과 사회적 수용성을 높여야 한다.

동반 편익과 상충성에 대한 고려

기후변화 대응 신기술은 보건, 고용, 복지, 경제, 생태계 등에도 긍정적인 영향을 미쳐 동반 편익co-benefit을 가져올 수 있다. 대기 오염물질 저

- 자원과 에너지 이용의 효율을 높이는 신기술의 개발과 적용이 자원과 에너지 소비 심리를 부추겨 그 효과가 상쇄되는 현상.

감에 따른 조기 사망자의 감소, 일자리 확대, 지역경제 활성화, 생태계 서비스 확대 등이 이에 속한다. 하지만 이러한 신기술에서 비롯될 수 있는 상충성trade-offs 여부도 면밀하게 살펴야 한다. 신기술의 적용은 사회적 불평등을 심화시킬 수 있으며, 보건 환경을 약화하고 자연 생태계를 잠식할 수도 있다. 바이오에너지는 토지 이용과 경쟁하며 농업과 식량 시스템, 생물다양성과 생태계 서비스에 부정적 영향을 미칠 수 있다. 신기술 관련 정책들은 동반 편익을 극대화하고 상충성을 최소화하는 방향에서 설계 및 추진되어야 한다.

교통과 환경 문제를 해결할
도심 항공 모빌리티

하늘을 나는 에어택시, 지상에서 공중까지 자유롭게 누비는 플라잉 카, 무인 자율주행으로 허공을 가르는 드론 택시…. 조금씩 차이는 있지만 모두 도심 항공 모빌리티UAM, urban air mobility의 개념을 보여주는 모빌리티 이름들이다. 전기화, 자율주행, 맞춤형 교통 서비스MaaS, mobility as a service로 촉발된 지상에서의 모빌리티 혁명이 이제는 하늘로 향하고 있다. 바로 도심 항공 모빌리티가 가져올 미래의 혁명적 교통 시스템이다. UAM은 무엇보다 도시의 심각한 교통 혼잡 문제를 해결할 새로운 대안으로 꼽히며, 아울러 친환경 동력원을 장착한다는 점에서 탄소 제로를 향한 전 지구적 움직임에도 부합할 것으로 보인다. UAM은 우리에겐 아직 체감적으로 와닿지 않지만, 전 세계 모빌리티 기업이 경쟁적으로 뛰어들고 있으며 각국 정부도 이를 바탕으로 미래의 교통 지도를 새롭게 짜고 있다.

도시의 팽창과 모빌리티 생태계의 확장

전 세계의 도시화가 빠르게 진행되고 있다. 유엔에 따르면 이미 2010년을 기점으로 전 세계 도시 인구가 지방 인구를 추월하기 시작했다.[100] 2018년 도시화율은 55.3%를 기록했으며, 2050년이면 68.4%에 이를 것으로 전망된다. 우리나라의 도시화율은 2020년 이미 80%를 넘어선 수준이며, 2050년 86.2%에 달할 것으로 예측된다. 유엔의 조사 결과 전 세계에 1,000만 명 이상이 거주하는 메가시티는 1990년 10개에 불과했으나 2018년 33개로 증가했고, 2030년에는 43개에 이를 것으로 보인다.

그런데 이러한 도시 집중화 현상은 교통, 주거, 환경, 에너지 등 다양한 측면에서 문제를 유발하고 있다. 특히 도시의 도로를 가득 메운 자동차는 극심한 교통 체증을 유발하며, 이로 인해 막대한 사회·경제적 손실이 발생하고 있다. 도시의 교통 문제는 교통 혼잡과 시간, 비용의 문제로만 끝나는 것이 아니라 주거, 환경, 에너지 분야에서 또 다른 도시 문제를 연쇄적으로 발생시키는 원인이 된다. 즉, 도시의 교통 문제 해결은 도시 전체의 거주 적합성을 위해서라도 반드시 해결해야 할 과제다.

하지만 도시의 지상과 지하 공간은 이미 심각한 포화 상태다. 지상에는 각종 건물과 시설이, 지하에는 지하철, 상하 수도관, 가스관, 통신망 등이 가득 차 있다. 점점 가속화하는 도시화 상황에서 막대한 비용을 쏟아부어 지상과 지하에 신규 교통망을 확충해나가는 일은 머지않아 한계에 이를 것이다. 도시 내 2차원 공간의 활용만으로 도시의 교통 문제를 해결하기란 역부족이다. 이러한 상황이기에 첨단기술을 융합한 모빌리티 신사업을 향한 관심이 점점 더 커지고 있다.

이미 수년 전부터 제조, 디지털, 에너지 기술을 접목한 자동차의 전기화, 자율주행, 마스MaaS는 세계 최대 IT·가전 박람회인 CES에 단골손님으로 등장해왔다. 특히 2020년 개최된 CES에서는 미래 자동차의 혁신 요소를 모두 갖추고 있으면서도 도심 내 3차원 공간인 공중에서 이동이 가능한 도심 항공 모빌리티, 즉 UAM이 등장해 미래 신성장 동력으로서 시장의 관심을 한 몸에 받았다. UAM은 그 자체로 새로운 가치를 창출하는 신사업이자 초융합적 산업으로 관련 전후방 제조 및 서비스 가치사슬 전반에 연쇄적인 혁신을 가져올 것으로 기대된다.

새로운 이동 수단, 수직 이착륙이 가능한 개인용 비행체

하늘을 나는 자동차, 플라잉 카flying car는 도시의 상공을 누빌 새로운 교통수단으로 대중에게 가장 친숙한 모델이라 할 수 있다. 현대적 의미의 플라잉 카는 2010년을 전후해 본격적으로 공개되기 시작했다. 미국 MIT 졸업생들이 설립한 회사 테라퓨지아Terrafugia는 2009년 자동차에 접이식 날개를 갖춰 도로에서의 주행과 하늘에서의 비행이 모두 가능한 '트랜지션Transition'이라는 플라잉 카를 선보였다. 테라퓨지아 외에도 2012년 네덜란드의 팔브이PAL-V가 자동차와 자이로콥터를 결합한 '리버티Liberty'를 공개했으며, 슬로바키아의 에어로모빌AeroMobil도 2014년 자동차와 비행기를 결합한 '에어로모빌 3.0'을 내놓았다.

이러한 초기 플라잉 카 모델들은 도로 주행과 공중 비행이 모두 가능하다는 점에서 혁신적이었다. 그러나 내연기관 엔진을 사용하기에 공해를 유발하고 소음이 크며 이륙하기 위해서는 활주로 같은 별도의 공간이 필요하다는 단점이 있었다. 기술적 가치는 인정받았으나 도시의 환경오염이나 교통 체증, 한정된 공간 이용 같은 문제들은 해결할 수 없었다.

이에 따라 자동차와 항공기를 결합한 전통적인 플라잉 카의 단점을 극복하고, 도시문제를 해결할 수 있는 새로운 대안으로 '드론과 항공기의 결합' 모델이 떠올랐다. 현재 개발 중인 드론형 공중 이동 수단은 기술적으로 배터리와 모터를 추진 동력으로 해 친환경적이며 소음도 적다. 또 건물 옥상 등을 이용하면 도심 내에서의 수직 이착륙이 가능하다. 드론형은 활주로 같은 넓은 공간이 필요하지 않고 지점 간point-to-point 운송이 가능해 초기 플라잉 카 모델보다 UAM 생태계에 더 적합한 운송 수단으로 인식된다. 장애물이 거의 없는 공중에서만 이동하기 때문에 원격 조종이나 자율 비행도 수월하다.

자가용에 상응하는 용어로 이러한 항공 모빌리티를 개인용 비행체PAV, personal aerial vehicle라고 표현하는데, PAV는 운용 방식에 따라 공중에서의 비행만 가능한 싱글모드 그리고 공중에서의 비행과 도로에서의 주행이 모두 가능한 듀얼모드로 구분된다. 초기 플라잉 카들이 듀얼모드에 해당한다. PAV는 이착륙 방식에 따라 STOL(단거리 이착륙short take-off and landing)과 VTOL(수직 이착륙vertical take-off and landing)로도 구분할 수 있다. STOL형 PAV는 일반 여객기만큼 긴 거리는 아니지만 이륙하기 위해서는 활주로가 필요하다. 반면 VTOL형 PAV는 활주로 없이도 수직 이착륙이 가능하다. 운행 방식에 따라서도 수동 비행과 자율 비행으로 구분할 수 있다. 현재 개발되고 있는 기체들을 보면 싱글모드-VTOL형, 그리고 배터리와 모터를 통해 전기 동력을 얻는 eVTOL(전기 수직 이착륙electric-powered vertical take-off and landing)형 PAV가 다수를 차지하고 있다.

UAM 생태계를 이끄는 기업들

현재까지 eVTOL을 개발하고 있는 주요 기업 대다수가 전문 기술 스타트업이다. 대표적으로 미국의 조비에비에이션Joby Aviation과 키티호크Kitty Hawk, 독일의 볼로콥터Volocopter와 릴리움Lilium, 중국의 이항Ehang, 캐나다의 오프너Opener, 영국의 버티컬 에어로스페이스Vertical Aerospace 등을 꼽을 수 있다. 전문 기술 스타트업 외에도 글로벌 항공기 제조사 에어버스Airbus는 실리콘밸리에 있는 미국 자회사 A-큐브드A³를 통해, 또 보잉Boeing은 2017년 무인 항공기 제조 기업 오로라 플라이트 사이언스Aurora Flight Sciences를 인수해 UAM 개발 경쟁에 뛰어들었다.

몇몇 글로벌 항공기 제조사들이 자회사를 통해 간접적으로 시험 비행을 진행하고 있긴 하지만, eVTOL의 개발을 스타트업이 주도하게 된 것은 새로운 시장에 대한 스타트업 특유의 도전 정신과 함께 모험 자본의 적극적 투자가 뒷받침되었기에 가능했다. 특히 자동차 업계와 IT 업계에서의 참여가 두드러진다. 이는 항공기 제조사뿐만 아니라 자동차 업계와 IT 업계도 UAM 생태계의 시장 잠재력과 성장 가능성에 주목하고 있음을 시사한다. 미국의 조비에비에이션의 경우만 보아도 인텔캐피탈과 토요타AI벤처스, 그리고 플랫폼 기업인 우버가 주요 투자자들이다.

한편, 다수의 전문 기술 스타트업이 앞서가고 있지만, 기존의 자동차 기업들도 기술력과 자본력을 앞세워 UAM 개발에 뛰어들고 있다. 특히 현대자동차는 UAM 개발에 가장 적극적인 완성차 업체로 평가받는데, 2020년 CES에서 개인용 비행체 콘셉트 'S-A1'을 공개하며 2028년 상용화 계획을 발표한 바 있다. 또 2022년 7월에는 영국에서 열린 항공 기술 박람회 '판버러 국제에어쇼'에서 영국의 항공기 엔진 제조사 롤스로이스와 2025년까지 선진 항공 모빌리티AAM, advanced air mobility 기체를 공동 개발하기로 협약했다. AAM은 도심 내 이동을 뜻하는 UAM과 지역 간 이동을 뜻하는 RAM regional air mobility을 포괄하는 의미다.

항공기나 자동차 제조사는 아니어도 한화그룹의 방위 산업 계열사인 한화시스템은 UAM에 적극적으로 투자하고 있다. 한화시스템은 현재 한국공항공사와 함께 김포공항에 세계 최대 규모의 UAM 전용 탑승장을 설치하는 프로젝트를 진행하고 있다. 김포공항 주차장을 모두 지하화하고, 그 위치에 UAM 전용 '버티허브Verti-Hub'를 만든다는 내용이다. 수직vertical 이착륙장airport이란 의미에서 UAM 탑승장을 버티포트verti-port라고 하는데, 환승 시스템이나 편의 시설을 갖춘 대규모 탑승장을 버티허브라고 부른다.

다수의 스타트업과 항공기·자동차 제조사, IT·소프트웨어 기업들이 직접 또는 간접적으로 PAV 개발에 열을 올리고 있지만, 코로나19 팬데믹 이전까지 가장 적극적으로 UAM 생태계를 주도한 기업은 바로 플랫폼 기업 우버였다. 그러나 코로나19로 인해 차량 호출 사업에 큰 타격을 입으면서 2020년 자사의 에어택시 사업부인 우버엘리베이트Uber Elevate를 조비에비에이션에 매각했다. 이후 국내 이동통신 업체 SK텔레콤이 조비에비에이션과 2022년 초 전략적 파트너십을 맺고 지상 교통과 연계하는 모빌리티 플랫폼 서비스를 준비하고 있다.

UAM 시장의 성장 잠재력

글로벌 투자 은행 모건스탠리에 따르면, UAM 생태계의 잠재적 시장 규모는 2040년 1조 5,000억 달러에 달할 것으로 전망된다.[101] 또 글로벌 회계·컨설팅 기업인 KPMG는 2030년에 접어들면 전 세계적으로 매년 1,200만 명의 승객이 UAM 서비스를 이용할 것으로 전망했으며, 2050년에 이르면 그 수는 4억 4,500만 명에 달할 것으로 추정했다.[102]

다만 UAM의 활용 범위는 시기별로 다소 차이가 있을 것으로 보인다. 초기에는 도심과 공항을 오가는 셔틀 노선으로 활용되고, 점차 도심의 통근 노선이나 항공 택시로까지 활용 범위가 확대될 전망이다. 이후에는 광역권 도시 간 이동도 가능해질 것으로 예측된다.

특히 KPMG는 인구 밀집과 경제성장, 도로 혼잡도 등을 고려할 때 향후 UAM 시장의 성장 가능성이 가장 큰 지역으로 서울, 도쿄, 베이징, 상하이, 델리 등 아시아의 메가시티를 꼽았다. UAM은 새롭게 태동하는 거대한 시장이지만 아직 시장을 지배하는 강자가 없기에 기업들은 치열한 개발 경쟁을 벌이고 있다. 각국 정부도 UAM을 미래 신성장 동력으로 여기고 로드맵을 구축하고 있다. 우리 정부도 2020년 '한국형 도심항공교통K-UAM 로드맵'을 확정하고 2021년에는 기술 개발 로드맵을 발표했으며, 2024년 비행 실증, 2025년 일부 상용화, 2030년 본격 상용화의 단계적 목표를 제시한 바 있다.

UAM의 상용화 과제와 전략 방향

UAM이 완전히 우리 생활로 들어오기 위해서는 기술, 제도, 인프라, 사회적 수용 측면에서 아직 많은 숙제가 남아 있다. 먼저 기술적 측면에서는 배터리 밀도 향상, 완전 자율비행, 소음 공해 저감, 통합 교통 관제 시스템, 사이버 보안 등에서 추가적인 기술 개발이 필요하다. 제도적 측면에서는 제원에 대한 인증이나 운행 규정만이 아니라 도시 내 공중 이동에 따른 재산권이나 사생활 침해 등에 대한 부분도 검토해야 한다. 완전 자율비행으로 가기 전까지 파일럿의 자격을 어느 수준으로 결정할 것인지도 심사와 합의가 이루어져야 한다. 이를 위해서 UAM 개발 기업과 규제 기관이 함께 관련 제도와 법률을 정비해나가야 한다.

UAM 생태계 확산을 위한 또 다른 필수적 요소는 인프라 구축이다. 현재 대부분 PAV가 수직 이착륙 형태로 개발되고 있는 만큼 활주로를 가진 공항처럼 거대한 인프라가 필요하지는 않다. 그러나 복잡한 도심에서 수많은 PAV를 어디에서 띄울 것인지, 또 전기 동력으로 개발되는 PAV를 어디에서 충전하고 정비할 것인지 결정하는 것은 사전에 고려해야 할 필수적인 사항들이다. 새로운 인프라는 PAV의 이착륙·충전·정비가 가능한 것은 물론, 각종 휴게 및 편의 시설도 갖추고, 승용차·버스·지하철 등 기존 지상의 모빌리티와 환승이 가능하도록 설계해야 할 것이다.

무엇보다 시민들이 UAM을 받아들이지 않으면 UAM 생태계는 조성될 수 없다. UAM 생태계 조성을 위한 마지막 과제이자 가장 중요한 부분은 바로 이러한 사회적 수용성을 높이는 것이다. 이를 위해서는 합리적 비용으로 누구나 쉽게 이용할 수 있는 대중성이 전제되어야 한다.

현재 정부의 로드맵에 따르면 상용화 초기 킬로미터당 3,000원에서 성숙기에 접어들 2030년경에는 1,300원의 운임이 부과될 예정이다. 적정 가격 설계를 위해서는 제조·유지·보수 비용 및 에너지 비용 등 원가적 개선이 계속 이루어져야 할 것이다. 또 지속적인 기술 테스트를 통해 대중의 눈높이에 맞는 서비스 안전성을 검증받아야 하며, 아울러 도시 운용에 적합한 소음과 환경 관련 기준을 설정하고 이를 충족해나가야 한다. 서로 다른 경쟁 우위를 가진 기업·도시·정부 등 다양한 이해관계자가 전략적 파트너십을 토대로 난제들을 함께 해결하고, 다양한 아이디어를 발전시켜 시제품을 제작하고 시스템을 설계해야 한다. 이를 기반으로 UAM 시범 서비스를 진행하고 사용자 피드백을 통해 완성도를 높여나가야 할 것이다.

한편 UAM 생태계 구축은 시민들의 삶의 질 향상과 도시의 지속 가능한 발전을 추구하는 스마트시티 구상과도 연계해야 한다. 스마트시티는 교통·행정·에너지·환경·건물 등 도시의 각 분야에서 발생하는 데이터를 상호 연계해 통합 플랫폼을 구축하고, 이를 통해 다양한 혁신 서비스를 발굴해 도시의 자원을 최적의 상태로 배분하는 것이 핵심이다. 자율주행과 공유 플랫폼 등 지상 모빌리티 데이터와 함께 UAM에서 생산·수집하는 공중 모빌리티 데이터도 스마트시티의 통합 플랫폼 체계에서 운용해야 그 효율성을 극대화할 수 있을 것이다.

엔데믹 시대의 위험관리

코로나19의 발생 초기였던 2020년만 해도 우리는 길어야 몇 개월일 것이라 믿으며 바이러스가 가져온 온갖 불편함을 견뎠다. 그러나 이제 우리는 코로나19의 '종식'을 말하지 않고 코로나19와 '공존'하는 새로운 삶의 방식에 대해 고민한다. 흔히 이러한 변화를 '팬데믹'의 시대를 지나 '엔데믹'의 시대로 접어들었다고 표현한다. 엔데믹의 시대는 사회적 거리 두기, 인원 제한, 마스크 착용과 같은 방역 조치 없이 자유가 보장되며 일상생활과 경제 회복에 집중하는 시대로 인식되기도 한다. 그러나 엔데믹의 시대라는 것은 감염병의 위험과 함께 살아간다는 것이지, 바이러스가 완전히 사라진 상황은 아니다. 그 이면엔 우리가 준비해야 하는 많은 과제가 있다.

바이러스와의 장기전, 전략과 무기의 준비

세계 각국은 코로나19 대응을 통해 얻은 경험과 교훈을 바탕으로 엔데믹의 시대를 준비하고 있다. 미국은 2022년 3월 기존의 〈코로나19 국가 대비 계획 National Covid-19 Preparedness Plan〉을 업데이트해 발표했다. 서문에서 밝히고 있듯 "더 이상 코로나19가 우리 삶을 지배하지 않도록 하기 위한" 전략인 이 계획은 1) 코로나19로부터의 보호 및 코로나19의 치료(코로나19 백신과 치료제 개발·보급의 지속적 강화), 2) 새로운 변이에 대한 대비, 3) 경제와 교육 분야의 봉쇄 방지, 4) 범세계적 백신 접종 지속 등 네 가지의 목표를 갖고 있다.

미국의 이 계획은 엔데믹으로 가기 위한 선결 조건이 치료제와 백신임을 강조한다. 바이러스와 직접 싸우기 위한 수단인 치료제와 백신의 효과를 고도화하고 이에 대해 제약 없이 접근할 수 있는 체계를 마련할 때 진정한 의미의 엔데믹으로 갈 수 있다는 것이다. 그리고 지금의 논의가 유효하기 위해서는 새로운 변이에 의한 급격한 상황 변화가 나타나지 않아야 하므로 새로운 변이의 신속한 탐지·대응, 국제적 협력 체계, 전 세계로의 백신 보급 등을 강조하고 있다.

이러한 논의는 그동안 방역 조치를 완화하며 일상 회복을 준비하던 우리나라에서도 많은 전문가가 제기했던 사안들이기도 하다. 사회·경제적 일상을 되돌리기에 앞서 치료제 확보, 백신 접종, 일상적 진단·치료가 가능한 의료 체계, 변이 대응을 위한 국제 공조 등을 먼저 체계적으로 준비했을 때 엔데믹을 맞을 수 있다는 얘기다.[103]

코로나19 대응 경험이 알려준 체계적 위험관리의 필요성

보건 의료적인 전략과 과제가 엔데믹 시대를 준비하는 모든 국가에 주어진 공통적 숙제라면, 우리는 그간의 경험을 통해 발견한 우리만의 과제도 찾아 해법을 준비해야 한다. 즉, 코로나19에 대응하는 과정에서 드러났던 우리나라의 감염병 대응 취약점을 짚어봐야 한다.

우리나라의 코로나19 대응은 전반적으로 우수하다는 평을 받았다. 물론 장기간의 고강도 방역 조치로 인한 부작용과 시행착오도 있었지만, 외국의 주요 언론들은 전국적 전면 봉쇄가 없었다는 점, 백신 접종률이 높다는 점, 누적 치명률과 누적 초과 사망률 등 주요 방역 지표가 세계적으로 우수하다는 점을 들어 한국의 코로나19 대응을 성공적이라고 평가하고 있다. 이러한 성과는 2015년 메르스 유행 당시의 대응 실패라는 경험을 딛고 감염병 대응 체계를 정비해놓은 결과라 할 수 있다. 당시 문제가 되었던 정부의 대응 체계를 정비하고 감염병 정보에 대한 위험 소통의 방식을 개선했으며, 병문안 문화도 개선하는 등 다각도로 노력해온 결과다. 메르스를 통해 감염병 관리의 기초 체력을 키웠다면, 코로나19를 통해서 이제 우리는 무엇을 배워야 할까?

코로나19 대응 과정에서는 메르스 때와 비교해 사회경제적 영향이 훨씬 크게 나타났다. 거리 두기, 격리, 모임 제한 같은 사회적 조치가 장기간 이어지면서 감염병 대응이 보건의료적 차원을 넘어 범사회적 영역과 연결되었으며, 우리는 이 두 영역을 병행해 문제를 해결해야 한다는 것을 경험했다. 하나의 재난이 그 범위에 그치지 않고 연쇄적 또는 동시다발적으로 나타날 수 있다는 재난의 복합성complexity과 연쇄적 효과cascading effect에 대비할 필요성은 이미 오래전부터 제기되어왔다. 코로나19는 감염병 재난이라는 문제가 얼마나 복합적이고 연쇄적으로 확

장될 수 있는지를 여실히 보여준 셈이다. 이런 배경 속에 유엔재난위험
경감사무소UNDRR 등 국제사회에서 논의하는 위험관리 이슈도 '체계적
위험관리systemic risk management' 쪽으로 집중되고 있다.

최근 발표된 체계적 위험관리에 관한 보고서들은 복합적이고 연쇄적
인 위험에 대응하기 위해서는 무엇보다 영역을 넘나드는 문제를 해결
하기 위한 시스템을 구비해야 한다고 제안한다. 국제과학위원회Interna-
tional Science Council는 UNDRR 등과 공동으로 발표한 보고서에서 위험
에 대응하기 위해서는 과거의 위험 경험, 사회경제적 취약성 등 사회 전
반의 위험관리 수준에 관한 데이터의 역할이 중요하다고 강조했다. 그
리고 데이터를 통해 파악하고 예견한 위험한 문제들을 해결하려면 기
존의 '원칙적 정책과 수단'으로는 한계가 있으며 '위험관리 전략의 공
동 수립' 같은 위험 거버넌스 체계를 마련해야 한다고 주장한다.[104] 유사
한 맥락에서 UNDRR의 또 다른 보고서는 세계 공통의 위험을 관리하
기 위해서는 '포괄적 소통 채널'을 구축하고 상호 간 이해를 넓히는 것
이 필요하다고 역설한다.[105]

각종 위험에 대한 과학적 분석과 정책 시스템 간 연계 문제, 과학적
사실에 대한 사회적 논의와 해석, 사회적 소통 방식의 개선 필요성은 코
로나19 대응 과정에서 계속 도전받아온 부분들이다. 알려지지 않은 신
종 위험에 대응하는 과정에서 과학적 데이터는 다양한 가능성과 확률
을 제시하고, 이를 정책화하는 과정에서는 비슷한 확률의 대안이 여럿
있을 때 사회적 영향과 가치를 더 고려해 적합한 대안을 채택한다. 우
리나라는 2주마다 사회적 거리 두기 수위를 결정하는 방식을 택해왔는
데, 사회적 거리 두기에 대한 의사결정은 과학적 근거와 사회적 문제 해
결의 접점에서 이루어졌다. 그 결과가 때로는 '정치 방역'이라는 비판을

받기도 했지만, 외국 언론에서는 지속적인 위험 평가를 수행하며 거리두기를 조정하는 전략이 전국적 봉쇄를 피하는 데 효과적이었다는 분석을 내놓기도 했다.

결국, 과학적 데이터를 어떻게 해석하고 그 사회가 지닌 가치의 범위 내에서 어떻게 정책화하는지, 그리고 과학과 정책의 연결 과정에 대해 이해 당사자들과 충분히 소통할 수 있는지가 그 사회의 위험관리 역량이라고 할 수 있다.

우리나라의 코로나19 대응이 남긴 감염병 위험관리 과제와 방안

범사회적 영향을 미친 코로나19가 우리에게 안긴 과제는 분야별로 수없이 많다. 하지만 체계적 대응의 시각에서 과제를 짚어보면 다음과 같다. 이 과제들은 궁극적으로는 우리가 모든 감염병 위험에 대응하기 위해 무엇을 해야 하는지를 함께 시사한다.

공공 행정 현장의 위험 대응력 강화

코로나19에 대응하는 과정에서 지방자치단체는 거의 모든 부서가 참여해 다양한 역할을 해왔다. 중앙정부가 대응 정책의 큰 방향을 결정하지만, 현장에서 그 정책이 실제로 작동하도록 하는 것은 지방자치단체의 역할이다. 현장과 접점에 있는 지방자치단체가 해결책을 모색하는 과정에서 혁신적 사례가 만들어지기도 한다. 전국을 넘어 다른 나라로까지 확산한 드라이브 스루drive through 검사소 같은 아이디어는 현장의 문제 해결을 위해 지방자치단체가 먼저 생각해낸 방식이었다. 전 세계적으로 최고 수준의 백신 접종률을 달성한 것도 지방자치단체가 짧은 기간 내에 접종 센터를 마련하고 특히 고령층의 접종 예약부터 이동까지 책임진 결과였다.

우리나라의 재난 관리는 그동안 현장 대응 역량의 중요성을 강조하면서도 중앙정부 의존도가 높았다. 재난 관리에서 상대적으로 권한이 적은 지방자치단체는 그만큼 책임에 대해서도 소극적이었다. 그러나 코로나19는 재난 대응은 현장에서 이루어져야 한다는 것, 시시각각 변하는 재난 상황에 대처하기 위해서는 현장의 자원을 풍부하게 확보하고 동원할 수 있어야 한다는 것 등 현장 역량의 중요성을 상기시켰다. 앞으로도 감염병을 비롯한 불확실성 높은 신종 위험이 확대되는 상황에서 유연하고 능동적인 현장 대응이 이루어지려면 지방자치단체의 역할이 더 중요해질 것이다.

실제로 지난 2년여 동안 지방자치단체는 인적·재정적 자원을 코로나19 대응에 집중적으로 투입해왔다. 재난 관리 기금이나 재해 구호 기금과 같은 비상 기금의 투입은 물론 방역 상황 점검 과정에 특정 부서만이 아니라 여타 부서 인력을 투입하기도 했다. 또 코로나19 피해에 대한 사회경제적 지원책을 마련하는 일에도 직간접적으로 인력을 집중시켰다. 그러나 경험해보지 못한 새로운 위험에 대한 대응이었기 때문에, 자원을 동원하는 과정에서 법·제도적 제약이 나타나거나 인력 투입에서 비효율성이 발생하기도 했다. 이러한 현장 대응 경험을 바탕으로 제도를 재정비하고 미래의 위기 상황에서 더 체계적으로 자원을 투입할 수 있는 시스템을 만드는 것이 우리에게 주어진 숙제라 할 수 있다.

공공 의료의 중요성 제고

지방자치단체가 해당 지역의 전체 감염병 대응력을 담당한다면, 실제 바이러스와의 전쟁을 치르는 현장의 대응력은 의료 체계가 담당한다. 우리나라의 코로나19 초기 대응이 성공적일 수 있었던 이유 중 하나는 공적 의료보험 제도가 있어 진단과 치료에 대한 접근성이 좋았다는 점이다. 미국과 같이 민간 의료보험에 의존한 국가는 개인의 경제적 부담이 커서 진단과 치료를 받지 못하는 사람들의 비중이 높았고 이 때문에 확산세가 컸다는 지적이 있다.[106]

한편, 우리나라의 대응 방식 중 많은 비판을 받은 것이 바로 병상 확보 문제였다. 코로나19 대응 과정에서 우리나라는 대유행이 반복될 때마다 항상 병상 부족에 시달렸다. 확산 규모가 커지던 3차, 4차 유행 시기에는 병상 대기자 수가 수백 명에 달했다. 2018년 기준으로 공공 의료 기관의 수 및 병상 수는 5.7%, 10.0%이다. OECD 국가 평균인 53.6%, 71.6%에 크게 못 미치는 수준이다. 우리와 같이 민간의료 중심인 미국(23%, 21.5%)이나 일본(18.3%, 27.2%)과 비교해도 크게 부족한 수준이다.[107] 우리나라의 1인당 의료비 증가 속도(2013~2018)가 OECD 국가 가운데 가장 높은 점, 그리고 재난적 의료비 경험 가구 비율(2019년 기준 7.5%)이 OECD 국가 평균(5.8%)보다 높다는 점이 공공 의료 부족으로 나타난 것이라고 볼 수 있다.[108]

공공 의료의 공급 자체가 부족한 것이 근본 문제이기도 했지만, 팬데믹 수준의 감염병에 대응하는 데 있어 의료 자원의 공적 활용 체계가 갖추어지지 않았던 점은 더욱 큰 문제였다. 우리나라와 같이 민간 의료 비중이 높은 미국과 일본은 공공-민간 구분 없이 모든 병원을 참여시켰는데, 우리나라는 공공 병원 중심으로 코로나19에 대응했다. 민간 병원을 감염병 재난 상황에 동원하는 체계가 갖추어져 있지 않았고 민간 병원의 사회적 책임에 대한 인식도 부족했다.[109] 따라서 앞으로도 감염병의 위협이 발생할 수 있다는 전제 아래 의료 자원의 공공성에 대한 인식의 재정립이 필요하다. 그리고 예비군을 운영하듯 의료 현장에 투입할 수 있는 예비 의료 인력이나 준전문 인력 등의 자원을 확보해놓는 것도 현장의 대응력을 높이는 방법이다.

취약 계층의 '재난 불평등' 해소

감염병이 발생하면 취약한 집단이 더욱 고통을 겪는다. 감염병뿐만 아니라 다른 재난 상황에서도, 사회적으로 취약한 집단은 더욱 큰 충격을 더 쉽게 받거나 같은 크기의 충격이라 하더라도 회복하기 위한 자원과 능력이 부족해 헤쳐나오는 데 많은 시간과 노력이 필요하다. 이를 미국 컬럼비아대학교 교수 존 머터John Mutter는 '재난 불평등'이란 표현으로 설명했다. 가령 이번 코로나19 발병 과정에서도, 미국 시카고주의 흑인 비율은 30%인데 코로나19 확진자의 50%, 사망자의 70%가 흑인으로 나타났다. 그 원인으로 비만, 당뇨병, 심장병, 호흡기 질환 등이 흑인 사회에서 심각하게 만연하다는 점이 지적되었다.[110] 코로나19는 건강 약자 집단에 더 큰 타격을 입히고, 건강 약자 집단이 형성되는 근저에는 사회구조적 문제로 인한 취약성이 이미 존재한다는 의미다.

우리나라에서는 집단감염이 주로 발생했던 요양 병원 입원 환자들이 대표적 취약 집단이었다. 대부분 고령이고 건강이 좋지 않아 감염병에 취약할 수밖에 없었지만, 다인실의 고밀 환경, 밀폐된 공간, 다인 간병 구조 등 생활환경 측면의 문제도 피해를 키웠다. 우리 사회의 인구구조는 점점 고령화하고 있다. 앞으로 감염병 취약 집단의 범주도 더 넓어질 수 있다는 것을 뜻한다. 고령사회의 감염병 위험관리는 고령자에 대한 의료적 보호의 우선순위뿐 아니라 이들이 이용하는 시설과 환경의 취약성을 해소하는 방안도 함께 고려해야 한다.

고립을 줄이는 사회안전망 구축

사회안전망은 '질병, 노령, 실업, 산업재해, 빈곤 등 사회적 위험으로부터 국민을 보호하기 위한 제도적 장치'를 말한다. 주로 국민연금, 건강보험, 고용보험, 산재보험, 공공부조의 5대 사회보험 제도를 의미하며, 신체적 위험에 대한 문제, 이른바 '먹고사는 문제'를 해결해주는 사회적 보호 제도로 1997년 도입되었다.

그러나 코로나19는 '먹고사는 문제'가 아니더라도 사회적 교류가 중단되는 '고립'의 문제가 얼마나 큰 사회적 위험인지를 깨닫게 했다. 실제로 팬데믹 첫해였던 2020년 우리나라 전체 자살률은 이전보다 줄었지만, 청소년과 여성, 시비스·판매직 등 일부 집단의 자살률은 오히려 늘어났다는 조사 결과도 나왔다.[111] 코로나19가 유발한 우울증, 이른바 '코로나 블루' 환자 비율도 증가하는 등 고립으로 인한 정신적 건강이 사회적 문제가 되었다. 심리학자 정수근의 《팬데믹 브레인》(부키, 2022)이라는 책에서는 사회적 고립으로 인해 사람이 뇌에 손상을 입거나 인지 기능이 떨어질 수 있다고 경고하기도 했다.

고립의 문제는 정서적 문제만이 아니라 자영업자, 특수 고용직 노동자 등 기존 제도가 보호하지 못하는 대상에 대한 관심을 환기했다. 또 장애인, 노인, 그리고 어린이 대상의 돌봄 서비스가 중단됨으로써 사회적 보호 체계가 작동해야 하는 영역이 어디인지도 분명하게 드러냈다. 코로나19가 사회 곳곳에서 비대면 문화를 하나의 트렌드처럼 확산시키고 있지만, 이러한 고립으로 초래될 수 있는 사회적 위험을 파악하고 이에 대한 촘촘한 안전망을 만들어야 한다.

멀고도 가까운 국제사회와의 연계

감염병 위험은 우리나라만 잘한다고 이겨낼 수 있는 것이 아니다. 중국에서 발생한 코로나19가 전 세계에 퍼져 장기간 피해를 일으켰듯, 감염병의 위험을 사전 모니터하고 대응하기 위해서는 국제 네트워크를 통한 신속한 정보 공유와 공동 대응이 중요하다. 팬데믹 기간 많은 국가가 국경을 봉쇄하고 왕래할 교통수단을 대폭 줄이면서 국제사회는 단절되고 멀어졌으나, 동시에 변이가 발생하면 불과 며칠 만에 전 세계로 퍼지는 것과 같은 초연결의 모습도 나타났다. 백신 확보를 두고서는 각국이 자국 중심적인 모습을 드러내기도 했지만, 바이러스의 종식을 위해서는 저개발국의 백신 접종률 제고가 필요하다며 전 세계가 협력하기도 한다.

우리나라는 백신 수급 과정에서 국제 네트워크와의 교류가 원활하지 못했던 취약점을 보였다. 다른 선진국들이 백신을 사전 확보할 때 적시에 참여하지 못했고, 뒤늦게서야 TF를 구성해 백신을 확보한 바 있다. 백신 확보와 관련한 국제사회 동향에 대한 정보 공유가 시의적절하게 이루어지지 못했던 것이다.

빌 게이츠는 2022년 내놓은 저서 《넥스트 팬데믹을 대비하는 법》(비즈니스북스, 2022)에서 '글로벌 전염병 대응·동원 GERM, global epidemic response and mobilization' 팀의 구성이라는 계획을 제안하고 있다. 세계적 긴급 상황실 같은 글로벌 감시팀을 발족하자는 주장이다. 전 세계에 걸쳐 공중 보건 위협을 신속하게 탐지하고 WHO를 중심으로 각국의 정부를 조직화하며 대응 자금 조달 같은 실질적인 액션이 가능한 세계적 공동 대응을 펼치자는 제안이다. 코로나19가 이렇게 국제적 협력의 중요성을 각인시킨 만큼 우리나라도 감염병에 대한 여러 국제적 협력 논의에 적극적으로 참여할 필요가 있다. 지금은 자연 발생적 바이러스의 위험에만 집중하고 있지만, 최악의 경우 바이러스를 이용한 테러나 전쟁이 발생한다면 이러한 국제 네트워크와의 공동 대응은 절대적일 수밖에 없을 것이다.

생물다양성을 복원하는 생태 전략

"공룡시대 이후 최대의 대멸종"[112]이란 표현이 해마다 미디어에 등장하고 있다. 기후 환경 변화로 지구 전체, 특히 동식물 생태계에 빨간불이 켜졌기 때문이다. 세계자연기금WWF은 2022년 초 공개한 보고서에서 앞으로 10년 이내에 동식물 약 100만 종이 멸종할 수 있다고 경고했다. 몇 년째 이어지고 있는 코로나19의 등장도 사실 전혀 뜻밖의 사건은 아니다. 지구온난화의 영향으로 생물 서식지가 이동·확대됨에 따라 전염병 발생의 위험을 어느 정도 예측할 수 있었다.

2020년 세계보건기구는 평균기온이 1℃ 올라갈 때마다 전염병 발생률이 4.7% 증가한다고 분석했다.[113] 또 생물다양성과학기구IPBES는 코로나19가 1981년 인플루엔자 대유행 이후 여섯 번째 전 세계 보건 팬데믹이며, 다른 팬데믹처럼 동물에 의해 운반되는 미생물에서 유래했지만, 그 출현은 전적으로 인간 활동에서 비롯되었다고 진단했다. 영국 케

임브리지대학교와 미국 하와이대학교 등 국제 공동 연구진은 지구온난화가 박쥐의 서식지를 넓혀 중국 남부를 박쥐가 기원인 코로나바이러스의 온상으로 만들었다는 논문을 발표하기도 했다.[114] 생태계의 파괴 또는 무분별한 남용에 따른 부작용이 결국 부메랑이 되어 인간에게 되돌아오고 있다. 생물 종의 멸종이나 감소가 더 큰 재앙으로 다가오기 전에 생태계를 복원하는 지구적 차원의 노력이 절실한 상황이다.

생물다양성이 사라지고 있다

생태학자들의 연구에 따르면 생물다양성과 생태계의 생산성 간에 높은 상관관계가 나타났다. 한 종류의 식물만 자라는 환경에서보다 다양한 식물들이 함께 자라는 환경에서 전체적으로 많은 양의 식물이 크게 성장했고, 이를 토대로 자원의 배분도 효율적으로 이뤄지는 것으로 분석되었다.[115]

하지만 최근 들어 많은 기후학자와 과학자들이 대멸종을 우려하는 보고서를 연이어 내놓고 있다. 세계자연기금은 2022년 보고서에서 2035년쯤에는 북극의 얼음이 완전히 녹아 북극곰의 멸종이 현실화할 수 있다고 했고,[116] 이에 앞서 2020년 런던동물원과 함께 발간한 〈지구 생명 보고서〉에서는 인간의 무분별한 동물 서식지 파괴와 남획, 기후변화, 환경오염 등으로 지난 50년 동안 지구상의 척추동물 개체 수가 70% 가까이 급감했다는 충격적인 내용을 알린 바 있다.[117] 2019년 파리에서 열린 제7차 유엔 생물다양성과학기구IPBES 총회에서 발표된 〈생물다양성 및 생태계 서비스에 관한 글로벌 평가 보고서〉에서도 약 4만

종의 조사 대상 동식물 중 약 25%는 이미 멸종 위협을 받고 있다고 지적했다.[118] 2000년 이후로 지구에서는 매년 우리나라 전체 산림 면적에 해당하는 650만 ha의 산림이 사라지고 있으며,[119] 생물의 이동 경로인 생태 축이 단절 또는 훼손되고 있다. 이런 식으로 생물의 이동이 원활하지 못하게 되면 생물 종 보존은 어려워진다.

생물다양성 감소는 결코 단순한 문제가 아니다. 전문가들에 따르면 세계 인류의 약 29%에 해당하는 20억 명은 나무를 연료로 사용하며, 58%인 40억 명은 천연물natural product을 약으로 활용한다. 인류의 주요 식량 자원인 농작물의 75%는 꽃가루를 실어 나르는 곤충의 역할이 필수적이다. 이런 상황에서 생물다양성의 급격한 감소는 자연이 주는 다양한 생태계 서비스를 누리며 사는 인류에게 직접적 위협이 될 수밖에 없다.[120] 생태계 서비스는 식량이나 목재 등 유형적 생산물을 제공하는 공급 서비스, 기후 조절과 재해 방지 등의 환경 조절 서비스, 아름다운 생태 경관과 휴양을 제공하는 문화 서비스, 서식지 제공 등 자연을 유지하는 지지 서비스를 아우르는 개념이다. 생물다양성이 훼손되는 것은 생태계 서비스와 같은 복합적 기능이 사라진다는 뜻이다. 국가적 측면에서는 생물자원의 손실이며, 인류 문명으로서는 생존 기반의 약화를 의미한다.

기후변화에 따른 생태계 변화의 심각성

그동안은 산림 훼손과 같은 환경 요인이 생물의 다양성 손실 원인으로 지목되어왔다. 그러나 앞으로 2050년까지 추가적인 생물다양성 손실이 발생한다면 그것은 40% 이상이 기후변화에서 기인할 것으로 예측된다. IPCC가 2014년에 발표한 5차 보고서에서는 전 지구의 평균기온이 1.5~2.5℃ 상승하면 동식물 종의 약 20~30%가 멸종할 가능성이 있고, 4℃ 이상 상승하면 40% 이상의 종이 사라질 수 있다고 예측했다. 하지만 2021년에 내놓은 6차 보고서의 내용은 더욱 심각하다. 이에 따르면 지구온난화는 인간 행위에 의한 것이 확실하며, 이번 세기 중반까지 현 수준의 온실가스 배출량이 이어지면 2021~2040년 사이에 기온이 1.5℃ 이상 높아질 전망이다. 이것은 2018년에 발간한 IPCC의 특별보고서 〈지구온난화 1.5℃〉에서 제시한 2030~2052년보다 10년이나 더 앞당겨진 수치이며, 기후 위기가 예상보다 훨씬 더 빠르게 진행되어 대응할 시간이 더 줄어들었음을 시사한다.

지구온난화는 생물 서식지의 북상도 초래한다. 현재 우리나라에서도 남해 지역이 아열대성으로 바뀌면서 어류와 해조류의 분포가 달라지고 있다. 해양수산부에 따르면 2015년부터 2020년까지 난류성 어종 출현율은 18%나 상승했다. 지난 50여 년간 우리 바다의 해수 온도는 약 1.23℃ 상승한 것으로 보고되었는데, 해양학자들은 바다의 수온이 1℃ 상승하면 육지에서 기온 10℃가 상승하는 것과 같은 영향을 미칠 수 있다고 경고한다.[121]

각국의 대응과 한계

생물다양성 감소에 대한 대응 차원에서 만들어진 국제 협의체로는 1992년 유엔환경개발회의에서 채택한 생물다양성협약CBD이 있다. 생물 종의 보전, 지속 가능한 이용, 이익의 공정하고 공평한 공유가 생물다양성협약의 목표다. 세계 각국도 생물다양성 보호와 관리를 위해 다양한 전략을 추진하고 있다. 유럽연합의 경우 2011년에 생물다양성 전략(2011~2020)을 통해 서식지 보전, 생태계 서비스 유지·복원, 수산

자원의 지속 가능한 이용, 침입 외래종 대응 등의 목표를 제시해왔고, 2020년에는 〈2030 생물다양성전략 대화문〉을 통해 바이오에너지의 지속 가능성을 강화하겠다고 발표하기도 했다.[122] 중국은 국가생물다양성전략(2011~2030)을 수립하고 관련 정책과 시스템 개선, 생물의 다양성 보전을 위한 역량 강화, 생물자원의 지속 가능한 개발·이용 촉진, 생물다양성의 새로운 위협과 도전에 대처하기 위한 역량 강화 등의 전략 과제를 추진하고 있다. 우리나라도 생물다양성협약에 따라 전략과 실행 계획을 세워오고 있는데, 현재는 제4차 국가생물다양성전략(2019-2023년)을 추진하며 보호 지역 발굴 등을 포함한 제5차 전략을 수립하는 중이다.

그러나 2022년 여름 유럽 전역과 미국은 기록적 폭염에 휩싸이며 예상을 앞지른 이상기온 사태를 맞이했다. 이는 지구의 현 상황이 예측보다 더 심각하다는 것을 방증한다. 또 각국이 생물다양성 보호를 포함한 기후 환경 위기에 대응하는 전략을 제시하고 있지만, 이것이 책임 있는 대응에는 미치지 못함을 시사한다. 특히 유럽은 러시아-우크라이나 전쟁으로 에너지난까지 겪으면서 화석연료로 되돌아가는 퇴행적 조치가 이어지기도 했다. 따라서 지금까지 제시한 전략들이 더 실효성 있게 추진되도록 강력한 체계를 만들어야 한다는 주장도 나온다. 지구 전체가 다자 공동체로서 공통의 위기라는 인식 아래 더 강력한 국제 협약과 실천이 필요한 상황이다.

환경·생태 미래전략 방안

생물다양성에 경제적 개념을 접목한 '생물다양성 상쇄 전략'과 '생태계 서비스 지불 제도'라는 프로그램도 생물다양성을 보존하기 위한 대책 가운데 하나다. 생물다양성 상쇄 전략이란 어쩔 수 없이 생태계가 파괴되었을 경우 훼손 정도를 정량화해 이를 다른 곳에서 회복·창출·개선하는 방식으로 파괴를 상쇄시켜 생물다양성의 실제적 감소가 없도록 만드는 것이다.

또 생태계 서비스 지불 제도는 자발적인 계약에 근거해 특정 생태계 서비스의 수혜자가 공급자에게 서비스 이용에 대해 일정액의 대가를 치르는 형태의 계약을 총칭한다. 이는 보이지 않는 자연의 가치를 시장경제하에서 가시화·수치화했다는 점에서 중요한 의미를 지닌다. 생태계 서비스 지불 제도가 이뤄지려면 서비스 수혜자와 공급자의 자발적인 매매, 서비스의 명확한 정의, 지속적 서비스의 보장이 필요하다. 이 제도는 1997년 코스타리카가 최초로 정책에 도입해 산림 면적이 국토 면적 대비 20%에서 50%로 증가하는 성공을 거둔 것을 시작으로,[123] 현재 300개 이상의 프로그램을 전 세계에서 운영하고 있다. 우리나라 환경부도 생물다양성 보전 및 이용에 관한 법률 제16조(생태계 서비스 지불제 계약)에 근거해 제도에 대한 참여자(지자체, 토지 소유자 등)들의 이해를 돕고 제도 활성화를 위해 활동 유형과 계약 추진 절차 등을 담은 지침서를 배포한 바 있다.[124]

그 밖에도 다양한 차원에서 상시적 노력이 계속되어야 한다. 이제는 환경의 변화가 기후변화에 영향을 주고, 다시 기후변화로 인해 환경에 변화가 일어난다는 양방향 상관관계에 대한 통찰이 절실하다. 이를 통해 국토의 생태적 기능 증진, 생활환경 관련 이슈 해결, 그리고 환경 변화에 대응할 수 있는 회복력 등을 확보해가야 한다.

시민과의 소통

- ○ 동식물과 더불어 사는 혜택에 대한 공감대를 형성하기 위해 강연, 방송 등을 적극 활용
- ○ 공영방송과 교육부, 환경부가 협업해 환경 관련 다양한 디지털 콘텐츠를 제작해 정규 교과과정에 편입, 교육과 홍보 지속
- ○ 첨단기술을 활용한 '동식물 도감'을 만들어 오감을 이용한 소통 방안 연구
- ○ 온·오프라인 매체를 활용한 생물다양성 홍보 강화
- ○ 국립생태원 등 지역에 산재한 환경 관련 테마파크, 연구소, 체험 장소의 분원을 대도시 인근에 설립해 접근성 강화
- ○ 환경보호 활동에 대한 보상을 포인트로 적립해주는 애플리케이션 개발 등 디지털 미디어 적극 활용
- ○ 환경보호와 연계된 사회 공헌과 윤리 경영 교육 강화

생물다양성 모니터링 및 사전 예방적 관리 시스템 구축

- ○ 한반도의 자생 생물종 적극 발굴, 유전자분석 및 DB 구축
- ○ 시민의 자율 참여에 기반한 사진 자료 및 생태 현황 자료 확보 후 빅데이터 구축
- ○ 생태계 교란종 침입 예방 및 통제 강화, 외래 생물 정밀 조사 및 정보 시스템 구축
- ○ 친환경 제품 사용 시 개선되는 환경에 관한 다양한 지표를 게임 레벨처럼 활용해 소비자와 시민의 참여와 관심 유도
- ○ 인간의 생산·소비·여가 활동이 생태계에 미치는 영향을 구체적 수치로 환산한 지표인 생태 발자국ecological footprint을 작성해 생물의 다양성 훼손 상황 모니터

o 시민이 함께 참여해 국내 식물, 곤충, 조류, 포유류 등 다양한 생물 개체의 사진과 위치를 업데이트하는 온라인 커뮤니티 구축

생물자원 보전과 생물자원 다양성 활용 정책 강화

o 자연환경 보호 지역 확대 및 규정 강화 등 적극적인 보호 정책 수립

o 멸종 위기종 복원 사업뿐만 아니라 생물다양성 증진을 위한 서식처 복원 사업 본격화

o 기후변화에 따라 유입되는 외래종에 대해 다양성 측면에서 활용 방안을 찾는 노력 병행

o 생물다양성과 국가 생명 연구 자원 정보에 대한 통합 DB 구축과 해외 DB와의 연계를 통해 유전자원 접근 및 이익 공유 추진

생물자원 관련 4차 산업혁명 과학기술 접목

o ICT 및 재생에너지(지열 등)를 활용해 화석연료·비료·물의 사용을 최소화하는 스마트팜 보급 및 확대

o 생물자원 이용에 대한 연구개발과 다양한 생산품의 고부가가치화를 위한 기술 개발

o 유전자 편집 작물 등 생명공학 기술의 안전성 검증으로 다각적 대처 방안 마련

o 생물다양성에 관한 AI와 빅데이터 기반의 과학적 관리 능력 제고

o 바이오칩 기술을 접목한 멸종 위기종 관리 체계 구축

o 생물다양성 보존 기술 및 모니터 기술 개발 대회 개최를 통한 아이디어 발굴 및 홍보

통합적 정책 추진과 규제의 적절한 활용

- 기후변화 대응을 위한 법·제도 기반 강화
- 부처별로 나뉘어 있는 생물자원 보전 관리와 활용 정책을 통합·조정하는 제도적 장치 필요
- 정부, NGO, 민간 기업, 대학 등의 정보 공유 및 상시적 논의 기구 구축
- 시민사회 조직과 협업하는 생물다양성 관련 사업 확대로 시민 참여 유도
- 에너지 제로 빌딩 건축 시 용적률 등의 인센티브 추가 방안 검토
- 저공해 자동차를 획기적으로 확대하는 등 탈내연기관 자동차로의 전환 가속

국제 협력 및 협약 대응 체제 구축

- 인접 국가 간 협력을 강화하는 국제 생태 네트워크 개념 정립 및 활동 확대
- 국제적 차원에서 생물다양성 전략 수립과 집행에 필요한 과학기술 정보 공유
- 공적 개발 원조 사업 추진을 통해 개도국 자원의 공동 발굴 사업 참여

남북 협력을 통한 녹색 한반도 전략 마련

- 한반도 생태 네트워크 연결 및 복원 사업 이행
- 수자원, 기상과 기후, 환경과 생태계 변화에 관한 정보 교환과 공동 연구
- 미세먼지를 비롯해 백두산 화산 활동 같은 재해에 대응하는 자연재해 공동 연구
- 임진강, 북한강 등 남북한이 공유하는 하천에서의 협력(수문 관측망 설치, 홍수 예보와 경보 시스템 구축, 농경지 정비 등) 증진
- 남북한, 나아가 동북아의 환경·경제 공동체 논의 및 구상 구체화
- DMZ 자원 발굴과 지역 발전을 위한 연구개발

신뢰할 수 있는 완전 자율주행을 향한 도전

자동차는 얼마나 더 똑똑해졌을까? 자율주행을 향한 꿈은 화려하게 펼쳐졌지만, 자율주행에 대해 최근 접하게 되는 소식은 연이은 기술 오작동 사고들이다. 2022년 6월 GM의 크루즈는 완전 무인 로보택시로 유료 운행 허가를 받고 미국 샌프란시스코 일부 지역에서 첫 영업에 들어갔다. 로보택시를 이용한 승객들의 만족도는 높았다. 그러나 얼마 지나지 않아 로보택시가 자율주행 오작동으로 교차로에 갇혀버리는 바람에 도로 정체를 유발하는 사례가 속출했다.

　일련의 이런 사고가 자율주행 시장을 향한 기대감을 회의적 시각으로 바꿔놓는 것은 사실이다. 자율주행 개발에 적극적이었던 우버는 2018년 보행자 사망 사고 이후 자율주행 테스트를 중단했고 2020년 자율주행사업부를 매각했다. 수익이 나지 않는다는 이유로 투자자들이 사업 철수를 요구했기 때문이다. GM·포드·BMW 등 완성차 기업들도 자율주행 택시 상용화 시기를 2025년 이후로 미뤘다. 자율주행을 위한 핵심 기술 중 하나인 컴퓨터 비전과 딥러닝 기술이 2010년대 들어 발전을 거듭하면서 자율주행차의 상용화는 시간문제라는 시각이 많았지만, 그것이 과대광고에 불과했다는 언론 보도도 있었다. 완전 자율주행의 꿈은 정말 장밋빛 환상이었던 것일까?

자율주행차 기술과 한계

최근 AI의 기술 수준이 높아지면서 자율주행차에 대한 기대가 부쩍 커졌던 게 사실이다. 자율주행차는 단순히 편리함을 넘어 안전·환경·고령화 등의 사회문제를 고루 해결할 수 있는 새로운 교통수단이기 때문이다.

자율주행차는 자동화 수준과 운전자의 개입 여부에 따라 레벨 0에서 레벨 5까지 6단계로 분류된다. 현재 시판되는 운전 보조 시스템은 레벨 2에 해당하며 운전에 대한 모든 책임이 운전자에게 있다. 이보다 한 단계 진보한 레벨 3의 부분 자율주행차는 일정 조건을 충족하는 경우 자율주행차의 책임 아래 운전을 수행하며 필요할 경우 운전자에게 도움을 요청하는 방식으로 운행된다. 레벨 4 이상에서부터는 운행 설계 영역operational design domain 내에서 차량의 책임 아래 완전 자율주행이 가능하다.

자율주행 기술은 1990년대에 적응형 순항 제어장치adaptive cruise control system 형태로 상용화하기 시작했고, 2000년대에 차선 유지 보조장치lane keeping assist system를 출시하면서 자율주행을 위한 핵심 요소 기술이 완성되었다. 그러나 이 두 가지 기능을 결합한 형태인 레벨 2의 운전 보조 시스템ADAS, advanced driver assistance system은 개발 후 약 10년이

지난 2013년이 되어서야 메르세데스 벤츠에서 선보일 수 있었다. 시속 10km 이하에서만 조향제어를 허용한다는 국제 규정과 자율주행 중 운전자 부주의로 사고가 발생하면 일어나게 될 분쟁에 대한 우려 때문이었다.

보수적인 자동차 업계를 자극한 것은 구글의 자율주행 프로젝트였다. 구글은 2007년 미국 고등연구계획국DARPA에서 개최한 도심 자율주행 경진대회의 우승팀을 영입해 자율주행 프로젝트를 시작했다. 구글이 자율주행차 개발 붐을 일으키면서 애플, 마이크로소프트 같은 거대 IT 기업들과 완성차 업체 간 경쟁과 함께 자동차 관련 법을 제·개정하기 위한 움직임도 시작되었다. 그 결과 레벨 2 운전 보조 시스템의 상용화가 앞당겨졌다.

이 운전 보조 시스템은 테슬라를 필두로 빠르게 발전 중이다. 특히 테슬라는 고성능 자율주행 하드웨어를 탑재해 '무선 소프트웨어 업데이트over the air' 기능을 이용하면 정비소가 아니더라도 언제 어디서나 오토파일럿과 완전 자율주행 기능을 자유롭게 업데이트할 수 있도록 했다. 다만 테슬라의 완전 자율주행은 명칭과 달리 자율주행 중이라도 상시 전방을 주시하고 적극적으로 상황에 대처할 필요가 있는 레벨 2에 해당한다. 이러한 과장된 명칭의 사용이 운전자의 오해를 유발해 사망 사고로까지 이어진 사례도 다수 있다.

세계 최초의 자율주행 사망 사고로 기록된 테슬라 오토파일럿 사고는 2016년 미국 플로리다주에서 발생했다. 옆면이 흰색인 대형 트레일러가 좌회전하며 테슬라 차량 앞을 지나고 있었는데 오토파일럿 시스템이 흰색 트레일러를 맑은 하늘로 잘못 인식했기 때문이다. 2019년에도 유사한 사고가 있었고, 2020년에는 타이완의 고속도로에서 넘어진 흰색 화물차를 시스템이 인식하지 못하고 추돌하는 사고가 일어났다. 2021년 3월에도 미국 미시간주에서 자율주행을 하던 차가 흰색 트레일러의 측면과 충돌하는 사고가 발생했다. 모두 오토파일럿의 자율주행 실행 중에 발생한 사고로 밝혀졌지만, 전방 주시 의무를 위반한 운전자 과실로 결론이 났다. 이는 오토파일럿이 레벨 2의 운전 보조 시스템이므로 사고 책임은 여전히 운전자에게 있기 때문이다.

한편 2018년에는 미국 애리조나주에서 우버의 자율주행차가 보행자를 치어 숨지게 한 사건이 있었다. 최초의 자율주행 보행자 사망 사고로 기록된 이 사고를 놓고 누구에게 법적 책임을 물어야 할 것인가가 쟁점이 되었다. 이 사고 역시 운전자가 운행 중 스마트폰으로 TV를 시청하고 있었기 때문에 운전자 과실로 판결이 났다. 법원에서는 운전자가 자율주행 차량의 백업 운전자로서 역할을 제대로 수행했다면 피할 수 있었던 사고라며, 자율주행차를 개발한 우버 측에는 처벌할 법적 근거가 없다고 밝혔다.

자율주행에서 AI의 역할

자율주행 사망 사고는 과실치사죄 적용 여부에서부터 AI의 근본적인 존재 이유에 이르기까지 많은 논란을 낳았다. 미국 UCLA 교수인 법률 전문가 앤드루 셀브스트Andrew Selbst는 AI의 과실이라면 AI에 책임을 물어야 한다고 주장했는데, 그는 법으로 제한을 두지 않는다면 AI가 인간에게 신체적·정신적 피해를 줄 때마다 제조사나 시스템 개발자에게 책임을 전가하게 된다고도 역설한 바 있다.

그렇다면, AI는 자율주행 기술에서 어떤 역할을 담당하고 있을까? 자율주행에 주로 사용하는 딥러닝 AI 모델은 학습 과정에 쓰이는 데이터에 따라 그 성능이 결정되기 때문에 방대한 주행 데이터가 필요하다. 이때 단순히 많은 양의 데이터가 아니라 정상적인 주행 중에 접할 수 있는 여러 상황을 균형 있게 모으는 것은 물론 흔히 접할 수는 없지만 사고 예방에 도움이 될 극단적 상황들edge cases까지 포함해야 한다.

이렇게 다양한 데이터를 수집하기 위해 테슬라는 이미 시판된 수백만 대의 차량을 통해 동시다발적으로 데이터를 모으고 있다. 즉 인공지능의 정확도가 떨어지는 상황을 발견하는 경우 이와 유사한 이미지들을 데이터 센터로 바로 보내도록 명령하고, 주행 중인 차량으로부터 수집한 이미지들을 자동으로 레이블링한 후 다시 딥러닝 신경망을 학습시켜 배포한다. 이러한 과정을 거치면서 테슬라 자율주행 기술은 빠른 속도로 성장해왔지만, 앞서 살펴본 사망 사고 사례와 같이 트레일러의 흰색 측면을 맑은 하늘로 잘못 인식하는 등의 문제는 여전히 해결하지 못하고 있다. 극단적 상황에 대한 데이터를 모으기도 어렵고, 또 몇몇 사례를 수집한다고 하더라도 이를 지나치게 강조하면 오히려 정상적인 상황에 대한 정확도가 떨어질 수 있기 때문이다.

이런 측면에서 자율주행 트럭 관련 유망 스타트업으로 꼽히던 스타스키 로보틱스Starsky Robotics를 2020년 폐업하면서 CEO가 남긴 말을 되짚어볼 필요가 있다. 이 회사의 CEO 스테판 셀츠 액스마허Stefan Seltz-Axmacher는 AI 기술이 최근 빠르게 발전했으나 자율주행 가능 수준에는 미치지 못했으며, 특히 일상적으로 접하기 힘든 극단적 상황들은 AI로 극복하기 어려울 것이라고 말했다. 물론 스타스키 로보틱스는 자율주행 기술 개발보다 원격 관제에 집중하는 비즈니스 모델을 추구했기 때문에 AI에 대한 의존도가 상대적으로 높았던 곳이다.

자율주행과 트롤리 딜레마

2014년 MIT 미디어랩에서는 '모럴 머신Moral Machine'이라는 플랫폼을 만들었는데, 이는 자율주행차의 트롤리 딜레마 상황에서 누구의 생명을 우선해 보호할 것인지에 대한 의견을 모으기 위한 것이었다. 트롤리 딜레마란 다수의 생명을 구하기 위해 소수의 생명을 희생시킬 수 있는가를 묻는 윤리학 사고실험이다. 브레이크가 고장이 난 트롤리(전차)가 달리고 있는데, 앞의 선로에 5명의 인부가 서 있고 다른 선로에 1명의 인부가 서 있다. 선로전환기를 당기면 5명의 생명을 구할 수 있지만 대신 다른 선로에 있는 1명은 죽게 된다는 설정이다.

MIT 연구진은 약 4년 동안 233개 국가로부터 약 4,000만 건의 응답을 얻었고 이를 토대로 문화·경제·지리적 환경에 따라 윤리 기준이 달라질 수 있다는 것을 밝혀낸 바 있다. 이러한 연구 결과는 자율주행의 소프트웨어를 설계할 때 바탕이 되는 윤리관에 대한 공감대가 지역에 따라 다르게 나타날 수 있으며, 사전에 사회적 합의가 필요하다는 점을 시사한다.

완전 자율주행차의 기술적 가능성

완전 자율주행 기술을 완성하기 위한 기술적 접근 방식은 크게 두 가지로 진행되고 있다. 첫 번째는 자율주행 레벨 2의 운전 보조 시스템을 보급한 후 자율주행 및 수동 운전 데이터를 모아 AI 알고리즘을 고도화시키는 방법으로, 현재 테슬라가 취하고 있는 방식이다. 두 번째는 웨이모나 GM 크루즈같이 특정 지역의 정밀 지도를 구축해 해당 지역에서 완전 자율주행을 완성한 후 지역을 확장해나가는 방법이다.

두 가지 방법 모두 AI의 부족한 부분을 인간의 능력으로 채워나가는 하이브리드 인텔리전스hybrid intelligence 방식이다. 그런데 테슬라 방식은 자율주행이 진행되는 운행 단계에서 인간과 AI의 지능 통합이 이뤄지기 때문에 만약 인간이 주행 도중 적절히 대응하지 못하면 큰 사고로 이어질 위험이 있다. 반면 웨이모 방식은 특정 지역의 사고 가능성을 사전에 분석하고 반복적인 자율주행 테스트 과정에서 발견되는 AI의 오류를 방지하기 위한 알고리즘을 추가함으로써 소프트웨어 단계에서 지능 통합이 이뤄질 수 있다.

이러한 관점에서 볼 때 테슬라 방식은 매우 빠른 속도로 성능이 향상할 것으로 기대되지만, 레벨 4 이상의 완전 자율주행보다는 더 넓은 지역을 레벨 3 수준의 자율주행으로 포괄하는 형태로 발전할 것으로 보인다. 반면 웨이모 방식은 매우 느린 속도로 기술 발전이 이뤄질 것이다. 이는 안전한 완전 자율주행 기술을 개발하기 위해 철저하게 사전 검증을 수행하면서 알고리즘을 보완해나가야 하기 때문이다. 즉 도로 상황, 기상 상태, 계절 등의 외부 환경 변화에 따른 위험 요소를 모두 분석하고 대응책을 마련하는 데 상당한 시간이 소요될 것이다.

이제 우리는 완전 자율주행으로 가는 여정이 생각보다 오래 걸릴 수 있다는 사실을 직시하고, 인간이 운전 중 인식하고 반응하는 수준에서 센서와 알고리즘을 최적화할 필요가 있다. 평균적인 운전자가 인식할 수 있는 수준의 센서를 이용해 실수 없이 자율주행을 할 수 있는 알고리즘과 평가 절차를 마련해나가는 것이다. 보통의 인간은 수 밀리미터 수준으로 정교하게 차선과의 거리를 유지할 수 없고 멀리 있는 물체와의 거리가 얼마인지 정확히 측정할 수도 없다. 그러나 브레이크 반응 속도가 1초 정도 늦을지언정 엄청난 실수를 범하지 않는 한 안전하게 운전할 수 있다. 따라서 고가의 센서를 다량으로 장착해 완전 자율주행 시장을 선점하겠다는 구글 웨이모의 방식뿐 아니라 저가의 방식으로 승부에 나선 수많은 스타트업과의 협업을 통해 자율주행 기술을 개선해가야 한다. 이 과정에서 AI와 컴퓨팅 기술의 고도화는 절대적으로 필요하다.

정책적 전략 방안

1950년대에 처음으로 그 개념이 소개된 이래 AI 기술은 약 20~30년 주기로 부흥기와 냉각기를 반복하면서 발전을 거듭해왔다. 특히 2010년대 딥러닝 기술의 부흥은 함께 성장해오던 자율주행에 대한 기대감도한껏 고조시켰지만, 잇따른 안전사고와 더딘 상용화로 회의론이 일었다. 지금은 이 회의론과, 레벨 3단계의 상용화가 가까워졌다는 소식에다시 일기 시작한 기대감이 교차하는 시점이다. 진정한 의미의 자율주행이라고 할 수 있는 레벨 3단계가 상용화한다면 자율주행차 시장도 급격히 커질 것이기 때문이다.

분명한 것은 자율주행은 친환경과 함께 자동차의 미래를 이끌 핵심트렌드라는 점이다. 특히 아직도 교통사고로 인한 사망자 수가 많은 현실을 고려하면, 이를 해결할 수 있는 궁극적 방법은 완전 자율주행 기술의 완성밖에는 없다. 다만 조급한 상용화가 아니라 안전사고를 예방할수 있는 정책과 완전 자율주행 기술을 완성하기 위해 필요한 기술 개발지원을 이어가는 정책을 더 강화해야 한다.

우선 자율주행의 무리한 사업화에 따른 사고 방지를 위해 잘못된 자율주행 사용을 예방하는 제도를 마련하고, 자율주행 기술에 대한 과대광고를 금지해야 한다. 현재 가장 우수한 레벨 2 자율주행 기술을 제공하는 테슬라도 운전자가 자율주행 기술을 올바르게 사용하지 않아서 대형 사고로 이어지는 사례가 빈번히 발생한다. 예를 들어, 2021년 4월 자율주행 중인 차량이 나무와 충돌해 탑승자 두 명이 사망한 사고가 있었다. 사고 차량의 운전석은 비어 있었고, 조수석과 뒷좌석에서 각각 한 명이 숨진 채 발견되었다. 운전자 없이 자율주행 기능을 켜놓고 주행한 것으로 추정할 수 있다. 이와 유사하게 아무도 운전석에 앉지 않거나 졸음 운전을 하는 동영상을 인터넷에서 흔히 접할 수 있다. 따라서 완전 자율주행 자동차가 아니라면 운전자가 전방 주시를 소홀히 하거나 운전석을 이탈하는 경우 자율주행 기능이 해제되도록 설계해 잘못된 자율주행 운용을 방지해야 하며, 운전자가 임의로 예방 기능을 무력화할 수 없도록 관련 제도를 강화해야 한다.

또 소비자가 불완전한 자율주행 기술을 과신하지 않도록 과대광고를 단속할 필요가 있다. 2020년 독일 법원은 테슬라가 웹사이트나 광고 문구에서 오토파일럿이나 완전 자율주행이 연상되는 용어를 사용하는 것을 금지한 바 있다. 이러한 문구가 소비자에게 인간의 개입 없이도 자동차가 자체적으로 운행할 수 있다는 오해를 불러올 수 있다고 판단한 것이다.

자율주행 기술이 완성될 수 있도록 지원을 이어가는 정책도 필요하다. 자율주행 기술 개발 지원과 관련, 우리 정부는 2020년부터 7년간 약 1.1조 원 규모의 범부처 자율주행 기술 개발 혁신 사업에 착수했다. 세계적인 자율주행 열풍과 비교하면 많이 늦었다고 볼 수 있지만, 완전 자율주행에 관한 기대감이 무너지기 시작하는 시점에 새로운 활력을 불어넣는 계기를 마련했다는 점은 긍정적이다. 그러나 2016년 GM이 크루즈를 약 1.1조 원에 인수했고, 2021년 초 마이크로소프트와 GM이 약 2.2조 원 이상의 투자에 참여했다는 점을 고려하면 자율주행 연구를 위한 충분한 지원은 아니라고 볼 수 있다.

한편 영국의 자동차 데이터 분석 기관 컨퓨즈드닷컴 Confused.com의 평가도 참조할 만하다. 2022년 초 발표한 '자율주행차 준비도 상위 30개국' 순위를 보면 우리나라는 16위였다. 1위부터 5위까지는 미국, 일본, 프랑스, 영국, 독일이 차지했다. 한국은 자율주행 관련 특허나 도로 품질 부문에서 높은 점수를 받았지만, 정책과 입법, 충전 인프라 측면에서는 준비가 미비한 것으로 평가되었다.

우리 정부는 2024년까지 자율주행 관련 법제를 마무리하고, 2030년까지는 3차원 도로 지도를 포함한 통합 연계 시스템을 구축한다는 계획이다. 그러나 이 모든 것이 허황한 구호로 끝나지 않으려면 장기적이면서도 정교한 지원 전략을 추진해가야 하고, 상대적으로 뒤떨어진 부분을 보완해야 한다. 정부 지원으로 운영하는 대중교통 소외 지역의 교통 모델이나 장애인 콜택시 서비스에 수요 응답형 자율주행 서비스를 추가하는 방식으로 서비스를 점진적으로 확대해가며 사회적 수용성을 높여나갈 필요도 있다.

4

인구 분야 미래전략
Population

1인 가구의 증가와 '가족의 재구성' 시대

초고령사회, 사회 패러다임의 전환이 필요하다

초저출생 인구절벽 시대의 대응 방안

대전환 시대의 미래세대 전략

국가 발전과 선순환하는 다문화사회

1인 가구의 증가와 '가족의 재구성' 시대

가족이 달라지고 있다. 가족의 형태와 의미 모두 '재구성'[125]되고 있다. 불과 얼마 전까지만 해도 '가족'은 '부부와 그들의 미혼 자녀로 구성된 공동체'로 간단히 정의할 수 있었다. 그러나 최근 한국 사회의 가족은 과거 그 모습에서 벗어나 급격히 달라지고 있다. 지금까지 전형적인 가족의 모습이라고 상정되던 부부와 미혼 자녀로 구성된 가족 형태의 비중은 점차 감소하는 반면에 1인 가구, 한부모 가족, 다문화 가족, 재혼 가족, 무자녀 가족, 비혼·동거 가족과 같은 비친족 가구 등 일일이 나열하기 어려운 여러 가족 형태와 관계가 계속해서 등장하고 있다. 즉 정형적인 가족, 표준적인 가족 모델 외에 변이된 형태의 다양한 가족 유형이 우리와 함께 어우러져 살아가고 있는 것이다.

그러나 이러한 변화에도 불구하고 우리 사회에는 여전히 이런 가족에 관한 심리적·정서적 편견과 사회적 차별이 존재한다. 이러한 편견과 차별이 지속된다면 심각한 사회적 갈등이 자라날 소지가 다분하다. 앞으로 더욱 세분될 여러 형태의 가족과 삶의 방식이 공존하는 사회를 함께 살아가려면 가족 형태 간 차별이나 가족생활 유형에 대한 사회적 편견을 해소하고 변화에 유연하게 대응하는 자세가 필요하다.

다양한 가족 형태의 증가와 결혼 문화의 변화

우선 가족의 형태에 어떠한 변화가 일어났는지 살펴보자. 2021년 우리나라 전체 가구의 구성 현황을 살펴보면, 1인 가구의 비율이 33.4%로 가장 높고, 2인 이하 가구는 61.7%에 이른다. 전체 가구 중 절반 이상이 1인 가구 혹은 2인 가구로 구성된 셈이다. 특히 1인 가구는 전년 대비 7.9% 증가한 것으로 2015년 이후 주된 가구 유형을 차지하고 있다. 또 비친족 가구가 1년 전보다 11.6% 늘어나며 비친족 가족 구성원이 101만 5,100명에 달했다.[126] 고령사회로의 이전에 따라 독거노인과 노인 부부 가족도 증가하고 있다. 통계청 '장래가구추계'에 따르면 65세 이상 1인 가구는 2025년경에는 전체 1인 가구 중에 약 30%를 차지할 것으로 전망된다.[127]

결혼 및 가족 문화도 변하고 있다. 결혼 연령이 늦춰지고 비혼非婚이 증가하고 있으며, 이혼 혹은 재혼 가족이 동시에 늘어나고 있다. 혼인 건수는 2021년 19만 3,000건으로 전년 대비 9.8% 줄었으며 지난 10년간 지속해서 감소 추세다.[128] 특히 인구 감소와 코로나19 기간의 결혼 연기 등이 맞물리며 감소세가 더 가파른 것도 특징이다. 반면에 이혼율은 해마다 증가하고 있다.[129] 또 가족 가치관도 변하고 있는데, 통계청의 2020년 사회조사에 따르면 "남녀가 결혼하지 않아도 함께 살 수 있다"라는 의견에 남성 60.8%, 여성 58.1%가 동의했다. 이러한 결과는 2012년 각각 45.9%, 22.4%였던 것과 비교해 동거나 비혼 출산에 대해 동의하는 의견이 많아졌음을 말해준다. "결혼하지 않고도 자녀를 가질 수 있다"라는 의견에 대해서도 남성 31.6%, 여성 28.1%가 동의했다.[130]

해외에서는 훨씬 급진적인 변화가 진행되고 있다. 출산율 감소, 결혼율의 감소와 이혼율의 증가, 무자녀 가구의 증가, 동거 등 다양한 파트너십의 증가, 비혼 출산, 한부모 가족과 재혼 가족의 증가 등은 대부분의 OECD 국가들에서 공통으로 나타나고 있는 가족 변화의 특징이다.[131] 이러한 현실에서 지난 20년간 가족과 관련해 가장 큰 논쟁이 되어왔던 사안은 가족 다양성의 증가 문제다. 다양한 가족 형태의 삶이 우리 앞에 대두하면서 이른바 전형적인 가족 논의에서 벗어나 '새로운 가족'에 대한 논의가 시작되고 있다.[132]

가족 가치관의 변화

결혼을 꼭 해야 하는가? 혹은 가족은 내게 어떤 의미를 갖는가? 이러한 결혼 및 가족에 대한 가치관과 태도가 매우 빠르게 변화하고 있다. 여성가족부가 2021년에 조사한 〈가족 다양성에 대한 국민 인식 조사〉에 따르면, "법적 혼인·혈연 관계만 가족"이라는 응답은 전년 대비 13.2%p 하락한 51.1%였고, "정서적 유대를 가진 친밀한 관계면 가족이 될 수 있다"라는 응답은 전년 대비 5.4%p 상승한 45.3%였다. 결혼과 출산에 대한 가치관뿐 아니라 가족 개념에 대한 인식 또한 빠르게 변화하고 있음을 보여준다.

통계청에서 실시한 〈가족 가치관 조사〉 결과[133]에서도 "결혼을 반드시 해야 한다"는 결혼 당위성에 대해 동의하는 의견은 전체 연령대에서 감소했고, 가족관계를 중시하기보다는 당사자 중심의 결혼 생활을 더 중요하게 생각하는 의견이 많아지며, 부부간 전통적 성 역할에 대한 태도는 남성과 여성 모두 반대 의견이 증가하는 것을 찾아볼 수 있다. 가족 구성과 관련한 가족 가치관에서도 재혼, 이혼, 동거, 국제결혼 등의 항목에서 다양한 결혼 방식 및 파트너 관계에 대해 허용하는 의견이 계속 증가하고 있다. 즉 가족관계는 부모·자녀 중심에서 부부 중심으로 변화하며, 가족 구성과 관련해서 상당히 개방적으로 변화하고 있다.

그러나 다른 영역에서 획기적인 변화가 일어났음에도 가족 내 젠더 관계에서는 그러한 변화가 보이지 않는다. 역시 통계청의 사회조사 자료를 사용해 가족관계 만족도를 배우자, 자녀, 부모, 배우자의 부모, 형제자매 등의 관계로 살펴보면, 근래에 이를수록 남성보다 여성에게서, 또 젊은 세대에서 만족도가 전반적으로 떨어지고 있다. 가족관계 만족도 조사에서 성별 차이가 가장 크게 나타난 영역은 배우자와 배우자 부모와의 관계 만족도인데, 이 두 가지 영역에서는 여성의 만족도가 모든 연령층에서 일관되게 낮았다. 특히 20대와 30대 여성층에서 만족도가 가장 낮은 것으로 나타났다.

또 가사분담에 대한 견해 및 실태 조사에 따르면 가사를 공평하게 분담해야 한다는 '인식'에 있어서는 62.5%가 동의하지만, 실제로 공평하게 분담하고 있다는 '현실'은 남편은 20.7%, 아내는 20.2%[134]로 '인식'과 '현실'의 격차가 큰 것을 확인할 수 있다. 이러한 결과는 가부장적 가족관계가 요구하는 여성의 관계 및 역할에 긴장과 갈등, 부담이 내포되어 있다는 현실을 드러내준다. 동시에 젊은 세대를 중심으로 가족관계 및 가족 내 젠더 관계에 대한 변화 요구가 크다는 점 또한 읽을 수 있다.

1인 가구의 증가 및 가족을 둘러싼
다양한 변화와 대응 방안

우리나라의 1인 가구 비율은 1990년 9.0%에서 2021년 33.4%로 30년 사이에 약 3.5배 증가했다. 비자발적 이유뿐 아니라 본인의 의지로 1인 생활을 시작하고 장기간 지속하려는 의향이 높아졌으며 결혼 의향이 하락하는 등 1인 가구는 청년 세대의 새로운 라이프스타일로 나타나고 있다.[135] 1인 가구가 이렇게 증가하는 현상은 개인 선택권의 증가, 비혼, '나홀로 삶'을 즐기려는 경향 등 다각적인 측면에서의 해석이 가능할 것이다.

1인 가구의 증가 현상이 우리보다 먼저 시작된 곳은 유럽이다. 유럽 연합 통계청에 따르면 2019년 기준 유럽의 34%가 1인 가구인 것으로 조사되었다. 특히 프랑스에서는 1975~1990년 사이 파리 등 10개 대도시를 중심으로 1인 가구가 많이 증가했으며, 2016년 기준 1인 가구 규모는 36%였다. 또 2018년 기준 독일은 41.9%, 스웨덴은 56.6%에 달한다. 영국에서도 1인 가구는 정부의 예측보다 훨씬 빠른 속도로 증가해 2019년 기준 1인 가구의 비중이 29%로 전체 가구의 3분의 1을 차지했다. 리투아니아, 덴마크, 핀란드 등도 40%를 상회한다.[136]

1인 가구 증가의 배경

1인 가구는 생활과 관계 단위가 분리되는 삶의 양식이다. 급속도로 증가하는 1인 가구 현상은 가족이나 친구와의 친밀한 관계를 유지하면서도 독립적인 생활 단위를 영위하는 삶의 양식이 확산되었다는 뜻이다. 그렇다면 1인 가구는 어떻게 해서 이처럼 증가하게 되었을까. 1인 가구

를 선호하는 데는 크게 세 가지의 배경이 존재한다.[137]

첫째, 개인화가 진행되었기 때문이다. 공동체로서 가족을 구성하고 유지하는 것보다 개인적 공간과 시간을 중요시하고, 개인의 성취와 그로 인해 안녕한 자신의 삶을 추구하고자 하는, 개인주의적 경향이 전 사회적으로 증가하고 있다.

둘째, 정형화한 생애주기 논의에서 벗어나 개인이 다양한 생애 경로를 선택하는 방식이기 때문이다. 출산·육아기, 부모 역할기 등 정형화한 생애주기를 표준화된 삶의 모습으로 간주한 전통 사회와 달리 이제는 가족 형성의 시기와 방식에 있어서 개인의 선택을 중시하고 그 선택의 방식도 다양해졌다. 특히 자발적으로 1인 가구로서 삶을 결정한 이후로는 표준화된 결혼 및 출산 시기에 맞춰가는 생애 경로 대신 개인의 의지에 따라 결혼 및 출산의 시기를 선택하거나 포기 혹은 배제하는 등 다양한 생애 경로를 선택하는 것으로 이어진다. 각 개인은 한 단계에서 다른 단계로 순차적으로 이전할 수도 있지만, 단계별로 자신의 시간을 재량껏 사용할 수도 있으며, 아예 결혼이나 부모 역할기를 뛰어넘을 수도 있다.

셋째, 가족 가치관이 변화했기 때문이다. 청년층 남녀 대상 인터뷰 조사에 따르면, 현재 1인 가구로 생활하는 이들 중 상당수는 새로운 가족의 구성을 큰 부담으로 인식하고 있다. 다만 남성과 여성이 각각 인식하고 있는 가족 부담의 내용은 서로 다르게 나타났다. 남성의 경우에는 가족 생계를 책임져야 하는 생계 부양자의 책임을, 여성의 경우에는 가부장적 결혼 관계, 가족 내 불평등한 젠더 관계, 육아 부담과 가족 돌봄의 문제, 경력 단절의 위험 등을 가족 구성의 부담으로 인식했다.[138] 가족 가치관의 변화가 진행되고 있는 가운데 남녀 모두 전통적인 젠더 관계를 기반으로 한 가족이 아닌 새롭게 변화한 젠더 관계를 기반으로 하는 가족의 모습을 기대하는 것이다.

가족의 개념과 범주에 대한 새로운 정의 필요

최근 조사들을 보면 가족에 대한 인식과 태도가 단순히 혈연관계라는 과거의 개념으로부터 '심리적으로 유대감을 느끼는 친밀한 관계', '내가 선택하고 구성할 수 있는 관계' 등으로 확대되고 있음을 확인할 수 있다.[139] 다만, 가족에 대한 인식과 태도가 변화하고 다양한 가족 형태가 증가한다는 게 단순히 전통적 가족의 수가 줄어들었다는 의미는 아니다. 전통적인 가족이 가졌던 독점적 지위가 더는 공고하지 않으며, 다양한 삶의 형태가 늘어나고 있음을 의미한다. 예를 들어 한부모 가족, 무자녀 가족, 공식적인 결혼을 하지 않는 동거 커플, 동성 관계의 파트너, 동반자적 관계 등 이 모든 형태가 미래의 다양한 가족 모습이 될 것이다.*

이러한 현실을 두고 부부 사회학자 울리히 벡Ulrich Beck과 엘리자베트 벡 게른스하임Elisabeth Beck-Gernsheim은 "가족 이후의 가족the post-familial family"이라고 부르기도 했다.

이렇듯 다양해지는 가족의 모습을 수용하기 위해서는 우선, 가족의 정의와 범주에 대한 인식의 변화가 필요하다. 현행 민법과 우리나라 가족의 기본법인 '건강가정기본법'에 의하면 가족은 혼인·혈연·입양으로 이루어진 사회 기본단위로 정의한다. 또 가족관계등록법은 출생신

• 프랑스의 시민연대협약(팍스), 영국의 시민 파트너십, 독일의 생활동반자법 등을 새로운 파트너십 형태에 대한 제도적 대응 형식으로 볼 수 있다.

고 때 '혼외자'와 '혼중자'를 구분하도록 해 가족 구성에 있어 혼인 여부를 중요한 요소로 간주하고 있다(가족관계의 등록 등에 관한 법률 제44조 제1항 2호). 그러나 이러한 정의는 최근 증가하는 다양한 형태의 가족 변화를 포용하지 못할 뿐 아니라, 여기에 속하지는 않지만 실재하는 다양한 가족 형태에 관한 차별과 배제를 초래할 수 있다. 실제로 한국에서는 동성 커플에 대한 반대 의식이나 편견과 차별이 공고한 편이다. '건강 가정'이라는 단어 자체가 이분법적 가족 경계를 상정해 정상 가족 외 다른 가족 형태를 '불건강 가정'으로 간주할 위험도 있다. 그러나 2020년 여성가족부의 조사에서[140] 응답자의 69.7%가 "생계와 주거를 공유하면 가족"이라고 답했을 만큼 가족에 대한 인식이 달라지고 있다. 우리 사회는 이제 가족 형태에 생긴 거대한 변화를 수용함과 동시에 전통적인 가족의 개념과 정의를 확대하고 재정의해야 한다는 과제를 안고 있다.

가족 정책 전반의 패러다임 전환

이제 우리 사회에서는 다양한 가족 형태의 증가와 관련해 가족 정책의 패러다임이 우선 전환되어야 하며 1인 가구가 주된 가구 형태가 됨에 따라 소득·돌봄, 주거, 안전 등에서 정책적 변화가 요구된다.[141] 2019년 의 〈가계금융복지조사〉에 따르면 1인 가구 소득 수준은 전체 평균의 36% 수준에 불과하고, 가처분 소득으로 보면 50대 이상에서 더욱 열악한 것으로 나타났다. 또 1인 가구는 다인 가구에 비해 상대적으로 범죄에 노출될 가능성이 크고 1인 가구 여성의 경우 더 취약해 정책적인 보호의 필요성을 시사한다. 부동산 측면에서도 1인 가구의 전체 가구 대비 자가 거주 비율은 낮고 월세 비중은 현저히 높다는 사실을 볼 때, 1인 가구의 거주권 문제를 다른 시각에서 들여다봐야 한다. 그리하여

1인 가구에 대한 맞춤형 지원 등 가족 정책의 범주를 확대해나갈 필요가 있다.

더 나아가 1인 가구에 한정되는 보조금이나 혜택과 같은 정책에만 국한하지 말고 1인 가구를 비롯한 다양한 형태의 가구가 겪는 상황을 전체적으로 살펴보며 고용, 소득, 세제, 소득 이전 등의 전반적 변화를 함께 꾀하는 정책으로 확대해야 한다. 이를테면 한부모 가족의 육아휴직 제도 개선, 기초생활 보장 제도 개편, 돌봄 서비스와 사회적 안전망 구축, 고독사 예방, (청년, 중장년, 노년 등) 1인 가구 생애주기별 맞춤 지원, 새로 등장한 다양한 유형의 가족 지원 등에 관한 전방위적 정책이 개선되어야 할 것이다. 개인과 가족의 생애주기가 변화하고 다각화함에 따라 특정 가족 형태에 집중한 가족 서비스만으로는 변화에 대응하는 데 한계가 있으므로 보편적이고 통합적인 지원 방향 설정과 정책이 필요하다.

가족 개념의 확장과 재정의를 반영하는 정책과 법체계 마련

이처럼 가족에 대한 정의와 개념이 과거와는 다르게 다양하게 해석될 수 있음을 인지하고 이와 관련한 법체계 정비가 필요하다. 2021년 발표된 여성가족부의 〈제4차 건강가정기본계획〉은 이러한 변화를 반영해 관련 정책의 전환을 시사한 바 있다. 앞서 2005년 국가인권위원회는 "건강가정기본법이라는 법명은 '건강하지 않은 가정'을 떠올리게 해 일부 가정에 대한 차별과 편견을 유발할 수 있으므로 중립적인 법률명으로 수정해야 한다"는 권고안을 낸 바 있다. 가족의 정의, 건강 가정의 개념 등을 둘러싸고 진행되어왔던 오랜 논쟁 끝에 드디어 가족 정책의 전환을 발표한 것이다. 현실에 존재하는 다양한 형태의 '실질적' 가족, 예를 들어 사실혼 부부, 노년 동거 부부, 위탁 가족 등도 법률상 가족으로 인정받을 수 있도록 개정을 추진하는 내용이 〈제4차 건강가정기본계획〉에 담겼다.

다양한 가족 형태와 그 변화를 법과 제도로 포용하고 확대해나가는 것은 큰 변화의 시작이라고 볼 수 있다. 비정상 가족이란 없다. 특정 가족만이 정상 가족이고 정형적인 가족 형태가 되는 것은 아니다. 입양 가족, 한부모 가족, 다문화 가족 등 여러 관계 속에서 다양한 가족의 모습이 앞으로 계속 나타나고 증가할 것이다. 일각에서는 가족의 구성에 대한 대안적인 공동체적 방식과 새로운 파트너십을 제안하기도 한다. 이같이 가족의 경계와 범주가 확대되고, 가족 정책의 스펙트럼 역시 확장되고 있는 현실에서 가족 정책의 방향과 과제 설정은 구체적으로 재정비해야 한다.

따라서 가족 형태 다양화에 맞춰 민법과 가족관계를 비롯해 의료·주거·복지 정책 전반에 걸쳐 가족의 정의와 범위를 변화시켜나가야 한다. 예를 들어, 기존의 정책과 제도가 4인 구성의 핵가족을 기반으로 작동해왔다면, 이제는 사회 변화와 다양성에 초점을 맞춰 한부모 가족, 입양 가족, 노인 동거 가족, 1인 가구, 비친족 가구 등이 정책 사각지대에 놓이지 않도록 조치해야 한다. 법률혼과 혈연 중심으로 규정된 가족 관련 법의 가족 정의 규정을 개정하고, 가족 유형에 따른 차별을 금지하고 예방하기 위한 법적 근거를 마련하고, 결혼 제도 밖의 다양하고 대안적인 가족 구성을 보장하고 친밀성과 돌봄 기반의 대안적 관계에서 생활과 재산 등 권리를 보호할 방안을 마련해야 한다. 아울러 법률적·제도적 개선뿐만 아니라 가족 다양성에 대한 사회적 감수성을 높이고 가족 문화에 대한 인식을 개선하기 위한 정책적 지원도 수반되어야 한다.

노인 1인 가구를 위한 사회적 돌봄 체계 강화

앞으로 가족 구성원의 노령화가 심각해지고 노인 1인 가구가 급증한다는 점도 간과해서는 안 된다. 그런데 기존 돌봄 체계는 가족 구성원에게 노인 돌봄에 대한 책임을 전가하고 있다. 이는 법률혼·혈연 중심의 경직되고 협소한 가족 개념에서 나온 것으로 변화하는 가족 유형과 문화에 맞지 않는다. OECD 국가 가운데 노인 빈곤율 1위, 자살률 1위라는 불명예스러운 결과는 이러한 문화와 무관하지 않다.

노인 1인 가구 증가는 전 세계적 흐름이기도 한데, 해외 대응 사례를 보면 주로 돌봄 시스템 구축에 초점이 맞춰져 있다. 프랑스는 노인 1인 가구를 위해 간병 제도를 마련해놓았고, 공공 기관, 노인 관련 국공립 기관과 협회들로 구성된 단체인 모나리자MONALIZA를 통해 사회적 관계 형성 및 방문 프로그램을 활성화해 노인들의 사회적 고립에 대응하고 있다.[142] 일본의 경우, 노인 중심의 1인 가구 지원을 위한 통합 지원 센터를 운영하고 있다. 통합 지원 센터는 종합 상담 지원 시스템을 제공하는데, 고령자 권리 옹호(성년 후견 제도, 학대 방지), 포괄적이고 지속적인 관리 지원 등이 주 내용이다.[143] 우리나라도 점점 늘어나는 노인 1인 가구가 질병과 생계에 대한 걱정과 정서적 고립에서 벗어날 수 있는 사회적 돌봄 체계 구축이 시급하다.

성평등에 기초한 가족 내 젠더 역할 및 관계 설정

지금껏 가족 정책은 부계 중심의 가부장제 사회체제에서 작동해왔다. 이제는 가족 형태 변화에 대응해 다양한 변화를 포용해야 하며, 그 기반에는 무엇보다도 젠더 역할과 책임의 평등이 있어야 한다. 특히 여성의 취업이 증가하는 현실에서 청년 여성은 본인의 일에 대한 사명감과

의지가 강할수록 출산·육아와 일을 병행할 수 있을지 현실적으로 타진하게 될 것이고, 일과 출산·육아를 병행하기 어렵다고 판단할 때는 출산·육아를 포기할 수도 있다. 이 문제는 개인적으로는 출산·육아를 포기하는 것이지만 사회적으로는 저출생이라는 문제를 가져온다. 따라서 여성의 사회참여와 출산·육아가 가능한 사회 여건을 조성하고 가족 정책을 마련하는 것은 저출생 문제 극복과 우리 사회의 미래를 위해 아주 중요한 과제라고 할 수 있다.

남성의 육아 및 가족 생활 참여 장려

남성의 육아 참여와 가족 생활 지원도 변화될 가족 정책에 반드시 포함되어야 한다. 여기에서도 외국의 사례를 참조할 수 있는데, 유럽 국가들에서는 최근 남성의 육아와 가족 생활을 지원하고 참여를 장려하는 정책 변화가 나타나고 있다. 이들 국가에서 공통으로 추진하는 변화는 정부 정책의 목표와 대상이 '여성의 노동'을 지원하던 것에서 '남성의 육아'를 지원하는 방향으로 전환, 확대되고 있다는 점이다. 예컨대 최근 영국, 독일 등지에서는 여성들이 주로 사용하던 육아휴직 제도를 남성이 함께 사용할 수 있도록 변화를 꾀하고 있다. 육아휴직 제도 내에 '아버지 쿼터daddy-quota' 제도를 설치해 남성이 더 적극적으로 육아휴직을 이용하고 육아에 참여할 수 있도록 제도적으로 지원하고 있다.

그동안 일본 남성의 육아휴직은 그리 활성화되지 못해, 2019년 7.5%, 2020년 12.7% 정도였다.[144] 이에 일본에서도 남성의 육아휴직 이용 확대를 주요 목적으로 하는 개정 육아·돌봄휴직법이 2022년에 시행에 들어갔다. 우리나라 역시 '3+3 부모 육아휴직' 제도를 2022년 신설해 자녀 생후 12개월 이내에 부모가 동시에 또는 순차로 육아휴직을 사용하는 경우 첫 3개월에 대해 부모 각각의 육아휴직 급여 한도를 상향(최대 월 300만 원)하는 방식으로 남성의 육아 참여를 독려하고 있다(고용보험법 시행령 제95조의 3 제1항).

그러나 앞서 살펴본 청년층 남성과 여성이 경험하는 가족 위기와 가족 부담을 해소하기 위해서는 이러한 부분적 정책 지원에서 더 나아가 젠더 관계와 젠더 역할을 새롭게 재정립해야 한다. 젠더 관계의 재정립을 통해 '함께 일하고 함께 아이를 키우는' 새로운 가족 모델을 만들어나가는 것이다. 성평등의 문제는 현시대 가족 변화에서 가장 중요한 문제이며 향후 미래 가족의 새로운 모형에서도 중요한 주춧돌이 될 것이다.

인구·가족 변화로 인한 종합적 파급효과 선제 연구

1인 가구와 고령화의 급증 현상은 앞으로도 계속될 것이며, 이로 인해 정치·경제·사회·문화적으로 발생할 파급효과는 매우 클 것이다. 이러한 변화에 선제적으로 대응하지 못하면 사회적 혼란을 피할 수 없을 것이다. 따라서 변화하는 시대적 흐름과 함께 사회 구성원의 인식과 행동의 양상을 먼저 읽어내고 파악할 필요가 있다. 그렇게 하면 세대 공통의 인식이나 행동인 이른바 '세대 효과generation effect'뿐 아니라 생애주기에 따른 특정 연령대의 보편적 속성인 '연령 효과age effect' 등 사회 전반에 영향을 미칠 수 있는 요인들의 원인 및 결과를 정확히 분석해 정책에 반영할 수 있을 것이다.

초고령사회,
사회 패러다임의 전환이 필요하다

유명 영화 제목처럼 노인을 위한 나라는 세상에 없을지 모른다. 그러나 대한민국은 점점 노인들이 많이 사는 나라가 되어가고 있다. 통계청이 2022년 7월 발표한 〈2021 인구주택총조사〉에 따르면 2021년에 우리나라 총인구가 처음으로 감소세로 들어선 가운데 65세 이상 고령 인구는 870만 명을 넘어섰다. 2000년 339만 5,000여 명(전체 인구 중 7.2%)을 기록한 이후, 2009년 500만 명, 2020년 800만 명을 돌파했고, 2023년 900만 명을, 그리고 2024~2025년에는 1,000만 명을 넘어서며 초고령사회(65세 이상이 전체 인구의 20% 이상)에 진입할 것으로 예측된다.

우리나라의 인구 고령화는 평균수명의 증가와 저출생으로 인해 세계에서 유례없이 가장 빠른 속도라는 점에서 심각하다. 다른 국가의 추세를 보면, 미국의 경우 고령화사회 aging society(전체 인구 대비 노인 인구 비율 7% 수준)에서 고령사회 aged society(노인 인구 비율 14% 수준)가 되기까지

73년이 걸렸고, 초고령사회super-aged society(노인 인구 비율 20% 수준) 진입에 21년이 소요되었다. 대표적 고령 국가인 일본의 경우, 고령화사회에서 고령사회로 전환되기까지 24년이, 초고령사회로 진입하는 데에는 12년이 걸렸다. 반면 우리나라는 고령화사회(2000년)에서 고령사회(2018년 14.3%)를 거쳐 초고령사회(2024~2025년 20%)로 진입하기까지 25년밖에 걸리지 않았으며 OECD 37개국 중 가장 빠른 고령화 속도를 보인다.[145]

고령화사회의 현황과 의미

왜 인구 고령화는 우리에게 절박한 문제인가? 이는 국민의 생활 전반에 큰 파급효과를 갖는 현상으로 사회 운용 패러다임의 대전환을 요구하기 때문이다. 한국의 인구 고령화가 세계 다른 나라들과 같이 100여 년에 걸쳐 서서히 진행된다면, 우리는 변화하는 인구구조에 맞춰 천천히 적응하면서 변모할 수 있다. 그러나 한국의 고령화는 초고속으로 진행되고 있다. 2040년쯤에는 우리나라 인구 3명 중 1명이 노인이 되고, 2048년쯤에는 고령 인구 비율이 37%를 넘어서며 전 세계에서 가장 늙은 나라가 될 것으로 전망된다.[146]

한편 한국 노인은 생계비 마련을 주요 목적으로 비정규직 저임금 일자리에서 근무하며 가장 오랜 기간 경제활동에 참여하기 때문에, 은퇴 후부터 사망까지의 기간이 OECD 회원국 중 가장 짧은 국가(여성 1위, 남성 2위)로 나타나기도 했다.[147] 살아 있는 한 계속 일한다고 봐도 무방하다. 그런데도 2020년 기준 우리나라 은퇴 연령층(66세 이상)의 상대적 빈곤율은 38.9%로,[148] OECD 회원국 중 가장 높은 수준이다.[149]

또 삶의 질을 측정할 필요성이 제기됨에 따라 OECD가 소득, 고용 등 여러 영역을 지표화한 '더 나은 삶 지수better life index'에 따르면 한국 노인의 삶의 질 수준은 OECD 평균에도 미치지 못했다.[150] 특히 65세 이상 노인 자살률은 48.6명(2020년)으로 OECD 회원국 중 가장 높다. 이는 노인 빈곤율과 연관된 결과로서 세계 10위의 경제 대국이라고 자처하는 한국에는 커다란 수치이자 반드시 해결해야 할 과제다.

인구문제의 원인은 저출생으로 신규 유입 인구는 감소하는 데 반해 고령화가 급속도로 진행된다는 데 있다. 다시 말해 인구구조의 변화가 문제의 핵심이다.[151] 고령화사회는 생산가능인구(15~64세)의 감소로 국가 경제의 성장 잠재력을 떨어뜨릴 수밖에 없다. 2021년 생산가능인구는 3,694만여 명(71.4%)으로 전년보다 0.9% 감소했다. 생산가능인구는 2017년 처음 감소한 이후 2018년 잠시 증가했다가 2019년부터 계속 내림세에 있다. 생산가능인구가 급격히 감소하면 노동 인력과 소비 수요가 줄어드는 반면, 노인 부양 부담과 국가의 복지 재정 지출은 늘어나므로 성장 잠재력에 타격을 준다.

고령화가 이루어지면 노인 의료비와 연금 등 공적 부담이 증가하고 세입 기반은 약해지면서 재정적 부담도 커질 수 있다. 생산가능인구의 노인 부양 부담도 늘어난다. 2021년의 노년부양비(생산가능인구 100명에 대한 65세 이상 노인의 비율)는 23.6명이었다. 이는 생산가능인구 4명이 1명의 노인을 부양해야 한다는 의미다. 결국 고령화는 국민연금, 건강보험 등 주요 제도의 지속 가능성에 위협이 되고 세대 간 갈등을 악화시키는 원인이 될 것이다.

초고령사회 대응을 위한 미래전략

이제 고령사회를 맞이해 우리의 대응은 두 가지 방향으로 나아가야 한다. 첫째, 고령사회로의 전환 과정에서 생기는 국가와 사회 차원의 문제에 대응해야 한다. 노동인구 감소로 인한 생산성 저하나 연령주의로 인한 고령자 배제, 노인 복지비 증가로 인한 국가의 재정 부담, 독거노인 증가에 따른 여러 사회적 문제 등이다. 둘째, 고령사회로의 변화 과정에서 고령자 개개인의 문제에도 대응해야 한다. 생산 시스템의 변화에 적응하지 못하는 저소득 고령자의 빈곤, 디지털 기술 사회에서의 소외 심화, 고령자의 사회 활동 능력 저하, 전통적 가족 체계의 붕괴로 인한 돌봄의 약화 및 노인 고독사 문제 등에 관심을 기울이고 대처해야 한다.

고령사회에 대응하는 다각적 대안들이 실효를 거둔다면, 노인이 직면하는 '노후 4고苦(빈곤, 질병, 고독, 무위)' 문제를 해결할 수 있을 것이다. 일례로 노후에 경제력이 바닥난 상황을 묘사하는 '노후 난민'이라는 개념이 있다. 이렇게 노후에 파산하지 않고 윤택하게 보내는 방법의 하나는 정년 후에도 계속 일하는 것이다. 2021년 통계청의 〈경제활동 인구 조사〉에 따르면 가장 오래 일한 일자리를 그만둘 당시 노동자의 평균 나이는 49.3세로 이는 근무 희망 나이인 73세와 상당한 격차를 보인다. 초고령 국가 일본에서는 '평생 현역'이라는 개념이 일찍부터 주목을 받고 있다. 실제로 일본은 2021년 고령자고용안정법을 개정해 65세 정년은 유지하되 70세까지 고령층에 대한 안정적 고용 보장과 취업 기회를 확대하는 방안을 마련하고 있다.[152] 노년에 대한 준비도가 높아진다면 노인들이 새로운 소비 주체로 등장할 수도 있다. 또 고령사회에 적합한 신규 일자리도 만들어질 수 있다. 장년층 대상 문화 콘텐츠 개발자, 노후설계 상담사 등 새로운 형태의 직업들이 그러한 예다.

단기적 대응 전략

단기적 차원에서는 노후소득 보장과 고용 영역의 확대에 주력해야 한다. 노인 자살은 경제적 어려움이 원인인 경우가 많다. 경제적 안정이 선결되지 않는다면 다른 어떤 것도 무용지물일 뿐이다. 노후의 경제 상황을 개선하기 위해서는 세 가지 차원에서 정부의 노력이 필요하다. 먼저 안정된 공적 노후소득 보장 체계를 구축해야 하고, 두 번째로는 연금 수급 이전까지 안정된 경제활동을 보장하는 중고령자 고용 관련 제도를 정비해야 한다. 세 번째로는 개인 차원에서 노후를 대비할 수 있도록 노후 준비 제도를 활성화해야 한다.

우리나라의 공적 노후소득 보장 제도인 국민연금의 소득대체율은 20세부터 가입하는 것을 가정할 때 2021년 31.2%인데 이는 OECD 평균 42.2%보다 11%나 낮은 수준이다.[153] 22세부터 가입하는 것을 가정해도 37.3%로 OECD 평균 49.0%와 여전히 차이가 있다. 후자의 소득대체율은 복지국가로 알려진 스웨덴(41.6%)보다 약간 낮은 수준이지만, 북유럽의 국가들은 잘 준비된 2층 연금, 즉 기초연금같이 의무적으로 보장되는 1차 연금과 국민연금이나 퇴직연금 같은 2차의 의무적 소득비례연금 등을 통해 노후소득을 보충한다. 다층의 연금 체계를 통한 소득 확보와 제반 복지 여건이 갖춰진 상황에서 공적 연금의 개혁을 통해 소득대체율을 낮춘 것이다. 일반적으로 안락한 노후를 위한 소득대체율은 65~70% 수준으로 알려져 있다. 다수 유럽 국가들은 안정된 고령사회를 유지하기 위해 60%대 안팎의 소득대체율 수준을 유지한다.

우리나라는 2008년 도입한 기초노령연금을 2014년 기초연금•으로 재설계하고, 기존의 퇴직금 제도를 퇴직연금으로 전환하는 과정에 있으며, 개인연금·주택연금·농지연금 등 다양한 노후 대비 수단을 마련해 왔다. 그렇지만 퇴직연금과 개인연금이 아직 안정적으로 정착하지 못했고, 주택연금·농지연금은 제도를 이용하는 대상층이 낮아 안정적인 노후소득 보장 제도로 기능하는 데 한계가 있다. 또 정부는 60세 정년을 법제화했으나, 법정 정년제를 제대로 이행한다고 하더라도 국민연금 수급 시기와 정년 사이에는 여전히 괴리가 있어 급격한 소득 단절과 공백기가 존재할 수밖에 없다. 중고령자들이 퇴직에 가까워진 나이에 더 안정적으로 경제활동을 할 수 있게 만드는 제도적 장치에 대한 고민이 필요한 이유다.

중기적 대응 전략

중기적으로는 '복지'에서 '시장'을 향해 시선을 이동해야 한다. 고령화를 사회적 부담 요인이 아니라 기회 요인으로 활용하는 것이다. 노인 세대에 대한 일방적 지원 정책을 벗어나 노인 세대의 사회참여를 유도해 고령화를 적극적 성장 동력으로 전환해야 한다. 경제력을 갖춘 새로운 노인 세대가 고령자 적합형 주택과 금융 시장, 여행 상품, 여가 관련 시장 등에서 소비를 진작시킬 수 있기 때문이다. 실제로 근래의 노인 세대는 이전과 비교해 경제력과 구매력이 있으며 자기 자신을 위해 소비를 하는 강력한 소비 주도층으로 부상하고 있다. 경영학자 마우로 기

• 65세 이상의 모든 국민에게 생활의 기초가 되는 연금을 주는 제도로, 소득 인정액 기준 하위 70% 대상으로 일정 금액을 지급한다.

옌Mauro Guillén은 전 세계적으로 소비가 빠르게 늘고 있는 세대는 실버 세대이며, 실버 시장의 규모가 커지면서 2030년이 되면 건강 및 가사 관리 등 관련 산업 시장도 큰 호황을 맞을 것으로 전망하기도 했다.

또 다른 중기 과제로는 그동안 확립되어온 복지정책을 재정비하는 작업이 있다. 지난 2000년대 중반 이후 노인과 관련한 복지정책과 인프라는 아주 빠른 속도로 확대되어왔다. 그러나 이처럼 급속한 팽창은 필연적으로 역할과 기능의 측면에서 중첩되는 부분이나 사각지대를 발생시킨다. 따라서 중기적 과제로 노인복지 분야의 공공 인프라 기능과 역할을 종합해 체계 개편 작업을 진행해야 한다. 예를 들어, 스웨덴의 경우 우리나라의 청년 주택과 유사한 방식으로 노인 주택을 제공한다.[154] 노약자 편의 시설을 추가해 집을 새로 짓거나 빈집을 개조하는 방식으로, 2014년에 초고령사회에 진입한 스웨덴에서는 55세 이상이면 노인 주택 입주가 가능하다. 이처럼 자식이나 재산과 무관하게 개인 단위로 노인복지를 디자인하고 누구나 적정 비용으로 이용할 수 있는 방식을 참고해 노인들이 활기차게 가정과 사회 생활을 영위할 수 있는 생활환경을 만들어야 한다.

평균수명이 늘어나는 만큼 건강관리에 더욱 힘쓸 수 있도록 지원하는 것도 필요하다. 노인이 건강을 유지해야 의료비 부담이 줄고 경제활동도 가능해진다. 원격진료를 통한 간편한 의료 혜택, 디지털 기기를 활용한 상시 건강 체크 등은 건강관리와 함께 의료비 절감의 효과도 가져올 수 있다. 또 간병 로봇 혹은 정서적 교감을 나눌 수 있는 AI 소셜 로봇 등 첨단기술의 활용을 통해서도 노년 삶의 질을 개선해갈 수 있을 것이다.

또 노인들이 신체적 노화를 겪더라도 자립 생활을 지속할 수 있도록 사회 인프라와 서비스가 고령 친화적으로 변모해야 한다. 노인 문화 특화 거리, 노인 보호 전문 기관, 상담 센터, 노인 택시, 고령 친화적 정보물 등을 꼽아볼 수 있다.

장기적 대응 전략

사실 가장 근본적이면서 장기적 차원의 전략은 사회 시스템의 조정과 변화다. 여기에 해당하는 대표적인 영역이 교육이다. 현재와 같은 의무교육 기간이 과연 고령사회 생애주기에 적합한 교육 시스템인지 재검토해보고 조정해야 한다. 특히 이제는 학력 교육에서 평생교육으로 패러다임을 점진적으로 전환할 필요가 있다. 학령인구 감소에 대응해 평생교육 중심으로 대학 체제를 개편하는 것도 한 가지 방법이다. 평생교육은 노인의 교육·복지·고용 문제 해결과도 연결 지어 생각할 수 있다. 이를 위해서는 평생교육 관련 예산 확충과 제도 마련 등이 수반되어야 한다.

근본적인 사회 시스템의 조정이 필요한 또 다른 영역이 대안적 가족 공동체에 대한 문제다. 가족의 형태는 산업화를 거치면서 대가족에서 핵가족의 형태로 변해왔는데 고령사회로의 전환과 함께 1인 가구가 새로운 가구 형태로 대두했다. 특히 노인 1인 가구는 더욱 증가할 것으로 보인다. 이러한 현실에서 기존의 혈연 중심 가족관계를 대체할 수 있는 대안적 형태의 가족 공동체에 대한 고민이 진행되어야 한다.

프랑스의 경우 큰 집에 홀로 사는 노인에게 새로운 가족을 연결해주는 기관이 존재한다. 예를 들면 노인의 집에 청년이 들어가서 사는 식으로, 혼자인 노인이 다른 사람들과 마치 가족처럼 함께 살아갈 방법을 알선하는 것이다. 일본에서도 2011년 '고령자 거주안정확보에 따른 법령'

개정 이후 고령자 주택이 확대되었으며, 노인이 시설에 격리되지 않고 살던 집이나 지역사회에서 여생을 보낼 수 있도록 '내 집에서 나이 들기aging in place' 패러다임을 반영하고 있다.[155] 우리도 이처럼 다양한 형태를 수용하는 제도를 마련해야 한다. 혼인과 혈연으로 이루어진 가족 형태가 아니더라도 가족에 준하는 대우를 받도록 법적인 지위를 부여하는 것이다. 다양한 가족관계가 공존하는 사회·문화 환경을 조성함으로써 저출생·고령화 사회에 성숙하게 대응할 수 있을 것이다.[156]

한편 초고령사회에서 노인은 특별한 집단이 아니다. 따라서 고령사회에 적응해가는 과정에서는 노인과 고령화에 특화된 대책들이 필요하지만, 장기적 관점에서는 나이와 관계없이 지속 가능한 사회적 환경 조성에 관한 구상을 마련해야 한다.

또 장기적으로 초고령사회를 극복하는 주체는 민간이 담당하는 게 바람직하다. 정부가 고령화 문제 해결을 위해 직접 돈을 뿌리는 식의 방법은 지속 가능성을 담보하기 어렵기 때문이다. 그보다는 노화 및 질병 예방 기술 개발, 노인 돌봄, 장기 요양 보호 등을 제공하는 민간 기업체가 주체적으로 초고령사회 문제를 해결하도록 한 뒤, 그 활동에 걸맞은 경제적인 보상을 얻도록 세제를 완화하거나 국고로 보조금을 지급하는 등의 간접적인 활동을 하는 것이 정부가 취해야 하는 바람직한 방향일 것이다.

단기적 실행 방안

- 노령 근로자에 대한 재취업, 창업, 직업훈련 지원
- 1인 1국민연금 체제 확립
- 공적 연금 외 다양한 노후 준비를 위한 금융상품 개발 및 사적 연금 지원 강화

o 정년과 연금 수급 나이를 일치시키기 위해 정년 제도의 실효성 제고

o 고령자의 질병 조기 발견 및 예방을 위한 일반 건강진단 주기 단축 검토

o 장기요양보험 도입 및 대상자 확대

o 요양 시설의 서비스 제고(공공 요양 시설 지속 확충, 요양 인력의 전문화, 의료 서비스 강화 등)

o 노인 질병 특성을 고려한 건강보험의 보장성 강화

o 연금 소득에 대한 소득공제 한도 상향 조정 등 세제 측면에서 제도 정비

o 지역별 특성에 맞는 고령화 정책 마련

중기적 실행 방안

o 노인 서비스 시장 육성을 위해 정부 차원의 실버 산업 지원 체계 강화

o 고령자 대상의 의료 인프라 및 노인 질병 전문 병원 등 의료 체계 확충

o 주택 정책 마련 단계에서부터 기획한 1인 고령 인구를 위한 셰어 하우스 및 타운 개발

o 노인을 위한 장기 요양 보호 제도, 보호 시설 서비스 확충

o 노인을 위한 건축 편의 시설 설치 및 교통 환경 기반 마련

o 메타버스 등 확대되는 디지털 문화에서 소외되지 않도록 노인 디지털 정보화 교육 프로그램 강화

o 디지털 금융을 포함해 금융 서비스로부터 고령층이 소외되지 않도록 포용 금융 강화

o 로봇과 AI를 활용한 노인 도우미 보급

o 노인 돌봄 인력·서비스 등 지역사회 돌봄 체계 강화

장기적 실행 방안

- ○ 민관 협력 고령화 연구 센터 구축, 초고령사회를 대비한 연구 및 정책 개발 강화

- ○ 고령 친화 신산업 육성

- ○ 초고령사회에 부합하도록 생애 전체를 고려한 교육 시스템 재구조화

- ○ 가족을 대체하는 공적 지원 체계 구축 및 1인 가구를 위한 각종 법과 제도 정비

- ○ 경제적 인센티브를 바탕으로 민간이 주도하는 지속 가능한 초고령사회 극복 방안 마련

초저출생 인구절벽 시대의 대응 방안

'늙어가는 대한민국'에 이어 '작아지는 대한민국'도 현실이 되었다. 저출생·고령화 추세가 이어지는 가운데 총인구가 감소하며 '인구절벽'이 시작되었기 때문이다. 통계청이 2022년 7월 발표한 〈2021년 인구주택총조사 결과〉에 따르면, 2021년 우리나라 총인구는 1949년 이후 처음으로 마이너스 성장률을 기록했다. 인구의 감소가 사회경제적으로 미치는 영향은 매우 크다. 근간을 흔드는 변화를 가져온다는 점에서 '인구지진 agequake'[157]으로 표현되기도 한다. 사망자가 출생자보다 많아 자연감소를 처음 기록한 2020년에 이어 2021년 총인구도 줄어들면서 인구절벽 시대를 어떻게 수용하고 대응할지에 대한 관심이 더 커지고 있다.

● 인구 급감으로 인구구조가 절벽이 깎인 것처럼 역삼각형 분포가 되는 것을 뜻한다.

인구 보너스 시대에서 인구 오너스 시대로 전환

2021년 우리나라 총인구는 약 5,174만 명[158]이며, 2020년 5,184만 명으로 정점을 찍은 후 감소 추세로 돌아섰다. 또 2021년 출생아 수 26만 500명 대비 사망자 수는 31만 7,800명으로 통계상 자연 감소가 발생한 두 번째 해가 되었다. 1970년 출생아 수 101만 명이었던 것에 비해 약 4분의 1 수준으로 줄어든 것이다.[159] 풍부한 인적자원을 바탕으로 경제 성장을 구가하던 인구 보너스demographic bonus 시대가 끝나고 반대로 생산가능인구(15~64세)보다 부양해야 할 인구가 더 많은 인구 오너스demographic onus 시대가 된 것이다.

한 사회의 인구를 현상 유지하는 데 필요한 출생률의 수준을 '인구 대체 수준population replacement level'이라고 하는데, 가임 여성 1인당 2.1명의 자녀를 낳아야 현재 인구가 현상 유지된다. 한국은 한국전쟁 이후 베이비붐 현상과 함께 보건 의료 수준의 향상으로 사망률이 빠르게 감소하면서 인구증가율이 연평균 3% 수준에 육박했다. 그러나 1960년대 초 경제 발전을 도모하기 위해서는 인구 증가를 억제해야 했으므로 제1차 경제개발 5개년 계획에 가족계획사업이 포함되었다. 1961년 대한가족계획협회가 창립되었고 인구 억제를 위한 산아제한정책을 추진했다. 당시 대국민 표어는 '덮어놓고 낳다 보면 거지꼴을 못 면한다'였다.

그러나 출생률을 인구 대체 수준인 2.1명으로 낮추겠다던 정부의 목표는 '무서운 핵폭발, 더 무서운 인구폭발', '하나 낳아 젊게 살고 좁은 땅 넓게 살자' 같은 표어와 함께 계획보다 5년이나 앞선 1983년(2.06명)에 도달했다. 그리고 1984년 1.76명, 1994년 1.66명으로 출생률은 계속해서 감소했지만 정부는 별다른 대책을 내놓지 못했고 출생률

1.57명이었던 1996년이 되어서야 산아제한정책을 폐지했다. 이후 대한민국은 전 세계에서 유일하게 합계출산율이 1명 미만인 나라가 되었다.

지금은 막대한 예산을 쏟아부으며 시행한 출생률 높이기 정책이 무색하게, 2021년 합계출산율은 0.81명으로 떨어져 OECD 38개 회원국 가운데 3년 연속 최하위를 기록했다.[160] 2022년 1분기 합계출산율 역시 0.86명으로 1분기 기준 역대 최저치다. 2005년 '저출산·고령사회 기본법'이 제정된 이후 역대 정부들은 나름대로 저출생 대책을 펴왔다. 그러나 출산·양육에 대한 사회적 책임(노무현 정부), 일과 가정의 양립 일상화(이명박 정부), 청년 일자리, 주거 대책 강화 및 맞춤형 돌봄 확대(박근혜 정부), 일과 생활의 균형 및 고용·주거·교육에 대한 구조 개혁 강화(문재인 정부) 등의 정책은 모두 이렇다 할 성과를 얻지 못했다.

출생률을 높이기 위한 그동안의 정책적 노력이 무위로 돌아간 것처럼, 정책의 개입만으로 초저출생 현상의 기조를 바꾸기는 쉽지 않은 상황이다. 결국은 저출생을 벗어나는 '극복'의 관점이 아니라 이미 현실로 다가오는 인구 오너스 국가로의 진입을 인정하고 대비하는 '적응'의 관점이 더 요구된다.

인구 현황

저출생 현상은 필연적으로 인구 규모의 감소와 고령화로 이어진다. 우리나라 인구는 2021년 처음으로 전년보다 9만여 명이 줄며 −0.2%라는 마이너스 성장률을 기록했다. 통계청이 2019년 작성한 〈장래인구 특별추계〉에 따르면 총인구의 감소세 전환 시점은 2029년으로 예측되었으나 이보다 더 빨리 인구절벽이 나타난 것이다.

출생아 숫자만 봐도 감소세가 뚜렷하다. 1970년대에는 매년 90만 명

이상이 태어났고, 1980년대에는 80만 명, 1990년대에는 60만~70만 명이 태어났다. 그러나 2016년에는 40만 명대로, 2017년에는 30만 명대로 급감했고, 2021년에는 26만 명대로 떨어졌다. 특히 코로나19를 겪으면서 고강도 사회적 거리 두기, 경제적 여파 같은 요인으로 혼인율과 출생률은 큰 타격을 입었다.

반면 노인 인구(65세 이상)의 비율은 2021년 한 해 동안만 41만 9,000명이 급증하며 870만 7,000명으로 증가했다. 고령자를 세부 연령대별로 보면 65~74세가 전체 고령자의 58%, 75~84세가 31.9%, 85세 이상 초고령자가 10.1%였다. 초고령자 비중이 10%대를 넘어선 것도 역대 처음이다. 노인 인구의 비율은 2024~2025년 20%(초고령사회), 2050년 40%를 넘어설 것으로 예측된다. 또 2021년 노년부양비는 23.6명으로 전년보다 1.3 증가했고, 노령화지수(유소년 인구 대비 고령 인구 비중)는 143.0으로 전년 대비 10.5 상승했다. 이는 결국 생산가능인구(15~64세) 감소로 이어질 수밖에 없는데, 생산가능인구는 2021년 3,694만 4,000명으로 전년보다 0.9% 줄었다(-34만4,000명).[161] 노동력이 부족해지고, 노동력의 고령화로 노동생산성도 낮아진다는 뜻이다.

인구 역피라미드화로 인한 낮은 출생률과 고령 인구의 증가는 사회보장 비용의 부담도 높인다. 이러한 문제는 지역별로도 편차가 나타나며, 비수도권 중소 도시의 쇠퇴 내지는 소멸 위험도 커지고 있다. 2021년에도 229개의 전국 시군구 가운데 170곳의 인구가 감소했다.

저출생 현상에 대응하는 단계별 인구 전략

한편에서는 그동안 시행된 인구 정책이 저출생의 근본 원인 해결보다는 단편적 문제 해소에만 급급했다고 지적하기도 한다. 보육 시설 부족과 여성의 경력 단절 문제, 치솟는 아파트 가격, 급증하는 사교육비, 취업과 주거 문제 등 과도한 경쟁에 몰린 청년들의 부담 같은 구조적 문제를 해결하지 못한 채 구색 맞추기 대책만 늘어놓았다는 것이다. 인구가 점점 줄어드는 일부 지자체는 인구를 늘리는 근본적 대책을 마련하는 대신, 통계적 수치만을 올리는 편법으로 논란을 일으키기도 했다. 예를 들면, 인근 다른 도시에 거주하는 인구를 주소지만 옮겨서 허위로 '인구수 부풀리기'를 하는 식이다. 지방 인구의 감소는 자연적 감소보다는 인구 유출과 같은 사회적 감소에서 비롯된다.

출생률을 높이기 위한 정책을 '결혼 선택'과 '출산 선택'이라는 이중의 문턱을 넘어야만 정책 혜택을 받을 수 있도록 디자인한 것도 문제로 지적되었다.[162] 이를 반대로 보면 비혼이거나 무자녀인 경우, 정책의 혜택을 받을 수 없다는 말이다. 따라서 인구학적 접근과 경제·사회·문화적 접근이 통합적이고 체계적으로 이루어져야 한다. 정부는 인구구조 변화 대응을 위해 '4+α 추진 전략'을 마련했는데, 인구절벽 충격 완화, 축소사회 대응, 지역 소멸 선제 대응, 그리고 지속 가능성 제고를 주요 내용으로 담고 있다.[163]

단기 전략

적정 수준의 출생률이 지속되어야 필요한 노동력도 유지할 수 있다. 그러나 합계출산율이 단기간에 급격하게 높아진 사례는 어디에서도 찾아볼 수 없다. 따라서 출생률 제고는 지금 당장 시행해야 하는 단기 전략이자 일정한 목표 출생률에 도달하려는 중장기적 관점도 내포한다.

한편 거주 유형도 결혼 및 출산에 영향을 미치는 것으로 나타났다. 자가 거주와 비교했을 때 전세 거주 시 결혼 확률은 약 4.4%p 감소했으며, 월세 거주의 경우에는 약 12.3%p 감소했다. 거주 유형은 무자녀 가구의 첫째 아이 출산에도 유의미한 영향을 미쳤는데, 자가 거주에 비해 월세 거주의 경우 약 19.5%p나 감소하는 것으로 나타났다.[164] 또 남성과 여성 모두 정규직일 경우 결혼 가능성도 커졌다.[165] 주거와 일자리의 형태가 결혼 이행 여부의 기준이라고 해도 과언이 아니다. 따라서 결혼 적령기를 전후해 개개인이 원하는 보금자리를 마련할 수 있도록 부동산담보 대출 확대 등 합리적 부동산 정책을 단기 전략에 포함해야 한다. 코로나19로 고용 한파에 직면하면서 20~30대 청년층은 특히 더 큰 어려움을 겪고 있다. 이러한 상황에서 결혼을 고려하는 게 쉬운 일은 아니므로 보다 적극적이면서 가려운 곳을 긁어줄 수 있는 세심한 정책이 필요하다.

미혼 인구의 증가는 곧 인구 감소로 이어진다는 점에서 결혼을 장려하는 문화와 캠페인을 정책으로 연결한 시도들도 눈여겨볼 필요가 있다. 일부 지방자치단체에서는 결혼 지원 프로그램을 추진하는데, 가령 대구 달서구는 전국 최초로 결혼장려팀을 2016년에 신설해 젊은 남녀의 만남 프로그램 등 결혼 장려 사업을 운영하고 있다. 그 밖에 전남 화순군, 경남 진주시 등도 지역 내 인구 감소 위기감을 느끼며 각종 결혼 친화 프로그램을 운영하고 있다.[166]

중기 전략

중기적 관점에서 노동인구의 보완을 위해서는 우리 사회가 보유한 유휴 잠재 인력인 여성과 고령자의 고용률을 높여야 한다. 한국 여성의 고용률(15~64세)은 2021년 57.7%로 30-50클럽(1인당 국민소득 3만 달러, 인구 5,000만 명 이상) 7개국(미국, 일본, 독일, 프랑스, 영국, 이탈리아, 한국) 가운데 최하위권이다.

특히 한국 여성들은 유독 20대에 취업한 뒤 30대에 경력이 단절되는 현상이 도드라졌다. 주요 선진국의 여성 고용률이 나이가 들어감에 따라 포물선을 그리는 것과 달리 한국은 M자 형이다. 25~29세 여성 고용률이 최고점을 찍은 뒤 35~39세에 급격히 낮아지고 40~44세에 조금 높아졌다가 50대 이후 다시 하락세에 접어드는 식이다.[167] 무엇보다 한국 여성들이 경제활동에 참여하지 않는 이유로는 육아·가사 부담[168]이 꼽힌다. 여성의 고용률을 높이기 위해서는 유자녀 기혼 여성들이 걱정 없이 경제활동을 할 수 있도록 육아 여건을 마련해야 한다는 것을 시사한다. 특히 최근에는 코로나19 확산에 따라 고용 충격이 남성보다 여성에게 상대적으로 크게 발생하면서 여성 고용 문제가 더 심화했다. 이는 사회적 거리 두기로 인해 줄어든 대면 서비스업 일자리 노동자가 남성보다 여성이 많았기 때문으로 분석된다.[169]

또 다른 전략은 미래의 고령자가 오랫동안 노동시장에서 활동할 수 있도록 고용 기간을 늘리는 방안이다. 약 1,700만 명의 베이비붐 세대(1차: 1955~1963년생, 2차: 1974년생까지 포함)는 학력, 직무 능력, 건강 등의 측면에서 전반적으로 우수하다고 평가받으며 과거 세대와 달리 '액티브 시니어active senior' 등의 수식어로 불린다. 상당수가 아직 노동 인력으로 남아 있는 가운데 청년 세대의 실업 상황과 맞물리면서 '세대 갈등'이 유발되고 있으나 만약 이들이 일을 그만두기 시작하면 노동력 부족 문제가 발생한다. 따라서 경제활동 의지가 높은 미래 고령자 세대가 노동시장에 더 오래 남아 있도록 하는 방안을 모색해야 한다.

또 노동력을 보충하기 위해서는 첨단기술의 활용도 고려해야 한다. 최근 늘어나고 있는 배달이나 서빙 로봇이 그 예다. 이러한 자동화·지능화 기술이 줄어드는 노동력을 대체할 수 있도록 사전에 법·제도를 개정하고, 해당 인프라가 보급될 수 있도록 준비해야 한다.

장기 전략

보다 장기적으로는 이민정책이 인구문제를 해소할 전략이 될 수 있다. 단, 이 전략은 이민자 유입의 사회문화적 파급효과를 고려하면서 신중하게 시행해야 한다. 일단 중소기업의 심각한 인력난을 고려하면 외국인 근로자 유입을 확대할 필요가 있다. 이 같은 관점에서 이민 전담 기구인 '이민청' 설립 논의가 본격화하고 있기도 하다.

우리가 고려할 수 있는 또 다른 사안은 통일 시대의 인구 예측과 인구 전략이다. 통일로 가는 과정 및 통일 한국에서 시기별, 단계별로 모든 가능한 시나리오에 따른 인구 전략을 지금부터 논의할 필요가 있다. 또 북한과의 관계가 원만해지는 시점에서 북한의 생산가능인구를 우리 산업에 적극적으로 활용할 수 있는지도 검토할 필요가 있다.

한편 새로운 가족 공동체를 받아들이는 사회적 공감대 형성도 고려할 시점이다. 프랑스는 출산율이 1970년 2.65명에서 2000년 1.76명까지 감소했지만 2015년 1.98명으로 끌어올렸으며, 2020년에는 1.85명으로 유럽 국가 중 최고치를 기록하고 있다. 프랑스는 임신 준비부터 출산 후 신생아 돌봄까지 무료로 지원하는 광범위한 복지 혜택을 제공하고 있어 경제적 부담 없이 아이를 낳을 수 있도록 하면서도,[170] '결혼'이라는 법률적·전통적 가족 제도를 넘어 이성·동성 커플들이 자유롭게 동거하고 아이를 기를 수 있는 '팍스PACs(시민연대협약)'를 도입했다. 팍스는 단순한 동거 형태라는 이유로 받는 불이익을 일부 해소해 안정적인 법의 범주에서 살아갈 수 있도록 공동생활의 양식들을 체계화한 것이다.[171] 프랑스에서는 또 임산부 지원 제도에서도 결혼 여부로 차별을 받지 않는다.

혼인율의 감소와 함께 우리나라의 결혼과 가족에 대한 관념과 가치관도 변하고 있다. 결혼하지 않고 아이를 낳은 한 방송인의 '비혼 단독 출산' 사례가 얼마 전 공개되기도 했지만 이제 우리 사회는 법적 혼인으로만 이루어진 가족을 넘어 새로운 형태의 가족 공동체를 인정하고, 다양한 육아 정책 제공을 고민해봐야 한다. 최근 정치 영역으로 확대된 젠더 갈등 역시 풀어야 할 숙제다. 남녀 간 갈등은 젊은 세대에게 더 크게 나타나고 있으며 이 문제는 혼인율에도 영향을 미칠 수 있다.

더 근본적으로는 정부 차원에서 생애주기별 종합 대응 방안도 고민해야 한다. 저출생 대책이라고 해서 출산·육아에만 정책의 초점을 맞출 것이 아니다. 개천에서 다시 용이 날 수 있는 사회, 성실과 노력이 성과를 얻는 그런 건강한 사회가 다시 만들어질 때, 팍팍한 현실에도 불구하고 희망을 품고 출산을 하겠다는 동기부여가 될 것이다. 출산 의지를 북돋아줄 수 있는 광범위하고 근본적인 정책이 필요하다.

실행 방안

단계별 인구 전략을 실현하기 위해서는 구체적 실행 방안이 뒤따라야 한다. 출생률 제고를 위한 재정 부담은 복지 차원의 비용 지출이 아닌 미래를 위한 투자로 인식해야 한다.

출산에서 보육까지 국가의 적극 지원

○ 지자체 중심의 공동체 돌봄 정책 설계(돌봄 서비스 지역화 등)

○ 보육 시설이 부족한 지역을 파악해 보완하고, 보육의 실질적 품질 제고

○ 직장 내 어린이집 설치 지원 및 통합 서비스 강화

○ 지역아동센터 등 보육을 담당하는 민간 업체 관리 강화 및 예산 현실화

○ 결혼과 연계한 청년층 대상 양질의 주거 안정 지원 정책 확대 및 현실화(장기임대 주택 등)

○ 자녀 양육 관련 공공서비스 이용 무료화 또는 비용 최소화

○ 다자녀 가정을 우대하는 다양한 수당 지급 방식 설계

○ 난임 시술 지원 및 산모와 신생아에 대한 건강관리 지원 확대

○ 고용보험 미적용 취업 여성 대상 출산 지원금 지급 및 기간제 노동자 출산휴가 급여 보장

○ 가계 양육 부담 완화를 위한 출산 친화적 세금 구조 마련

○ 양질의 유아교육 제공을 위해 관리·감독 개선으로 유치원 공공성 강화

○ 유치원 2부제 도입을 통한, 밤에서 새벽 사이 유치원 가동성 제고

○ 아동 보호 체계 재편 등 아동학대 대응 및 예방 체계 강화[172]

○ 한부모 가정, 미혼모·부 가정에 대한 보육 및 육아 지원 확대

○ 임신에서 출산까지 원스톱 통합 서비스 제공

○ 청년층, 신혼부부, 다자녀 가구 주거 지원 확대

일·가정 양립, 일·생활 균형 지원책

○ 육아휴직, 출산휴직 등 일·가정 양립을 위한 기간을 법적 제도화

○ 유연근무제 등 비정형 근로 형태 활성화로 일·가정 양립이 가능한 환경 조성

○ 결혼, 출산 및 양육을 통해 삶의 질을 높이는 사회 문화와 고용 문화 조성

○ 보육 지원 체계와 일·가정 양립 제도 간 연계 강화(긴급 돌봄 서비스 등)

○ 정규 교육과정 안에서 일·가정 양립에 대한 사회적 인식 공감대 형성 노력

○ 휴직 급여 인상 등으로 여성 육아휴직뿐 아니라 남성 육아휴직 제도의 의무화

○ 배우자 출산휴가 의무화[•]

○ 사내 육아휴직 제도의 적극적 이용 문화 장려

○ 임신 기간 근로시간 단축, 임신 중 육아휴직 허용, 출산휴가 급여 현실화

○ 경력 단절 여성이 직장으로 돌아갈 수 있도록 하는 직무 역량 교육 체계 운영

다양한 가족의 제도적 수용

○ 이민, 결혼 등에 따른 다문화 가정에 대한 사회적 인식 개선을 위한 법률 개선

○ 가족 내 평등한 관계 확립을 위해 가족 제도와 관련한 불합리한 법제 개선

○ 미혼모·부의 일상 속 차별 개선, 비혼·동거 가족에 대한 사회적 차별 해소 및 인식 개선

○ 가족평등지수 개발, 친·외가 경조사 휴가 평등 보장 등 가족 문화 개선

○ 가족 내 공동 육아 문화의 정착을 위한 교육 시행

• 프랑스는 배우자 출산휴가 기간을 기존 14일에서 28일로 확대했다(EBS NEWS, 〈출산율 높은 프랑스의 비결, 모자보건 서비스 PMI〉, 2021.11.23.).

○ 동거 부부, 위탁 가족 등 다양한 형태의 실질적 가족을 법률상 가족으로 수용

국내 유휴 잠재 인력 활용 극대화

○ 유휴 잠재 인력 발굴을 위한 플랫폼 구축 및 생태계 활성화

○ 여성과 고령자의 노동시장 진출을 돕는 사회 문화 조성

○ 고령 인력 확대를 위해 기업의 연공서열 체계를 성과 중심으로 개선

○ 시간제 근로 전환 지원 등 점진적 퇴직 제도 활성화

○ 퇴직(예정) 근로자에 대한 전직轉職 직무 역량 교육 강화 및 공공 전직 지원 서비스 활성화

○ 개별 경력을 고려한 직업훈련, 재교육, 사회 기여 및 재능 나눔 활성화

○ 고령화 및 기대 수명 증가를 고려해 새로운 노년 기준 수립

○ 미래를 준비하는 평생교육 시스템 강화

해외 교민을 포함한 외국인 인력 활용

○ 원격근무자 비자 신설을 통한 외국 우수 인력의 보충적 활용

○ 미래의 노동력 부족량에 연동해 방문 취업 체류 기간 연장

○ 일원화한 외국 인력 도입 체계 구축

○ 외국인 인력 정착을 위해 법·제도 정비, 사회 인프라 개선

○ 국내 대학을 졸업한 외국 유학생에게 장기 취업 비자 발급 및 이후 유지 정착 지원

○ 다문화 가정에 대한 사회적 편견 완화 정책 및 캠페인 진행

○ 개방적 이민정책 추진

대전환 시대의 미래세대 전략

거세게 밀려오고 있는 4차 산업혁명의 물결이 디지털 전환의 속도를 높여가고 있다. AI로 상징되는 첨단기술은 이제 산업 영역을 넘어 사회 전반에, 나아가 국가 간 관계에도 큰 영향을 미친다. 여기에 장기화한 코로나19 팬데믹이 가져온 위기와 변화는 보건의료만이 아닌 전 세계질서의 흐름과 사회 전반적 시스템을 재편하는 계기가 되고 있다. 국내적으로는 저출생·고령화 추세가 이어지며 인구와 사회의 구조적 변동도 일어나고 있다. 그런데 전방위로 펼쳐지는 이러한 전환적 변화의 정점을 살아갈 주인공은 바로 미래세대다. 그런 점에서 '위드 코로나' 혹은 '포스트 코로나'라는 키워드로 변화에 대응하는 지금이야말로 미래세대 전략을 전면 재검토하고 새로 수립해야 할 시점이다.

'미래세대'란 '현세대의 결정과 행동의 영향을 직접 받으면서도 아직 미성년이거나 태어나지 않았기에 자신의 목소리를 현실 정치에 반영할 수 없는 세대'를 말한다. 이들은 현세대가 어떤 환경을 물려주든 이를 받아들일 수밖에 없다. 무릇 현세대의 의사결정은 미래세대까지 포함해 장기적 관점에서 이뤄져야 하지만, 미래세대에 대한 관심과 투자는 여전히 매우 미흡하다. 인구 감소와 고령화, 그리고 자원 활용과 환경 정책 등은 미래세대에 막대한 영향을 끼칠 요인들이다. 패러다임 전환에 비유되는 4차 산업혁명의 물결이나 위드 코로나 대응 및 사회적 수용은 어떤 측면에서는 현세대보다는 변화의 정점을 살아갈 미래세대에게 큰 이슈가 될 것이다. 따라서 미래에 주요한 영향을 미칠 수 있는 논점의 경우에는 현세대뿐만 아니라 미래세대를 함께 고려하는 정책이 반드시 수반되어야 한다.

코로나 세대, 희망이 사라지는 시대

코로나19 팬데믹은 수년째 종식될 기미를 보이지 않고 있다. 아울러 장기화하는 경기 침체로 실물경제는 위축되고 취업자 수도 감소 추세다. 통계청의 〈2022년 5월 고용동향〉에 따르면, 15~64세 고용률은 69.2%로 조사되었다.[173] 고용률은 작년 동월 대비 2.3% 상승하고, 청년층 실업률은 7.2% 하락한 성적표다. 하지만 이것을 장기적인 저성장 시대의 희망적 시그널로 해석하기에는 무리가 따른다.

코로나19 이전에도 청년층에서는 미래를 비관적으로 보는 분위기가 만연했다. 'N포 세대', '흙수저' 등 자조적 의미를 담은 신조어가 미래가 불투명한 청년의 삶을 상징하는 단어로 통용되었고, '헬조선', '이생망(이번 생은 망했다)'이란 절망적인 신조어도 젊은 층 사이에 공감을 얻으며 떠돌았다. 여기에 코로나19로 인한 고용 충격이 더해져 기업 신규 채용이 중단 또는 축소되면서 청년 실업률은 10%에 육박했고, 실물경제 위축에 따라 단기 일자리마저 구하기 어려운 상황이 되었다. 직장을 다니던 청년도 무급 휴직 기간이 늘면서 생활고와 함께 일을 통한 삶의 의미와 성취감을 얻을 기회는 점차 줄어들었다. 젊은 세대의 결혼 기피, 저출생·고령화 등 삶의 질과 관련한 국가적 의제는 청년이 처해 있는 암울한 상황과 직결된다. 따라서 청년들에게 어떻게 희망을 불어넣을 것인가는 현재 대한민국이 직면하고 있는 가장 큰 과제 중 하나다. 이는 "미래세대에 대한 현재 세대의 책임"에 관한 문제이기도 하다.

청년층 투표율 상승의 정치적 의미

언제부터인가 20대는 으레 정치에 무관심한 세대로 인식되어왔다. 이들은 정치나 정부 정책이 젊은 세대 개인의 삶에 막대한 변화를 준다는 사실을 체감하지 못함으로써 경성 뉴스보다는 연성 뉴스를 더 소비하는 패턴을 보이기도 했다. 이런 추세는 우리 정치에 누적되어온 일종의 병폐였는데, 정치 영역에서 20대는 늘 기성세대의 뒷전으로 밀렸기 때문일 것이다. 종종 20대 표심을 겨냥한 '청년 정치' 구호가 나오기도 했지만, 이마저도 선거가 끝나면 어느새 사라지곤 했다.

이런 가운데 최근 치른 일련의 선거에서 주목할 만한 현상들이 이어졌다. 2020년 21대 총선의 경우 20대 투표율이 60.9%를 기록했는데,

---

- 1997년 11월 12일 제27차 유네스코 총회에서 "미래세대에 대한 현재 세대의 책임 선언Declaration on the Responsibilities of the Present Generations towards Future Generations"이 선포되었다.

이는 이전 투표율과 비교하면 2배 가까이 높은 수치였다. 더 흥미로운 점은 20대 투표자 절반 이상이 21대 총선에서는 당시 여당인 더불어민주당을 지지했지만, 불과 1년 후 2021년 보궐선거에서는 당시 야당인 국민의힘을 지지하는 등 투표 성향이 급변했다는 것이다. 2022년 20대 대통령 선거와 8회 지방선거 결과도 이전과 확연히 달랐다. 세대별로 지지 성향에 격차가 났던 것은 물론 20대 젊은 유권자층 안에서도 성별에 따라 지지하는 후보가 갈리며 '결정적 표심'으로 작용했다.

이런 결과는 젊은 층의 성향 변화로 판단하기보다는 정치인들의 미래를 위한 정책과 행태에 따라 20대 유권자의 정치적 선택이 앞으로도 얼마든지 변화할 수 있다고 해석하는 편이 더 타당할 것이다. 현재 우리 사회의 청년들은 그 어느 세대보다 힘겨운 세대로서 살고 있지만, 이제는 미래세대를 배려하지 않는 데 대해서는 확실하게 제동을 걸거나 자신의 정치적 의사를 피력하는 '스윙 보터swing voter' 세력이 되었다고 보아야 한다.

미래와 미래세대에 대한 우려

최근 젊은 세대, 이른바 MZ세대의 특성을 이야기하는 담론들이 여기저기서 쏟아지고 있다. 그러나 트렌드나 상업적 차원의 접근이 대다수를 차지한다. 지금 사회는 여전히 미래세대에 대해 무지하고도 무관심하다. 무지와 무관심은 현재의 정치적, 제도적, 구조적 한계에서 비롯된다. 우리나라는 물론이고 거의 모든 국가의 공식 제도는 현세대의 요구에 우선 대응하도록 구조화되어 있다. 다만, 환경오염, 생태계 파괴, 기후변화, 자원 고갈 등과 같은 현세대가 남긴 폐해를 미래세대가 떠안는 것에 대해서는 전 세계가 경각심을 가지며 이에 대한 대처 방안을 모색하고 있다. 최근에는 낮은 출생률, 급속한 고령화, 복지 수요 확대에 따른 재정 건전성 문제, 젊은 세대의 젠더 갈등 심화, 그리고 코로나19로 인한 재정 확대와 국가 채무 등이 우리 사회의 뜨거운 현안이 되면서 미래와 미래세대에 대한 우려도 더 커지고 있다.

환경 및 자원 보존과 미래세대

지구 환경과 자원은 현세대만의 소유물이 아니며, 미래세대 역시 오염되지 않은 환경과 천연자원의 혜택을 누리고 살 권리를 갖는다. 환경 및 자원 보존과 관련한 논의는 미래세대의 '환경권'과 직결된다. 현세대가 지금과 같은 자원 소비를 지속한다면 지구의 유한한 자원은 고갈될 수밖에 없으며, 환경오염이나 생태계 파괴 등의 문제 또한 피할 수 없다. 지구 기후는 갈수록 불안정해지며, 따라서 기후변화에서 비롯되는 자연재해 증가에도 관심을 가져야만 한다. 유엔 산하 기후변화에 관한 국제 협의체인 IPCC의 2022년 6차 보고서는 기후 위기가 당초 예측보다 더 빠르게 진행되고 있으며, 이런 추세가 계속된다면 기후 취약 국가뿐만 아니라 모두가 피해자가 될 것이라고 경고했다.

스웨덴의 청년 환경운동가 그레타 툰베리Greta Thunberg는 2019년 유엔 기후행동정상회의에서 환경문제의 세대 간 형평성 문제를 제기한 바 있는데, 그 외에도 이제 행동으로 직접 나서는 미래세대 주역들이 계속해서 등장할 것으로 보인다.

세대 간 연금과 재정 분배 문제

무엇보다 세대 간 자원 분배의 불균형을 초래할 대표적인 것이 현행 연금제도다. 현재 복지 재원 부담 측면에서 세대 간 불평등이 과도해져 구조조정이 필요하다는 목소리가 계속 터져 나온다. 우리나라의 GDP 대비 복지 지출은 OECD 평균보다 낮은 수준이다. 반면 고령화 속도는 세계에서 가장 빠른 상황인지라 미래 언젠가 폭발하게 될 극단적 사태에 미리 대비해야 한다. 세대 간 부양 원리를 기반으로 하는 현행 공적 연금 제도는 저출생·고령화가 가져올 인구구조 변화에 매우 민감할 수밖에 없다. 고령화가 진전되면 연금 지출은 늘어나지만, 출산율 저하와 경제활동인구 감소로 연금 재원은 오히려 부족해지기 때문이다. 이는 곧 미래세대의 부담으로 직결된다. 공무원, 사학, 군인, 국민 등 연금제도를 현재와 같은 방식으로 계속 운영한다면, 연금 재정이 고갈되는 위기를 끝내 피할 수 없을 것이다.

한편 복지 수요는 고령화 진전과 사회적 양극화 심화로 인해 계속 증가할 전망이다. 현행 복지 제도를 유지만 하더라도 급속한 고령화에 따라 현재 GDP의 10% 수준인[174] 사회복지 지출이 2050년에는 15% 수준을 넘어설 것으로 예측된다.[175] 만약 현세대를 위해 복지를 더 확대할 경우, 이는 곧 미래세대 복지를 잠식하는 결과로 이어질 것이며 청장년층의 고령층 부양 부담은 급격히 늘어날 수밖에 없다. 통계청에 따르면 2021년 노년부양비는 23.6명으로 전년 대비 1.3명 증가했는데, 20년 뒤인 2040년에는 3배 가까이 늘어 63.4명으로 예측된다. 또 2066년에는 106.5명에까지 이를 것으로 보인다.[176] 2067년 타이완의 예상치 77.4명과 일본의 예상치 75.5명을 훨씬 넘어서는 수치다.[177]

미래세대를 위한 전략적 방안

안타까운 일이지만 우리나라 국가재정(관리재정수지)을 살펴보면 적자가 고착화하고 있다. 코로나19의 장기화로 이 적자는 더 심화되었다. 확장적 재정 정책으로 인한 국가의 빚은 미래세대에게 막중한 부담이 될 것이다. 이제는 국가 부채에 대한 경각심을 갖고 미래세대를 배려하는 전략을 추진해야 한다. 특히 주목해야 할 것은 현세대와 미래세대 간에는 개인적 차원만이 아니라 사회적 의무 차원에서도 생각의 차이가 두드러진다는 점이다. 미래세대와 현세대 간 형평성을 유지하기 위해서는 서로 다른 가치관에 대해 이해할 수 있도록 주기적으로 세대별 가치관을 추적 및 예측함으로써 세대를 아우르는 전략이 필요하다.

세대 간 계약의 쟁점

지금까지의 한국 사회는 정책 결정 과정에 미래세대의 필요를 반영하는 논의 환경 및 제도적 장치가 부재했다. 미래세대와 현세대 간 형평성 문제를 해결하기 위해서는 '세대 간 계약'이 필요하다. '세대 간 계약'은 일종의 사회계약으로서 세대 간 형평성에 대한 합의이며, 현세대가 미래세대를 위해 어떠한 도덕적 또는 법적 의무를 부담할 수 있는가의 문제로 귀결[178]된다.

세대 간 계약 및 미래세대의 권익 보호와 관련한 기존 해결책을 보면 중요도와 복합성의 스펙트럼이 매우 넓다. 개별 국가의 법 규정, 정부조직, 정당 간 경쟁 구조, 이념적 양극화 수준, 사회적 신뢰와 호혜성 수준, 정책 프로그램의 특성, 정책 해결책과 연관된 보상구조 등이 다양성에 영향을 주기 때문이다.

앞으로 우리 사회가 세대 간 형평성 문제를 해결하고 지속 가능한 발전을 추구하려면 다양한 법령상의 실체화 과정이 필요하다. 무엇보다 현행 헌법에는 미래세대에 대해 구체적으로 언급한 내용이 없다. 다만 전문에 "우리들의 자손의 안전과 자유와 행복을 영원히 확보할 것을 다짐하면서"라는 내용이 있을 뿐이다. 따라서 차후 법 개정 시, 미래세대 보호가 필요한 개별 분야에서 그 내용을 반드시 언급해야 한다. 독일의 경우 환경 분야에 치중하긴 했지만, 독일 헌법상 최초로 제22차 개정안에서 '미래세대'라는 용어를 사용했다. 우리나라도 독일 사례를 참조해 미래세대에 직결되는 문제 등을 법제화할 필요가 있다. 이를 위한 법적 쟁점은 〈표 10〉과 같이 정리할 수 있다.

미래세대를 위한 정책 설계의 원칙

미래세대의 권익을 보호하고 세대 간 형평성을 높이는 데에는 선진적이며 복합적인 사고가 필요하다. 또한 미래세대를 위한 정책과 제도들은 무엇보다 실행 가능해야 하고 효과가 있어야 하며, 한국에서의 상황과 요건에 부합해야 할 것이다.

우선 정책결정자들이 단기적 시각에서 벗어나 중장기적 미래에 관심을 가질 수 있도록 전략적 실행 환경을 제공해야 한다. 중장기 정책 수립에 대한 법적 근거를 마련하고 정책결정자들이 더 나은 의사결정을 할 수 있도록 데이터 분석 방법 등을 제공하거나 입법·정책에 대한 영향 평가 시스템 구축을 통해 중장기 효과를 예측함으로써 부작용을 최소화할 수 있을 것이다. 또 기존 입법·정책의 미래세대 영향에 대한 지속적 모니터도 필요하다.

제도적 장치도 확대해야 하는데, 정부 예산 편성 시 미래세대에 미칠

표 10 세대 간 계약의 법적 쟁점

1. 세대 및 세대 간 계약의 범위

- 입법자가 현재 세대 또는 미래세대라는 문구 규범화를 통해 의도한 것은 시간의 연속선에서 양자가 서로 깊게 연계되어 있는 특성을 인정하고, 세대 모두를 조화롭게 충족할 수 있는 여건을 마련하겠다는 의지로 보임

- 단, 현재 세대가 보호하고자 하는 형평성 초점을 어디에 놓을 것인지가 쟁점

2. 미래세대 보호 범위 및 보호 방식

- 미래세대의 개념에 대해 확정된 기준이 부재해 협의의 범위에 대한 보호 방식과 광의의 범위에 대한 형평성의 범주가 큰 차이를 보임

- 미래세대 보호를 위한 규범 방식은
  ① 미래세대 보호를 기본권 형태로 규정하는 방안,
  ② 미래세대 보호를 위해 헌법상 국가 목표 규정을 통해 보호하는 방안,
  ③ 국가라는 세대 간 공동체의 지속 가능성을 위해 절차적 민주주의 시스템과 연계해, 보다 장기적 관점에서 미래세대 보호를 위한 조직 및 입법 절차 마련 방안 등으로 유형화할 수 있음

3. 세대 간 형평성 고려와 평등 원칙의 적용

- 세대 간 형평성 추구와 관련한 입법적 조치에 대해, 헌법 제11조상의 평등 원칙은 한계가 있음

- 평등 원칙은 일반적으로 적용되는 법 원칙으로서 그 적용에 엄격성을 요하기 때문에 세대 간 형평성을 추구하는 실질적 내용은 입법적 대안을 통해 다양하게 현실화할 수 있음

＊자료: 한국법제연구원, 〈미래세대 보호를 위한 법이론 연구—세대 간 계약을 중심으로〉, 2020

영향을 미리 분석하는 '미래세대 인지 예산제'의 추진, 국가정책 의사결정 구조 내 미래세대 대리인인 청년 참여 비율 확보, 미래세대 배려 정책을 수립하도록 적절한 정치적 보상 구조 마련, 정부 정책이 미래세대 이해관계를 침해하지 않는지 평가하는 독립적인 미래세대 기구 구성, 시민이 참여해 다양한 미래세대 문제를 논의할 수 있는 디지털 공공 플

랫폼 구축 등을 제안해볼 수 있다.

그 밖에도 현재 시점의 사고를 넘어 미래 예측을 통한 변화 대응책도 수립해야 한다. 이를테면, AI와 바이오 기술을 통한 트랜스 휴먼의 등장 가능성 등 기술이 바꿔놓을 미래 사회와 문화에 대한 예측과 준비가 필요하다. 과학기술의 발전을 경제성장에만 국한하지 말고 미래세대의 삶에 미칠 영향과 사회문화적 변동 측면에서도 연구를 병행해야 할 것이다.

국가 발전과 선순환하는 다문화사회

동일한 정체성과 공동체 의식을 가진 단일민족으로서 오랫동안 동질적 구성을 유지해온 한국에 큰 변화가 일고 있다. 이민자의 대거 유입으로 인한 다문화사회로의 전환이다. 1980년대 후반 외국인 근로자의 취업에서 시작된 이민자 유입은 1990년대 초에는 결혼이민으로, 2000년 무렵부터는 외국인 유학생으로 증가하는 모습을 보였다.

법무부에 따르면 국내 체류 외국인 수는 2007년 100만 명을 돌파했고, 2019년에는 사상 처음으로 250만 명을 넘어섰다.[179] 코로나19 여파로 단기 체류 외국인이 줄어들면서 2021년 195만 6,781명으로 집계되었지만, 2022년 6월 205만 6,000명을 기록하며 다시 200만 명대로 올라섰다. 우리나라 인구 대비 체류 외국인 비율은 2019년에 4.87%, 2020년에는 3.93%였다. 학계에서는 한 사회에서 외국인 비율이 전체 인구의 5%가 넘으면 '다문화사회'로 분류하는데, 코로나19 이전의 증가세로 봤을 때 사실상 우리 사회도 다문화사회에 진입했다고 볼 수 있다.

과거 이민자는 대부분 중국과 일본에서 들어왔는데, 1980년대 말 이후부터 이민자의 출신 국가가 매우 다양해졌다. 체류 유형별 분포에서는 '취업'을 목표로 입국한 외국인 비율이 가장 높지만, 결혼이민자 역시 증가하고 있다. 다른 문화권의 이민자를 수용한다는 것은 인구 보충이나 경제적 이해뿐만 아니라 문화적 도약을 위해서도 긍정적 현상이며, 세계화 시대의 자연스러운 흐름이다. 그러므로 체류 외국인 300만 명 시대를 향한 지금, 국민의 넓은 공감을 바탕으로 국가 경쟁력에도 도움이 될 수 있는 다문화사회 전략이 필요하다.

인구 고령화와 이민 수요

이민자 유입은 한국 사회 저출생·고령화 문제의 해결책으로써 계속 활용될 전망이다. 통계청이 2022년 발표한 〈2021 인구주택총조사 결과〉에 따르면, 한국의 생산가능인구(15~64세)는 2021년 3,694만 4,000명으로 총인구의 71.4%에 해당하지만, 2070년 무렵에는 총인구의 46% 수준으로 감소할 것으로 전망된다. 반면 65세 이상 고령 인구는 2021년에 16.8%(870만 7,000명)였지만, 2024~2025년에 20%를 넘어서고 2050년쯤에는 40%를 넘어설 것으로 예측된다. 한국이 현재 인구를 유지하고 생산인구 감소를 막으려면 2060년까지 1,517만 명, 소비 인구를 유지하려면 1,762만 명의 대체 이민자가 필요하다는 추산도 나온다.[180] IMF가 2030~2060년 한국의 1인당 잠재 GDP 성장률을 OECD 국가 중 가장 낮게 전망한 것도 이 같은 인구 감소세에서 비롯했다.[181]

이러한 저출생·고령화에 대응하고 인구 구조조정 시간을 벌기 위해서는 생산가능인구 중 여성과 이민자 노동력을 수용하는 방법이 현실적일 수 있다. 특히 젊은 외국인 노동자의 고용은 일손 부족 문제를 해결할 수 있는 가장 확실한 방법으로 거론되는데, 2007년에 조선족 등을 대상으로 한 방문취업제를 도입하면서 이들의 유입이 더욱 촉진되었고, 이는 노동집약적 형태를 가진 업계의 호응을 끌어낸 바 있다. 이와 같은 제도를 확대해서 시행하거나 이를 근간으로 업그레이드한 새 정책을 검토하고 수립해야 한다.

혼인적령 인구의 성비 불균형과 이민 수요

꾸준하게 증가하는 혼인적령기 남녀 성비(여자 100명당 남자의 수)의 불균형은 향후 10여 년간 국제결혼의 증가 요인으로 작용할 것이다. 남성 인구 초과 현상은 젊은 연령층으로 내려올수록 더 심해지는데 국내 남녀 출생 성비는 1984년생부터 105를 웃돌고, 1989년생부터 1999년생까지는 무려 110을 상회한다. 이는 한국인 남성과 외국인 여성 사이의 국제결혼이 지속해서 늘어날 가능성이 있음을 시사한다.[182] 실제로 2020년 기준 결혼이민자 중 81.8%가 여성이었다.[183]

미래 이민정책의 방향

인구문제를 효과적으로 해결하는 방법이 이민정책이긴 하지만, 정부는 미래 이민정책과 관련해 장기적으로 큰 그림을 그리며 대처해야 한다. 이민정책을 통해 교육과 기술 수준이 높은 노동력을 다수 확보하고, 이민으로 인한 긍정적 효과를 극대화하는 동시에 부정적 효과를 최소화하기 위해서다. 또 외국인과 더불어 해외 거주 한인의 국내 유입을 고려해야 하는데, 이 경우 걸림돌이 될 수 있는 한국의 국적법을 수정해서라도 국내 이주를 활성화해야 한다. 우리나라보다 먼저 다문화사회를 경험한 선진국 사례를 참조하는 것도 필요하다.

우리나라의 이민정책과 관련한 단체로는 외국인정책위원회, 다문화 가족정책위원회, 외국인력정책위원회가 있으며, 부처별로는 법무부 출입국·외국인정책본부를 중심으로 외교통상부, 행정안전부, 고용노동부, 보건복지부, 여성가족부, 문화체육관광부 등에서 분산 관리하고 있다. 하지만 이민자 급증으로 체계적이고 합리적인 이민정책 수립의 필요성이 높아짐에 따라 이제는 관련 업무의 전담 부처 신설을 고민할 때다. (가칭)이민청 설립에 대한 논의는 최근 정부와 국회에서 이루어지고 있다. 미국의 경우 2003년 법무부 산하에 이민국을 설립한 이래 2014년 국토안보부 산하로 옮겨 이민 관련 행정 서비스를 제공하고 있고, 일본 역시 2019년 출입국재류관리청을 신설했다.

'나가는 이민' 정책

국내 청년층과 전문기술직 종사자의 해외 취업은 언제든지 정주형 이민이나 가족 이민으로 발전할 수 있다. 정부는 이러한 '나가는 이민'의 실태와 심각성에 관심을 두고 이를 적극적으로 관리해야 한다. 실제로 산업인력공단에 따르면 해외에 취업한 청년 인력은 2013년 1,600명 대에서 2018년 5,700명대로 늘어났고, 다시 한국으로 돌아오는 경우는 극히 드물었다.[184] 이들이 가족형 정주 이민으로 전환할 경우, 우리는 인재를 영영 잃어버리는 동시에 인구 손실도 감수해야 한다. 정부에서 적극적으로 재외동포 정책을 추진하고 해외 인재와 기업가의 한국 유치

정책을 펴지 않는 한 '두뇌 순환'이 아닌 '두뇌 유출'만 반복될 것이다.

물론 한국인의 해외 진출을 무조건 막을 이유는 없다. 그러나 반도체, 전기차 등 국내 보호 산업에 대한 관련 인력의 두뇌 유출을 방지하기 위한 다각적 정책을 개발하고 추진해야 한다. 최근 코로나19 여파로 유학을 떠났던 인재가 국내로 돌아온 경우도 많았는데,[185] 이들이 국내 기업과 학계에 남아 중추적 역할을 할 수 있도록 지원해야 한다. 미국 연방하원이 2022년 초 정보기술, 물리학, 의학, 생명공학 등 전문 분야의 대졸 이상 한국 국적자에게 취업 비자를 연간 최대 1만 5,000개 발급하는 내용의 '한국동반자법 Partner with Korea Act' 수정안을 통과시킨 것은 국적을 막론하고 고급 두뇌를 확보하겠다는 의미다.

'들어오는 이민' 정책

'나가는 이민'만큼 '들어오는 이민'에 대해서도 국내 사회와 경제에 미치는 효과를 고려해 이민정책을 정비해야 한다. 이민자의 숙련 수준과 국내 노동시장 상황 등을 고려해 어느 분야에서 얼마만큼 어떤 방식으로 이민자를 받아들여야 하는지 설정해야 한다. 저숙련 이주노동자와 고숙련·전문기술 인력 및 결혼이민자 등을 받아들이는 방식은 달라야 하며, 이 부분의 정책에 대한 고민이 필요하다.

이민자 유입에는 국내시장을 확대하는 기능도 있다. 이민자들은 장기 거주하면서 소비자 역할도 한다. 또 이민자들의 낮은 노동 비용으로 인해 제품 공급이 증가하면 가격이 하락하고, 내국인들은 저렴한 비용으로 제품을 소비할 수 있다. 그뿐 아니라 이민자 유입이 사회의 문화적 다양성을 고취하는 효과도 무시할 수 없다.

그렇지만 이민자의 노동생산성이 지나치게 낮아 그 수준이 전반적으로 떨어지거나 이민자에 대한 공적 이전지출•이 급격히 늘어나면, 이민자 유입에 따른 1인당 GDP의 상승효과는 기대할 수 없다. 이민자들은 보통 단신으로 이동하지 않는다. 가족을 동반하므로 국가는 이민자 가족에게까지 사회복지 혜택을 제공해야 한다. 이민자도 은퇴하면 사회복지 혜택을 받아야 하므로, 늘어난 기대 수명을 고려할 때 정부는 이민자들이 경제활동을 하며 유입국 사회에 기여한 것보다 더 높은 비용을 사회보장비로 지출할 수도 있다. 더구나 현재 이민자들이 얻는 일자리가 대부분 저임금 직종이라는 점을 고려하면 이들의 유입국 사회 기여도는 일정 수준보다 낮을 수 있다. 이런 점에서 한국이 이민자 유입 효과를 극대화하기 위해서는 이주노동자와 같은 '교체 순환형'과 영구 정착이 가능한 '정주형' 이민을 병행해야 한다.

한편, 저숙련 이주노동자의 경우 교육 및 자기 발전의 기회를 제공해 우수 인력이 될 수 있도록 뒷받침해주는 것도 필요하다. 이민정책을 단순히 경제적 이익의 관점에서만 볼 것이 아니라 인류의 보편적 가치를 지킬 수 있는 방향으로 나아가야 한다. 아프간 특별 기여자 입국이나 우크라이나 전쟁으로 인한 고려인 입국의 사례가 여기에 속할 것이다.

우수한 인력 확보를 위한 이민정책

이민정책은 우수한 인력을 확보하는 방안이기도 하다. 기업의 미래가 우수 인력 확보에 달린 것처럼, 국가도 마찬가지다. 내부 인력을 우수 인력으로 잘 길러내는 것 못지않게 외국에서 우수 인력을 유치해오는

• 실업수당이나 재해보상금, 사회보장기부금과 같이 정부가 생산 활동과 무관한 사람에게 반대급부 없이 지급하는 것을 말한다.

것도 중요하다. 2019년 기준으로 한국에 거주하는 외국인 중 근로 목적으로 거주하는 경우가 전체의 29.0%(51.5만 명)로 가장 큰 비중을 차지하고 있으므로 근로 환경의 질을 향상하는 것은 성공적인 이민정책의 중요한 방향이라 할 수 있다. 숙련 외국인이 유입되었을 때, 같은 규모의 비숙련 외국인 유입과 비교해 약 2배의 총생산 효과가 기대된다는 연구도 있다.[186]

　이런 방법은 미국, 캐나다, 호주가 주로 활용한다. 어차피 인력 부족을 해결하기 위해 이민을 받아들인다면, 성실하고 우수한 두뇌를 받아들이겠다는 전략이다. 일본도 '미래투자전략 2017'에서 2만 명의 우수 외국 인력을 활용한다는 정책을 제시했다. 일본 정부는 '인재 포인트' 제도를 통해 인력 상황(경력, 학력, 연봉 등)에 따라 출입국 관리상 우대 조치를 받게 하거나, '인재 전문직' 제도를 통해 우수 전문직 외국 인력은 무제한으로 체류할 수 있게 하는 등의 우대 조치를 받도록 했다. 독일의 경우 공인된 직업훈련 직종에 대한 숙련 인력도 이민의 주요한 대상이다. 싱가포르에서는 외국인 우수 인력을 유치하는 고용주에게 각종 규제를 면제해준다. 또 최소 체류 기간을 달성하면 영주권을 발급해주고 일정 기간 거주하고 세금을 내면 연금 지원도 한다. 나아가 세계 일류 대학과 연구소 유치를 통해 아시아 글로벌 연구 허브로 자리를 잡음으로써 고급 두뇌의 유입을 촉진하고 있다.

　또 4차 산업혁명에 따른 디지털 전환 과정은 인력의 구조나 노동 방식에도 많은 변화를 예고하고 있다.[187] 따라서 이러한 변화의 흐름을 파악하고 대응하는 이민정책의 수립이 필요하다. 우리 정부도 2021년에 '숙련기능인력 제도'를 도입해 고용허가제로 입국한 외국인(E-9, 비전문취업)이 일정 기준을 충족하는 경우 숙련기능인력(E-7-4) 체류 자격으로 변경해 장기 체류를 허용해주고, 첨단기술 분야 원격근무자를 위한 체류 비자 등을 신설했다. 앞으로도 여러 가지 고용 형태가 나타날 것으로 보이는 만큼 전문성을 보유한 외국인의 유입을 유도할 수 있는 다양한 경로를 마련해야 한다.

특히 우수 인력 확보는 장기적 국가 산업 계획과 연동되는 부분으로 더욱 치밀한 계획이 필요하다. 반도체 업계는 물론 한국의 4차 산업혁명 관련 분야의 인력 부족은 계속 지적되는 이슈다.[188] 이러한 인력 부족을 극복하기 위해서는 한국의 대학에서 이공계 박사 학위를 받은 유학생이나 AI 개발 같은 4차 산업혁명 관련 전문가에게 비교적 쉽게 국적을 받아 정착할 수 있게 유도해야 한다. 또 다문화 가정의 2세들이 차별 없이 교육을 받을 수 있도록 제도를 강화하고 사회적 분위기를 조성한다면 더 많은 우수 인재를 길러낼 수 있을 것이다.

이민자 유입에 따른 지원과 대처

단기 체류가 아니라 한국에 완전히 정착한 정주형 이민자의 경우 사회통합 정책을 통해 성공적으로 정착하도록 지원해야 한다. 이민자들이 한국에서 사회적·경제적·정치적 권리를 공정하게 누리고 의무를 이행할 수 있도록 시민권 제도부터 정비해야 한다.

아울러 이민자가 유입됨으로써 발생할 수 있는 각종 사건·사고 및 분쟁 요소를 미리 진단해 예방해야 한다. 정주형 이민자는 내국인 노동자들의 임금 감소 및 실업, 주택, 취학 인구, 범죄, 문화와 공동체 해체, 복지 지출, 공공서비스, 공공 재정 등 광범위한 분야에서 수용국 사회에 영향을 미칠 수 있다. 또 이민자들과 미래세대 사이에서 발생할 수 있는 '의무', '공정' 등의 이슈에 대한 정책적 대비가 필요하다. 대표적으로 국방의 의무가 논쟁거리로 등장할 수 있다. 이민자와 내국인 간 갈등이 더 큰 사회문제로 비화되지 않도록 인종적·종족적 다양성을 문화적 다양성으로 승화시키고 조화를 이루려는 노력이 필요하다.

한편 코로나19 이후 우리나라뿐만 아니라 전 세계적으로 외국인 또는 이민자에 대한 반감이 폭발하고 이전보다 많은 편견과 차별의 표출이 증가한 바 있다. 특히 우리나라에서는 언어·문화적 소통의 제약으로 인해 다문화 가정이 방역 정보로부터 소외되기도 했다. 원격 수업 과정에서도 다문화 가정 자녀의 학습 결손과 적응 문제 등이 불거졌다. 이러한 문제들을 해소하기 위해서는 다문화 수용성 교육의 지속적 실시와 이민자를 위한 전담 기구 설치 등이 필요하다. 통계청에 따르면 학령기 다문화 학생은 2016년 9만 9,000여 명에서 매년 1만 명 이상 늘어 2021년에는 역대 최다인 16만여 명으로 증가했다.[189]

그런데 적잖은 다문화 가정 2세들이 학교 교실에서 또래 간 갈등을 겪고 있고 이러한 갈등이 군대에까지 이어질 수 있다는 점에서 우려가 나타난다. 이러한 갈등을 예방하기 위해서는 다문화 교육을 더욱 확대하고 체계화해야 한다. 학교는 문화 간 소통 기술을 배우는 데 중요한 기관으로서 이곳에서 학생들은 문화적 배경이나 인종의 차이를 뛰어넘는 화합과 교류, 공감력을 배우고 익힐 수 있어야 한다. 이러한 교육에는 영상 매체나 인터넷 등 미디어를 활용하는 것도 효과적일 수 있다. 미디어의 다문화 관련 콘텐츠에 대해서도 적극적인 모니터링과 비평을 통해 보다 나은 대안을 제시함으로써, 부적절한 내용을 규제하고 유익한 프로그램을 많이 만들 수 있도록 유도해야 한다.

다문화사회의 사회 통합

서로 다른 문화와 환경 속에 살아온 사람들이 상생하기 위해서는 무엇보다 이해와 관용의 정신으로 상대방을 존중하는 자세가 필요하다. 단기 체류자이든, 이민자이든 외국인에게 한국 사회에서의 생활은 그리 녹록지 않은 경험이 될 수 있다. 전혀 다른 언어, 낯선 한국 문화와 관습을 이해하고 적응하기 위해 노력해야 하기 때문이다. 정부는 이민자들이 자국의 문화적 정체성을 유지하면서도 한국 사회에 적응할 수 있도록 지원해야 하며, 마찰과 갈등을 최소한으로 줄일 수 있도록 해야 한다. 상호주의하에 이주민을 맞이하는 다수의 한국인 역시 이민자의 다른 문화와 방식을 존중하고 이주민 혹은 소수민의 문화를 역으로 배우는 개방적이면서도 통합을 추구하는 사회적 분위기를 조성해야 한다.

각기 다른 국가에서 온 이주민은 그들의 다양한 출신 지역처럼 문화적·언어적·종교적 차이에서 겪는 어려움의 양상도 다르다. 이러한 다문화 가정의 아동을 모두 동일 집단으로 여겨 획일적인 교육 프로그램을 제공하면 부작용을 일으킬 수 있다. 다문화사회로 가속화하는 현 상황에서 다문화 구성원을 위한 교육과 정책은 다문화 속의 다양성을 고려한 맞춤형으로 접근해야 한다. 전문가들은 또 다문화 가족 지원 센터 이용 대상에 결혼이주민뿐만 아니라 이주노동자, 외국인 유학생, 난민 등을 포함하는 방안, 지역별 맞춤형 지원 확대, 나아가 다문화 가족 정책을 이주민 사회 통합 정책으로 전환하자는 의견도 내놓고 있다.[190]

지방정부 차원의 다문화사회 지원

ㅇ 지역 내 다문화 가족, 외국인 주민, 지역민들이 어울릴 수 있는 지역 공동체 사업

개발

o 다문화 감수성 교육 등 정서적 차원으로 접근하는 교육 프로그램 개발 및 확산

o 외국인의 자발적인 문화 행사를 지원하는 프로그램 운영

o 외국인 이주민의 관점에서 문화적 수요 파악

o 이주자 밀집 지역에서 지역 주민과의 소통을 도모하는 지역 특화 행사 활성화

o 외국인 이주노동자의 지역사회 정착을 돕기 위한 주거 지원 체계 마련

o 이주자의 초기 정착을 지원해주는 원스톱 행정 서비스 및 전담 부서 마련

o 이주자를 위한 한국어 교육 및 문화 적응 프로그램 운영

o 우수 이민 인력이 장기 거주할 수 있도록 자녀교육 혜택 등 제공

o 다문화 가정이나 외국 문화를 이해할 수 있는 초중등 내 교과목 신설

o 이민자 범죄 예방을 위한 현지 준법 교육 및 치안 강화 활동

o 직업훈련과 취업 지원 등을 통해 결혼 이주 여성의 사회·경제적 참여 활성화

o 초기 적응 중심에서 장기 정착화에 따른 정책으로 재편[191]

다문화 수용에 걸맞은 기업문화 조성 및 외국인 노동자 인권 보호

o 종교, 음식 등 외국인 노동자의 전통문화와 생활 관습을 존중하는 기업문화 조성

o 생산기능직 외국인 노동자 차별 대우와 인권침해 근절 방안 강화

o 외국인 노동자의 권리를 보호, 신장할 수 있는 법·제도 보완 및 절차 간소화

o 법·제도 사각지대에 놓인 미등록 외국인 노동자에 대한 양성화 및 체류 지위 개선 작업

o 언어·문화 교육 강화 등 문화적 이질감 해소를 위한 노력

시민사회 차원의 상생 프로그램 활성화

o 인식 개선 교육 등을 통해 다문화 수용성 제고 도모

o 동등한 시민으로서 '더불어 사는' 세계 시민의식 교육

o 언어 교류 및 문화 교류 프로그램, 다문화 커뮤니티 활성화

o 영화 등 미디어 콘텐츠 대상 차별적·편향적 인식에 대한 시민사회 차원의 감시

o 학령기에 맞는 다양한 단계별 프로그램으로 문화 다양성 교육의 확대

국제 결혼이주 여성과 다문화 가족 자녀에 대한 관심과 지원

o 다문화 가족 지원법 내 지원 대상과 범위 개선

o 대다수 다문화 가정을 구성하는 국제결혼 이주 여성 실태 파악 및 인권 보호 장치 마련

o 국제결혼 이주 여성의 성폭력 및 가정폭력 피해 문제 해법 마련

o 국제결혼 안내 프로그램 이수 의무화

o 아동기·청소년기 다문화 학생의 교육 기회 보장을 위한 정책적 방안 마련

o 다문화 특성에 맞춘 심리·정서 상담 프로그램 마련

o 다문화 가정 2세 자녀의 군 복무 시 다문화 배려 복무 환경(종교, 식단 등) 마련

o 초·중·고 봉사 프로그램에 이주민을 이해하고 정착을 돕는 프로그램 확대

o 다문화 부모 학교를 운영해 결혼이민자의 학습 지원 역량 강화

외국인 근로자 취업 불가 업종에 대한 규제 샌드박스 제도 도입

o 외국인 노동자 고용 허가 업종 외의 긴급 노동 수급을 위해 규제 샌드박스 도입

o 선 적용 후 실질적인 고용 영향 파악을 위해 상시 후속 조치 체계 및 의견 수렴 창구 마련

o 단기 체류 외국인 노동자의 처우 개선, 고용주의 노동법 준수 여부 등 상시 관리 감독

5

정치 분야 미래전략
Politics

디지털 프로파간다로 혼란에 빠진 온라인 공론장

디지털 전환의 반작용과 사이버 안보

하이브리드 전쟁과 국방 패러다임의 전환

디지털 기술로 변화하는 정책 결정과 투표 시스템

'혁신의 실험장' 규제 샌드박스의 미래

디지털 프로파간다로
혼란에 빠진 온라인 공론장

AI 알고리즘의 스토리텔링 기술이나 딥페이크deep fake 기술이 소셜미디어를 통해 광범위하게 활용되는 가운데 이를 이용한 허위·조작 정보disinformation와 가짜 뉴스fake news가 세계 곳곳에서 활개를 치고 있다. 이러한 디지털 정보는 여러 국가의 민감한 정치 상황이나 선거 여론전에까지 개입해 잦은 논란을 불러일으켰다. 2016년 미국의 대통령 선거 이후 거의 모든 서구권 선거에서 드러난 허위·조작 정보의 출처가 러시아, 이란 등 권위주의 국가와 연계된 정보전information warfare이었다. 이러한 '디지털 프로파간다digital propaganda'는 정상적인 여론 형성을 방해하면서 민주주의의 가치와 제도를 심각하게 훼손한다는 점에서 문제가 심각하다. 여기에 더해, 2022년 러시아–우크라이나 전쟁에서 양국이 전개한 '사이버 심리전psychological warfare'과 같은 허위·조작 정보의 전시 영향력도 주목받고 있다.

온라인 공론장의 여론 양극화와 가짜 뉴스 문제

최근의 온라인 공론장은 비슷한 정치적 의견을 공유하는 구성원들끼리만 소통하고자 하는 이념적 양극화로 인해 사회 구성원을 파편화시키는 공간이 되고 있다. 특히 선거와 같은 중대한 정치적 의사결정을 앞두었을 땐 여론이 극명히 양극화하는데, 이는 자신이 믿고 싶은 정보만 취하려는 확증편향이 강화되기 때문이다. 비슷한 온라인 커뮤니케이션 현상인 '반향실 효과echo chamber effect '혹은 '메아리 방 효과'는 유사한 관점이나 생각을 지닌 사람끼리만 반복적으로 소통하면서 편향된 사고가 굳어지는 현상을 일컫는다. 이와 유사해 보이는 '필터 버블 효과filter bubble effect'는 AI 알고리즘에 의해 걸러진, 맞춤형 정보만을 받게 된 인터넷 사용자가 마치 거품 안에 갇혀 있는 것과 같은 현상을 일컫는다.

주로 소셜미디어를 통해 형성되는 여론의 양극화 현상과 더불어 가짜 뉴스와 허위·조작 정보는 최근 세계 각지에서 여론의 정상적인 기능에 부정적 영향을 끼치고 있다. 어느 국가든 선거철에 왜곡된 허위 사실이 전파되는 일은 비일비재하다. 하지만 오늘날 대부분의 선거에서 객관적 사실보다 개인의 감정이나 믿음이 여론 형성에 지대한 영향을 끼치는 일이 빈번해진 것은 그만큼 사람들이 사실보다 정보의 감정적 요소에 더 휘둘린다는 것을 말해준다.

가짜 뉴스와 허위·조작 정보의 문제는 2016년 미국 대통령 선거와 영국의 브렉시트 국민투표, 2017년 이후 유럽의 거의 모든 선거는 물론 최근에는 동아시아권에서도 두드러지게 나타나고 있다. 유포된 가짜 뉴스는 유권자들의 투표에 결정적 영향을 끼치며 선거 결과를 좌우했다. 자극적이고 충격적인 내용을 담는 경우가 대부분인 가짜 뉴스는 AI의 대규모 정보 확산 기술을 통해 소셜미디어 공간에서 빠르게 확산되며, 정상적인 여론 형성을 왜곡하고 선거와 같은 민주적 절차를 통한 정치적 의사결정 과정에도 악영향을 끼치고 있다.

코로나19 팬데믹 상황에서 치러진 2020년 11월 미국 대선에서도 소셜미디어를 통해 퍼진 가짜 뉴스가 큰 혼란을 불러일으켰다. 극우 단체들이 주요 경합 주에서 트럼프를 찍은 투표용지가 폐기되었다는 주장과 함께 부정선거 의혹을 제기하는 해시태그를 확산시킨 것이다. 허위·조작 정보의 내용이 인종이나 특정 그룹에 맞춰진 것도 특징이었다. 히스패닉 유권자들은 극우 라틴계 페이스북에서 퍼진 "Black Lives Matter(흑인의 목숨도 소중하다)"를 왜곡한 가짜 뉴스에 노출되었고, 바이든이 공산주의자라는 거짓 메시지는 아시아계 및 쿠바와 베네수엘라에서 이민 온 유권자들의 투표에 큰 영향을 끼쳤다. 또 바이든이 선거 부정을 시인한 것처럼 조작한 영상이 수천만 명에게 노출되기도 했다.

중국어권 대중을 대상으로 한 가짜 뉴스 유포 활동도 포착되었다. 2019년 홍콩 시민들의 범죄인 인도 법안 시위를 비판하는 글이 소셜미디어 공간에서 중국 정부와 연계된 가짜 계정을 통해 확산됐고, 2020년 타이완 총통 선거와 입법위원 선거 6개월 전부터는 중국의 해커 조직 망군網軍이 타이완인 소유 인터넷 도메인을 대거 인수한 뒤 페이스북, 웨이보, 타이완 소셜미디어의 가짜 계정을 이용해 여론전을 전개하기도 했다.

AI 알고리즘의 정보 생산과 디지털 프로파간다

가짜 뉴스와 탈진실, 허위 정보는 최근 들어 더 심각한 정치·사회 문제로 부상하고 있다. 이는 AI의 알고리즘을 통해 가짜 뉴스의 생산과 유포가 쉬워진 디지털 기술 환경과 관련이 있다. AI 로봇은 온라인 네트워크를 통해 수많은 사람에게 반복적으로 같은 메시지를 전달할 수 있다. 여론의 향방과 추이가 정치적 의사결정에 막중한 역할을 하는 선거 캠페인 기간에 자극적인 내용의 가짜 뉴스가 광범위하게 퍼지면 여론 형성 과정에 지대한 영향을 끼친다. 따라서 AI 알고리즘을 개발한 주체가 여론을 특정 방향으로 유도하려는 동기를 지녔다면, 정치적·법적으로 위험한 논란을 불러올 수 있다. 결과적으로 AI 기술과 자본을 가진 행위자가 알고리즘의 내용을 밝히지 않은 채 그러한 기술과 자본을 갖지 못한 행위자들에 대해 비대칭적 권력을 행사할 여지가 커지는 것이다.

실제로 최근 많은 민주주의 국가 선거에서 AI봇의 광범위한 여론 개입 정황이 드러나 논란이 되고 있다. 주로 소셜미디어의 가짜 계정을 통제하는 대화형 AI 알고리즘 프로그램인 AI봇은 '좋아요', '리트윗', '팔로잉' 등의 기능을 활발하게 수행하고 있고 팔로워 수를 인위적으로 늘리는 데도 사용되고 있다. 이러한 봇들은 소셜봇social bots 혹은 정치봇political bots으로서 대중이 특정 정치 어젠다를 지지하는 것처럼 인간의 정치 참여 행위를 흉내 내면서 여론전에 동원되고 있다. AI봇은 이러한 방식으로 테러리스트의 정치 선전이나 극단주의 범죄에 악용될 수 있으며, 그러한 활동을 위해 거짓 정보 댓글을 대규모로 생성하는 '봇 부대bot army'로서 유용될 위험을 안고 있다.

인류 역사에서 프로파간다 활동은 가장 빈번하게 수행되어온 대중 설득 전략이다. 프로파간다란 '목표 청중의 감정, 태도, 의견, 행동에 영향을 끼치려는 체계적 형태의 의도적 설득 행위로서 이념적·정치적·상업적 목적을 위해 미디어를 통해 통제된 방식으로 메시지를 일방향으로 전달하는 것'을 말한다. 프로파간다라는 용어가 부정적 이미지를 갖게 된 것은 중세 가톨릭교회가 프로테스탄트의 주장을 프로파간다로 묘사하면서부터였다. 이후 제2차 세계대전 당시 나치 독일의 악명 높은 활동으로 인해 프로파간다는 '거짓말', '조작', '왜곡', '정신 조종', '심리전', '기만', '세뇌' 등과 같은 부정적 의미가 고착되었다.

오늘날 사회적으로 논란이 되는, 주로 인터넷과 소셜미디어를 통해 전개되는 프로파간다 활동이 컴퓨터 프로파간다 혹은 디지털 프로파간다로 불리는 이유는 온라인 공간에서의 정보 생산과 확산에 AI 알고리즘과 같은 첨단 디지털 기술이 본격적으로 사용되고 있기 때문이다. 특히 정치 봇은 다양한 방법의 프로파간다 전술을 펼치는데, 특정 키워드나 저명한 정치인의 트윗과 같은 촉발 변수trigger를 사용해 특정 정보를 대규모로 유포하기도 하고, '팔로워 봇follower bots' 같은 경우 가상 인물을 만들어 대규모의 '좋아요'를 생성시키는 방식으로 팔로워 수를 늘리기도 한다. 또 '길 차단 봇roadblock bots'은 온라인 공간에서 사람들의 주의를 다른 이슈로 분산시켜 관심을 돌려놓거나 영향력 있는 사용자의 게시물에 스팸성 해시태그를 다량 게시해 원래의 글을 밀어내게 하기도 한다. 이 밖에도 특정 인물에게 협박 메시지를 보내거나 해킹으로 개인 정보를 유출하기도 하고, 선거 감시 웹사이트나 모바일 앱의 작동을 방해하는 등 극단적 방식으로 프로파간다 활동을 수행할 수 있다.

프로파간다의 설득 전략은 다양한 심리학 이론에 근거한다. 예를 들어 '진실 착각 효과illusory truth effect'가 있다. 처음 접했을 땐 신뢰하지 않았던 정보원의 정보라도 시간이 지나면 그 불확실한 정보원에 대한 기억은 잊고 정보 자체만을 기정사실로 인식하는 경향이다. 다시 말해, 사람들은 아무리 허무맹랑한 메시지라도 반복적으로 또 빈번하게 거기에 노출되는 경우 그 메시지를 점차 신뢰하게 되며, 처음에 접한 정보를 나중에 접하는 정보보다 더 믿고 따르게 된다.

　모든 허위 정보misinformation가 허위·조작 정보는 아니며 고의 없이 잘못된 정보false information를 우발적으로 공유하는 것도 허위·조작 정보가 아니다. 가짜 뉴스와 같은 허위·조작 정보는 누군가를 오도하기 위한 목적으로 잘못된 정보를 고의로 유포하는 활동이다. 특히 딥페이크 영상은 AI 알고리즘을 이용해 동영상 원본의 사람을 다른 사람의 모습으로 바꿔서 편집한 뒤 새로 합성된 인물이 실제 존재하는 것처럼 조작하는 기술이 동원되는, 진위 식별이 가장 어려운 형태의 허위·조작 정보다. 물론 딥페이크가 악의적 목적으로만 사용되는 것은 아니다. 예컨대 미켈라 소사Miquela Sousa는 2016년부터 릴 미켈라Lil Miquela라는 닉네임으로 소셜미디어에서 활동하고 있는 버추얼 인플루언서다. 자신이 딥페이크 기술로 만든 가상의 인물이라고 스스로 밝힌 미켈라는 수많은 인스타그램 팔로워를 거느리고 있으며, 패션모델로도 인기를 누리고 있다. 이마Imma, 리암 니쿠로Liam Nikuro, 실비아Sylvia 등도 유명한 버추얼 인플루언서다.

　정치적으로 악의적인 목적을 지닌 허위·조작 정보가 소셜미디어를 통해 대규모로 유포되면서 국제사회에 심각한 논란을 일으키기 시작한 것은 2016년 미국 대통령 선거 때부터다. 이때부터 미국과 유럽의 거의 모든 선거 기간에는 러시아 정부와 연계된 것으로 밝혀진 허위·조작 정보가 소셜미디어를 기반으로 퍼져나갔다. 러시아의 이러한 공격적인 사이버 심리전은 서구권의 여론 분열을 통해 선거 결과에 직접 영향을 끼치고 민주주의 제도를 훼손하려는 시도이자 주권 침해 행위로 비난받고 있다. 디지털 프로파간다로 일컫는 이러한 활동이 위협적인 이유는 서구권 사회의 여론 왜곡과 사회 분열에 그치지 않고, 공격 대상

국가의 의사결정 과정을 마비시키고 정부의 정치적 정당성과 민주주의 제도까지 무력화하는 것을 목적으로 삼기 때문이다.

특히 이념이나 이슈를 놓고 분열된 사회일수록, 진영의 대결이 분노와 증오로 가득한 사회일수록 자극적인 가짜 뉴스에 취약하다. 요컨대 현대의 디지털 첨단 사회에서 인터넷이나 소셜미디어 공간은 AI를 활용한 정보통신 기술을 통해 언제든지 치열한 가상의 전장으로 전환될 수 있는 셈이다.

가짜 뉴스에 의한 인지적 교란

최근 인지신경과학의 연구에 따르면, 인간이 지닌 놀라운 능력 중 하나는 세상의 온갖 다양한 일 가운데 '예상 밖의 정보나 사건을 신속하게 탐지하는 능력'이라고 한다. 인간의 인지력은 항상 '새롭고 참신한 것 novelty'에 주목하고 집중하는 인지 방식을 길러왔는데, 새로운 자극을 경험할 때마다 뇌에서 도파민이 생성되어 일종의 '보상'을 제공하고, 결과적으로 학습과 기억을 돕는다는 것이다. 이러한 이유로 인간의 뇌는 감정적이고 도발적인 정보를 더 오랫동안 강하게 기억하게 되고, 그런 측면에서 프로파간다 목적을 갖는 가짜 뉴스 정보는 '거짓 기억' 현상을 쉽게 유발할 수 있다. 거짓 기억 현상이란 실제로 일어나지 않은 일을 일어났던 일로 기억하고 믿어버리는 상태를 말한다.

한 실험에 따르면, 가짜 뉴스 정보가 개인의 믿음이나 신념과 관련될 때 사람들은 그러한 거짓 기억 경향을 더 쉽게 보였다고 한다. 가짜 뉴스의 힘은 바로 사람들의 기억을 사로잡고 빠르게 학습할 수 있을 만큼 주목을 끄는 내용에 있으며, '도덕적 감정moral emotion'을 강렬하게 자극하는 정보일수록 더 쉽게 주목받으며 소셜미디어 공간에서 더 빠르게 확산하는 경향을 보인다. 이렇게 격한 반응을 일으킬 만한 내용의 가짜 뉴스는 그만큼 사람들이 세상을 인식하고 정치적 결정을 내리는 데에 강한 영향력을 발휘한다.

가짜 뉴스가 확산할 때 그러한 정보에 가장 먼저 반응하는 그룹은 우선 뉴스 미디어 관련 분야의 전문가들이다. 하지만 가짜 뉴스가 퍼지는 속도와 확산의 범위만큼 팩트 체크fact check가 이뤄진 정확한 정보가 동등하게 전달될지는 미지수다. 무엇보다 팩트 체크가 이뤄진 온전한 정보가 가짜 뉴스만큼 사람들의 주목을 받으며 흥미를 유발해낼 수 있을지는 더욱 불확실하다. 사실 확인 과정에서 더 문제가 되는 것은 허위·조작 정보를 퍼뜨린 사람이나 세력이 팩트 체커인 양 가장한 채 또 다른 허위·조작 정보를 만들어낼 수 있다는 것이다. 허위·조작 정보를 생산하고 소셜미디어에서 확산시키는 행위자가 갖는 동기는 대개 정치적이거나 경제적이다. 따라서 그러한 목적을 포기하지 않는 한 그들은 사용자의 주목을 받을 수 있는 콘텐츠를 끊임없이 제작·공급하려고 할 것이고, 허위·조작 정보의 자극성과 선정성의 수준 또한 계속 높아질 수밖에 없다.

민주주의 온라인 공론장은 왜 무너졌는가?

2016년 미국 대선을 기점으로 서구권은 주요 선거 때마다 가짜 뉴스를 이용한 러시아의 사이버 심리전 공격에 휘둘렸다. 그런데 서구 민주주의의 온라인 공론장은 왜 그리 무력하게 당했던 것일까?

가장 큰 이유는 앞서 짚어본 것처럼 사이버 심리전에 이용된 스토리텔링 설득 전략이 '인지적 해킹' 혹은 '정신적 해킹'이라고 일컬을 정도로 상당히 정교하게 고안되었기 때문이다. 또 대규모 봇 부대가 자극적인 가짜 뉴스를 특정 기간에 대규모로 빠르게 유포할 수 있었기 때문이다. 정치 논쟁이 활성화하고 양극화되기도 쉬운 선거 유세 기간에는 정치적으로 민감한 허위·조작 정보가 수많은 유권자에게 직접적인 영향을 끼칠 수 있다. 2016년 미국 대선 결과에 대한 〈포브스〉의 보도에 따르면, 선거일이 임박할수록 유권자들은 주류 뉴스보다 가짜 뉴스에 더 주목했을 뿐만 아니라 정확한 뉴스와 가짜 뉴스를 서로 비슷한 수준으로 믿었다. 앞으로도 선거철 가짜 뉴스가 유권자들의 투표에 결정적 영향을 끼칠 가능성이 매우 크다는 것을 시사한다.

러시아와 같은 권위주의 정권이 민주주의 사회에 대해 수행하는 사이버 심리전의 강점은 비대칭전 그리고 비정규전이라는 점이다. 개방된 민주주의 사회의 온라인 공론장에 대한 교란 전술은 상대적으로 적은 비용으로 선제 공격의 우위를 점할 수 있고 원하는 시기에 언제든지 게릴라전처럼 수행할 수 있는, 매우 가성비 높은 공격 형태다. 최근 중국도 중국어권을 타깃으로 한 디지털 프로파간다 활동을 본격화하고 있다. 2019년 홍콩의 범죄인 인도 법안에 대한 시민들의 반대 시위 및 2020년 타이완 총통 선거와 입법위원 선거에 대해 중국은 소셜미디어 공간을 통해 중국어 가짜 뉴스를 대규모로 확산시킨 바 있다.

하지만 사이버 심리전의 정교한 전술을 이해한다고 하더라도 서구의 온라인 공론장이 그렇게 취약하다는 사실은 여전히 해소되지 않는 의문을 남긴다. 냉전기에 역시나 강력했던 공산 진영의 프로파간다 전술에 절대로 말려들지 않고 자유주의 이데올로기를 지켜냈던 것을 떠올리면 더욱 그렇다. 그 이유는 러시아가 구사하는 사이버 심리전의 교란 전술이 서구 민주주의 사회의 약점을 교묘히 파고들었기 때문이다. 계속되는 세계적 경제 침체, 각국의 경제적 양극화, 포퓰리즘과 극우 민족주의의 득세 등이 민주주의 사회의 내부 갈등을 증폭시켰고, 바로 이 지점에 사이버 심리전의 공격이 집중되었다. 즉, 서구권 사회에서 나타나고 있는 사회적 균열과 파괴되는 사회적 연대 및 약화한 민주주의가 온라인 공론장을 위기로 몰아간 근원이다.

사이버 심리전에 대한 대응 체제를 구축하라

2022년 2월 러시아의 침공으로 시작된 러시아-우크라이나 전쟁은 사이버 심리전의 영향력에 국제사회가 더 주목하는 계기가 되었다. 이번 전쟁에서 러시아와 우크라이나 양국은 자국에 유리한 전장battlefield 정보와 내러티브를 사이버공간에 유포하면서 국제사회로부터 정치적 지지와 군사적 지원을 확보하려는 디지털 프로파간다 활동을 전방위적으로 전개했다.

이런 추세 속에 미국은 가짜 뉴스의 문제를 국가 차원에서 대응하고 있다. 국무부의 공공외교 및 공보담당 차관 산하 글로벌 인게이지먼트 센터Global Engagement Center가 허위·조작 정보 공작 대응을 전담하고, 국방부의 고등연구계획국DARPA은 딥페이크를 탐지하는 미디어 포렌식 연구를 진행한다. 최근 바이든 행정부의 국토안보부는 2022년 4월 '허위·조작 정보 관리위원회Disinformation Governance Board'를 설립해 국가 차원에서 가짜 뉴스 대응 활동을 천명하기도 했다.

유럽도 비슷한 노력을 펼치고 있다. 프랑스, 독일, 영국 등 유럽의 주요국 정부는 2019년과 2020년에 걸쳐 그동안의 자율 규제 방침을 깨고 디지털 플랫폼 업체를 대상으로 허위·조작 정보 확산에 대한 법적 책임을 묻는 여러 규제안을 마련한 바 있다. 유럽연합의 경우 2020년 12월 유럽연합 집행위원회European Commission가 거대 IT 플랫폼 기업의 책임성을 강화하고 사이버공간을 규제하기 위한 '디지털서비스법Digital Services Act'과 '디지털시장법Digital Markets Act' 초안을 발표했다. 이 법들에는 혐오 발언 등 사이버공간에서의 불법적인 커뮤니케이션 활동을 AI 알고리즘 기술을 통해 자동으로 통제할 수 있도록 하는 사항이 담겼다. 그러나 이러한 법이 시민들의 언론 자유를 침해할 가능성이 있으므로 유럽연합과 시민사회 간에 AI를 통한 과도한 규제의 문제점과 관련해 다양한 논쟁이 일어나고 있다.

러시아-우크라이나 전쟁에서 본격적으로 전개된 사이버 심리전에는 세계적 IT 기업들도 참여해 영향력을 발휘했다. 예를 들어, 페이스북의 모회사 메타 플랫폼은 러시아가 퍼뜨리는 가짜 뉴스에 대응하기 위해 독립적 뉴스 매체인 양 가장해 활동하는 수많은 가짜 계정과 페이지를 페이스북과 인스타그램에서 삭제하고 러시아 관영 매체의 보도를 차단하고 있다. 유럽연합도 러시아 기업 및 러시아와 관계를 지닌 유럽 기업이 러시아 관영 매체의 콘텐츠를 송출하는 것을 금지하고 있다.

온라인 커뮤니케이션 공간에서의 디지털 프로파간다 활동은 국가 간 권력 투쟁으로 인해 전략적 문제로도 진화하고 있다. 특히 미국과 유럽은 AI 알고리즘 기술을 이용한 러시아와 이란 등의 사이버 심리전 공격을 각국의 주권과 민주주의 제도에 대한 중대한 도전으로 간주하고 군사·안보 차원의 대응 체계를 마련하고 있다. 북대서양조약기구(나토 NATO)의 경우 사이버 심리전 대응을 위해 2014년 라트비아에 나토 전략커뮤니케이션센터를 설립했다. 이 기관은 다국적군, 민간, 학계 전문가로 구성되어 있으며 나토와 우방국 간에 전략 커뮤니케이션 능력을 강화하고 역내 사이버 공격과 정보전 정책을 지원한다. 나토는 허위·조작 정보 유포 상황을 가정한 다양한 시뮬레이션 훈련도 전개하고 있다.

그런가 하면 우리나라는 2022년 5월 나토 사이버방위센터 Cooperative Cyber Defence Centre of Excellence에 정회원으로 가입했다. 비나토 국가로서의 참여이자 아시아에서는 최초다. 앞으로 이러한 국제적 협력과 함께 국내적으로도 정보전과 심리전의 대응 역량을 갖추기 위해 정부 각 부처가 각각 어떤 역할에 초점을 두고 어떻게 협력 체제를 구축할 것인지 본격적인 논의를 확대해야 한다. 이러한 협력 체제를 통해 사이버공간에서 우리와 관련한 허위·조작 정보나 적대적 정보가 유포되는 상황과 해외 여론 추이 등을 모니터하고 비정상적인 정보 흐름을 신속하게 포착해낼 수 있는 기술적 시스템과 통합적 대응 역량을 갖춰야 한다.

그동안 많은 국가가 사이버공간에서 발생하는 다양한 문제를 주로 사이버 공격과 관련한 기술적·법적 이슈의 측면에서 다뤄왔다. 하지만 디지털 프로파간다는 사회 전체 네트워크와 시스템에 대한 도전의 성격을 띠고 있는 만큼 포괄적 차원에서 대응해야 한다. 마찬가지로 국내 미디어에서 유통되는 거짓 정보나 정치적으로 편향된 정보를 해외 언론 등이 무분별하게 번역해 인용하는 경우, 한국과 관련한 가짜 뉴스나 잘못된 정보가 순식간에 해외 소셜미디어 공간에서 퍼지기도 한다. 따라서 허위·조작 정보의 확산과 사이버 심리전의 문제는 단순히 기술적 측면에서만 다룰 것이 아니라 정보 커뮤니케이션의 윤리와 규범, 그리고 더 나아가 민주주의 제도의 수호라는 차원에서 더 견고한 정치적·문화적·사회적 방파제의 구축을 고민해야 한다.

디지털 전환의 반작용과 사이버 안보

AI를 중심으로 한 사물인터넷, 클라우드, 빅데이터 등 디지털 기술이 사회 전반에 스며들면서 사회구조의 혁신으로 이어지고 있다. 행정, 경제, 산업 등 모든 분야의 업무가 사이버공간으로 확대되고 현실 생활을 사이버상에 옮겨놓은 메타버스는 팽창을 거듭한다. 하지만 이러한 디지털 전환에 따른 반작용도 만만치 않다. 기상천외한 사이버 범죄가 수시로 발생하고 타깃의 허점과 취약성을 노린 절도 수법도 갈수록 교묘해지고 있다. 특정·불특정 사이버 공격의 수준과 피해의 범위는 예측하기조차 어려울 정도가 되었다.

한국은 2019년 5G를 세계 최초로 상용화하는 등 정보통신과 디지털 전환에서는 가히 선도국이라고 할 수 있다. 전 세계 해킹 조직이 한국에 '해킹 경유지'를 구축하고 싶어 할 정도로 정보통신 인프라가 고도로 집적되어 있다. 하지만 그만큼 사이버 공격에 취약한 것도 사실이다. 사이버공간의 신뢰를 위협하는 세력들은 대부분 고도의 전문성을 갖춘 국가 배후의 해킹 조직으로 밝혀지고 있다. 부지불식간 사이버 창에 휘둘려 찢기는 방패가 되지 않도록 우리는 잠재적 위협에 주목하고 대처해 나가야 한다.

디지털 전환에 따른 반작용

최근 속속 등장하는 신기술은 과학의 발전과 사회·경제의 진보만 이끄는 것이 아니다. 기술의 불확실성은 잠재적 위험을 배제할 수 없게 만들며, 신기술의 속성을 악용한 반작용도 함께 늘어나고 있다. 대표적인 신기술과 그 반작용을 함께 살펴보면 다음과 같다.

○ **6G:** 차세대 이동통신의 초고속성·초저지연성·초연결성과 같은 장점들은 한순간에 위험으로 바뀔 수 있다. 6G는 기지국 중심인 현재 기술에 위성을 더한 방식으로 무엇보다 전송속도가 획기적으로 빨라진다. 그러나 속도의 향상은 곧 사이버 공격의 속도 역시 빨라진다는 것이며, 위성 네트워크와 연결되는 다양한 디지털 기기의 폭발적인 증가는 그것이 대규모 디도스 공격에 악용될 수도 있다는 의미다.

○ **자율 로봇:** 로봇에 임무 수행을 위해 설치하는 프로그램, 즉 알고리즘을 아무리 훌륭하게 설계하고 광범위한 확인 절차를 거친다 해도 로봇이 지금껏 보지 못한 사건에 맞닥뜨리면 전혀 엉뚱한 오작동을 일으킬 수 있다. 또 인간보다 더 빠르고, 더 저렴하고, 더 정확한 로봇의 알고리즘이 누군가에 의해 악의적으로 변조된다면 돌이킬 수 없는 재앙을 불러올 수 있다.

○ **AI**: 자율화된 악성코드는 시스템 침투력을 크게 늘리고 백신 프로그램을 역공격한다. 스스로 표적 시스템의 취약점을 찾아내는 과정에서 수없이 많은 돌연변이를 만들어낼 수도 있다. 이제 사이버 공격과 방어는 '효율'을 극도로 추구하는 AI의 자체 판단에 달려 있다고 해도 과언이 아니다. 엄청난 속도로 똑똑해지고 있는 AI는 어느 순간부터 인간이 개입할 틈을 주지 않을 것이다.

○ **다크웹**: 특정 프로그램으로만 연결되는 다크웹은 검색엔진에 노출되지 않아 접속자나 서버를 확인할 수 없다. 이러한 익명성과 추적 회피 수법으로 인해 민감한 개인정보 거래를 비롯해 마약, 성범죄, 돈세탁, 청부 공격, 불법 무기 거래 등 각종 범죄의 온상이 되고 있다. 이들 불법 사이트는 암시장을 겨냥한 수사기관의 노력에도 불구하고 폐쇄와 재등장을 반복하고 있다.

○ **메타버스**: 메타버스에서 발생하는 범죄에서 가장 심각한 점은 피해자 대부분이 미성년자라는 점이다. 아바타를 이용한 성희롱과 명예훼손, NFT를 포함해 가상 재화를 빼앗는 강·절도, 타인의 저작권과 초상권 침해 등 현실에서 발생하는 범죄가 고스란히 메타버스에서도 재현된다. 현실과 중첩된 공간인 메타버스에 자본이 몰리면서 그곳이 신종 범죄의 터전이 될 수 있다.

사이버 공격의 유형

사이버공간의 끝없는 확장으로 인해 범죄, 테러, 전쟁 간 개념적 구분이 점점 희미해지고 있다. 국경이 따로 없는 사이버공간은 공격자에게 더 많은 수단과 기회를 제공한다. 공격자가 가장 손쉽게 획득할 수 있는 무기는 악성코드다. 이를 사고파는 암시장이 있을 정도이며 사이버 용병들이 이곳에서 암암리에 활동한다. 이러한 사이버 공격에 국가가 직접 나서거나, 국가의 지원을 받은 해커들이 주동하는 일이 최근 들어 더욱 많아졌다.

표 11 사이버 공격 유형과 주요 내용

유형	주요 내용	사례
사이버 범죄	사이버공간 범죄 활용 → 금전 탈취	2021년 러시아, 글로벌 육가공업체 랜섬웨어 공격 2018년 북한, 세계 곳곳의 은행·가상화폐 거래소 침해
사이버 첩보	국가 주요 정보 훼손 → 기밀 절취	2020년 러시아, 미 보안 솔루션을 겨냥한 공급망 공격 2016년 북한, 남한 국방망 해킹해 군사기밀 다량 절취
사이버 테러	국가 기반 시설 마비 → 사회 혼란	2021년 러시아, 랜섬웨어 공격에 미 송유관 가동 중단 2018년 러시아, 평창 동계올림픽 운영 시스템 장애
사이버 교란	거짓·기만 정보 유포 → 국론 분열	2022년 러시아, 우크라이나의 돈바스 집단 학살 가짜 뉴스 유포 2020년 이란·러시아, 미 대통령 선거 개입해 분열 조장
사이버 작전	물리전과 연계한 공격 → 군사작전	2021년 이스라엘, 이란 핵 배전·철도·석유 시설 공격 2014년 러시아, 크림반도 점령 시 사이버 공격 병행

2010년 미국과 이스라엘이 이란 핵 시설에 맞춤형 악성코드를 침투시켜 핵 개발을 지연시킨 작전은 국가 간 사이버 군비 경쟁을 촉발한 도화선이 되었다. 이에 각국이 주요 시설에 대한 방어 체계를 한층 강화하자 공격자는 보안 체계를 직접 뚫지 않고 시설에 납품되는 장비와 소프트웨어의 제작·유통 과정의 허점을 노리는 식의 공급망 공격으로 선회했다. 2020년에는 러시아 해킹 조직이 미국의 보안 기업을 해킹해 이 기업의 솔루션을 사용하는 모든 기관과 기업이 공격 대상이 되는 초유의 사건이 발생한 바 있다.

물리적 충격만이 아니다. 2014년 러시아의 크림반도 합병과 우크라이나 동부 지역 분쟁 개입은 여론 조작을 포함한 다차원적 복합 전쟁으로 진행되었다. 2016년에 이어 2020년 미국 대선에서는 온라인을 통한 다른 국가의 선거 개입 시도가 포착되었다. 2022년 러시아-우크라이나 전쟁에서도 물리전과 병행한 사이버 선전전宣傳戰이 치열하게 전개되면서 사이버공간에서의 우위가 전쟁의 승패를 갈라놓을 중대한 변수로 떠올랐다.

우주 사이버 위협

이제 세계는 지정학적 경계를 넘어선 '새로운 우주new space' 시대를 맞이하고 있다. 위성은 알게 모르게 현대인의 경제·사회에 있어 필수 불가결한 자산이다. 하지만 자율주행과 같이 위성 신호에 의존하는 시스템은 주파수 교란만으로 한순간에 멈춰버릴 수 있다. 국가가 주도하던 우주 개발이 민간이 주도하는 방향으로 바뀌면서 거대해지는 우주 자산과 비례해 위협도 커지고 있다.

우주 시스템에 대한 위협은 크게 물리적 위협과 사이버 위협으로 나눌 수 있다. 물리적 위협은 요격 미사일과 킬러 위성을 이용해 표적 위성을 파괴하거나 고고도 핵폭발(자기장)로 궤도를 이탈시키는 키네틱ki-netic 공격과 레이저·고출력 마이크로파로 위성의 센서나 장비를 마비시켜 운용 연한을 단축시키는 비키네틱non-kinetic 공격이 있다.

2021년 11월 러시아는 수명을 다한 자국의 첩보 위성을 미사일로 파괴했고, 이때 쏟아져 나온 파편이 국제우주정거장과 궤도 위성을 위협했다. 이렇게 중국과 러시아는 인공위성 요격을 빈번하게 실험하고 있지만, 사실 광활한 외기권에서 위성을 맞히는 것은 상당히 어려울

뿐더러 물리적 공격은 사이버 공격과 비교하면 가성비가 현저히 떨어진다.

사이버 위협은 위성 시스템과 지상 시스템 간 송수신 주파수를 교란해 신호의 도달 시간을 지연시키거나 데이터를 탈취·변조·훼손해 사용자 시스템의 정상적인 작동을 방해하는 것이다. 이로 인해 금융·전력·운송 시스템과 주요 기반 시설이 오작동을 일으켜 기능을 상실할 수 있다. 악성코드와 시스템의 취약점을 이용한 공격은 위성 자체는 물론 이를 운영·관제·감시하는 지상 관제소, 그리고 스마트폰, 드론, 선박, 자동차 등의 사용자 디바이스 모두가 대상이 된다.

과거의 우수 개발은 고도의 위험성과 그로 인한 자체적 폐쇄성이 우주 자산을 보호하는 장벽 역할을 해왔으나, 현재의 우주 개발은 민간 주도의 자율 경쟁이 되면서 혁신적이고 위험을 감수하는 특성을 띤다. 이러한 우주 생태계의 변화로 우주 자산 전반이 사이버 위협에 그대로 노출되고 있다. 특히 궤도 역학, 위성의 기능, 무선 주파수와 같은 기본적인 이해와 지식이 필요한 위성을 직접 겨냥하는 대신 지상 기지국에 바로 침투해 통제권을 획득하거나 무력화하는 방법을 사용할 가능성이 커지고 있다.

이에 가장 기민한 반응을 보이는 국가가 미국이다. 미국은 2018년에 우주 개발 사안을 국가 안보의 문제로 규정했다. 미국의 국방정보국DIA은 미국에 위해를 가할 목적으로 위성의 작동을 방해하거나 파괴할 수 있는 국가로 러시아와 중국을 꼽았다. 이에 대비하는 차원에서 미 우주군은 매년 많은 상금을 걸고 기지국을 거쳐 위성의 접속 권한을 획득해 제어하게 하는 해킹 대회를 열고 있다. 우주 자산의 취약점을 먼저 알아내 적의 공격을 효과적으로 방어하겠다는 취지다. 미국은 2020년에는

'우주정책지침SPD-5'을 통해 사이버 보안 원칙을 발표하기도 했다. 원칙은 위성에 들어가는 부품의 공급망을 관리해 악성코드 설치를 사전에 방지할 것, 궤도에 떠 있는 위성을 원격에서도 업데이트해 보안성을 높일 것, 사고에 대응할 수 있는 기능을 위성과 우주선 설계 시 반드시 포함할 것 등의 내용을 담고 있다.

한편 글로벌 기업은 물론 수많은 대학과 스타트업이 협업해 다양한 용도의 저궤도 초소형 위성을 쏘아 올리고 있다. 한국도 6G 통신위성, 정찰위성, 관측 위성 등 우주 자산을 급격히 늘려나갈 계획이어서 더 늦지 않은 시기에 다중 이해관계자가 참여해 운영의 연속성을 유지하기 위한 대책을 세워야 한다. 현재 우주 자산에 대한 사이버 보안 표준이 부재한 상황에서 사고 발생은 필연적이라는 가정을 초기 우주 개발 설계에 녹여 넣는다면 문제의 해법은 확연히 달라질 것이다.

표 12 우주 개발의 전환과 특징

구분	올드 스페이스	뉴 스페이스
개발 목표	국가적(군사 안보)	상업적(시장 개척)
개발 주체	국가기관, 대기업	벤처, 스타트업
개발 기간	장기(고비용)	단기(저비용)
운용 방식	정부 주도 개발·통제	민간 주도 자율 경쟁
개발 특징	위험 회피, 폐쇄성, 신뢰성	위험 감수, 혁신성, 고위험성
대표 사례	화성 탐사, 우주왕복선	소형 위성군, 추진체 재사용

표 13 우주 시스템 대상별 사이버 위협

구분	주요 내용
위성체	고고도 핵폭발(자기장), 고출력 레이저를 이용한 광학 장비 마비 악성코드, HW·SW 결합으로 인한 취약점 공격
지상체	EMP(전자기펄스)를 이용한 센서 등 전자 장비 손상 악성코드, HW·SW·NW 취약점, 서비스 거부 공격, 비인가 접근
송·수신 링크	재밍jamming: 송수신 주파수 대역에 간섭 신호를 방사해 교란 도청interception: 주파수 대역을 통해 데이터 획득·분석 도용unauthorized use: 비인가자가 위성 신호를 무단 이용 스푸핑spoofing: 데이터를 변조하거나 허위 데이터를 생성·전송 재전송replay/미코닝meaconing: 위성 신호를 지연시켜 재방출

대응 방안

사이버 공격의 주요 표적은 정부 기관을 비롯해 금융·에너지·교통과 같이 마비되었을 때 극심한 사회 혼란을 불러올 수 있는 국가의 기반 시설이다. 2021년 러시아 해킹 조직의 랜섬웨어 공격에 미 동부 송유관이 일시 가동을 멈췄고 치솟는 유가와 혼란에 연방정부는 해당 지역에 비상사태를 선포해야 했다. 사이버 공격은 기술적 요소와 심리적 요소가 복합적으로 맞물려 상대국의 경제적 피해와 심리적 충격을 함께 노린다. 공격이 이렇게 기습적이고 무차별적인 데 반해 개별 국가가 취할 수 있는 대응 방법은 상당히 제한적인 실정이다.

우리나라의 경우, 국가안보실이 2019년 사이버 안보 정책의 최상위 지침서인 〈국가사이버안보전략〉을 발표한 이래 부처별 이행 방안을 마련해 추진 중이다. 이 지침서에서는 지금의 상황을 △사이버공간의 취약성 증대 △사이버 위협의 심각성 △국가 간 역량 경쟁 심화 △사이버 범죄 피해 심화, 네 가지로 압축해 진단했다. 특히 국가 간 정치·경제·군사적 분쟁이 사이버상 충돌로 이어지면서 각국이 사이버 역량을 국가 안보에 큰 영향을 미치는 비대칭 전력으로 인식하고 있다는 것이다.

그런데 이러한 전략과 대응을 차질 없이 수행하려면 무엇보다 법적 근거가 있어야 한다. 하지만 국회에서 관련 법안들은 15년 넘게 상정-계류-폐기를 반복해왔다. 지금은 전 세계가 전문적인 역량을 보유한 정보기관을 중심으로 사이버 안보 수행 체계를 구축·운영하는 추세다. 이러한 흐름을 심도 있게 고려해 대응 전략을 체계화해야 하며, 만약 국가정보원에 권한이 집중될 것이라는 우려가 문제의 핵심이라면 실무를 총괄하는 '국가사이버안보센터NCSC'의 기능을 국무총리실에 두는 방안을 고려할 필요가 있다.

디지털 전환 시대를 맞아 초국가적 위협에 직면한 만큼 우리 정부는 국제 공조를 위해 '사이버범죄협약Convention on Cybercrime'의 가입도 서둘러야 한다. 또 사이버 안보 기본법 제정과 함께 관련 법을 재정비하면서 대외적으로는 국격에 어울리는 위상을 확보하고, 대내적으로는 보안 사각지대를 해소해나가야 한다.

새 정부가 국정 과제로 제시한 '국가 사이버 안보 대응 역량 강화'의 주요 내용에 있는 것처럼, 다음의 사안들은 특히 중요하다.

○ **체계 정비:** 대통령 직속 '국가사이버안보위원회' 설치, 컨트롤 타워 운영 체계 및 기관별 역할 등을 규정한 법령 제정 추진, 각급 기관 간 협력 활성화
○ **경제 안보:** 민관 합동 사이버 협력 체계 강화를 통해 국가 기반 시설 대상 해킹 차

단에 총력을 기울여 경제 안보 구축

o **국민 생활 안전:** 사이버 공격으로부터 안전한 '디지털 플랫폼' 정부 구현, 클라우드·스마트그리드 등 국민 생활과 밀접한 IT 환경의 안전성 확보

o **기술 고도화 및 국제 협력 강화:** 산학연과 정부의 협력 아래 AI·양자통신 등 신기술 위협에 대응하는 기술 개발, 국제 공조 활성화, 사이버 위협에 대한 억지 역량 배가

- 신기술 연구·개발을 적극 지원, 해킹 탐지·차단·추적 시스템 고도화
- 국제사회의 사이버 규범 수립에 적극 참여, 글로벌 협력 네트워크 확충

o **사이버 전문 인력 양성:** 대학 및 특성화 교육 확대, 지역별 교육 센터 설치 등 '10만 인재 양성' 프로그램 가동, '사이버 예비군' 등 사이버전 인력 확보

하이브리드 전쟁과 국방 패러다임의 전환

2022년 2월 24일, 우크라이나의 수도 키이우에 대한 미사일 공격과 함께 러시아가 우크라이나를 침공했다. 그러나 총성을 울리기 전에 러시아가 먼저 시작한 것은 사이버 작전이었다. 러시아는 침공 이전부터 사이버 공격으로 병력과 같은 보안 자료를 해킹하고 미디어를 동원해 여론전을 폈다. 침공 초기에는 딥페이크 기술로 우크라이나의 젤렌스키 대통령이 항복선언을 하는 것처럼 조작한 가짜 영상을 만들어 우크라이나 웹사이트에 퍼뜨리기도 했다.

한편 러시아와 비교했을 때 군사력이 열세였던 우크라이나는 심리전의 고수 러시아에 밀리지 않는 맞불 소셜미디어 여론전으로 항전 의지를 높였고, 여기에 우크라이나를 지지하는 각국 민간 영역 온라인 의용단의 지원도 잇따랐다. 가령, 구글은 구글맵에서 우크라이나 현지 도로 상황을 실시간으로 보여주던 기능을 일시 차단했고, 러시아의 글로벌 외국어 뉴스 채널 RT의 애플리케이션 내려받기를 금지했다(RT는 여론전에 주로 동원되는 러시아의 국영 매체다). 말 그대로 전통적 개념의 물리적 공격만이 아니라 비군사적 방식이 결합된 하이브리드전hybrid warfare이 치러진 것이다. 이처럼 러시아-우크라이나 전쟁은 현재 달라진 전장의 모습과 미래 전장의 양태를 여실히 보여준다. 더 나아가 국방 패러다임이 어떻게 바뀌고 무엇을 준비해야 하는지도 시사하고 있다.

기술이 이끄는 하이브리드 전쟁의 등장

물리적 총격 대신 가짜 뉴스와 같은 디지털 프로파간다가 사회 혼란을 부추기고, 전투기 공습 대신 악성코드를 사용한 컴퓨터 랜섬웨어 공격이 국가 기반 시설을 무너뜨린다. 또 인간 병력 대신 AI를 장착한 로봇과 무인 드론기가 정찰은 물론 전투까지 수행한다. 이것이 미래의 보편적인 전쟁의 모습이다. 과학기술이 발전하고 전쟁의 개념이 확장되면서 앞으로 전쟁은 재래전 이외에 우주전, 사이버전, 정보전, 인지·심리전, 테러전 등 확장된 전장 영역 속에서 다양한 형태로 복합적·동시적·무차별적으로 작용해 발발할 수 있다.

코로나19의 세계적 대유행을 예측했던 이가 거의 없었던 것처럼 미래 전쟁에 대해서도 그 시기나 과정에 대해 명확하게 예언할 수 있는 사람은 아마 없을 것이다. 그러나 발생 가능한 시나리오는 몇 가지 생각해볼 수 있다. 우리 국방부는 2021년 AI 기반의 미래전 대비를 선언하고 각 군에 산재한 전략과 역량을 통합해 지능형 정보 시스템을 체계적으로 구축한다는 계획을 발표했다. 또 2022년 출범한 새 정부도 국방혁신 4.0을 통해 AI 기반 유·무인 복합 전투 체계로의 단계적 이행과 첨단 과학기술 기반 군 구조 개편을 강조했다.

그러나 우리 군의 첨단지능화는 선진국에 비교해 아직 많이 뒤처져 있는 것이 현실이다. 더군다나 계속 줄어드는 인구문제를 고려할 때 지금과 같은 병력 위주의 군 조직에는 한계가 있을 수밖에 없다. AI 등 첨단기술을 기반으로 하는 무인 로봇 체계 도입으로 줄어드는 병력 문제도 해결하고 실질적인 전투력도 더 강화해야 한다. 이처럼 전장 환경이 바뀌고 동원되는 군사기술도 새로워지며 전쟁 수행의 개념과 시점까지 모호해지는 하이브리드 전쟁에 대비하지 않으면 우리는 시대와 역사의 낙오자가 되고 말 것이다.

전쟁의 과거와 현재

고대(기원전~5세기 서로마제국의 멸망), 중세(~15세기 동로마제국 멸망), 근세(~18세기 프랑스혁명), 근대(~20세기 중반 제1·2차 세계대전 시기) 그리고 현대로 시기를 구분해볼 때, 고대의 전쟁은 창·검을 앞세운 보병의 시대였다. 중세는 기병의 시대로서 성곽 중심의 공성전 위주였고, 근세는 용병 군대가 등장하고 화포 공격 대응을 위한 전술이 발달한 게 특징이다. 이때까지는 지상전과 해전을 중심으로 한 평면적이고 선형적 개념의 전쟁 형태를 벗어나지 못했다. 하지만 근대에 들어서 전차 등 신식 무기와 통신 장비가 획기적으로 발전했으며, 제1·2차 세계대전을 거치면서 전략 폭격과 항공모함, 핵 등을 기반으로 전장의 광역화와 대량 소모전 같은 특징이 나타났다.

특히 20세기 중반 이후 벌어진 걸프전, 이라크전, 아프간전 등에서 이전과는 확연히 다른 현대전의 양상이 두드러졌다. 우선 전쟁 개념의 변화다. 과학기술의 발전으로 공중과 가상의 네트워크 등으로 전장이 대폭 확장되면서 전쟁 수행이 입체적이고 비선형적으로 변모했다. 또 기존의 섬멸전이나 소모전보다는 상대의 핵심 노드를 무력화하는 마비전paralysis warfare 형태의 전쟁 개념이 확대되고 있다. 막강한 정보력이 우선되는 마비전은 단순 파괴보다는 교묘한 '무력화'를 추구해 전쟁의 목적을 달성하려는 형태다. 예를 들어, 2003년 이라크전에서 미국은 미사일과 포병 기지, 방공 시설, 정보통신망을 집중적으로 공습하고 동시에 대통령궁 등 중심 세력과 주요 군사시설을 중점적으로 파괴해 이라크의 군사 지휘 체계를 초반에 마비시킴으로써 26일 만에 전쟁을 조기 종결시켰다.

또 전쟁에 접근하는 방법도 과거와는 달라지고 있다. 무력을 이용하는 군사적 직접 접근법 대신 정치·외교와 같은 비군사적 방법을 사용해 전쟁의 목적을 달성하려는 간접 접근법이 우세하다. 이와 함께 순차적인 공격이 아니라 상대국의 핵심만 집중적으로 공격해 파괴함으로써 조기에 전승을 달성하려는 병행전parallel warfare도 주목받고 있다. 이 접근법은 자국이 상대보다 강하다고 자신하는 경우 신속한 결전을 통해 승리를 거두기 위해 사용하거나, 상대보다 강하지는 않지만 기습 작전으로 공격 효과를 극대화하고자 할 때 주로 운용된다.

외교·정보·군사·경제가 통합되는 미래전

러시아의 우크라이나 침공 이전에 발발했던 2020년 아르메니아-아제르바이잔 간 전쟁에서도 우리는 미래 전쟁의 양상을 어느 정도 엿볼 수 있었다. 아제르바이잔의 승리로 종결된 이 전쟁은 드론과 정밀유도무기 등 4차 산업혁명 기술이 주도한 첨단 전쟁이었고, 소셜미디어를 무대로 인지·심리전 성격의 여론전도 등장했다.

이 같은 최근의 전쟁 사례가 방증하듯 미래에는 무형적 공간으로 전장 영역이 확장되면서 정보전, 사이버전, 네트워크 중심전, 인지·심리전 등 소프트 전술을 대거 사용하는 하이브리드전이 핵심 양상이 될 전망이다. 디지털 기술이 발달하고 각종 데이터의 중요성이 커지면서 정보전이나 사이버전의 방법도 계속 진화할 것이다. 인지·심리전은 상대의 인지와 심리를 교묘하게 자극하고 변화시켜 유리한 전략적 환경을 조성하거나 이를 싸움에 이용하려는 전쟁 양상인데, 미디어와 소셜미디어 등 다양한 수단과 방법을 활용해 선전전, 심리전, 여론전 등으로 전개된다. 공간 측면에서 사이버 영역뿐 아니라 이제는 우주도 새롭고 중요한 전장이 되고 있다. 우주전은 우주 공간에서 공·지·해 및 우주 공간의 표적을 파괴하는 무기를 사용하는 전쟁을 말한다. 한국군도 우주 공간의 전장화에 대비해 우주 작전이라는 군사적 개념을 발전시키고 있다.

한편, AI 기술을 토대로 드론이나 로봇을 전면에 내세워 인간과 기계의 협업을 통해 치르는 전쟁 방식도 확대될 전망이다. 오바마 행정부 시절, 미국이 우주·바다·하늘·해저·지상·사이버 영역에서 동시 작전을 처리하는 인간-기계 협력 전투 네트워크에 기반을 둔 전략을 채택하면서 이것이 미래 전쟁의 대표적 형태로 부상했다. 그 밖에도 사회 혼란을 야기하는 테러와 범죄적 무질서 등도 미래 전쟁의 주요 수단으로 활용될 것이다. 일반적으로 테러는 정치적 목적을 가진 조직이나 단체가 폭력과 위협을 통해 공포를 조성하고 심리적 충격을 가함으로써 정치적·경제적·사회적·종교적 목적을 달성하려는 무력 행위를 말한다. 전시에는 상대국을 타깃으로 테러를 감행하는 것이다.

이처럼 개념에서부터 수단과 접근법까지 달라지는 미래 전쟁에는 새로운 양상이 끊임없이 등장할 것이다. 군사력 위주의 직접 접근보다는 군사력 외에 비군사적 방안을 포괄적으로 활용하는 방법이 대두하고, 전장의 영역뿐 아니라 국가, 비국가 행위 집단, 국제 관계 등으로 전쟁의 행위자와 관계자가 확대되며 융·복합적 전쟁으로 변화할 것이다.

이에 더해 전시와 평시의 개념이 모호해지고, 베트남전쟁, 제2차 레바논전쟁 등의 사례에서 볼 수 있듯이 선전포고 없는 전쟁이 발발함으로써 발 빠른 응전 태세가 요구될 것이다. 따라서 정보 작전의 중요성은 더 증대될 수밖에 없다. 정보를 비롯해 여론을 선점하는 것이 전쟁의 향방과 승패를 좌우할 수도 있기 때문이다. 비슷한 맥락에서 정의와 명분을 내세우는 등 도덕적·인지적 영역에서도 우위를 확보하는 일이 더 중요해지고 있다. 상대의 전투력과 의지를 파괴하고 무력화시키며 주변국에 이것이 정당한 전쟁임을 인식시키는 방법이기 때문이다. 이렇듯 모든 측면의 대응이 필요하다는 점에서 미래전은 DIME, 즉 외교diplomacy, 정보information, 군사military, 경제economy 등의 요소가 통합되는 경향을 보여준다.

전쟁 패러다임의 변화에 따른 대응 방향

2018년 발간한 〈국가 방위 전략서NDS〉 등을 통해 하이브리드 위협을 재차 강조해온 미국을 비롯해 세계 각국은 하이브리드전 관점의 전쟁 패러다임 변화와 전개 양상에 관심을 두고 있다. 북한도 하이브리드전 수행을 위한 의지를 강령이나 지침으로 명확히 공표하고 있으며, 하이브리드전을 수행할 수 있는 전략과 전술 발전도 계속 도모하고 있다.

우리나라는 특히 하이브리드전에 더 취약한 구조와 환경을 갖고 있다는 점에서 미래 군사전략을 수립할 때 각별하게 유의할 필요가 있다. 한반도에는 대규모 재래식 전력이 여전히 대치하고 있지만, 미래 정보전의 표적이 될 수 있는 수도권 지역에 거의 모든 정보 인프라와 국가 기반 시설이 밀집되어 있기 때문이다. 또 그 어느 나라보다도 정보화가 잘되어 있는 한국 사회는 역설적으로 다양하고 파괴적인 사이버 공격과 사이버 심리전 수행에 필요한 기반과 조건을 잘 갖추고 있는 셈이다. 이러한 환경에서는 다양한 매체를 이용해 빠르고 쉽게 정치·심리전으로 혼란을 일으킬 수 있다.

이미 러시아는 우크라이나 침공 이전에도 동유럽에서 국지전을 벌이며 가짜 뉴스를 이용해 민심을 동요시키고 사회 혼란을 부추긴 사례가 적잖다. 우리도 북한의 해커 조직이 국가 기반 시설을 해킹하는 등의 사이버 공격을 이미 경험한 바 있다. 이러한 사이버전 양태는 진화하는 AI와 딥페이크 기술 등을 활용해 앞으로 더 치밀해질 것이다. 우리만의 독자적인 정보 체계를 구축하는 동시에 국제적 공조 시스템을 활용하는 등 정보작전팀의 역량 강화가 필요한 이유다.

미래 하이브리드전은 특히 4차 산업혁명이 상징하는 첨단기술을 바탕으로 초연결과 초지능의 특성을 드러낼 것이다.[192] 즉 육·해·공에 우주가 더해지고 사이버공간까지 추가된 5차원의 전장에서 감시와 정찰뿐 아니라 공격과 지휘를 포함하는 모든 전장 기능이 연결될 것이며, 인공지능 기반의 지능화한 전투 체계가 인간 병력과 협업하거나 인간 병력을 대신해 드론과 로봇의 형태로 전장 상황을 주도해갈 것이다. 결국 하이브리드전은 대응해야 할 위협이 확장되고(확장성), 그 위협의 성격이나 특성이 복잡하고(복잡성), 정적인 위협이 아니라 계속해서 움직이는 동적인 위협이며(역동성), 이와 같은 위협이 한꺼번에 급작스럽게 대두한다는(동시성·급박성) 특성을 내재한다.

이러한 하이브리드 위협에 효과적으로 대응하기 위해서는 위협의 복잡성과 역동성에 따른 불확실성의 증가에 적극적으로 대비할 수 있어야 한다. 5차원의 전장 환경에 맞춰 군 시스템과 역할을 조속히 조정할 필요가 있다. 그런 점에서 우리 국방부가 착수한 군 통합 미래전 대응 시스템만으로는 충분하지 않다. 이제 육·해·공 같은 단순 구분이 아니라 정보군, 작전군, 군수지원군 같은 구성으로 미래의 전장 환경에 부합하는 구조로 새로이 개편하고 병력의 첨단 전력화를 신속하게 추진해야 한다. 특히 이러한 변화를 수용하는 인식의 전환을 바탕으로 한 첨단 전력화 관련 교육과 훈련 체계도 중요하다.

또 국방에 특화된 첨단기술의 생태계를 조성해 민군 협력 기반의 전문 역량을 쌓아가야 한다. 나아가 비선형적이고 비가시적인 하이브리드 전장 특성을 고려해 더욱 광범위한 차원에서의 대비가 필요하다. 현재 우리나라의 제한된 자원과 능력만으로 하이브리드 위협에 능동적으로 대응하기 위해서는 국방 측면만이 아닌 국가 차원에서 총체적 대응을 위한 전반적 역량을 배양해야 할 것이다.

디지털 기술을 만난 정책 결정과
투표 시스템

2022년의 제20대 대통령 선거에서는 현실 속 후보자 말고도 그들을 쏙 빼닮은 'AI 후보자'를 만날 수 있었다. 후보자와 생김새, 목소리, 체형, 그리고 행동도 매우 비슷한 AI 윤석열과 AI 이재명이 등장했다. 지금까지 친숙했던 아바타의 모습을 넘어 딥페이크나 챗봇 기술로 만든, 실물의 후보자와 똑같은 가상의 디지털 후보자였다. 김동연 후보는 AI 비서를 내세워 자신의 공약이나 정치적 비전을 설명하기도 했다. 이는 후보자와 유권자가 소통하는 데 새로운 길을 열었고, 이대로 간다면 2027년에 치를 다음 대통령 선거 때는 더욱 혁신적인 디지털 소통 방식이 나타날 것으로 예측된다. 또 이러한 사례를 넘어 디지털 기술은 거버넌스 체계를 변화시키고 선거와 투표 방식을 바꾸는 등 정치 영역 전반에서 변화를 몰고 올 것으로 보인다.

디지털 기술을 만난 정치

굵직한 선거를 치를 때마다 각국의 유세장은 이제 디지털 기술의 전시장이 되고 있다. 최근에는 특히 소셜미디어, 유튜브, 가짜 뉴스, 딥페이크 등이 정치 커뮤니케이션의 주요 수단이 되었고, 이러한 디지털 기술이 정치 영역 전반에서 일상적으로 활용되고 있다. 2018년 일본의 한 지방선거에 AI 후보자가 출마한 바 있으며, 뉴질랜드에서는 실제로 AI 정치인이 활동하고 있다. AI 기술로 정치 개혁과 직접민주주의 실현을 표방하는 AI 정당도 만들어지고 있다.

지방자치단체도 AI를 도입해 정형화된 행정 업무는 로봇이 대행한다. AI가 지역 주민이 신청한 민원 서류를 심사하고 관련 증명서를 발급해주기도 한다. 그리고 챗봇이 주말 당직 병원이나 약국 안내, 쓰레기 분류 방법, 행정 문의 사항에 대해 24시간 365일 실시간으로 안내하고 있다. 지역에 외국인 주민이 많은 경우에는 출신 국가의 언어로 행정 업무를 안내해주는 AI 챗봇 서비스도 일상화하고 있다.

AI 기반 정책 결정과 정책 제안

정치 분야에서 사용하는 디지털 기술 가운데 가장 대표적인 것이 AI 기반 정책 결정이다. AI 기술이 발전하면서 중앙정부나 지방자치단체에서 생산한 행정 정보, 정책 정보, 통계, 주민 대상 설문 조사 데이터, 지역 미디어 기사, 그리고 각종 소셜미디어 정보를 활용한 AI 기반 정책 결정이 진행 중이다. 정책 결정에 AI 기술을 이용하는 것은 AI가 사실상 통치의 수단이 되고 있다는 의미이기도 하다.[193]

AI를 활용한 정책 결정 방식

각국의 정부는 다양한 정책 결정을 위해 이미 AI를 활용하고 있다. 예를 들어 인구 감소, 고령화, 저출생, 지역 경제 침체와 같은 당면한 과제를 해결하는 수단으로 AI 기반 정책 결정 시스템을 사용해 정책을 도출한다. 가령, 일본의 나가노현은 2019년에 인구의 지속적 감소 등 지역 현안을 해결하기 위해 AI 시스템을 활용했는데, 지역사회가 직면할 다양한 문제를 도출한 AI는 정책 방안으로 "지역의 관광 분야에 자원을 투자하면서 지역의 교통망 정비에 자원을 집중할 필요"가 있다고 제시했다. 제시한 정책을 충실하게 추진한다면, 지역의 인구 감소를 최소한으로 억제하고 지역 주민의 삶의 수준도 유지될 수 있다고 예측했다.[194]

AI 기반 정책 결정이 이루어지는 과정은 단계별로 나누어볼 수 있다. 첫 번째는 정보 수집 단계다. 정부나 지방자치단체가 해결해야 할 과제를 설정하고, 해결 과제와 관련 정보나 데이터를 수집한다. 인구 데이터부터 교통과 환경, 산업과 고용, 주거와 생활 정보 등 다양한 기준에 따라 데이터를 분류하고 각종 성과 지표도 반영한다. 두 번째는 시뮬레이션 단계다. 이때는 정량 모델에 따라 AI를 이용한 시뮬레이션을 진행해 문제 해결에 유용한 정책 방안 시나리오를 도출한다. AI 기반 정책 결정의 장점은 이 단계에서 더 두드러지는데, AI는 인과관계에 따라 발생할 수 있는 모든 시나리오를 만들어낼 수 있기 때문이다. 모든 시나리오를 도출한 다음, 각 시나리오가 얼마만큼 효과적인지도 보여준다.

세 번째는 AI가 도출한 시나리오를 비교·평가한 후, 정책 방안을 선택하는 단계다. 여기에서는 AI가 제시한 시나리오 중 선택 가능한 정책 방안을 결정하고, 그 시나리오의 실현 방안까지 검토하게 된다. 특히, 선택 가능한 시나리오가 미래 사회에 진행되는 과정에서 발생하는 분기점도 제시하고, 각 분기점에서 중요한 정책에 필요한 지표도 제시해준다. 정책의 우선 순위는 무엇이 되어야 하는지, 어떠한 보완이 필요한지, 그 결과 어느 곳에 투자해야 하는지를 보여주는 것이다. 즉 어느 분기점에서는 출산·육아 정책이 중요하다고 강조하거나, 또 다른 분기점에서는 국제 협력과 외국인 노동자와 관련해 유연한 정책의 필요성을 강조하는 식이 될 수 있다.

AI 기반 정책 결정 시스템의 특징과 장점

AI 기반 정책 결정은 기존의 정책 결정과 어떤 차이점이 있을까? 첫째, 정책 결정에 활용하는 변수나 데이터가 양적으로 확대된다. 앞에서 살펴본 것처럼, AI가 도출하는 정책적 대안 시나리오는 수만 가지에 이를 수도 있다. 정책결정자가 고려할 수 있는 모든 예상 시나리오를 제시해줌으로써 정책 결정 과정에서 선택의 폭을 확장하고, 확장된 선택지 안에서 '최적의 대안'을 도출할 수 있다는 점에서 차별된다.[195]

둘째, 정책과정을 가시화하고 시간적 변화에 따른 선택지를 제공해준다. 기존에는 정책 결정이나 집행 프로세스가 구체적으로 언급되지 않는 경우가 많았는데, AI 기반 시스템은 정책 결정과 진행 단계를 투명하게 보여준다. 어떤 시점에서 어떤 변수가 얼마만큼의 영향을 주는지 가시적으로 보여줄 수 있기 때문이다. 또 정책 선택의 분기점이 언제 발생하고, 그 시점에서 어떤 선택이 얼마만큼 효율적인지도 제시한다.

셋째, AI 기반 정책 결정 시스템은 곧 '데이터 기반 정책 결정'을 의미한다. 정책결정자의 개인적 사례나 경험에 근거해 정책을 결정하거나 이해관계자의 영향에 좌우되는 것이 아니라 빅데이터와 AI 분석을 토대로 어디까지나 데이터에 입각한 정책 결정이 이루어질 수 있다.[196]

블록체인 기반 온라인 투표 시스템과 선거 변화

앞으로 블록체인 기반 온라인 투표 시스템은 유권자의 정치 참여 행태에 큰 영향을 끼칠 것이다. 투표하는 방식이 완전히 달라지기 때문에 선거나 정치제도 운영에 근본적 변화가 생길 수 있다. 특히 시공간의 제약 없이 투표할 수 있고 선거 비용을 크게 줄일 수 있다는 점에서 선거뿐 아니라 다양한 정책 결정 과정에 활용할 수 있는데, 이는 결국 유권자의 정치 참여를 늘리는 방안이 될 수 있다. 즉, 디지털 기술의 도입으로 대의민주주의의 한계를 보완하고, 직접민주주의 방식을 더 가미하는 새로운 정치제도의 구축 과정이 될 수도 있다.

투표 시스템의 변화 요구

한국의 재외 선거에도 온라인 투표 시스템을 도입하자는 목소리가 높아지고 있다. 해외 거주 국민이 투표하는 재외 선거는 통상 투표소까지 거리가 멀어서 투표율이 낮기 때문이다. 특히, 2020년 이후엔 코로나19 팬데믹으로 도시가 봉쇄되는 경우도 있었다. 이렇게 해외 유권자의 이동이 제한되면서 2020년 국회의원 선거에서 재외 선거 투표율은 23.8%로 최저를 기록했다. 아직도 진행 중인 위드 코로나 상황을 고려하면, 온라인 투표 시스템의 도입을 더 적극적으로 검토할 필요가 있다.

온라인 투표 도입은 2004년부터 시작되었으나 보안 문제 때문에 그이상 진행되지 못했다. 그러나 블록체인 기술이 개발되고 사회·경제적 활용 사례가 증가하면서 새롭게 대안으로 등장하고 있다. 예를 들어, 경기도는 주민 참여 예산 결정 수단으로 블록체인 기반 온라인 투표 시스템을 사용한 바 있다. 2017년 2월 23일, 경기도 지역 815개 읍면동이

제안한 사업에 대해 주민 8,150명이 직접 블록체인 투표 시스템을 통해 예산을 배정했다. 블록체인 투표 시스템은 각 참가자가 투표한 내용을 분산 보관하고, 주기적으로 암호화해 블록을 형성하는 방식으로 진행되었다. 이러한 시도는 주민의 직접 참여로 정책을 결정하는 직접민주주의 사례로 평가되기도 했다.[197]

블록체인 기반 투표 시스템의 원리와 의미

블록체인 기술의 가장 큰 특징은 익명성, 분산성, 투명성, 보안성이다. 블록체인은 다수의 독립적인 거래 당사자의 컴퓨터에 똑같이 저장되는 분산 장부 기술에 바탕을 둔 분산형 구조이기 때문에 신뢰성을 담보할 중앙 집중적 조직이나 공인된 제3자TTP, trusted third party가 필요 없다. 무궁무진한 활용 분야 가운데서도 공공·정치 분야에서는 공공 기록, 전자 시민증, 전자 시민권, 전자 투표 등으로 구현될 수 있다.

이런 맥락에서 블록체인 투표 시스템이 선거 보안의 대안으로 제시된다. 선거 유권자(참여자) 모두가 서로 감시·관리하면서도 효율성, 익명성, 안전성까지 담보할 수 있어 더욱 주목받고 있다. 블록체인 투표 시스템을 도입하게 되면 유권자는 스마트폰 클릭 한 번으로 안전하고 빠르게 어디서나 투표할 수 있게 되므로 투표의 장벽을 대폭 낮출 수 있다. 복잡하고 오래 걸리는 재외 국민 투표나 부재자 투표 방식도 개선할 수 있다. 궁극적으로 투표 관리 비용이 비약적으로 줄어든다.

이것은 곧 일상 속에서 직접민주주의가 구현된다는 뜻이다. 주요 정책에 대해 수시로 국민의 의견을 반영하기 위한 투표를 하거나 관련 데이터를 모두에게 공개할 수 있고, 투표 이력을 영구히 보존할 수 있으며, 재검표 또한 매우 수월해 선거 과정도 투명하게 관리할 수 있다.

블록체인 투표 시스템 도입 사례

블록체인 기반 온라인 투표 시스템은 여러 국가에서 활용되고 있다. 가장 대표적인 국가가 북유럽의 에스토니아다. 에스토니아는 2005년 지방선거 때부터 온라인 투표를 도입해 다양한 공직 선거에서 활용 중이다. 2005년 지방선거에서 온라인 투표자의 비율은 전체 투표자의 1.8%에 불과했으나, 2019년 국회의원 선거 때는 무려 43.8%로 증가했다. 절반 가까운 투표자가 온라인 투표를 이용하는 셈이다. 투표율에는 선거 제도뿐 아니라 정당 간 경쟁 정도, 후보자 수 등 여러 요소가 영향을 줄 수 있어 논쟁적 사안이기는 하지만, 에스토니아에서 온라인 투표 도입 이후 투표율이 높아지기도 했다.

온라인 투표를 공직 선거에 도입하기 위해서는 투표의 기본 원칙이 시스템에서 구현되어야 한다. 자유선거를 보장하는 문제는 무엇보다 중요하다. 에스토니아는 혹시라도 매수, 협박, 강요에 의한 투표가 이루어진 경우, 온라인 투표 이후에도 수정할 수 있는 재투표 방법을 보장한다. 이중 투표 방지 방법으로는 종이 투표소에 온라인 투표자 명부를 비치해 확인하고 있다. 에스토니아의 온라인 투표는 블록체인 방식으로 분산 저장되어 개표는 온라인 선거 관계자가 소지하고 있는 암호키를 대조·통합하는 방식으로 이루어진다.

그런가 하면 캐나다의 온타리오주 마컴 지역은 2002년부터 온라인 투표 시스템을 도입했다. 마컴 지역에서는 인터넷이 연결된 장소라면 어디에서든지 투표할 수 있으며, 공공 도서관에 설치한 공용 컴퓨터에서도 온라인 투표가 가능하다.

프랑스 정부는 2012년 국민의회 의원 선거에서 재외 국민이 참여할 수 있는 온라인 투표 시스템을 도입했다. 2013년 국민의회 보궐선거와

2014년 영사 평의원 선거에서도 재외 국민을 대상으로 온라인 투표를 진행했는데, 국제적으로 사이버 공격 문제가 제기되면서 2015년 이후 중단된 상태다.[198]

호주의 뉴사우스웨일스주는 2011년부터 온라인 투표 시스템 'i-vote'를 도입했다. 현재 온라인 투표가 가능한 유권자는 ① 장애인 유권자, ② 글을 읽거나 쓰지 못해 투표 보조원이 필요한 유권자, ③ 투표소까지 거리가 20km 이상인 유권자, ④ 투표 당일 투표 지역 이외에서 용무가 있는 유권자이며, ⑤ 유권자가 선거인 명부에 자신의 주소지 등재를 원하지 않을 경우에도 온라인 투표가 가능하다.

디지털 선거 방식 도입을 위한 과제

AI 기반 정책 결정이나 블록체인을 활용한 온라인 투표 시스템을 정치 영역에서 적극적으로 도입·이용하기 위해서는 해결해야 할 과제가 적지 않다.

먼저 정책 결정에 디지털 기술을 활용하는 방법에 대한 주민의 심리적 거부감부터 해소해야 한다. 최근에는 특히 코로나19 팬데믹 상황으로 비대면 온라인 투표의 필요성이 증가하면서 블록체인 기반 온라인 투표 시스템 도입에 대한 공감대가 확대되고 있지만, 현실적인 장벽은 여전히 높다. 가장 큰 문제는 온라인 투표에 대한 불신이다. 선거의 기본원칙인 자유선거·평등선거·직접선거가 보장되고, 이중 투표와 부정선거 방지에 필요한 기술적 해결 방안을 제시해야 한다. 인간이 AI를 통치 수단으로 활용하지만, AI가 도출한 결정이 반대로 인간을 구속하는 일도 많기 때문이다. 근대사회 이후, 인간은 주체이고, 기계나 프로그램은 객체라는 이원론적 인식을 바탕으로 현재의 정치제도가 만들어졌다. 그러나 '생각하는 기계', '학습하는 기계', '이해하는 AI'가 등장하고 다양한 분야에 활용되고 있다는 점에서 인간과 AI의 관계 설정에 대해서도 다시 생각해볼 여지가 생겼다.[199]

AI 기반 정책 결정을 유효한 정치적 수단으로 활용하기 위해서는 정책 면이나 기술 면에서의 과제도 쌓여 있다. 우선, 중앙정부나 자치단체가 공공 데이터를 디지털 형태로 변환, 작성, 공개해야 한다. 현재 한국 정부도 공공 데이터 공유 정책을 추진하고 있지만, 아직은 제한적인 범위의 데이터만 활용할 수 있다. 자치단체의 경우, 인구 규모나 정책 정보의 생산량 자체가 소규모여서 이를 데이터로 활용한 AI 이용은 정확도 측면에서 한계가 있다. 그러므로 광역자치단체 주도하에 지역의 자치단체가 협업하는 방식으로 데이터를 공유할 필요가 있다. AI를 활용할 수 있는 인재 확보도 자치단체가 직면한 과제다. 정부는 유사한 상황에 있는 자치단체가 협업 방식으로 AI나 블록체인 기술을 활용할 수 있도록 정책적·재정적·기술적 지원을 아끼지 말아야 한다.

앞으로 정치 분야에서 디지털 기술의 활용은 전자정부를 넘어 디지털 거버넌스digital governance로 계속해서 진화해나갈 것이다. 디지털 거버넌스는 디지털 기술 융합에 기반을 둔 시장과 사회를 운영하는 새로운 메커니즘이다. 따라서 투표 시스템뿐 아니라 ICT를 활용해 더 나은 공동체를 만들 수 있도록 노력해야 하며, 이를 위해서는 정치 참여 의식뿐 아니라 기술적 변화의 맥락을 이해하고 활용할 수 있는 기술적 리터러시도 함께 길러야 할 것이다.

'혁신의 실험장' 규제 샌드박스의 미래

사람 대신 배달을 하는 실외 자율주행 로봇 서비스는 아직 불가능하다. 그런데 특정 지역에 가면 거리를 활보하는 무인 배달 로봇을 만날 수 있다. 또 부르면 오는 '콜버스'도 있고 안면 인식만으로 결제 가능한 곳이 있다. 규제를 잠시 면제하거나 유예해주는 제도가 있기 때문이다. 바로 '규제 샌드박스'다. 아이들의 모래 놀이터sandbox처럼 자유롭게 신기술을 활용한 새로운 서비스를 실험해보고, 그 과정에서 축적한 데이터와 경험을 토대로 규제 여부를 결정하겠다는 취지다. 혁신의 실험장인 셈이다. 2019년 첫 도입된 이래 규제 샌드박스에 쌓인 성과와 한계, 그리고 개선 방향을 짚어본다.

규제 샌드박스의 등장 배경

시장의 활성화와 경제 발전을 위해 규제 개혁이 꼭 필요하다고 모두 입을 모은다. 규제에 가로막혀 자유롭게 시장 활동을 할 수 없다는 기업들의 호소가 끊이지 않는다. 규제 개혁의 필요성과 중요성을 정부도 모르지 않아서, 불합리한 규제 문제를 해소하기 위한 다양한 정책과 제도를 도입해서 운영해왔다. 그럼에도 불합리한 규제 문제는 여전히 존재한다. 특히 ICT 기술의 발전, 4차 산업혁명의 등장으로 새로운 제품과 서비스는 하루가 다르게 늘어가는 데다 플랫폼 비즈니스 모델의 등장과 산업 융합의 가속화로 기존 규제 체계의 한계가 더욱 두드러지는 실정이다.

우리나라의 규제 법령은 기존 시장을 중심으로 할 수 있는 것과 할 수 없는 것을 규율하고 있어 규제 법령에서 언급하지 않은 경우라면 할 수 없다는 것이 원칙이다. 예컨대 모든 차는 사람이 운전한다는 기본 전제하에 제품과 인프라에 관한 규제 법령을 만들어왔기에 운전자 없는 자율주행차가 운행하려면 다양한 장애물이 존재할 수밖에 없다. 영화에서 보던 자율주행차를 우리의 도로 위에서 보기 위해서는 이와 관련한 각종 규제 체계가 싹 바뀌어야 가능하다.

현재 시점에서 자율주행차 운행에 필요한 규제 법령을 찾아서 개선하더라도 실제 자율주행차가 운행을 시작하면 예기치 못한 상황이 계속 등장할 테고, 그때마다 규제 법령을 개정한다고 해도 그 속도는 시장의 속도를 따라가지 못할 것이다. 개정된 법령의 효력이 발생하기까지는 최소한 수개월의 시간이 필요한데, 기술의 발전과 시장의 변화는 계속 진행되기에 하나의 문제를 해결할 즈음에는 또 다른 문제들이 산적

해 있을 수도 있다.

이러한 문제들은 우리의 규제 체계 전반의 전환을 요구한다. 원칙적으로 금지하는 것 이외에는 모두 허용하는 방식으로의 대전환이 필요하다는 주장이 나오는 이유다. 그러나 이러한 전제하에서도 입법 방식을 유연화하기 위한 노력과 동시에 법령 정비의 지체 현상을 보완하기 위한 목적으로 도입한 것이 바로 규제 샌드박스다.

신산업의 테스트 베드, 규제 샌드박스

규제 샌드박스는 2016년 영국에서 핀테크 시장 활성화를 위한 '테스트 베드test bed' 차원에서 시작되었다. 영국 재무부 산하 금융감독청Financial Conduct Authority은 사전 규제로 운영되던 금융업에 인허가 없이도 실증에 참여할 수 있도록 하는 규제 샌드박스를 도입함으로써 다양한 형태의 기업들이 혁신적인 신상품 아이디어를 검증할 수 있도록 했다. 이후 미국, 독일, 일본, 싱가포르 등 다수의 국가에서 유사 제도를 도입했고, 현재 우리나라를 비롯한 약 60여 개국에서 운영 중이다.[200]

규제 샌드박스를 최초 도입한 영국의 경우 금융 분야를 중심으로 운영했으나 2020년 전후로 법률, 데이터 공유, 보건 및 건강, 에너지 분야 등으로 확대했으며, 싱가포르도 금융 분야 규제 샌드박스에서 시작해 교통, 에너지, 의료, 환경 등 다양한 분야로 넓히는 등 많은 국가에서 적용 범위를 확대하는 추세다.

우리나라는 전 산업 분야에서 새로운 규제 체계 형성을 위한 테스트 베드가 필요하다는 판단 아래 2019년 최초 도입할 때부터 ICT 융합, 산업 융합, 금융 혁신, 규제 자유 특구 등 4개 분야에 규제 샌드박스를 시행했으며, 2020년에는 스마트시티와 연구개발 특구 분야를 추가했다.

규제 샌드박스의 주요 내용은 기존 규제 체계에서 제대로 규율하지 못하는 새로운 제품과 서비스 도입 과정에서 발생하는 여러 가지 불합리한 규제 문제를 법령 개정 전에 임시로 허가해주거나 시범적으로 적용을 할 수 있도록 허용해주는 것이다.

제도를 좀 더 상세히 들여다보면, 임시 허가, 실증 특례, 그리고 신속 확인 부문으로 나눠볼 수 있다. '임시 허가'는 정식 허가에 준하는 제도로 볼 수 있는데, 신기술로 인한 안전성에 문제가 없으면서 동시에 규제 개선의 필요성이 인정되는 경우 법·제도 정비를 전제로 임시 허가를 부여하고 일정 기간 내에 관련 규제를 개선하는 것이다. 임시 허가는 보다 신속한 시장 출시에 목적이 있다고 볼 수 있다. 반면 '실증 특례' 제도는 영국의 테스트 베드와 유사하다. 기술 및 환경의 변화로 규제 개선이 필요하지만, 국민의 생명·안전 등에 어떤 영향을 미칠지 정확히 예측하기 어려운 경우 2년에서 4년간의 시범 사업을 통해 안전성이 입증된 이후에 규제를 개선하는 방식이다. 실증 특례는 이렇듯 신제품이나 서비스의 시험 및 검증에 더 무게를 두는 것이다.

제도 도입 초기에는 임시 허가를 받은 과제가 상대적으로 많았으나, 점차 실증 특례 대상 과제들이 많아지면서 2022년 상반기까지 승인된 과제의 85%가 실증 특례 승인을 받았다. '신속 확인'은 신기술을 활용한 사업을 할 때 규제 여부가 불분명해 이를 확인하기 위한 것으로, 신속 확인 신청이 있는 경우 소관 부처는 30일 안에 이를 확인해야 하며, 회신이 없으면 규제가 없는 것으로 간주하는 제도다.

규제 샌드박스의 성과와 한계

우리나라 규제 샌드박스의 특징은 금융 분야를 중심으로 운영되었던 다른 나라와 달리 거의 모든 산업 분야에서 골고루 적용되었다는 점이다. 이는 그만큼 우리나라의 규제 체계 전반에 대한 개선을 요구하는 목소리가 높았고, 불합리한 규제를 개선하겠다는 정부의 의지도 컸다는 것을 시사한다. 이러한 강력한 요구와 의지에 힘입어 양적인 측면에서는 우수한 성과를 거둔 편이다. 2021년 12월까지 632건의 과제를 승인했고, 이 중 132건은 규제 특례를 통한 실증 테스트 결과 안전성·효과성 등이 입증되어 규제 법령의 개정까지 완료했다.[201] 규제 샌드박스 승인을 받은 기업들은 총 6,355명을 신규 고용했고, 이들 기업의 신제품 판매나 서비스 이용이 꾸준히 늘어나 지난 3년간 1,500억 원 이상의 매출 증가를 기록하기도 했다.[202]

그러나 규제 샌드박스의 목적이 합리적 규제 마련을 위한 테스트 베드라는 점을 고려한다면, 단순히 몇 건의 규제를 개선했는가에 대한 양적 성과가 전부라고 볼 수는 없다. 어쩌면 실제 규제 샌드박스를 통한 규제 개선의 내용 등 질적 성과가 더 중요할 수도 있다. 이러한 측면에서 지난 3년간 규제 샌드박스를 이용한 기업 대상의 만족도 조사 결과를 살펴보면, 승인 기업의 경우 88%가 '매우 만족' 또는 '만족'이라고 응답했으며, 신청했다가 승인받지 못한 기업에서도 85%가 '매우 만족' 또는 '만족'이라고 응답했다. 규제 샌드박스는 개별 기업의 신청에 따라 규제 개선 여부를 심사하기 때문에 시장의 모든 기업이 이용한 것은 아니지만, 규제 샌드박스 제도를 이용한 경험이 있는 기업의 만족도는 대체로 높다고 평가할 수 있다.[203]

이 밖에 주목할 만한 또 다른 성과는 승인된 사례 중 400건 이상이 중소기업의 과제라는 점이다. 일반적인 규제 개선 프로세스를 살펴보면, 시장에서 규제 개선에 대한 건의가 접수되면 규제 소관 부처의 담당자가 개선 여부를 검토하고 가부에 대한 의견을 제출하는 절차를 거친다. 우리나라에서는 그동안 규제 법령과 관련해서 예기치 못한 사고가 발생하는 경우 대부분은 규제 담당자 또는 규제 담당 부처가 책임을 지는 상황이 반복되었고, 이것이 규제 개선에 부정적 영향을 미치는 요인이었다.

규제 법령의 변화로 초래될 결과를 완벽하게 예측하기란 현실적으로 불가능하므로 규제 개선에는 항상 위험이 따를 수밖에 없다. 더욱이 기존 시장에 없던 제품과 서비스를 허용하는 규제 완화는 시장의 자율성을 확대하는 효과가 있지만 동시에 예기치 못한 위험도 초래할 수 있다. 그런데 이 책임 소재 때문에 일부 불확실한 위험 요인이 포함되어 있다면 안전상의 이유를 들어 해당 규제 개선을 후순위로 미루는 악순환이 반복되었던 것이다. 대기업이 규제 개선을 건의하는 경우엔 언론 등의 조명을 받아 규제 개선 결정이 비교적 쉽게 이루어지기도 했지만, 언론의 관심을 받지 못하는 중소기업이나 스타트업의 건의는 주목도가 상대적으로 낮을 수밖에 없었다. 이러한 현실을 고려해보면 규제 샌드박스는 상대적으로 규제 개선 요구를 관철시키기 어려웠던 중소기업에 비교적 도움이 되는 제도라는 점에서 의의가 있다.

그러나 긍정적인 성과의 이면에는 규제 샌드박스가 지닌 한계에 대한 비판도 만만치 않다. 기업이 가장 크게 개선을 요구하는 부분은 실증특례를 위한 부가 조건의 완화 측면이다. 실증 특례 제도는 일정 기간의 시범 적용을 통해 규제 개선 여부를 결정하는 제도이므로 전체 시장을 대상으로 시범 적용을 할 수는 없다. 이에 공간적·시간적 제한이나 다양한 부가 조건을 제시하고, 이 조건 아래에서 테스트하도록 규율하고 있다. 문제는 부가 조건이 시범 적용을 통해 유의미한 데이터를 모을 수 없을 정도로 제한적이거나 또는 너무 엄격해 실제 사업을 시작하기 어려운 상황이 발생한다는 점이다.

예를 들어, 규제 샌드박스 초기 실증 특례 사업이었던 DTC direct to consumer, 즉 소비자 직접 의뢰 유전자 검사 시범 사업은 검사 항목들에 대해 연구윤리위원회IRB의 심사를 받아야 한다는 것이 부가 조건이었다. 그런데 IRB 심사 지연으로 승인 후 1년 6개월 후에야 비로소 시범 사업을 시작할 수 있었고, 사업의 범위도 IRB 승인을 받은 6개 항목에 제한되었다. 이에 따라 규제 샌드박스 승인 때 받았던 24개 유전체 검사 항목에서 대폭 감소해 시범 사업을 운영한 사례다. 이처럼 기업이 신청한 조건보다 훨씬 엄격한 부가 조건으로 인해 어려움을 호소하는 기업이 증가하고 있지만, 관련 부처에서 제시하는 실증 조건을 허용하지 않으면 실증 특례 승인 자체가 어려울 수 있어 신청 기업은 어쩔 수 없이 부가 조건을 수용하는 것이 현실이다.

물론 실증을 위한 모든 부가 조건이 불합리한 것은 아니다. 다만 향후 실증 특례가 진정한 의미에서 '혁신의 실험장'이 되기 위해서는 단 하나의 문제도 발생하지 않도록 부가 조건을 엄격하게 제한하는 것보다는 안전과 시범 적용의 효과성을 모두 다 확보할 수 있는 타당한 기준을 제시할 필요가 있다.

두 번째 문제는 기존 규제의 불합리한 점을 개선하기 위한 실증 특례조차도 기존의 이해관계자와 기득권자들이 반대해 아예 규제 샌드박스의 문턱을 넘지도 못하는 사례가 많다는 점이다. 이해관계자 협의는 합리적인 규제 대안 마련을 위해서 꼭 필요한 과정이다. 하지만 신·구 산업 간 갈등이 큰 산업 분야의 경우 기존 시장을 선점하고 있는 이해관계자의 반대 때문에 새로운 사업이나 서비스가 아예 시장에 진입하지 못하는 사례가 빈번하게 나타난다. 이렇게 고객을 나누어 가질 수밖에 없는 시장 참여자 간의 심각한 갈등과 대치는 결국 규제 환경의 변화에 신속하게 대응해 규제 개선을 추진하려고 도입된 규제 샌드박스의 다양한 절차를 무력화시킨다. 정부로서도 모든 시장 참여자를 고려해야 하는 상황에 놓이면서 결국 기득권자들의 반대에 부딪혀 새로운 서비스 등이 테스트 기회조차 얻지 못하는 악순환이 반복되었다.

세 번째 문제는 승인 여부가 담당 부처에 달렸다는 점이다. 규제 샌드박스는 5개의 운영 부처를 중심으로 추진되지만, 그 승인 여부는 규제를 책임지는 부처에서 결정한다고 해도 과언이 아니다. 규제 샌드박스 승인은 각각 규제샌드박스위원회의 심의에서 결정되는데, 이때 위원회의 당연 참석자에 해당 규제와 연관 있는 부처도 포함된다. 그렇다 보면, 규제 부처가 반대하는 사례는 승인을 받기 어려운 게 사실이다. 그러나 규제 샌드박스는 시장의 요구대로 즉시 규제를 개선하는 위험 부담을 줄이고자 실증 특례를 통해 예견되는 부작용을 검증해보고 그 결과로 나온 객관적 데이터를 기반으로 규제 개선 여부를 결정하기 위해 도입된 것이다. 따라서 시범 사업만으로도 명백하게 위험성이 입증되는 소수의 사례를 제외하면 실증 특례는 폭넓게 승인해줄 필요가 있다.

규제 샌드박스의 미래 과제

2022년 6월 발표된 정부의 규제 혁신 추진 방향은 규제 샌드박스와 관련해서 그간 문제점으로 지적되어온 것들을 포함한다. 가령, 신청 후 승인 여부 결정 기간을 단축했고, 기업들의 신청을 받아 규제 면제 여부를 심사하던 기존 방식과 달리 정부 부처들이 직접 규제 면제나 유예 대상 사업을 선정하는 방식도 추가했다. 규제 혁신의 목표는 경제에 활력을 불어넣어 투자를 늘리고 일자리를 창출하는 것이다. 빠르게 변하는 신기술 산업 현장의 속도를 고려해야 하는 만큼 규제 샌드박스를 통한 탄력적 실험은 더 확대되어야 한다.

단기적 과제

정부가 발표한 개선안에서 볼 수 있듯이 비교적 단기간 안에 해결 가능한 사안들도 많다. 이해관계자들이 강하게 반발하는 사례에 대해서는 현재의 규제 샌드박스와는 다른 프로세스를 마련해 적용하는 것을 고려해볼 수 있는데, 개선안도 이를 받아들여 이해 갈등으로 진전이 없는 규제에는 중립적인 전문가가 참여하는 방안과 함께 최고 결정 기구라고 할 수 있는 규제혁신전략회의의 신설도 포함했다.

한편 규제 소관 부처의 우려나 반대로 인해 특례 승인이 지연되는 경우에는 '규제입증책임제'를 적용하는 방안도 도입된다. 규제입증책임제란 정부 부처가 직접 규제의 유지 필요성을 입증하고, 그 타당성을 입증하기 어려운 경우 해당 규제를 개선하는 제도다. 예컨대 시범 자체만으로도 매우 큰 위험성이 있다는 객관적이고 타당한 근거나 국제 기준에 어긋나므로 국내에서도 허용할 수 없다는 근거 등은 반대 사유가 될 수 있을 것이다. 그러나 이러한 경우가 아니라면 원칙적으로 실증 특례를 허용해 객관적인 데이터를 확보하기 위한 수단으로 활용해야 한다. 혁신 방안에 담긴 규제 심판 제도가 이에 부합한다. 분야별 민간 전문가인 규제 심판관이 균형적이고 종합적인 판단을 내리도록 했기 때문이다. '임시 허가'와 달리 '실증 특례'는 규제 개선이 시장에 미칠 영향을 사전에 검증하기 위한 제도라는 것을 명심해야 한다. 이미 제도 자체가 일정 기간의 검증 후 규제 개선으로 인한 실익보다 위험이 크다는 객관적 근거가 있다면 자동 폐기하도록 설계되어 있다. 따라서 시범사업 자체가 위험을 초래하는 과제를 제외한다면 원칙적으로 허용하는 방식으로 나아가야 한다.

장기적 과제

장기적으로는 규제 샌드박스 제도의 목적을 실현하기 위한 체질 개선을 생각해볼 수 있다. 규제 샌드박스는 급변하는 환경 속에서 규제 법령의 제·개정과 별도로 신속하게 규제 문제를 해결하기 위한 보완적 제도로서 설계되었다. 우리나라의 규제는 법령에 근거하고 있으므로 근본적인 규제 개혁은 결국 규제 법령을 합리적으로 개선하는 것이 핵심이다. 그러나 법령의 제·개정 절차는 시장의 변화 속도를 따라가기가 어렵다. 그렇다고 속도를 맞추기 위해 규제 법령의 제·개정 절차를 단축하는 것도 바람직하지 않다. 법령은 그 자체로 강제성을 지니기 때문에 자칫 시장의 변화 속도만을 고려해 세심한 검토 없이 만들면 오히려 더큰 부작용이 발생할 수도 있다. 실제로 이러한 부작용 사례가 적잖다. 따라서 피규제자의 부담을 초래하는 규제 법령을 만들 때는 다양한 검토를 통해 합리적으로 제정하려는 노력이 필요하며, 그 과정에서 다양한 '혁신의 실험장'으로서 규제 샌드박스를 적극적으로 활용해야 한다.

그러나 도입 후 지난 3년간의 과정을 보면, 규제 샌드박스 제도는 규제 개선을 위해 시장에서 테스트하고, 이러한 테스트 결과를 객관적 데이터로 활용한다는 본래의 취지보다 완료된 규제 개선 건수의 증대에만 초점을 맞추는 경향이 있었다. 규제 샌드박스를 통한 규제 개선 건수와 경제적 성과를 강조하면 '실험'으로서의 의의는 퇴색될 수밖에 없다. 실험을 통해 수많은 실패를 거쳐 최선의 제도를 마련하는 것이 목적인데, 만약 몇 개가 성공했는가에만 집중한다면 결국 성공을 위한 실험만을 선택할 가능성이 커진다. 따라서 법령 개정 이전에 시장에서 실증적으로 시험해보는 제도로서 규제 샌드박스를 안착시키고 운영하기 위해서는 끊임없이 개선해가는 노력을 보태야 한다.

경제 분야 미래전략
Economy

디지털 화폐는 새로운 화폐가 될 수 있을까

부의 미래는 디지털 자산에 있다

환경과 자동차 산업의 미래

스마트 모빌리티, 나만을 위한 맞춤형 이동 서비스

지속 가능한 성장을 위한 ESG 경영 전략

디지털 화폐는 새로운 화폐가 될 수 있을까

화폐의 미래는 어떻게 될까? 중앙은행이 발행하는 법정화폐를 전자적 형태로 바꾼 디지털 화폐 CBDC central bank digital currency가 변곡점을 맞고 있다. 중국이 2022년 베이징 동계올림픽을 기점으로 디지털 화폐인 디지털 위안화 상용화에 들어간 이래, 세계 주요국들도 디지털 화폐에 관한 검토를 본격화하면서 디지털 화폐의 전망을 둘러싼 논의가 뜨겁게 달아오르고 있다. 디지털 화폐 도입을 가능하게 하는 토대로서 첨단 기술이 나날이 발전하고 있고, 그 도입을 검토하는 국가가 늘어나면서 '디지털 화폐 전쟁'이나 '통화 패권 경쟁'이란 표현이 상징하듯 세계 각국이 경쟁하는 분위기로 흘러가고 있다. 그러나 디지털 화폐의 도입은 기존 금융 시스템 전반의 변경을 전제한다. 다시 말해, 디지털 화폐 검토나 기술적 실험을 곧바로 시행하기 전에 풀어야 할 이슈들도 함께 생각해봐야 한다.

2022년은 암호자산과 디지털 화폐 시장의 변곡점

암호화폐 역사에서 2022년은 큰 분수령이 될 전망이다. 연초부터 주요 중앙은행들이 금리를 인상해 시장이 약세를 지속하던 끝에 5월 '테라·루나 폭락 사태'가 터졌다. 이는 여러 가지 부정적 연쇄효과를 일으켰다. 미국의 암호화폐 헤지펀드 스리애로즈캐피털Three Arrows Capital이 파산했고, 코인 중개·대부업체 보이저디지털Voyager Digital 역시 7월에 파산 보호 신청에 들어갔다.

러시아-우크라이나 전쟁도 민간 암호자산 시장에 부정적 영향을 미쳤다. 선생 발발 식후 서방 국가들이 암호화폐 거래소들에 러시아 금융 제재에 동참할 것을 요구했으나 바이낸스, 코인베이스, 크라켄 등 주요 해외 거래소들은 응하지 않았다. 국가의 요구로 암호자산의 접근을 막는 것은 해당 거래소의 경영 철학에 맞지 않는다는 것이었다. 기술적 어려움을 이유로 들기도 했다. 이런 비협조적인 태도는 암호화폐가 탈세나 자금 은닉, 테러 자금 송금과 같은 불법적이며 반인륜적인 용도로 쓰일 가능성을 상기시키기에 충분했다. 유럽의회와 유럽이사회가 최초로 암호화폐 규제안MiCA을 마련하게 된 데는 이러한 배경 아래 민간 암호자산 시장을 법 테두리 안에 두어야 한다는 공감대가 형성되었기 때문이다. 이와 같은 일련의 사태로 인해 민간 암호자산의 미래를 부정적으로 내다보는 시각도 적잖다.

반면 중앙은행이 발행하는 디지털 화폐 CBDC는 2022년 새로운 전기를 맞았다. 2월 베이징 동계올림픽을 계기로 중국인민은행은 본격적으로 디지털 화폐를 발행했다. 중국인민은행은 이 디지털 화폐가 블록체인 기술과 상관없다는 점을 강조하기 위해서 이를 DCEP digital currency electronic payment라고 부르는데, 짧은 역사에도 불구하고 그 보급률은 20%를 돌파했고 위챗페이나 알리페이 같은 민간 전자 지급수단에 뒤지지 않는 수준으로 빠르게 보급 중이다. 이러한 사례가 한국은행을 포함한 각국 중앙은행의 CBDC 연구와 실험에 자극제가 되는 측면도 있다. 그러나 중앙은행이 발행하는 디지털 화폐라고 해서 곧바로 널리 보급되지는 않는다. 법률적, 경제적, 기술적 난관이 상당하기 때문이다. 그 난관은 중앙은행의 노력만으로는 해결하기 어렵다. 행정부와 입법부의 전폭적인 지원과 관심이 있어야 보급 및 확산이 가능하다.

디지털 화폐 발행의 장애물

디지털 화폐에 관해 가장 먼저 짚고 넘어가야 할 점은 그것이 블록체인 기술과는 그다지 관련성이 높지 않다는 사실이다. 이미 상용화한 중국인민은행의 디지털 화폐는 블록체인 기술을 채택하지 않았으며, 2022년 2월 미국 보스턴 연준이 발표한 〈프로젝트 해밀턴* 중간 보고서Project Hamilton Phase 1: Executive Summary〉에서도 미국은 디지털 화폐 발행에 블록체인 기술을 활용하기 어려울 것이라고 언급했다. 디지털 화폐 발행이 블록체인 기술 발전을 촉진할 것이라고도 기대하기 어렵다. 은행권 발행이 인쇄술의 발전에 직접 기여했다는 것을 확인하기 어려운 것과 같다. 다만 고도의 안전성과 보안이 필요한 디지털 화폐 개발 과정에서 한국은행을 포함한 각국의 중앙은행은 블록체인 기반의 테스트도 함께 진행하고 있다.

• 보스턴 연준과 MIT 연구팀이 공동으로 착수한 CBDC 설계 프로젝트를 말한다.

디지털 화폐 발행의 장애물은 우선 기술적 측면에서 마주치게 된다. 신용카드의 경우 구매 내용만 기록(지급 지시)하고 한 달 뒤에 결제되지만, 디지털 화폐는 지급과 동시에 결제가 완료(소급 불가능)되므로 보안성 기준이 훨씬 까다롭다. 출퇴근 시간이나 점심시간 등 특정 시간대에 지급이 집중되더라도 이를 충분히 소화해내야 한다. 아울러 프라이버시도 보장해야 한다. 디지털 화폐가 이러한 보안성, 신속성, 안전성을 전부 갖춰야 하는 만큼 기술적 요구 조건은 여전히 높다.

여기에 더해 법률적, 경제적 걸림돌도 있다. 동카리브해 7국 연합과 바하마 등 일부 국가에서는 이미 디지털 화폐를 발행했지만, 관광산업이 국가 산업의 중심인 이들 나라에서는 금융업이 사실상 존재하지 않는다. 그러므로 중앙은행이 디지털 화폐 발행을 이유로 자국민과 외국 관광객들한테 직접 예금을 받는 것이 큰 문제가 되지 않는다. 그러나 대다수 국가에서는 중앙은행과 상업은행이 엄격히 분리되어 있다. 따라서 중앙은행이 기업이나 가계와 직접 예금 거래를 하면 이는 해당국 은행 산업에 중대한 영향을 미칠 수 있다. 일제강점기의 조선은행처럼 중앙은행이 일반인과 거래하는 것은 중앙은행 제도의 후퇴나 다름없다. 우리나라의 경우엔 한국은행법의 개정도 필요하다.

디지털 화폐 발행이 은행 시스템에 타격을 주지 않으려면, 중앙은행이 상업은행과 요구불예금 수취를 경쟁하는 것이 아니라 기존 현찰(은행권과 주화)만 대체하는 방식으로 추진해야 한다. 이 경우 스마트폰이나 PC를 이용해서 디지털 화폐를 주고받는 일반 국민은 거래 은행을 통해서 계좌이체 서비스를 이용하는 현재의 방식과 그리 다른 점을 느끼지 못할 것이다. 지금의 중국이 바로 이런 형태다. 공식적으로는 중국인민은행이 디지털 화폐를 발행했다고 하지만, 중국 국민은 자신이 거래하는 은행을 통해 요구불예금 계좌 잔액을 조정한다. 다른 나라 중앙은행들이 추구하는 모델도 결국 이런 형태에 가까울 것으로 보인다.

디지털 화폐가 법정화폐의 자격을 갖추도록 하는 권한이 중앙은행에 있지 않다는 점도 중앙은행이 주도적으로 디지털 화폐 발행을 추진하기 어려운 이유다. 예를 들어, 온 국민이 디지털 화폐를 쓰기 위해서는 스마트폰과 PC 등이 국민 모두에게 보급되어 있어야 한다. 이렇게 특정 단말기를 갖고 있어야 사용 가능한 지급수단을 법정화폐로 인정한다는 것은 행정편의주의적 발상일 수 있다. 이런 법률적 문제 때문에 스웨덴에서는 입법부가 디지털 화폐 발행 연구에 동참하고 있다.

디지털 화폐가 지급 결제에 미치는 영향

디지털 화폐가 지폐와 동전 등 물질적 형태의 법정화폐만 대체한다고 하더라도 여기에 중요한 의미가 있다. 요구불예금을 포함해서 어음, 수표, 신용카드, 지로 등의 경우 지급과 결제 사이에 최소 하루 이상의 시차가 생긴다. 그리고 시급과 결제 사이에는 어음교환소(우리나라의 경우 금융결제원)가 개입해 '청산'이라는 절차를 진행한다. 기업의 해체를 뜻하는 청산liquidation이 아니다. 여기에서의 청산clearing은 요구불예금을 관리하는 다수의 상업은행이 서로 주고받을 자금의 규모를 확정하는 것을 말한다. 지급-청산-결제 프로세스는 근대 은행업이 시작된 이후 지금까지 변하지 않은 비즈니스 모델이다.

그런데 지폐와 동전 등의 현찰은 지급과 동시에 결제까지 완료된다. 당연히 현금 지급에서는 청산 절차와 어음교환의 개입이 생략된다. 따라서 디지털 화폐의 보급·확산이 이뤄진다는 것은 어음교환과 청산 과정의 소멸을 의미한다. 전혀 불가능한 일도 아니다. 중앙은행 컴퓨터(한국은행의 한은금융망, BOK-Wire)와 상업은행의 컴퓨터를 연결해 모든 거래에 대해서 실시간 예금계좌 간 자금 이체, 즉 실시간 총액 결제RTGS, real time gross settlement를 진행하면 그것이 곧 디지털 화폐 발행과 똑같은 효과를 낸다.

디지털 화폐와 신용카드의 필연적 경쟁

어음은 지급 시점과 결제 시점에 차이가 있어 보통 액면 금액보다 할인된 금액으로 유통된다. 신용 리스크가 있기 때문이다. 지급과 결제 사이에 약 한 달 정도의 시차가 존재하는 신용카드에도 당연히 신용 리스크가 있다. 그런데 상당수 국가에서는 신용카드에 대해서 특별한 우대 조치를 둔다. 시차로 인한 가격 차별을 금지하거나 인정하지 않는 것이다. 우리나라 여신전문금융법 제19조는 "신용카드로 거래한다는 이유로 신용카드 결제를 거절하거나 신용카드 회원을 불리하게 대우하지 못한다"라고 규정한다. 이를 '차별 금지 원칙no-discrimination rule'이라고 하는데, 이 때문에 현찰로 물건을 사든 신용카드로 사든 가격은 같아야 한다. 신용카드 소지자에게 물건을 팔면 판매자가 여러 가지 수수료를 부담해야 하므로 이러한 원칙은 판매자 입장에서는 불리한 규제다.

그럼에도 우리나라를 포함한 일부 국가에서는 차별 금지 원칙을 강조하는데, 이는 현금 거래를 이용한 탈세를 막는 데도 목적이 있다. 실제로 2000년대 초 김대중 정부가 신용카드 사용을 장려한 결과 세원 포착이 쉬워져서 국고가 금방 튼튼해지기도 했다. 그런데 디지털 화폐를 이용하면 어떨까? 모든 거래가 기록되므로 탈세를 자동 예방할 수 있다. 따라서 이런 상황에서는 정부가 신용카드 차별 금지 원칙을 고수할 이유도 없다.

디지털 화폐의 발행은 결국 신용카드 회사에 타격을 준다. 실제로 중국인민은행이 디지털 화폐 발행을 서두른 이유도 지나치게 비대해진 자국의 선불카드 즉, 알리페이와 위챗페이를 견제하는 데 있다. 이들 두 지급수단의 시장점유율이 90%에 이르기 때문이다. 다만, 중앙은행의 디지털 화폐 발행으로 민간 전자 지급수단 시장에 심대한 영향을 미치는 일이 바람직한지는 고민할 필요가 있다.

디지털 화폐가 가져올 변화에 대한 대응

각국 중앙은행들이 디지털 화폐 발행에 신중한 모습을 보이는 이유는 바로 이러한 나비효과를 탐지하고 또 최소화하려는 데 있다. 한국은행도 마찬가지로 많은 검토와 준비가 필요하다. 또 디지털 화폐와 관련한 기술적 실험과 제도적 검토를 이어가는 과정에서 선행적으로 풀어야 할 과제들도 적잖다.

중앙은행 자금 이체 서비스 방식의 변경

현재 대부분의 나라에서 상업은행들끼리 주고받는 거액의 자금은 중앙은행 컴퓨터를 통해서 실시간으로 총액 결제된다. 1917년 미 연준이 개발한 페드와이어Fedwire가 그 분야에서 세계 최초였다. 반면 민간의 소액 거래 결제는 실시간으로 총액 결제되지 않는다. 어음교환소의 주관으로 청산 과정을 거쳐 다음 날 중앙은행의 지급준비금 조절로 완료된다. 즉, 하루 정도의 시차가 걸린다. 그런 방식을 이연 차액 결제DNS, deferred net settlement라고 한다. 우리나라는 24시간 쉬지 않고 DNS를 가동하는 데 있어 세계 최초였다. 2001년 한국은행 주도로 완성한 '전자금 융공동망'은 DNS를 24시간 처리하는 신속 자금 이체 시스템fast payment 의 첫 주자였다.

그런데 최근 주요 선진국들은 신속 자금 이체 시스템에 만족하지 않는다. 민간의 소액 상거래까지도 금융기관 간 거액 거래처럼 실시 간으로 총액 결제되는 RTGS 시스템을 개발했거나 개발하는 중이다. 2012년 스웨덴이 처음으로 시도했고, 2024년까지 10여 개국 이상이 개 발을 완료할 예정이다. 2022년 5월에는 유럽중앙은행ECB과 스웨덴 릭 스방크가 각자의 RTGS 시스템 연결을 완료했다. 이에 따라 두 화폐권 사이에는 해외 송금 수수료 등이 거의 사라질 것으로 예측된다. 이처럼 지급 결제 방식의 변경은 금융 소비자들에게 편익을 제공하고 최종 결 제 시차로 인한 신용 위험도 줄일 수 있다. 우리나라의 한국은행도 지급 결제 시스템의 변경을 검토해오고 있다. 국가 간 방식의 차이는 해외 송 금 수수료 문제, 수출입 대금 결제 등과 관련해 아무래도 불편을 초래할 수 있기 때문이다. 그러나 이 분야에서 한국은행의 변화 속도는 더딘 상 황이다.

금융 시스템 전반을 아우르는 거시적 접근

앞에서 설명한 것처럼 민간의 소액 거래에 대해서도 RTGS가 적용되면, 디지털 화폐 발행과 똑같은 효과가 생긴다. RTGS의 확산이나 디지털 화폐의 우선적 효과는 결제 리스크를 제거하고 각종 수수료를 절감하 는 데 있다.

이로 인해 타격을 받는 것은 상업은행과 신용카드사들이다. 중앙은행 끼리 노력해서 신속 자금 이체 시스템이 국제적으로 연결되면 상업은행의 해외 송금 수수료 수입은 크게 줄어들 것이다. 국내 신용카드, 체크카드 등 선·후불 지급수단의 수수료 수입도 마찬가지일 것이다. 이런 변화가 너무 급격하게 진행되면 금융 시스템의 불안으로 이어질 가능성이 있다. 그렇다고 마냥 기다리거나 늦출 수도 없다. 그렇게 할 경우, 중앙은행이 금융 소비자의 편익보다는 금융기관의 기득권을 더 보호하는 셈이 되기 때문이다. 따라서 중앙은행이 발행하는 디지털 화폐와 민간 금융기관이 발행하는 선·후불 지급수단 간 조화와 공존을 위한 방법을 찾는 것이 중요한 정책 과제다.

이와 함께 금융결제원의 운영 방향도 점검해야 한다. 현재 금융결제원이 우리나라 금융 시스템의 작동에서 차지하는 역할은 매우 크다. 그런 점을 고려해 지난 정부에서 금융위원회가 금융결제원에 대한 정부의 감독을 강화하려는 취지의 전자금융거래법을 제정하려고 했지만, 한국은행과 상업은행들의 강력한 반발에 부딪혀 1년 이상 표류 중이다.

중요한 점은 금융결제원은 금융기관이 아니라는 사실이다. 따라서 금융위원회가 이 기관을 감독하는 것은 법률적·경제적 문제를 가져올 수 있다. 한국거래소와 한국예탁결제원도 금융기관이 아니나 금융위원회가 감독하고 있는데, 이는 그 존립 근거인 자본시장법의 주무 부처가 금융위원회이기 때문이다. 이와 달리 금융결제원은 어음법·수표법에 의해서 법무부 장관이 지정한 독점적 어음교환소다. 그 출발점이 금융위원회와는 거리가 멀다.

각국의 디지털 화폐 연구 노력과 신속 자금 이체 시스템 도입 움직임을 볼 때 어음교환소 역할을 담당하는 국내 금융결제원의 입지는 점진적으로 줄어들 수밖에 없다. 이런 점을 고려하면 현존하는 금융결제원의 통제와 감독에 초점을 맞춘 전자금융거래법은 시대적 변화를 전부 반영한 것도 아니다. 그것보다는 중앙은행, 상업은행, 금융결제원 등을 모두 아울러서 대한민국 지급 결제 시스템 전반을 넓은 시각에서 바라보며 재정비할 필요가 있다.

미국은 1978년 '전자자금이체법EFTA'을 제정했다. ATM의 관리 책임을 확정하기 위해서였다. 그런데 그것만으로는 부족하다는 점을 깨닫고 1980년 '통화관리법MCA'을 다시 제정했다. 연준의 지급준비금을 출발점으로 하는 미국 지급 결제 시스템 전반을 다스리는 법인데, 이는 지급 결제 시스템이 중앙은행의 통화정책과 불가분의 관계에 있다는 점을 확인한 것이다. 일본, 호주 등도 중앙은행법을 통해 비슷한 시가을 취한다. 지급 결제 제도의 안정성 추구를 중앙은행의 중요한 임무로 부여한 것이다. 우리나라도 한국은행, 상업은행, IT업체, 금융결제원을 두루 아우르는 가운데 중앙은행의 업무와 접목하려는 거시적 접근이 필요하다.

부의 미래는 디지털 자산에 있다

대체 불가능한 토큰을 뜻하는 NFT가 희소성과 유일성을 가치로 내세우며 최근 몇 년간 큰 인기를 누려왔다. NFT로 인해 '디지털 자산'에 대한 대중적 관심이 더욱 커진 것도 사실이다. 트위터 공동 창업자 잭 도시의 첫 트윗을 기반으로 만든 NFT가 2021년 약 36억 원에 팔리고, 디지털 아티스트 비플의 작품 〈매일: 첫 5,000일〉이 크리스티 경매에서 약 786억 원에 팔리면서 세간의 이목을 집중시키기도 했다. 물론 잭 도시의 트윗 NFT는 지금 약 840만 원으로 가치가 폭락했다. 그야말로 '가상자산 겨울crypto winter'[204]의 도래다. 2022년 5월 11일 하루 만에 가격이 93.1% 급락한 암호화폐 루나 사태는 분위기를 한층 더 얼어붙게 했다. 하지만 이러한 이슈와 침체 국면에도 불구하고 분명한 것은 디지털 자산 시장이 점점 확장되고 있다는 점이다. 이제 디지털 기술은 정보만 다루는 것이 아니기 때문이다.

디지털 대전환은 디지털 공간에서 부富가 창출, 거래, 보관되는 디지털 자산의 시대도 이끌고 있다. 이제 디지털 자산 혁명을 주도하는 자가 세계경제의 판도를 바꿀 것이다. 디지털 경제로 바뀌어가던 시대 흐름을 과소평가하고 아날로그 서비스에만 주력했던 세계 최대 필름 생산 업체 코닥은 디지털카메라 시장에 완패했고, "아날로그로도 충분"하다며 기존 방식을 고집했던 모토로라나 노키아 같은 휴대전화 강자들도 결국 매각 또는 인수되었다. 변화의 흐름을 외면한 채 관성대로만 움직인다면 이들과 같은 길을 따라갈지도 모른다. 블록체인 기술을 기반으로 창립된 신생 기업들이 증가하고, 디지털 화폐가 자본시장의 주요 화두로 떠오르는 시대다. 끊임없이 움직이는 디지털 경제 시장에서 살아남으려면 '계속' 변해야 한다.

디지털 전환 시대 새로운 부의 방향 [205]

중앙 관리자의 역할과 통제는 디지털을 도입한 금융 시스템에서 자산 보호의 기능을 위해 오히려 더 강화되었다. 디지털 방식으로 자산을 복제해 이중 전송하는 것, 즉 동일한 금액을 두 번 지급할 수 있는 '이중 지불double spending' 리스크를 막는 것이 관건이었기 때문이다. 그러나 2009년 블록체인 기술을 바탕으로 한 비트코인이 등장한 이래 중개자 없이 개인 간 직접 거래peer to peer가 가능한 탈중앙 화폐 개념이 등장했고, 한발 더 나아간 탈중앙 스마트 계약 컴퓨팅, 즉 탈중앙 거래 시스템과 함께 디지털 시대의 부도 새로운 국면을 맞고 있다. 현실의 자산들이 디지털 토큰으로 변환되고 글로벌 차원에서 통화와 같이 유통할 수 있는 이른바 '토큰화tokenization' 시대가 열리고 있다.

이러한 토큰화 시대에는 현실 세계의 화폐뿐 아니라, 주식, 채권, 부동산 거래, 광산 채굴권, 심지어 미술품 등도 모두 토큰으로 만들어 거래할 수 있다. 2021년 런던 소더비 경매에서는 〈외계인 초상화CryptoPunk #7523〉라는 디지털 그림이 약 140억 원에 낙찰된 바 있다.[206]

디지털 암호화폐의 확산

암호화폐가 중심이 되는 디지털 자산 시대의 주요 특징인 탈중앙화로 중앙 관리자 없는 화폐가 유통되고, 은행 없는 은행 서비스, 보험사 없는 보험 서비스, 증권 거래소 없는 증권 거래가 가능해졌다. 스위스에서는 2019년 세계 최초로 암호화폐 은행인 세바크립토SEBA Crypto와 시그넘Sygnum Bank이 금융시장감독청FENMA으로부터 은행업 면허를 승인받았고, 2021년 미국은 사우스다코타주에 위치한 앵커리지Anchorage 신탁회사를 디지털 은행으로 승인했다.[207] 암호화폐 은행의 고객은 하나의 계좌만 개설하면 그것으로 달러, 유로 등 법정화폐를 암호화폐로 쉽게 바꾸고, 다시 암호화폐를 법정화폐로 바꿀 수도 있다. 2013년 설립된 아르헨티나의 스타트업 리피오Ripio는 아르헨티나, 멕시코, 브라질에서 비트코인 지갑을 이용한 개인 간 소액 대출 서비스를 시작했다. 또 2018년 암호화폐 발행을 통해 3,700만 달러를 모아 세계 각지의 투자자와 남아메리카의 대출자들을 연결해주는 이더리움 기반 스마트 계약 시스템을 만들었다. 2021년 엘살바도르는 세계에서 처음으로 비트코인에 법정통화 지위를 부여하기도 했다.[208]

각국 정부도 여러 논쟁적 이슈를 갖고 있지만 중앙은행 디지털 화폐CBDC 개발에 관심을 쏟기 시작했다. 예를 들어, 중국은 법정 디지털 화폐인 '디지털 위안화'를 개발해 서비스를 확장하고 있으며, CBDC 발행에 유보적이던 미국도 2022년 3월 바이든 대통령이 연방준비제도FED에 CBDC 검토를 지시하는 행정명령에 서명했다. 유럽도 '디지털 유로 프로젝트'에 착수해 2023년 디지털 유로 도입 여부를 확정할 계획이다. 스웨덴은 2016년부터 CBDC에 관한 연구를 시작했고, 이크로나e-krona를 2020년 시범 발행하면서 유럽 최초로 디지털 화폐를 테스트하고 있다. 한국은행도 '중앙은행 CBDC 모의실험 연구 사업'을 시작했으며, 현재 모바일 기기를 통한 결제 및 국가 간 송금 등의 2단계 실험을 진행하고 있다.[209]

한편, 암호화폐의 제도권 편입 여부를 둘러싼 국가별 대응은 다양하다.[210] 영국 금융 당국은 2021년 5월 세계 최대 암호화폐 거래소 바이낸스Binance의 영국 법인 운영을 금지했다. 페이스북의 모기업인 메타의 암호화폐 디엠Diem(옛 명칭 리브라Libra) 프로젝트도 당초 세계 공용 암호화폐를 통한 '국경 없는 금융 사회'를 기치로 내걸었으나 미국, 유럽 등 각국 정부의 반대로 사업화에 실패한 바 있다. 한국의 경우는 암호화폐 거래소 중심으로 시장이 형성되어 있는데 아직 디지털자산기본법 등의 법·제도가 마련되지 않아 상당 부분이 회색 지대에 놓여 있다. 특히 2022년에는 루나 사태 등으로 암호화폐 관련 투자자 보호 문제나 관련 산업의 제도화에 대한 이슈가 불거진 상황이다.

암호화폐에서 디지털 자산으로의 확장

암호화폐 등을 둘러싼 이슈가 이어지는 가운데서도 기존의 자산 개념은 물론 자산을 소유하고 거래하는 방식 모두가 통째로 바뀌고 있다. 즉, 디지털 자산 혁명이 진행 중이다. 암호화폐 단계를 넘어 이제 디지털 경제는 디지털 자산의 단계로 향하고 있다. 가령 100억 원짜리 빌딩이 100억 개의 토큰으로 치환된다고 하면, 200만 원으로 토큰 200만 개를 살 수도 있다. 이 빌딩에서 관리비 등을 제외하고 한 달에 순수한 임대 수익이 1억 원씩 연 12억 발생한다면, 소유한 토큰량(전체의 0.02%)에 따라 연 24만 원의 배당을 받을 수 있다. 이보다 더 적은 금액으로 투자하는 이른바 '소수점 투자'도 가능하다. 몇만 원 단위로 투자해 음악 저작권이나 미술품, 빌딩 지분의 100분의 1 혹은 1,000분의 1을 갖는 식이다.

이 같은 디지털 자산 혁명의 핵심적 변화는 크게 세 가지다. 첫째, 실물 세계의 자산을 포함한 모든 자산의 디지털 토큰화다. 자산 가치를 반영한 토큰을 '자산 토큰'이라고 하며 자산의 소유권과 연동된 자산 토큰은 '증권형 토큰'이라고 한다. 증권형 토큰은 주식처럼 부동산, 미술품, 채권 등 실물 자산을 기반으로 가상자산을 발행하는 것이다.[211] 자산에 근거해서 증권형 토큰을 발행하는 것을 증권형 토큰 공개STO, security token offering라고 한다. 암호화폐 공개ICO, initial coin offering가 토큰 이용 비즈니스의 미래 전망을 근거로 암호 토큰을 발행한다면, STO는 부동산·미술품·천연자원·채권 등 이미 자산 가치를 인정받은 실물에 근거해 토큰을 발행하므로 투자 가치가 훨씬 안정적이라고 볼 수 있다. 이러한 경향을 반영해 국내의 경우 ICO에 대해서는 아직 전면 금지를 유지하고 있으나,• STO의 경우 금융 규제 샌드박스를 통해 시범적으로 허용

• 문재인 정부는 ICO에 대한 전면 금지 원칙을 유지했으나, 윤석열 정부의 경우 대통령직 인수위원회에서 공개한 국정 과제(2022년 5월)를 통해 단계적으로 ICO를 허용하는 방안을 제시한 바 있다.

하고 있다.

둘째, 자산 거래의 자동화다. 자산 시장의 전 과정, 곧 자산 소유권을 판매자에서 구매자로 이전하는 것, 소유권 지분에 따른 수익권을 행사하는 것 등을 스마트 계약을 활용해 자동화하는 것을 말한다. 자산 거래의 자동화는 현재 여러 곳에서 실험 중이다. GDP의 1% 정도만 현금일 정도로 디지털 자산화에 적극적인 스웨덴은 토지 등기까지 온라인에서 원스톱으로 처리하는 시스템을 개발하기도 했다. 토지 등기 관리가 부실해 관료들의 부정부패가 극심한 남미에서는 미주개발은행이 블록체인 기반 토지 등기 시스템을 개발해 이러한 문제를 해결하려 하고 있다. 아랍에미리트의 두바이에서는 토지 브로커들이 중간에서 부당 이익을 얻는 것을 막기 위해 토지 등기를 비롯한 각종 공공서비스를 블록체인으로 통합하고 있다.

셋째, 가장 핵심적인 변화인 탈중앙 플랫폼이다. 중앙 기관이 중개하는 중앙 집중식 시스템이 아니라 P2P 방식의 분산 시스템으로, 블록체인 같은 암호화 기술을 활용해 안전하면서도 편리한 거래를 가능하게 한다. 예를 들어, 보스턴증권토큰거래소Boston Security Token Exchange는 2022년 초 미국 증권 거래위원회로부터 블록체인 기반의 거래소 운영을 승인받았다. 당초 목표였던 디지털 토큰 거래가 허용되지는 않았지만, 블록체인 기술을 통한 탈중앙화로 결제 시간 단축, 수수료 절감, 자신의 거래 정보뿐 아니라 익명화한 다른 회원들의 거래 정보 열람까지[212] 가능하게 할 것으로 보인다.

탈중앙 토큰 경제의 등장

토큰은 화폐의 대용물로 사용되는 지급수단을 가리킨다. 통신사 포인트, 항공사 마일리지, OK캐시백 등도 일종의 토큰이다. 게임 중에 얻을 수 있는 금화나 보석도 토큰이다. 디지털화한 토큰이 법정화폐와 크게 다른 점은 토큰의 단위는 원하는 대로 잘게 나눌 수 있다는 것이다. 또 플랫폼 안에서 토큰의 기능과 사용 방법을 얼마든지 프로그램화할 수 있다. 그런 의미에서 토큰을 '프로그래머블 머니programmable money'라고도 한다. 프로그램에 따라 토큰은 지급수단이나 서비스 이용권, 또는 투표권 등으로 다르게 사용할 수 있고 투자 지분을 의미하는 증권, 어음 또는 채권으로도 사용할 수 있다. 토큰 경제란 이렇듯 블록체인을 기반으로 발행한 토큰을 매개로 작동하는 경제적 시스템이다. 과거에는 토큰의 가치나 사용 방식을 네트워크의 중앙 관리자가 결정하고 사용자는 이를 일방적으로 따라야 했지만, 블록체인은 네트워크 참여자들의 합의로 이를 결정하고, 네트워크가 발전하면서 발생하는 이익도 참여자들이 공유한다.

예를 들어, 미국 크라우드 펀딩 회사 인디고고Indiegogo는 2018년 콜로라도주 애스펀에 있는 유명한 스키 리조트 세인트 리지스 애스펀The St. Regis Aspen Resort을 토큰으로 유동화했다. 토큰화한 대상은 애스펀 리조트 객실 가운데 5분의 1로 그 가치는 1,800만 달러였다. 이는 최초의 부동산 증권형 토큰이다. 인디고고는 보유하고 있던 애스펀 리조트의 지분을 부동산 투자신탁회사 애스펀 디지털을 통해 1,800만 개의 '애스펀 코인'으로 토큰화했고, 코인은 22개의 전자 지갑으로 판매·전송되었다. 애스펀 코인은 증권형 토큰에 속하는데, 토큰 보유자는 해당 리조트의 지분을 구매하는 것과 동일한 권리를 가지면서 배당금을 이더리움으로 받는다. 독일 스타트업 푼다멘트Fundament Group도 독일 연방금융감독청의 승인을 받아 유럽 내 부동산을 토큰화하겠다는 계획을 발표한 바 있다.

한편 우리나라에서는 부동산 STO가 불가능하지만, 규제 샌드박스 적용 대상으로 선정된 스타트업 카사코리아가 부동산 조각 투자 플랫폼 카사Kasa를 운영하고 있다. 하나은행, 국민은행, 한국토지신탁 등과 제휴해 상업용 부동산의 디지털 수익증권을 거래하는 플랫폼을 개발하고 2020년 금융위원회로부터 혁신 금융 서비스 본인가를 받은 데 이어 2021년에는 연장을 허가받았다. 건물주가 건물 처분을 신탁회사에 신탁하면, 카사코리아는 신탁된 건물의 가치를 담보로 디지털 수익증권을 발행하고 이를 투자자에게 판매한다. 투자자들은 부동산을 처분할 때 발생하는 수익을 배당받는다.

카사코리아는 2020년 11월 서울 역삼 런던빌 공모를 시작으로 2021년에는 서초 지웰타워, 역삼 한국기술센터, 그리고 2022년에는 여의도 익스콘 벤처타워의 매각에 성공한 바 있다. 최근에는 빌딩이 아닌 상가 건물을 공모 대상으로 조각 투자를 추구하는 루센트블록Lucent Block 등 후속 스타트업도 활성화하고 있다. 이러한 모델이 더 진화한다면 아파트나 단독주택으로 토큰화 대상을 확대하고, 모기지 담보부증권 등도 토큰화해 거래할 수 있을 것으로 예측된다.

그 밖에도 암호화폐 거래소이자 스테이블 코인(가격 변동성을 최소화하도록 설계한 암호화폐)을 발행하는 팩소스Paxos는 2019년 금 기반의 암호 토큰 '팩소스 골드'를 출시했다. 이더리움 기반의 팩소스 골드는 금을 비롯한 각종 실물 자산 보관 회사 브링스The Brink's Company가 런던에 보관하고 있는 금괴의 소유권을 표시한다. 팩소스 골드 토큰 1개의 가격은 금 1온스 가격에 연동된다. 금 시장까지 굳이 가지 않아도 토큰 거래소에서 팩소스 골드를 구매하면 원하는 양의 금을 소유할 수 있다.

런던과 뉴욕의 특정 거래소에 가서 팩소스 골드 토큰의 보유를 인증하면 실제 금괴로도 교환할 수 있다. 디지털 토큰 시장은 미술품 카테고리에서 가장 빠르게 활성화하고 있다. 영국 화가 데이비드 호크니David Hockney의 작품 〈거울과 함께 모인 그림Pictured Gathering with Mirror〉과 〈초점 이동Focus Moving〉도 2019년 우리나라에서 한 조각당 9,900원에 각각 8,900조각과 5,900조각의 디지털 토큰으로 분산 판매되었다.

디지털 자산 시장의 비즈니스 가치사슬[213]

디지털 자산 시장이 움직이려면 다음의 세 가지 가치사슬이 연결되어야 한다. 디지털 자산 평가 및 투자 컨설팅, 디지털 자산 신탁 및 토큰 발행, 그리고 토큰 거래소와 거래 환경 조성이다. 바로 여기에서 미래를 주도할 새로운 비즈니스의 기회가 열린다. 나아가 디지털 자산 거래 플랫폼의 효율성을 높이거나 탈중앙화 안전성을 높이는 과정에서 새로운 비즈니스가 속속 등장할 것이다.

디지털 자산의 가치 평가 및 투자 컨설팅

앞으로 더욱 다양한 자산이 디지털화할 것이다. 이 가운데 실물 자산인 부동산, 금, 은, 석유 등은 통상적으로 그 가치가 이미 분석되어 그것을 기반으로 디지털 토큰의 가격을 매기는 것이 그리 어렵지 않다. 그러나 보이지 않는 자산인 데이터, 콘텐츠, 지식재산권 등은 그 가치를 정확히 평가하거나 분석하기가 쉽지 않다. 따라서 디지털 자산 평가 방법과 평가 전문가들이 필요하며, 디지털 자산 가치 평가 및 투자 컨설팅에 대한 수요가 증가할 것이다.

디지털 자산의 신탁 및 토큰 발행

실물 자산이나 데이터 자산의 가치를 객관적으로 평가했다면, 그다음 과정은 자산을 담보로 디지털 토큰을 발행하는 단계다. 이 단계는 자산의 신탁과, 신탁된 자산을 근거로 디지털 토큰을 발행하는 두 부분으로 구성된다. 가령, 부동산 보유자가 신탁 기관에 부동산을 위탁하면, 전문 평가사에 의해 가치가 매겨지고, 토큰 발행사는 이를 기반으로 액면 가치와 발행량을 정해 디지털 토큰으로 만든다. 그런데 암호화폐와 달리 증권형 토큰의 경우는 실제 자산이라는 담보를 공인된 위탁 서비스업 등을 통해 확인해야 한다. 즉, 블록체인 거래는 탈중앙 방식이지만, 블록체인에 자산을 올리기 전까지는 실제 담보물 검증에서처럼 일정 부분 국가나 제삼자의 개입을 받아들일 수밖에 없다.

디지털 자산의 거래 시장 구축

자산 평가와 토큰 발행이 이뤄지면 그다음엔 발행된 토큰을 안전하게 거래할 수 있는 토큰 거래소가 필요하다. 이러한 디지털 자산 거래 비즈니스는 지금의 암호화폐 거래소와 유사하지만, 증권형 토큰은 지급 결제 토큰이나 이용권 토큰과 달리 투자자산이므로 여러 금융 관련법 준수 의무가 부과될 것이다. 또 완전한 탈중앙 거래를 실현해야만 디지털 자산 거래소를 안정적으로 운영할 수 있을 것이다.

이러한 디지털 자산 거래소는 부의 우주정거장에 비유해볼 수 있다. 이를테면 한국의 거래소 플랫폼에서 미국의 부동산, 중동의 석유, 또 유럽의 지식재산권 등을 거래하는 것이 가능해지기 때문이다. 이러한 자산 거래의 순환에서 1%의 수수료만 받더라도 상당한 수익을 기대할 수 있다. 최근 스위스, 홍콩, 싱가포르 같은 금융 선진국과 금융 비즈니스 글로벌 기업들이 미래 금융시장을 선점하기 위해 뜨거운 경쟁을 벌이는 이유다. 예를 들어 골드만삭스는 디지털 자산의 가치사슬에서 주도적 위치를 선점하기 위해 가치사슬의 각 연결 고리인 디지털 자산의 토큰 발행, 자산 신탁업, 토큰 거래소 분야에서 고르게 사업을 개척하고 있다. IBM도 자사가 보유한 블록체인 기술력을 활용해 디지털 자산 신탁 분야로 진출을 모색하고 있다.

한편, 국내 게임 산업에서의 토큰 경제 이슈를 보면 디지털 자산과 관련한 비즈니스 가치사슬을 더 쉽게 이해할 수 있다. 2022년 들어 국내 게임사들은 앞다투어 자체 보유 토큰과 자사 게임을 결합해 독자적 생태계를 구축하겠다고 발표했다. 이용자가 게임을 플레이하는 과정에서 획득하는 재화(게임 아이템)를 토큰으로 교환해 암호화폐 거래소에서 현금화까지 가능하게 하겠다는 것이다. 이른바 P2E pay to earn 개념이다. 그런데 원활한 토큰 경제가 형성되려면 먼저 게임 재화의 가치와 게임 재화 및 토큰의 교환 비율 등을 명확하게 측정할 수 있어야 하며 이러한 과정을 책임 있게 수행할 수 있는 주체가 있어야 한다. 또 게임사가 보유한 다양한 게임 콘텐츠 내 재화들을 하나의 생태계에서 조화롭게 거래할 수 있어야 한다. 이것은 앞으로 업계가 해결해나가야 할 숙제다.

부의 미래와 우리의 선택[214]

미래의 부는 어디에서 찾을 수 있을까? 앞으로 세계의 부 상당 부분은 디지털 데이터와 디지털 서비스가 연결되는 디지털 플랫폼에서 창출될 것이다. 블록체인에 기반한 디지털 자산 혁명은 인류가 자산을 소유하는 방식에서 관리하는 방식까지, 모든 것을 바꿀 것이다.

분명한 것은 4차 산업혁명의 핵심 인프라인 블록체인을 누가 주도하느냐에 따라 세계경제 판도가 바뀐다는 사실이다. 그 주도권이 외국 기업에 넘어가면 우리 국민의 금융 자산이나 건강 데이터가 외국 기업이 주도하는 블록체인 시스템 안에서 저장·관리·거래될 것이다. 그런 점에서 블록체인 기술혁신은 정보 주권을 지키는 일이기도 하다. 따라서 민관 합동으로 블록체인 산업을 육성할 로드맵을 구체화하고 창의적 비즈니스 모델의 실험과 혁신적인 블록체인 서비스의 촉발로 생태계를 지속적으로 확장해야 할 것이다.

암호화폐가 투기 광풍을 일으키면서 우리나라에서는 블록체인 기술에 대한 회의론이 먼저 대두했다. 근본적으로 블록체인 기술을 바탕으로 등장했지만, 암호화폐는 무분별한 투기, 결제 수단으로서의 한계, 보안 문제 등과 같은 탈중앙화에 대한 허점을 드러냈기 때문이다. 하지만 이러한 단점은 차차 기술과 제도로 보완해야 할 문제다. 분명한 것은 블록체인 기술은 신뢰의 거래와 탈중앙화 거래를 폭발적으로 증가시키며 4차 산업혁명의 근간이 되고 있다는 점이다.

과거의 잣대나 안전지향주의에 매몰된 사고방식으로는 앞으로 나아갈 수 없다. 지금 이루어지는 디지털 혁신은 단순히 새로운 시장을 만드는 것이 아니라 시장의 주체를 바꾸는 것이기 때문이다. 아날로그가 디지털로 바뀌면서 휴대전화 비즈니스의 주도권은 노키아와 모토로라에서 애플과 삼성으로 넘어갔다. 또 사진 비즈니스의 주도권은 필름 회사 코닥에서 사진 공유 소셜미디어 인스타그램으로 넘어갔다. 유통 비즈니스의 주도권은 오프라인 기반의 월마트에서 온라인 기반의 아마존으로 넘어갔다. 지금의 선택과 준비가 디지털 자산의 미래 향방을 가를 것이다. 디지털 자산 시장은 이제 시작 단계인 시장이다. 이에 따른 문제도 아직은 많다. 그러나 디지털 자산 시장의 기술적 흐름과 세계적 규제 환경을 앞서서 이해하고 혁신적 서비스를 만들 수 있어야 미래 글로벌 시장의 부를 거머쥘 주체가 될 것이다. 디지털 자산 시대의 부는 단순히 현금 가치가 높은 자산의 소유 여부에 달려 있지 않다. 디지털 자산을 투명하고 안전하게 관리하고 거래하는 서비스를 만들어 많은 소비자의 선택을 받는 탈중앙화 플랫폼의 주체가 부의 주인이 될 것이다.

환경과 자동차 산업의 미래

자동차 산업의 변화를 최근에는 CASE, 즉 연결성connectivity, 자율주행autonomous, 공유sharing, 전동화electrification로 요약해 표현한다. 이 중 공유는 자동차의 보유 및 이용 방식의 변화로서 자동차 산업 자체의 변화라고 보기는 어렵다. 연결성과 자율주행은 자동차의 역할과 운전 방식의 변화를 뜻한다. 연결성은 자동차의 내·외부 연결을 통해 자동차가 더 편리하고 다양한 기능을 갖도록 해준다. 이를 통해 자동차는 이동 수단을 넘어 업무 공간 또는 오락 공간이 되기도 한다. 자율주행은 자동차의 운행에 사람이 전혀 관여하지 않고, 자동차 스스로 알아서 운행하는 상태를 말한다. 연결성과 자율주행은 자동차가 똑똑해지는 스마트화라고 정의할 수 있다. 여기에는 4차 산업혁명 기술의 발달이 결정적 역할을 한다. 초고속 이동통신이 보급되면서 외부와의 초연결이, 또 AI의 진화로 완전한 자율주행이 가능해지고 있기 때문이다.

그러나 자동차 자체의 혁명적 변화는 전동화라고 할 수 있다. 연결성과 자율주행은 기존 자동차에서 기능이 변화하거나 향상하는 것이지만, 전동화는 동력원 자체가 완전히 전환되는 것이다. 1886년 카를 벤츠가 만든 최초의 자동차 페이턴트 모터바겐이 나온 이후 130년 넘게 자동차의 동력원은 내연기관이었다. 그런데 에너지 문제는 물론 기후환경 위기에 부딪히면서 이제 내연기관에서 전동기로 바뀌어가고 있다.

탄소 중립과 자동차 동력원의 변화

전동화한 자동차는 배터리 전기만의 힘으로 움직이는 배터리 전기차BEV, battery electric vehicle, 내연기관과 충전된 전기를 같이 활용하는 플러그인 하이브리드차PHEV, plug in hybrid electric vehicle, 내연기관으로 구동하나 이때 얻어지는 전기에너지를 활용하는 하이브리드차HEV, hybrid electric vehicle, 수소를 공기 중 산소와 결합해 전기를 발생시키고 이를 활용해 차를 구동하는 수소연료전지차FCEV, fuel cell electric vehicle 등이 있다.

자동차의 전동화는 기술의 발달에 의한 것이라기보다 환경오염 문제의 해결을 위한 해법으로써 발전해왔다. 미세먼지와 같은 환경문제도 있지만, 전 지구적으로 온실가스 배출 문제가 가장 큰 이슈다. 이에 따라 자동차 업계에서도 온실가스 배출을 낮추려는 노력의 일환으로 내연기관의 효율화·경량화 등을 추진해왔고, 하이브리드 자동차의 개발도 이러한 차원에서 이루어졌다. 그러나 2015년 체결된 파리기후협약으로 환경 이슈는 이제 자동차 산업을 근본적으로 변화시키고 있다.

파리협약에서는 지구 온도 상승을 억제하기로 했고, 이에 맞는 탄소 배출 감축 계획을 발표했다. 2019년부터는 지구온난화의 심각성이 부각되면서 각국은 순 탄소 배출을 제로로 하는 탄소 중립을 선언하기에 이르렀다. 우리나라와 미국, 유럽연합, 일본 등은 2050년, 중국은 2060년 탄소 중립을 실현하기로 약속했다. 이에 따라 자동차도 탄소 배출 제로의 과제를 안게 되었다. 현재 단계에서 자동차의 탄소 중립을 실현할 방법은 배터리 전기차와 수소연료전지차뿐이다. 하이브리드차나 플러그인 하이브리드차는 순수 내연기관차보다 탄소 배출을 낮출 수 있지만, 에너지 전환이 이루어지지 않는 한 순 탄소 배출 제로를 달성할 수 없다는 한계가 있다. 그렇지만 중간 단계로서 탄소 배출을 줄이는 측면에서는 일정 기간 유용한 수단이 될 것이다.

미래 자동차로의 전환 추이와 전망

환경 규제가 이렇게 강화되면서 세계적으로도 전기차로의 빠른 전환이 이루어지고 있다. 일반적으로 주요 통계에서 전기차는 전동화 자동차 중에서 하이브리드차를 뺀 배터리 전기차, 플러그인 하이브리드차, 수소연료전지차 등을 말한다. 전기차 판매 통계 웹사이트 EV볼륨스EV-Volumes에 따르면 2021년 전 세계 전기차 판매는 675만 대로 전체 자동차 판매의 8.3%를 차지했다. 이 중 71%가 배터리 전기차고, 나머지 29%가 플러그인 하이브리드차다. 수소연료전지차는 상용화가 되긴 했지만, 시장점유율이 아직 의미 있는 수준은 아니다. 전 세계 전기 자동차의 판매율은 2019년 다소 주춤하다가 2020년 들어 성장세로 바뀌었고, 2021년에는 108%나 폭발적 증가세를 기록했다. 2020년과 2021년은 코로나19의 영향으로 세계 자동차 판매가 부진했지만, 그 가운데에도 전기차의 시장점유율이 큰 폭으로 상승한 것이다.

세계 전기차 판매는 유럽과 중국 등이 주도하고 있다. 세계에서 가장 전기차를 많이 판매하는 나라는 중국으로 2021년 351만 대를 기록해 전 세계 판매의 50%가 넘고, 중국 전체 자동차 시장의 13.4%를 차지했다. 최근 들어 가장 빠른 판매 증가세를 보이는 지역은 유럽으로, 유럽 연합의 강력한 환경 규제 정책에 따라 판매가 급증하고 있다. 북유럽의 노르웨이 같은 경우 2021년 전체 자동차 판매의 86%를 전기차가 차지했고, 서유럽의 대표적 국가 독일만 하더라도 68만 대를 판매해 전체의 26%를 기록했다. 그러나 같은 서유럽에서도 이탈리아나 스페인과 같이 전기차 판매가 10%를 넘지 못하는 국가도 있고, 동유럽에서는 전기차 판매가 전반적으로 매우 미미한 수준에 불과하다. 또 미국은 최근 자동차 판매가 큰 폭으로 증가하고 있지만, 그중 전기차 비중은 3.7%에 불과하고, 일본도 1.8%로 아주 적은 수준이다. 우리나라는 2021년 12만 대의 전기차를 판매해 전체에서 차지하는 비중이 7.2%에 달하면서 세계 평균 수준에 근접하고 있다.

표 14 2021년 주요국의 친환경차 판매 비중(%)

	독일	프랑스	이탈리아	스페인	노르웨이	중국	미국	일본	한국
BEV	13.6	9.8	4.6	3.1	64.5	11.1	2.6	0.9	6.0
PHEV	12.4	8.5	4.8	5.0	21.6	2.3	1.1	0.9	1.2
HEV	16.4	17.3	29.0	26.0	5.5	0.8	5.3	42.8	12.8

＊자료: PWC, Electric Vehicle Sales Review Full Year 2021, 2022.1

이러한 추세로 보면 전기차로의 빠른 전환이 예상되긴 하지만, 미래 전망은 여전히 불투명하다. 과연 내연기관이 완전히 사라질 것인가에 대한 논쟁도 아직 남아 있다. 일본은 〈탄소 중립 2050 선언〉에서 하이브리드 자동차를 이용해 일정 부분 내연기관을 남긴다는 전략이고, 세계에서 가장 많은 전기차 판매가 이루어지는 중국도 2035년 전체 자동차 판매량에서 50%는 하이브리드 자동차로 채운다는 목표를 세워두었다. 가장 강력한 친환경 자동차 정책을 펴고 있는 유럽연합도 내연기관 판매 금지 등의 표현을 자제하고, 제로 배출 차량ZEV, zero emission vehicle 이라는 표현을 사용하며, 다양한 기술적 가능성을 열어두고 있다.

주요국들의 전기차 판매 목표도 제각각이고, 이에 대해 아직 정확한 목표를 세우지 않은 국가도 많다. 목표가 있다 해도 강제성이 담보되지 않은 경우 또한 적잖다. 2030년 전기차 판매 전망만 하더라도 예측 기관이나 시기에 따라 천차만별이다. 결국, 전망에 맞춰 전략을 세워야 하는 기업들로서는 매우 불확실한 상황에 놓여 있는 셈이다.

자동차 산업의 주요 이슈

배터리 전기차나 수소연료전지차로 전환되는 경우 내연기관과 연관된 부품은 사라지고 전지, 모터, 연료전지 스택, 수소 탱크 등의 새로운 부품이 생겨난다. 이에 따라 기존 내연기관 부품 업계의 구조조정과 새로운 부품 산업 육성 등의 과제가 대두되었다.

기존 부품 업체의 구조조정과 인력 조정 문제

자동차의 스마트화를 이끄는 부품과 서비스는 대부분 IT 산업에서 파생되어 나온다. 예를 들어, 자율주행 시스템은 기본적으로 감지를 위한 각종 카메라, 레이더, 라이다LiDar, GPS, 센서 등의 요소가 필요하고, 이를 인지하고 측위·판단·제어하는 소프트웨어로 구성된다. 이러한 기본 부품이나 소프트웨어를 생산하는 회사들은 기존의 주요 IT 기업이나 소프트웨어 업체다. 연결성과 관련한 부문도 주요 통신 업체, 대형 모니터 업체, 관련 소프트웨어나 콘텐츠 업체들이 담당한다. 이러한 부품들은 개별 형태로 자동차에 장착되는 것이 아니라 시스템 형태로 조립 및 장착되는데, 이 작업은 세계적 대형 자동차 부품 업체들이 담당한다. 결국, 자동차가 스마트화하면 추가되는 부품이 많아지지만, 기존 자동차 부품 업체들이 담당할 부분은 제한적이라는 것이다.

전기차의 조립 공정이 단순화하고 필요한 주요 부품의 생산 방식도 달라지면서 생산 현장에서는 인력 조정 문제가 생겨난다. 가령, 전기차의 핵심 부품인 이차전지의 경우 우리 기업이 세계 전체 생산 및 판매에서 차지하는 비중이 30%를 웃돌지만, 국내에서 생산하는 비중은 높지 않다. 2020년 기준 4% 정도인데, 2025년과 2030년에는 각각 2%, 1%까지 하락할 것으로 전망된다. 결국, 우리 기업의 전기차나 이차전지 생산이 늘어난다고 하더라도 생산 부문의 국내 고용이 늘어나기는 어려워 보인다. 더불어 내연기관 자동차와 관련한 생산 부문의 고용 또한 미래 자동차로의 전환에 맞춰 계속 줄어들 것이다.

차량용 반도체 공급 문제

자동차의 전동화나 스마트화 모두 반도체와 밀접한 관련이 있다. 반도체 사용량은 기존 내연기관에서도 증가해왔지만, 전기차나 자율주행차가 개발되면서 특히 급증하고 있다. 전통 내연기관 차량은 500~600개의 반도체가 필요하지만, 전기차는 1,000~2,000개까지 늘어난다. 반도체가 차량 단가에서 차지하는 비중도 기존 내연기관 차량에서는 2%에 불과했지만 전기차나 자율주행차는 6~10%까지 상승한다.

최근에 벌어진 차량용 반도체의 부족 문제는 코로나19 등으로 인한 생산과 공급 차질에서 기인한 것도 있지만, 이러한 단기적 문제뿐만 아니라 수요 자체의 급격한 증가에 따른 구조적 측면이 커서 앞으로도 해결이 쉽지 않을 것이다. 특히, 반도체 공급 사슬은 세계 전체에 퍼져 있어 한 지역에서 문제가 발생하면 반도체 공급 전반에 영향을 미치고, 결국 자동차 생산도 거기에 영향을 받는다. 또 차량용 반도체는 다양한 형태로 나뉘어 있어 공급 문제를 더 복잡하게 만든다. 따라서 지금과 같은 형태의 반도체 대신 차량의 주요 단위를 소수의 반도체로 통합해 제어할 수 있는 통합형 칩 형태로 바꾸어야 한다는 주장이 제기되고 있다.

미래 자동차 산업의 주도권

미래 자동차로 전환되면서 누가 자동차 산업을 주도할 것인가도 주요 이슈로 떠오르고 있다. 이는 자동차에서 핵심이 되는 기능을 누가 생산하느냐와 밀접한 관련이 있다. 내연기관에서는 엔진이나 변속기가 가장 핵심 부품이었다. 이를 완성차나 완성차 관련 업체가 제어하고 있어 자동차 산업 전반의 주도권을 완성차 업체가 갖는 형태였다. 그렇지만 미래 자동차는 이차전지, 자율주행 시스템, 이 모두의 기반이 되는 반도체 등이 중요한 부분으로 등장했다. 이에 따라 기존 자동차 업체들은 산업 주도권의 상실을 우려하고 있다. 전기차 전문 업체인 테슬라의 경우 이차전지나 반도체, 자율주행 시스템 등을 자체적으로 조달하는 체제를 구축하고 있는데, 기존 자동차 업체들도 이와 같은 체제를 추진할지 고민하고 있다.

우리 자동차 산업의 경쟁력

이러한 미래 자동차로의 전환 과정에서 우리 자동차 산업과 기업체의 경쟁력은 과연 어떠할까? 전기차 전문 매체 인사이드EVs InsideEVs에 따르면, 2021년 배터리 전기차의 경우 현대기아차가 22만 대를 판매해 세계 시장점유율 5%를 기록해 테슬라, 상하이자동차, 폭스바겐, BYD 등에 이어 5위에 올라 있다. 자국 수요에 의존하는 다른 업체들과 달리 우리 자동차 업체는 국내 생산 차량의 67%를 수출하고 있어 전기차 생산 경쟁력이 높은 편이다. 자율주행차 부문에서도 시장조사 전문 기관 네비건트리서치Navigant Research에 따르면 현대-앱티브Aptive는 2020년 기준 세계 6위의 경쟁력을 확보하고 있다.

그러나 가치사슬이라는 관점에서 세부 부품이나 소재 단위로 가면 우리의 경쟁력은 매우 약해진다. 특히 리튬이온전지의 공급 사슬 전반에 걸쳐 중국에 대한 의존이 매우 심하다. 우리나라는 반도체 강국이긴 하지만 자동차용 반도체에서는 소재나 장비뿐만 아니라 설계 등의 대부분을 해외에 의존한다. 중간에 투입되는 부품들의 수입 비중이 전기·전자 부문은 20%대인데, 반도체 부문은 거의 90%에 육박한다. 미래 자동차로 빠르게 전환된다면, 부품과 소재 확보에서 해외 의존이 더 심각해질 수밖에 없는 상황이다.

표 15 우리 자동차 주요 중간 투입 부품에서 수입 부품이 차지하는 비중(%)

	2019	2018	2017	2016	2015
반도체	88.2	94.3	82.7	80.6	86.8
전자표시장치	1.0	3.9	2.9	6.8	15.0
기타 전자부품	19.5	24.3	23.5	22.9	30.3
컴퓨터 및 주변기기	38.1	22.9	32.1	29.7	49.6
통신, 방송 및 영상, 음향기기	55.3	31.0	24.2	19.8	19.2
정밀기기	49.3	54.1	52.7	56.4	65.1
전기장비	14.3	13.7	14.3	13.9	14.7
전기전자 소계	23.7	23.9	22.8	22.6	25.1
자동차 부품	8.8	8.3	9.1	9.1	8.1
중간 투입계	12.2	11.6	11.8	11.7	11.7

*자료: 한국은행 산업연관분석

기업과 정부의 대응 전략

자동차의 연결성과 자율주행 기술은 현재 단계적으로 발전하는 중이다. 차량의 인포테인먼트화infotainment化가 크게 진전되었고, 부분 자율주행이 가능한 3단계 자율주행은 이미 적용되기 시작했다. 완전 자율주행의 상용화 시점은 아직 불투명하지만, 일정 수준 보급이 시작되면 빠르게 확산할 것이다. 최초 5% 내외의 판매가 이루어지면, 이후 5년 안에 50% 이상의 판매가 이루어질 것으로 전망하고 있다. 자율주행만이 아니라 동력원의 변화도 빨라지고 있다. 환경 이슈가 글로벌 차원의 지상

과제가 되었기 때문이다. 그러나 이러한 변화에 대처하려면 기업 그리고 정부 차원의 대응 전략을 정교하게 마련해야 한다.

자동차 업체의 조정자 역할

미래 자동차는 다양한 기술 및 산업과 연관되어 기업 하나가 이를 다 주도하기는 쉽지 않다. 따라서 새로운 기술이나 산업을 어떻게 적용하고 조합할 것인지의 전략이 매우 중요하다. 경쟁력이 높은 분야는 더욱 강화하고, 동시에 외부 자원도 잘 활용할 수 있어야 한다. 즉, 자동차 업체는 전체 자동차 생태계의 조정자 역할을 해야 한다. 자동차의 전반적인 개념과 구조에 맞춰 자동차를 설계하고 내·외부 자원을 적절히 배치해 경쟁력 있게 생산해야 한다.

또 해외 여건이나 통상 환경의 변화를 고려해 수요 지역을 중심으로 적절한 해외 생산 전략을 수립하는 것도 필요하다. 국내 생산 확대를 위해서는 제조의 스마트화를 더 강력하게 추진해야 한다.

한편, 미래 자동차로의 전환 과정에서 기존의 자동차 부품 업계도 미래 자동차에 투입되는 부품 위주로 생산하는 것을 고려할 수 있겠지만, 여기에도 종합적 균형이 필요하다. 아직은 일정 기간 내연기관 자동차의 수요가 있고 이를 위한 부품을 계속 생산해야 하기 때문이다. 다만, 기존 부품 업체들이 다 존속하는 경우 매출 감소와 같은 불이익은 불가피하다. 따라서 기업의 구조조정을 통해 일부 기업을 대형화해 규모의 경제를 맞추어나가는 식의 조처가 필요하고, 완성차 업체들도 일정 기간 내연기관 생태계 유지를 위한 대응 전략을 마련해야 한다.

기존 자동차 업체와 IT 기업과의 협력

자동차 기업이 활용할 수 있는 외부 자원으로 해외 부문도 중요하지만, 해외 공급망 위험이 계속 커진다는 점에서 국내 기업을 중심으로 한 생태계를 견고히 구축해나가야 한다. 생태계 조성을 위해서는 국내 전기·전자, IT 산업과의 협력이 중요하다. 관련 업계는 미래 자동차 산업에 더 많은 기회가 있다고 인식하고 있기는 하지만, 기존 자동차 업계와의 협력을 통해 더 집중적으로 새로운 기회를 모색해야 한다.

정부의 다각적 지원과 정책 과제

미래 자동차로의 전환 과정에서 국가적 경쟁력을 확보하려면 정부 차원의 관심과 지원은 절대적이다. 향후 미래 자동차와 관련한 연구개발은 다양한 기술과 산업의 융·복합을 통해 새로운 부품이나 서비스를 개발하는 것은 물론 핵심 부품의 기초적인 기술을 개발하는 방향으로도 나아가야 한다. 이를 위해서는 기업의 노력뿐 아니라 대학과 같은 기초 연구 기관의 기술 개발 및 협조가 있어야 한다. 아울러 정부 차원의 체계적 지원으로 기술 창업이 이어지는 환경을 조성해야 한다.

고용 창출이나 인력 활용 측면에서도 정부의 지원이 뒤따라야 한다. 미래 자동차의 생산 부문에서 고용이 확대될 가능성은 크지 않다. 결국, 국내 고용 확대는 생산이 아닌 다른 가치사슬 부문에서 이루어져야 한다. 특히 우리 자동차 업계의 연구개발 부문 투자는 상대적으로 미미한데, 그 결과 고용도 창출하지 못하는 상황이다. 따라서 조세 감면 같은 지원을 통해 미래 자동차에 대한 연구개발 투자나 인력 고용에 대해 종합적인 인센티브를 제공할 필요가 있다. 미래 자동차는 다양한 분야에서 새로운 제품이나 서비스가 창출될 수 있으니, 특정 과제를 선정해 지원하면 효과적이지 않을 수 있다. 이런 점을 고려해 개별 기업의 연구개발 인력 고용에 대한 인센티브를 제공하는 방안뿐 아니라 연구개발 인력을 공동으로 활용하는 방안도 고려해야 한다.

그 밖에도 기술 분야로 확대된 미중 패권 경쟁이나 글로벌 공급망의 불안을 고려해 다자 협력, 특히 경제 안보 차원의 외교 전략이 필요하다. 중국에 절대적으로 의존하고 있는 이차전지 관련 소재 공급망을 다각화하는 것이 대표적 현안이다. 반도체를 중심으로 공급망 동맹이 형성되고 있듯이 이차전지 분야에서도 국제적 협력을 통해 하루빨리 중국에 대한 의존도를 낮춰야 한다.

스마트 모빌리티,
나만을 위한 맞춤형 이동 서비스

SF영화에서나 보았을 법한 일들이 벌어지고 있다. 자율주행 자동차가 운전자 없이 도로 위를 달리고, 전동 킥보드 같은 퍼스널 모빌리티가 바로 문 앞까지의 보행을 대체하며, 드론을 넘어 승객을 태운 플라잉 카가 비행하는 시대가 온다. 여기에 이용자의 필요나 요구에 맞춰 하나의 플랫폼에서 예약부터 발권까지 가능한 맞춤형 이동 로드맵이 제공된다.

이처럼 과거 패러다임을 뛰어넘는 이동 수단과 서비스가 등장하면서 단순했던 교통의 의미가 '모빌리티' 개념으로 진화하고 있다. 기존 '교통'이 '탈것'이라는 의미에만 초점을 두었다면 모빌리티는 '사람과 화물의 이동 서비스'로 보다 확장된 개념이다.[215] 즉, 이용자의 특성(나이, 승차 위치, 목적지 등)과 이동 수단의 선호도 등을 고려한 맞춤형 이동 서비스를 지향한다. 신개념 교통 통합 서비스를 뜻하는 마스MaaS라는 용어도 함께 거론된다. 달라진 패러다임은 관련 산업생태계의 외연을 넓히면서 정부 조직과 기업에도 영향을 미치고 있다. 교통 부문 주무 부처인 국토교통부에서는 최근 '신교통서비스과'를 '모빌리티정책과'로 개편했고, 자동차 제조사들도 새 모빌리티 서비스 산업에 대한 대규모 투자 계획을 발표하는 등 모빌리티 산업을 둘러싼 관심이 확대되고 있다.

새로운 스마트 모빌리티의 의미

기존 대중교통 서비스와 비교할 때 모빌리티 서비스는 사람과 물체의 이동을 가능하게 만든다는 본질에서는 같지만, 기반 기술 및 서비스 특성에서 여러 차별점이 있다. 무엇보다도 스마트 모빌리티 서비스는 초고속 통신 기술, 빅데이터 분석 기술, AI와 같은 4차 산업혁명의 대표적 기술들을 활용한다. 즉, 개인의 특성과 위치 정보를 바탕으로 개인과 주변 교통수단을 플랫폼과 앱 생태계를 통해 연결함으로써 이용자가 원하는 시간과 장소에 최적의 모빌리티 서비스를 제공하는, 말 그대로 '스마트한' 서비스라고 할 수 있다. 이처럼 스마트 모빌리티는 차량, 도로, 사람을 정보 기술로 상호 연계해 똑똑하고 편리하게 친환경적인 모빌리티 서비스를 제공한다는 개념이다. 이는 기존의 교통 개념보다 이용자의 편의에 더 최적화한 서비스라고 할 수 있다.

기존 대중교통으로는 원하는 시간에 출발 지점부터 목적 지점까지 도어 투 도어door to door로의 이동성을 보장하지 못했기에 자가용의 선호도가 높을 수밖에 없었다. 그러나 스마트 모빌리티 서비스 시스템 안에서는 기존 대중교통으로 연결할 수 없었던 최종 구간까지 연계할 수 있으므로 자가용 이용과 다를 바 없는 편리성을 얻을 수 있다. 또 개인 차량의 비효율적인 이용이 줄어 대기오염으로 인한 지구온난화 같은 사회적인 문제 해결에도 도움이 될 것이다. 더 나아가 승용차의 이용 감소는 도로의 효율성을 높여 대중교통 흐름을 더 원활하게 하는 등 사회적 비용을 낮출 것이며, 수요가 줄어든 주차 공간을 다른 용도로 활용할 수 있게 되어 도시 인프라 사용과 관련한 부가가치도 높일 수 있다.

그런데 이러한 서비스가 정착되기 위해서는 모빌리티 산업생태계의 안정성이 필수다. 새로운 것에는 언제나 불확실성과 기존에 정의되지 않은 이질성이 존재한다. 즉, 새로운 산업이 비용 대비 수익이라는 사업성 측면과 이용자 편의성 측면에서 지속 가능하고 발전 가능성이 있는지, 또는 새로운 산업이 기존 산업의 시장점유율과 수익률에 미치는 영향이 어떠한지 등의 우려와 불확실성이 따른다. 스마트 모빌리티 서비스 산업에 대한 정부 지원과 국가 차원의 전략 수립이 필요한 이유다.

스마트 모빌리티 서비스 유형

스마트 모빌리티 서비스가 기존 대중교통 서비스와 차별되는 부분은 플랫폼과 앱 생태계를 통해 이용자와 모빌리티 서비스를 실시간 연결할 수 있다는 점이다. 이용자가 원하는 시간과 장소에서 개인의 성향과 선호도를 반영한 최적의 모빌리티 서비스를 선택해 이용하는 것이다. 또 스마트 모빌리티 서비스는 자율주행 자동차와 플라잉 모빌리티 같은 새로운 교통수단이나 기존의 대중교통과는 다른 운영 체계를 가진 서비스도 포함한다. 기술과 비즈니스 모델에 따라 〈표 16〉과 같이 다양한 형태로 나타난다.

표 16 스마트 모빌리티 서비스의 종류와 정의

구분		서비스 정의
개인 모빌리티	개인형 이동 수단 공유 서비스	주로 전기를 동력으로 하는 1~2인승의 전기 자전거, 전동 킥보드, 전동 휠 등의 개인형 이동 수단 서비스로, 플랫폼/앱을 통해 위치 검색·예약·결제해 대여/이용 • 개인형 이동 장치: 도로교통법 제2조 19의 2에 따르면, 전기를 동력으로 사용하는 1인용 교통수단으로, 원동기 장치 자전거 중 시속 25km 미만, 총중량 30kg 미만인 것
	차량 공유 서비스	주로 플랫폼/앱을 통해 현재 위치 주변의 대여 가능 차량을 검색해 예약·결제해 이용하는 서비스 • 국내에서는 대부분 공유 차의 인수/반납 지점이 동일한 형태로 서비스하고 있으나, 국외에서는 공유 차의 인수/반납 공간 제약이 없는 프리플로팅free-floating 형태의 서비스를 제공하기도 함
	승차 공유 서비스	차량 공유 서비스와 유사하게 플랫폼/앱을 통해 현재 위치 주변의 차량을 검색·예약·결제해 이용하지만, 차량과 운전자를 함께 제공하여 이용자가 직접 운전하지 않고 이동할 수 있는 승차 서비스 • B2C 형식으로 모빌리티 서비스 플랫폼 기업이 운영하는 차량을 이용하는 방식과 개인 간 P2P 형식으로 개인의 차량을 이용하는 방식 등이 있음
그룹 모빌리티	자율주행 대중교통 서비스	자율주행 자동차를 이용한 대중교통 서비스로, 운행 노선 및 이용자 수요 특성에 기반해 5~7인승의 승용 자동차부터 6~15인승 규모의 중형 버스/밴, 대형 버스까지 차량의 형태는 다양함
	수요응답형 대중교통 서비스	실시간 수요에 따라 차량 종류, 운행 노선, 운행 시간(배차) 등을 탄력적으로 운영해 이용자가 원하는 시간대와 장소에서 대중교통을 이용할 수 있는 서비스
모빌리티 통합	통합 이동 서비스	모든 모빌리티 서비스 운영 정보를 하나의 플랫폼에 연계해 이용자가 하나의 앱을 통해 모든 교통수단 및 모빌리티 서비스에 대한 통합 검색·예약·결제 가능, 출발지부터 목적지까지 통합 이동 계획에 따라 이동할 수 있는 서비스
주차 공유	스마트 주차 서비스	주차 시설의 각종 시설 정보(위치, 주차 대수 등)와 주차면 센서를 통한 실시간 점유 정보를 플랫폼/앱 및 첨단 교통 인프라를 통해 제공하는 서비스
	주차 공간 공유 서비스	공공·민간·개인이 관리하는 모든 주차 시설(공간) 정보를 하나의 플랫폼에 통합·연계시켜 이용자가 단일 플랫폼을 통해서 목적지 인근 주차 공간을 사전에 검색·예약·결제해 이용하는 서비스

스마트 모빌리티 서비스 산업의 시장 규모

스마트 모빌리티 서비스 산업의 시장 규모는 그 범주를 어디까지 설정하느냐에 따라 크게 달라질 수 있어 정확한 수치를 산정하기는 어렵다. 다만 2010년대 중반부터 가파른 증가세에 있는 것은 분명하다. 글로벌 컨설팅 기업 매킨지앤컴퍼니Mckinsey&Company에 따르면 모빌리티 서비스 중 우버Uber, 리프트Lyft 등과 같은 승차 공유 서비스 분야의 연간 투자 규모는 2010~2013년 약 2억 달러에서 2019년 약 112억 달러로 커졌다.

국내에서는 개인형 이동 수단 공유 서비스 시장이 고속 성장을 거듭하는 가운데 택시 호출 기반 모빌리티 서비스인 카카오모빌리티의 매출 규모가 2018년 536억 원에서 2021년에 5,465억 원으로 10배 이상 급성장하기도 했다. 특히 코로나19로 인한 사회적 거리 두기로 공유 교통 서비스 시장이 위축될 것이라는 예측과 달리, 2021년 현대카드의 공유 모빌리티 서비스 결제 건수 현황에 따르면 공유 차 서비스는 61만 회에서 89만 회로, 공유 전동킥보드 서비스는 3만 건에서 75만 건으로 증가했다. 코로나19 여파로 이용자들이 소형화·개인화한 모빌리티 서비스를 선호했던 것으로 보인다.

이처럼 국내외 모빌리티 서비스 시장의 규모와 양상이 다양하게 나타나더라도, 이러한 성장세는 미래에도 한동안 계속될 것이라는 전망을 가능하게 한다.

스마트 모빌리티 서비스 산업 활성화를 위한
국가 차원의 전략 방안

모빌리티 서비스 산업은 산업생태계의 복잡한 구성이 보여주듯 다양한 과제를 안고 있다. 기술 성숙도를 높이고 이용자 편의성을 증진하는 비즈니스 모델도 지속적으로 개선 및 발전시켜야 하고, 시장의 성장을 가로막는 정책적 규제도 해결해야 미래 환경에 부합하는 최적의 서비스를 제공할 수 있을 것이다. 이를 위한 국가 차원의 전략 방안을 살펴본다.

시장의 성장을 가로막는 법·제도 정비

모빌리티 산업은 법제 측면에서 기존 대중교통(여객 운송)의 범주에 포함되지 않는 새롭고 다양한 형태의 서비스 방식을 포함한다. 따라서 산업의 활성화를 위해서는 관련 법·제도를 새로이 정비해야 한다. 법·제도가 모빌리티 산업에 어떠한 영향을 미치는지를 극명하게 보여준 사례는 이른바 '타다 논쟁'이다. 정부는 2020년 여객자동차운수사업법의 운전자 알선 허용 범위에 대한 개정*으로 기존 택시 산업군과 일부 승차 공유 서비스 산업 간에 일었던 갈등을 표피적으로는 풀었지만, 결국 새롭게 등장했던 모빌리티 서비스가 사라지거나 축소되는 결과를 가져

• 여객자동차운수사업법 제34조(유상 운송의 금지 등)에서는 운전자 알선 허용 범위에 대해 "관광을 목적으로 승차 정원 11인승 이상 15인승 이하인 승합자동차를 임차하는 사람. 이 경우 대여 시간이 6시간 이상이거나, 대여 또는 반납 장소가 공항 또는 항만인 경우로 한정"한다고 정하고 있다.

왔다.

　해외에서는 일찌감치 모빌리티 산업을 미래 먹거리 산업 중 하나로 인식하고 정책과 법·제도를 정비해왔다. 새로운 산업군의 출현으로 인한 기존 산업군과의 갈등 완화 정책을 비롯해 모빌리티 서비스 이용자의 안전 강화, 모빌리티 서비스 산업군 노동자의 처우 개선 등으로 문제를 최소화하기 위해 노력해온 것이다.

　예를 들어, 프랑스에서는 기존 법률을 개정하거나 신설해 플랫폼 기업 종사자들에 대한 사회적 책임과 위험 예방 관련 사항 등을 명시했고, 영국에서는 2018년 승차 공유 서비스를 합법화하면서 개인정보 보호 등 서비스 이용자를 위한 안전 관리 법안도 함께 마련했다. 또 핀란드는 모빌리티 서비스 활성화를 위한 데이터 연계 및 개방 지원을, 미국은 모빌리티 신산업에 대한 연방정부의 예산 지원 근거를 법률로 규정했다. 우리나라 또한 기존 산업군과의 사회적 갈등을 줄이기 위해 사회적 합의를 이끌면서도 새로운 모빌리티 서비스 수요에 부응하고 창의적 서비스를 확대할 수 있도록 법·제도를 정비해야 한다.

선제적 정책과 투자

기본적으로 새로운 산업생태계를 안정적으로 조성하기까지는 신기술을 비롯한 여러 동기와 사회환경적 요인이 종합적인 영향을 끼친다. 모빌리티 서비스 산업을 놓고도 수많은 이해관계자가 존재한다. 기존의 대중교통 운영사(버스, 지하철, 택시 등), 새로운 플랫폼 기반 모빌리티 산업군, 전체적인 도시 교통 및 광역 교통 체계를 책임지는 중앙정부와 지자체, 또한 서비스의 이용자까지 모두 해당된다. 기존의 대중교통 운영사들과 새로운 플랫폼 기반 모빌리티 산업군은 시장점유율과 비용 대비 수익률이 중요하고, 중앙정부 및 지자체는 새로운 모빌리티 서비스로 인한 국민의 편의 증대와 환경·안전 등 공공 측면의 목표 달성이 중요하며, 이용자 측면에서는 체감되는 편의 증진과 비용 절감 등이 중요할 것이다.

그런데 만약 기존 산업군과 새로운 산업군 간 충돌이 발생한다면 이는 결국 양측 모두의 사업성 악화로 이어지고 나아가 갈등으로 인한 사회적 혼란만 키우면서 이용자의 편의를 떨어뜨리는 결과가 될 수 있다. 따라서 모빌리티라는 새로운 산업군의 연착륙을 위해서는 기존 산업군의 반발을 줄일 수 있는 정책과 신규 비즈니스에 대한 지원이 모두 필요하다.

가령, 호주에서는 모빌리티 서비스 산업의 도입에 따라 택시 면허 수수료 감면과 같은 기존 산업군에 대한 재정 지원을 통해 상생을 도모했고, 유럽의 여러 국가에서는 개인형 이동 수단을 구매하거나 스마트 모빌리티 이용 시 요금 보조 등을 통해 서비스 이용을 독려하는 방식으로 산업의 활성화 정책을 추진한 바 있다. 또 기존 도로를 보수·변경해 개인용 이동 수단 전용 도로를 구축하는 것도 인프라 환경 조성을 통한 지원책이 될 수 있다.

더 나아가 모빌리티 분야에서도 정부의 적극적인 선제 투자와 실증 사업을 통해 신산업을 활성화하는 방안을 고려할 수 있다. 새로운 모빌리티 유형 중에는 큰 비용이 들어가는 사회적 기반 시설의 구축이나 개선 없이는 이용할 수 없는 것들도 많다. 자율주행 자동차만 해도 자동차 자체의 기술만 필요한 게 아니다. 자동차가 달리는 도로 등 주변 환경 인프라가 함께 갖춰졌을 때에야 실질적 서비스가 가능하다. 또 에어 택시 같은 플라잉 모빌리티 분야도 막대한 기반 시설이 마련되어야 이용자와의 접점을 만들 수 있다. 비교적 간단해 보이는 마이크로 모빌리티 분야도 전용 도로 여부가 산업의 성장세에 영향을 준다. 이러한 정부의 선제 투자와 실증 사업을 토대로 민간은 기술 성숙도를 높이는 원동력을 얻으며 새로운 비즈니스 모델을 구축해갈 수 있을 것이다.

사회적 수용성 및 평등성 제고

스마트 모빌리티 서비스는 편리하면서도 안전해야 하며, 연령대에 상관없이 모두가 손쉽게 접근이 가능한 서비스여야 한다. 하지만 새로운 이동 수단의 안전성에 대한 우려는 여전히 존재한다. 예를 들어, 자율주행 자동차에 대한 일반인들의 인식을 조사해보면 기대감도 있지만 운전자가 없다는 사실에 대한 두려움, 자율주행 기술 자체에 대한 불안감, 해킹 염려 등 여러 부정적 의견이 제기된다. 플라잉 모빌리티와 관련해서도 하늘을 나는 이동체의 안전에 대한 원초적 불안감과 함께 기술력에 관한 의심, 저고도 이동체의 소음 문제 등을 우려하는 것으로 나타났다.

모빌리티 서비스를 바라보는 이러한 인식을 개선하고 수용성을 강화하는 것은 서비스 정착을 위해서 제일 먼저 필요한 전제 요건이다. 앞서 제기된 여러 가지 우려를 불식해야만 새로운 모빌리티 서비스들이 생활 속에 자리 잡을 수 있다. 또 한 가지 모빌리티 서비스와 기존 대중교통의 가장 큰 차이점이라면 모빌리티 서비스는 대체로 플랫폼/앱 기반으로 제공된다는 점이다. 디지털 활용력을 갖추지 못한 사람들에게는 서비스 접근 자체가 어려울 수 있다. 따라서 모빌리티 서비스의 접근성을 보편화하려면 교통 약자용 앱 인터페이스 개발은 물론 플랫폼/앱에 익숙하지 않은 '디지털 약자'까지도 수용할 수 있는 이용 체계를 만들어야 한다.

비즈니스 모델의 지속적 개선과 혁신

새로운 산업이 시작될 때는 언제나 수익률과 시장 규모 측면에 불확실성이 존재한다. 신산업에 진출하려는 기업으로서는 이것이 큰 부담이 되고, 그러다 보면 초기에는 고품질의 서비스 제공에 한계가 발생한다. 그러나 모빌리티 서비스는 무엇보다 이를 이용하려는 소비자의 욕구를 충족해야만 성공할 수 있는 분야다. 따라서 이용자 편의 중심의 비즈니스 모델을 개발하고 단기적, 그리고 중장기적 비전과 계획을 확실히 세우는 것이 중요하다.

특히 해외 사례와 비교해 상대적으로 뒤처진 서비스 부분을 조정해 가야 한다. 예를 들어, 해외에서는 이용자의 편의에 따라 차를 빌리거나 반납할 때 지역의 제한이 없다. 그러나 우리나라의 대다수 공유 차 서비스 업체는 빌린 곳에 그대로 반납하는 시스템을 기본으로 한다. 장시간 대여 시 또는 여러 조건을 충족할 때만 추가 비용과 함께 반납 지역을 변경할 수 있는 방식으로 서비스를 운영한다. 또 개인형 이동 수단과 공유 차 등 많은 모빌리티 서비스가 수익성을 보장하는 도심 지역에만 집중되어 도심을 벗어나면 서비스를 제공하지 않거나 이용한 공유 차의 반납 역시 어려워지는 등의 문제가 있다.

이런 것들이 스마트 모빌리티 서비스의 '스마트함'을 떨어뜨리고 궁극적으로 이용자의 편의를 감소시키는 요인이 아닐까? 따라서 이용자들이 서비스 편의 측면에서 매력을 느끼고 해당 서비스를 계속 이용할 수 있도록 이끌려면 서비스 품질을 높이는 동시에 지속적인 서비스 모델 개선이 이루어져야 한다. 도전적인 고품질의 스마트 모빌리티 서비스를 제공함으로써 이용자들의 편의성을 높이고 지속적 이용 동기를 유발해 수익성을 개선하는 식의 선순환 구조를 만들기 위한 더 깊은 고민이 필요하다.

지속 가능한 성장을 위한 ESG 경영 전략

2022년 6월 미국 캔자스주에서 수천 마리의 소가 집단 폐사한 뉴스 영상이 많은 이들에게 충격을 주었다. 기록적 폭염이 이어진 이상기온에서 비롯된 이 사건은 지구온난화의 여파를 보여주는 사례라고 할 수 있다. 기후·환경문제는 지금 인류가 직면한 최대의 위기다. 지구온난화의 주범인 이산화탄소를 줄여 지구의 평균온도 상승을 막지 못한다면 지구의 미래와 함께 인류의 미래를 담보하기 어려운 파국이 닥칠지도 모른다. 이러한 전 세계적 기후변화 위기 앞에서 더 주목을 받는 것이 ESG(환경·사회·지배구조) 경영이다. 인류 차원의 과제가 된 '지속 가능성'을 기업의 경영 활동에도 요구하게 된 것이다. 기업의 이윤으로 나타나는 재무 성과만을 중시하던 데서 비재무적 요인과 성과를 새로운 가치로 삼는, 경영 패러다임의 전환이다.

경영 패러다임 전환과 ESG 경영의 등장

ESG는 환경environment, 사회social, 지배구조governance의 영문 머리글자를 한데 모은 용어로, 지속 가능한 기업 경영을 이루기 위한 세 가지 핵심 요인을 일컫는다. 이 용어는 1987년 유엔 보고서에 등장한 '지속 가능 발전sustainable development'이란 개념의 연장선에 있다. 이후 2006년 유엔 주도의 국제 투자 기관 연합체에서 투자 원칙으로 ESG를 제시하며 '지속 가능 경영sustainable management'의 개념을 구체화했다. 그리고 2019년 미국의 200대 기업 최고경영자 협의체인 '비즈니스 라운드테이블Business Roundtable'에서 기업의 주주 최우선 원칙을 폐지하고 ESG로 요약되는 사회적 가치 실현을 경영의 목표이자 기업의 목적으로 선언하면서 본격적인 ESG 경영 시대가 공식화했다고 할 수 있다.

물론 이윤만 추구하는 기업의 경영 활동에 대한 문제 제기는 이미 오래전부터 이어져왔고, 그 대안으로 윤리적 경영, 자선 경영, 사회적 책임 경영, 이해관계자 경영, 위기 경영, 위험 경영, 지속 가능 경영, 녹색 성장 등이 제시되어왔다. 또 기업의 재무 성과뿐만이 아니라 인권, 환경, 노동, 자연보호 등 다양한 사회적 성과를 고려해 투자하는 '사회 책임 투자socially responsible investment'와 같은 지속 가능 투자 펀드도 있었다. 그러나 기업의 사회적 책임에 대한 문제 제기가 윤리적이고 규범적인 접근에 머물거나 사회적 차원의 화두로까지는 발전하지 못하면서 실효성에는 한계를 보여왔다.

그런데 피치Fitch, 스탠더드앤푸어스Standard & Poor's 같은 글로벌 신용 평가 회사들이 2019년부터 ESG를 신용 평가 기준으로 포함하기 시작했고, 2020년에는 지속 가능성이 없는 기업에는 투자하지 않겠다는 세계적 자산 운용사 블랙록의 CEO 래리 핑크의 발언 등이 전해지면서 ESG 경영은 이제 선택적 전략이 아니라 기업의 필수 전략이 되어가고 있다. 투자사들이 기업 투자를 심사할 때 ESG 경영 요소를 기업의 가치 산정과 의사결정의 중요 기준으로 삼는 ESG 펀드가 실제로 조성되면서 ESG 경영에 대한 관심이 전 세계적으로 급속하게 확산했고, ESG 경영 프로그램을 도입하는 기업들도 빠르게 늘었다.

투자 측면뿐 아니라 각국 정부의 ESG 규제가 확대되는 것 역시 기업의 경영 전략 수정을 가속화하는 배경이다. 예를 들어, 유럽연합은 수입품 중 역내 제품보다 탄소 배출이 많으면 관세를 부과하는 탄소국경조정제도를 2023년부터 단계적으로 실시할 예정이다. 국내서도 2025년부터 일정 규모 이상의 기업을 대상으로 지속 가능 경영 보고서 발간을 의무화하는 등 ESG 규제를 넓히는 추세다.

여기에 더해 기업의 경영 활동을 바라보는 고객과 사회의 시각도 이전과는 확연히 달라졌다. 커피 한 잔을 마시면서도 단순한 소비로 끝나거나 서비스 단계의 만족도만 따지는 것이 아니라 커피의 원재료가 생산되는 과정에서 노동 착취나 환경 파괴와 같은 요소는 없었는지에도 관심을 기울이는 것이다. 첨단 부품의 소재로 사용되는 광물자원의 세계 공급망에도 이러한 개념이 확장되면서 국내외 기업들이 생산부터 폐기까지 책임 관리를 표방하는 이유가 되었다.

결국, 기업의 경제적·환경적·사회적 책임을 강조하는 ESG 경영이 완전히 새로운 개념은 아니지만, 선언적 의미에 머물렀던 이전과 달리 전환된 경영 패러다임의 실천을 강조한다는 점에서 새로운 방식의 경영이자, 기업의 성장만이 아니라 생존을 결정할 수도 있는 핵심 가치로 부상하고 있다.

ESG의 평가 영역 및 실천 사례

ESG의 평가 영역은 크게 구성 개념에 맞춰 환경, 사회, 지배구조로 나눠볼 수 있다. 평가 영역은 고정적이지만 평가하는 조건이나 기준은 ESG 평가 서비스를 하는 기관과 회사마다 다소 차이가 있다. 그러나 몇 가지 요소가 공통으로 적용되는데, 우선 환경 부문에서는 기후변화 대응이나 탄소 배출 사안이 가장 중요하다. 계속 등장하는 ESG 규제 내용도 탄소 이슈와 관련한 것이 많다. 또 에너지 문제가 심각한 만큼 에너지 효율화 요소도 중요한 평가 지표가 된다. 그 밖에 대기 및 수질 오염, 생물의 다양성, 삼림 벌채, 폐기물 관리, 물 부족 등의 요소를 주로 평가한다.

사회 부문의 경우 전통적인 기업의 사회적 책임CSR과 많이 중첩되는데, 인권 보호, 소비자 권익 보호, 공공의 이익 증대와 노동 환경, 동반 성장, 고객 만족, 성별 등 다양성, 직원 참여, 여성 직원 비율 증대 등이 포함된다. 또 최근에는 IT 기업들이 산업의 주축으로 등장하면서 새로운 위험 요인과 이들에게 요구되는 기대치를 평가 요소에 반영하는 추세다. 가령, 데이터 보호와 프라이버시, 사이버 보안 이슈, AI의 의사결정 문제를 비롯한 신기술의 위험 예방 등도 평가할 수 있다.

지배구조 부문은 윤리적 경영의 내용과 유사하다. 이사회와 감사위원회의 구조 및 투명성을 강조하고, 뇌물 및 부패 방지, 정치 기부금 활동에서의 윤리 준수, 내부 고발자 제도, 적극적인 의결권 행사, 책임 투자 확대 등을 개선 이슈로 평가한다.

한편, ESG 경영 활동은 구성 요소별로 나눠진다기보다는 종종 통합적으로 이뤄진다. 환경보호를 위한 조치들이 결국 소비자 권익은 물론 사회적 공공성을 높이는 결과가 되고 이때 이뤄지는 기업 내부의 의사

결정도 투명성과 책임성을 바탕으로 하기 때문이다.

고전적인 예로는 폐수 정화 시설 설치를 꼽아볼 수 있다. 폐수 방류로 인한 하천 오염은 매우 오래된 비윤리적 경영의 사례로 그 여파인 물고기 떼죽음 등이 뉴스에도 종종 보도되곤 했다. 그러나 최근에는 기후 위기와 환경 파괴에 대응하기 위한 ESG 경영 활동이 대폭 늘어나고 다양해졌다. 재생에너지 활용, 친환경차 도입 등으로 기업 내부에서 자체적인 친환경 노력을 기울이는 한편 제품의 생산부터 폐기에 이르기까지 전 과정의 환경 영향 분석과 책임 관리 운영 사례가 늘고 있다.

기술 활용이나 혁신을 통한 실천도 가능하다. 많은 기업이 에너지 절약과 온실가스 배출량 감축을 위해 백열전구에서 에너지 효율이 높은 LED 전구로 교체하고 있는데 이러한 것도 ESG 경영의 구체적인 실천 방안이 되며, 테슬라나 GM·현대자동차의 친환경 전기차나 수소차 개발도 기술혁신을 통한 ESG 경영 추진 사례에 해당한다. 빅데이터 분석 기술과 AI 기술의 혁신을 통해 사회적 위험을 예측하고 실시간 대응력을 높이는 것도 ESG 경영으로 사회적 문제를 해결하는 일이다. 또 식품 기업을 중심으로 블록체인 기술을 활용해 원재료 생산부터 유통까지의 과정을 기록함으로써 공급 사슬을 투명하게 공개하는 사례도 많아졌다. 이는 신뢰성을 높이면서도 과정의 공정성을 지키고 윤리적 경영을 실현하려는 시도로 볼 수 있다. 그 밖에 탄소 배출의 주범인 화석연료 대신 옥수수, 사탕무 같은 천연 재료에서 추출한 100% 재생 가능한 생분해 플라스틱으로 교체하는 등의 노력도 찾아볼 수 있다.

ESG 경영에 제기된 이슈

전 세계적으로 ESG 경영이 화두가 되어가고 있지만, 한편에서는 우려도 나온다. 우선 ESG 경영이 경영 성과 향상에 도움이 되는 디딤돌인지, 아니면 반대로 기업 경영의 걸림돌인지의 이슈다. ESG 경영이 새로운 평가 요소로 추가되는 것은 기업 입장에서 보면 또 하나의 규제 장치로 여겨질 수 있기 때문이다. 그러나 중장기적 관점에서 보면 사회적 가치 실현을 통해 높은 수준의 고객 시장으로 진입하는 기회가 될 수 있다.

지금 우리 사회는 나날이 다원화하고 소셜미디어 같은 기술적 진화에 힘입어 소비자들이 서로 연대할 수 있다. 그만큼 고객 시장의 힘power이 커졌다는 의미다. 비윤리적 경영이나 환경 파괴 행위를 과거처럼 숨기기 어렵고, 반대로 비재무적 차원의 가치를 실현하는 활동이 고객 로열티를 높여 경영 성과로 이어지는 긍정의 피드백이 될 수 있다. 이런 점에서 ESG 경영은 비용 증가만을 가져오는 것이 아니라 효익을 얻는 투자의 성격도 있다. 기업 내부적으로도 EGS 경영은 에너지 절약을 통한 비용 절감 등으로 운영 효율성을 높임으로써 기업의 위기 예방 및 관리 차원에서 긍정적 역할을 할 수 있다.

ESG 경영이 정치적 선동 도구는 아닌지의 이슈도 있다. ESG 경영이 미국과 중국 간 패권 경쟁에서 미국이 중국을 견제하려는 수단이라고 보는 국제정치학적 시각이 있기 때문이다. 하지만 ESG 본연의 개념과 철학이 기업의 경제적·사회적·윤리적·환경적 책임 실천에 있는 만큼 정치적 해석은 부차적 이슈로 보아야 한다. 또 독일 도이치은행의 투자 회사인 DWS의 허위 공시 사례가 보여주듯 ESG 활동을 부풀리거나 위장하는 그린 워싱green washing 문제도 ESG의 본질을 왜곡시키는 현상일 수 있다. 그러나 이는 평가 요소나 기관의 기준 문제이므로 차차 개선해나갈 부분이다.

그 밖에도 중소기업이나 스타트업의 ESG 경영 가능성 이슈가 있다. 즉, 작은 기업은 ESG 경영을 하기 어렵다는 시각인데, 비록 규모가 작은 스타트업이더라도 사회적 기업가 정신을 발휘해 ESG 관점에서 기회 요인이 발견된다면 투자자들에게는 오히려 매력 있는 투자처가 될 수 있다. 실제로 기업의 M&A 시장에서 ESG 요소는 기업의 가치 산정에서 점점 중요해지는 포인트다. 즉, 중소기업이나 스타트업의 ESG 경영 전략이나 아이디어는 오히려 기업 경쟁력이 될 수 있음을 시사한다.

ESG 경영 시대의 대응 전략

ESG 경영은 인체의 '건강'에 비유할 수 있다. 건강을 바탕으로 우리는 삶의 가치와 인생의 목표를 추구한다. 기업 경영의 목표는 고객의 행복과 다층적 이해관계자의 만족임과 동시에 공동체의 공존 공영이며 기업은 사회의 진보를 추구하는 방향으로 나아가야 한다. 과거에는 이윤 추구와 사회적 가치 창출을 서로 트레이드오프 되는 개념으로 받아들인 측면도 있다. 그러나 혁신하는 기업은 이 두 가지를 동시에 추구할 수 있다. 건강을 잃으면 모든 것을 잃듯이 사회적 책임을 외면하는 기업 경영은 지속 가능하지 않을 것이다. ESG가 지속 가능성과 거의 같은 뜻으로 혼용되는 이유다.

ESG 리스크 파악

ESG를 기업 경영 활동으로 내재화하기 위해서는 현재의 ESG 평가가 대외적으로 어떠한지 진단하는 데서 시작해볼 수 있다. 그리하여 투자자뿐 아니라 고객을 포함한 사회적 차원의 달라진 기대 수준을 직시하고 다층적 이해관계자의 평가나 요구 사항을 파악해야 한다. 이제 투자자나 고객 모두 좋은 제품뿐만이 아니라 사회적 상생의 가치를 실현하는 기업 경영을 기대하고 있기 때문이다.

예를 들어, 빅테크 기업들은 첨단 제품이나 서비스로 시장의 관심을 한 몸에 받지만, 에너지 소비량이 막대한 데이터 센터 가동 등으로 인한 탄소 이슈와 무관할 수 없다. 이에 따라 재생에너지로 전환, 친환경 데이터 센터 구축 등으로 해법을 찾고 있다. 그런가 하면 자원 공급망 사슬에서 발견된 해외 현장의 아동 노동 착취 문제도 인권과 상생의 원칙을 깨는 리스크가 될 수 있다. 공급망뿐 아니라 여러 측면에서 ESG 가치를 떨어뜨리는 리스크를 찾아 해소하거나 대응 방안을 수립하는 것이 ESG 경영을 위한 출발점이 될 수 있다.

ESG 경영을 위한 통합 목표 설정

ESG 경영을 성공적으로 이뤄내려면 기업이 추구하는 목표를 세밀하게 정립할 필요가 있다. 과거처럼 재무적 성과만이 아니라 사회적 가치를 실현하는 비재무적 성과가 중요한 만큼 양쪽의 성과를 모두 거둘 수 있는 통합 목표를 설정해야 한다. 또 성장을 위한 새로운 기회로 ESG를 활용하려면 앞서 논의한 ESG 리스크 관리 차원을 넘어 ESG 경영을 실천하는 비즈니스 모델을 구축하는 등의 전략이 필요하다. 이 과정에서 ESG 경영 활동을 진단하거나 평가하고, 목표에 부합하는 ESG 경영을 일관되게 추진하기 위한 내외부 전문가들의 협의체를 구성하는 것도 도움이 될 수 있다.

기술과 시스템 혁신을 통한 사회적 가치 창출

자연환경에 피해를 주지 않고 재화와 용역을 생산해 이윤을 창출할 수 있는 기술력과 시스템은 무엇보다 ESG 경영 패러다임에 부합한다. 따라서 기술혁신은 ESG 경영에서도 매우 중요한 바탕이 된다. 에너지 절감을 넘어 이산화탄소를 포집·활용·저장하는 CCUS 같은 기술은 기후환경 이슈에 더 적극적으로 대응하는 사회적 가치 기술이 될 수 있다. 그러나 이러한 혁신은 기술 기업만 할 수 있는 것은 아니다. 플라스틱 용기를 줄이기 위해 재사용 용기에 리필하는 방식을 추구하는 것도 시스템 개선이 되며 생산-유통-소비로 끝나는 것이 아니라 부품의 재활용 과정을 추가하는 식으로 사회적 선순환 시스템을 마련하는 것도 새로운 가치 창출로 연결될 수 있다.

ESG 경영가치를 공유하는 기업문화 조성

기존의 기업 경영 방식이 제품 생산 및 서비스 구현에 있어 품질우선주의와 이익중심주의로 설계되었다면, 이제 ESG 경영을 추구하는 가치 중심으로 재설계할 필요가 있다. 또 ESG 경영의 본질, 즉 사회적 가치를 중시하는 시대에는 기업의 '신용 등급' 못잖게 '평판 등급'이 중요해질 수밖에 없다. 특정 기업에 대한 시장의 평가가 기업의 투자도 이끌고 기업의 경영 성과도 결정지을 수 있기 때문이다. 따라서 사회로부터 긍정적 평가를 받고 좋은 평판을 유지하기 위해서는 ESG 경영 철학을 기업의 최고경영자뿐만 아니라 구성원들 모두가 공유하는 기업문화를 조성해야 한다.

ESG 실천을 위한 기업가 정신의 사회적 공유

ESG 경영이 사회에 뿌리를 내리고 상생의 가치를 실효적으로 구현하기 위해서는 각종 제도와 투자자들의 신용 평가도 중요하지만, 무엇보다 이러한 철학을 기업 차원을 넘어 사회적 차원에서 공유하는 것도 중요하다. 기업의 변화만으로는 한계가 있기 때문이다. 이를 위해 기업의 구성원뿐 아니라 사회 구성원 모두가 기업가 정신을 갖출 필요가 있다. 기업가 정신은 기업의 혁신을 이끌어내는 원동력이다. 국내 기업들 모임에서도 기업의 경제적 가치만이 아니라 윤리적 가치와 사회와의 상생 가치를 강조하는 의미에서 신기업가 정신이 부각된 바 있다. 이렇게 개개인이 기업가 정신을 갖추었을 때 우리 사회는 인류가 공동으로 직면한 여러 문제에 관심을 기울이고 해법을 모색하며 기업의 ESG 경영에 누구라도 영향력을 전달할 수 있는 건강한 사회로 거듭날 것이다.

7

자원 분야 미래전략
Resources

기술 패권 시대에 더 중요해진 지식재산

식량안보 어떻게 실현할 것인가

효율적인 에너지 시스템과 에너지 믹스

'무한한 실험실' 메타버스와 지식재산권

애그테크와 농촌의 미래

기술 패권 시대에 더 중요해진
지식재산

"중국이 미국과 유럽 지식재산권을 도둑질하고 있다"와 같은 직설적 언사가 국제 무대에서 오가고 있다. 미국과 중국을 중심으로 벌어지고 있는 기술 패권 경쟁의 일면이다. 지식재산이 지식 기반 경제사회에서는 물론, 첨단기술력을 선점하려는 기술패권주의 시대에서도 국부의 주요 원천이 되었음을 상징적으로 보여주는 일이기도 하다.

세계적인 기업들의 자산 가치를 평가할 때도 총자산 대비 무형자산의 가치 비중은 나날이 증가하고 있다. 특허 가치 평가 업체 오션토모 Ocean Tomo에 따르면 2020년 기준 S&P 500대 기업 자산 중 무형자산의 가치는 총자산의 90%에 이른다.[216] 이러한 흐름은 5세대 통신 혁명, 원격의료, 콘텐츠 전쟁 등이 진행됨에 따라 더욱 가속화할 것이다. 또 지식재산은 특허와 같은 기술 분야뿐만 아니라 음악, 미술, 영화, 게임 등 창조 활동이 필요한 전 분야에서 그 중요성이 커지고 있다. 한국은행이

2022년 3월 발표한 〈2021년 지식재산권 무역수지〉에 따르면 문화예술 저작권 무역수지가 7.5억 달러에 이르며 통계 집계 이후 역대 최고의 흑자를 기록했다. 최근 급성장한 K-팝 등 한류 콘텐츠 지식재산권의 힘이었다.

앞으로 4차 산업혁명으로 상징되는 변화는 지식재산의 유형에도 다양한 변화를 가져올 전망이다. 새로운 산업 환경에 대처하기 위해서는 기존의 지식재산 전략에도 수정과 보완의 과정이 필요하다. 지식재산이 국정의 핵심 과제가 되어야 하고, 이를 바탕으로 양적 차원에서는 물론 질적 차원에서 우리나라가 '지식재산 허브 국가'가 되어야 한다.

지식재산의 가치와 미래

특허는 신기술의 선점 및 우위의 확보라는 점에서 의미가 있는데, 초연결과 초지능성을 특징으로 하는 4차 산업혁명의 생태계에서는 표준 특허standard essential patent와 원천 특허original patent 가치의 중요성이 더 커질 것으로 보인다.[217] 이러한 표준 특허와 원천 특허의 선점은 새로운 부를 창출할 기회를 뜻한다. 표준 특허와 원천 특허의 선점을 위해서는 기술과 산업 환경의 변화 방향과 내용을 예측할 수 있어야 한다. 먼저 지식재산과 관련한 주요 용어의 개념을 살펴보면 다음과 같다.

○ **지식재산** IP, intellectual property: 인간의 창조적 지적 활동 또는 경험의 산물. 재산적 가치가 법적 보호를 받는 특허patents, 상표trademarks, 디자인designs, 저작권copyrights, 영업비밀trade secrets과 생물의 품종이나 유전자원遺傳資源 등 인간의 지식

과 경험, 노하우 전반으로서 재산적 가치가 실현 가능한 것을 총칭한다.

○ **지식재산권** IPR, intellectual property rights: 지식재산이 법적으로 보호받는 권리임을 강조하는 용어로서 학술·실무에서는 지식재산으로 불리기도 한다. 마찬가지로 특허와 특허권, 상표와 상표권, 디자인과 디자인권도 각각 혼용된다.

○ **무형자산** intangible asset: 기업의 경제적 자산이지만 물리적 실체가 없는 고정자산으로 전통 회계상 포착하기 어려운 지식과 비결(노하우)을 총칭하는 개념이다. 상표권 같은 브랜드의 가치 등이 이에 속한다. 문헌에 따라 지식자본intellectual capital, 지식자산intellectual asset 등 다양한 용어로 부른다. 무형자산은 재무제표상에서 '기업의 시장가치'나 '장부가치'로 표시된다.

○ **IP5:** 특허를 비롯해 세계 지식재산 제도의 운용을 주도하는 한(KIPO)·미(USPTO)·중(CNIPA)·일(JPO)·유럽(EPO)'의 5대 특허청 간 협의체를 지칭하며 '선진 5개 특허청'이라고도 한다.

지식재산 집약 산업의 가치 부상

미래로 갈수록 지식재산 집약 산업의 중요성은 점점 커질 것이다. 2012년 미국 상무부는 미국 특허청 데이터를 기준으로 전체 313개 산업 중에서 특허와 상표 등 지식재산을 가장 집중적으로 활용하고 있는 산업 75개를 선별하고 이를 '지식재산 집약 산업IP-intensive industries'이라 명명했다. 미국 특허상표청의 〈IP와 미국 경제〉 2021년 보고서에 따르면 이러한 지식재산 집약 산업이 생산의 41%, 고용의 44%를 차지한다.[219] 또 2019년 기준 유럽연합 총 GDP의 44.8%가 지식재산 집약 산업에서 창출되었으며, 직접 고용 기준 6,300만 개 일자리(전체의 29.2%)가 지식재산 집약 산업에 의해 제공되었다고 한다.[220] 2021년에 발표된 유럽특허청의 보고서에 따르면 지식재산권을 보유한 회사가 그

렁시 않은 회사보다 직원당 수익은 20%, 평균임금은 19% 높다는 결과가 나오기도 했다.[221]

무형자산의 중요성 증대와 IP 금융의 증가

특허청에 따르면 우리나라 전체 지식재산 가운데 금융 부문의 규모는 2016년 5,774억 원에서 2019년 1조 3,504억 원으로 증가했고, 2020년에는 전년 대비 52.8% 급증해 2조 640억 원에 이르렀다. 특히 지식재산에 기반한 투자, 담보대출, 보증 등 2018년부터 누적된 IP 금융 규모가 2021년 처음으로 6조 원(6조 90억 원)을 넘어섰다. 2021년 신규 공급도 2조 5,041억 원으로 증가했다. 이러한 증가세는 우수 특허를 보유한 기업에 대한 투자를 활성화했기 때문인데, 미래 자동차, 반도체, 바이오 등 신기술 분야의 특허를 보유한 기업의 투자액이 절반 이상(3,358억 원, 55.2%)을 차지한다.[222]

이는 기업이 지식재산권을 금융거래 대상으로 활용하고 있음을 보여주며 금융기관에서도 지식재산권이 물건 또는 서비스와 결합하거나 라이선스를 통해 현금 흐름을 창출할 수 있는 가치가 있다고 판단한다는 의미다.[223] 이에 따라 지식재산이라는 담보물에 대한 가치 평가의 중요성이 커졌고, 특허권에 대한 가치 평가 요소(특허의 유효성, 시장에서의 안정성, 특허의 수명, 특허의 활용성 등)가 금융거래의 주요 항목으로 자리매김한 것이다. 이에 따라 은행들은 지식재산의 가치를 평가하기 위해 변리사, 변호사, 회계사, 금융인, 기술자 등 각 분야 전문가들과 협업을 도모하고 있다.

4차 산업혁명에 따른 지식재산 환경 변화

4차 산업혁명의 혁신 기술이 몰려오면서 지식재산의 환경은 풍성해졌지만, 민감한 이슈도 생겨난다. 빅데이터, AI, 사물인터넷 및 메타버스 등은 기존의 개념으로는 평가할 수 없는 새로운 양상의 보호 가치와 지식재산을 창출하고 있다. 예를 들어, 현재 저작권법에 따르면 저작권으로 보호받는 창작물은 '인간의 사상이나 감정을 표현한 창작물'이라고 규정한다. 따라서 자연인이 아닌 회사나 장치, 기계 등은 발명자로 표시할 수 없으며, 인간이 아닌 AI가 창작한 결과물 또한 인간의 창작물로 볼 수 없다는 것이 현재 다수의 의견이다. 2021년 호주 연방법원이 AI를 발명자로 인정하는 최초의 판결을 내린 바 있지만, 우리나라를 비롯한 많은 나라에서는 '아직은' AI가 인간의 개입 없이 독자적으로 발명자가 되기는 어렵다고 보고 있다.[224]

이런 배경 속에서 특허청은 2022년 3월에 〈인공지능과 지식재산 백서〉를 발간했는데, 이 백서에는 AI가 발명자가 될 수 있을지를 둘러싼 국내외 전문가들의 논의와 AI가 만들었다고 제기되는 발명의 현황 등이 담겨 있다. 특히 AI 기술이 계속 진화하고 있는 만큼 머지않은 미래에는 AI를 발명자로 인정해야 하는 상황이 올지도 모른다고 예측하면서, 이러한 가능성에 대한 대비를 강조했다.

지식재산 미래전략

세계지식재산권기구WIPO, World Intellectual Property Organization의 데이터 센터 집계 기준으로 2021년 국제특허출원에서 우리나라가 중국, 미국, 일본에 이어 2년 연속 세계 4위의 위상에 올랐다.[225] 그러나 우리나라 특허의 실상을 살펴보면 기대와 다르다. 실제 등록을 해도 활용하지 않는 특허권이 많고, 등록 후 다시 무효가 되는 특허권의 비율이 다른 선진 IP 국가에 비교해 매우 높으며, 기술이전의 규모도 출원 규모와 비교해 작은 편이다. 이제 우리나라도 규모의 차원을 넘어 지식재산의 질적 경쟁력을 키우기 위해 국가적 관심과 지원을 강화해야 한다.

지식재산 국가 패러다임 구축

우리나라는 그동안 추격자 전략으로 발전을 이루어냈다. 이제는 추격자의 위치를 넘어 지식재산 신진국으로서 역량을 갖춰야 한다. IP5 및 TM5(상표 분야 선진 5개국 협의체), ID5(디자인 제도 선진 5개청)와 같은 지식재산 선진 5개국의 일원으로서 지식재산권 분야 국제질서 변화를 선도하고, 개도국 지원 사업과 같은 국제 협력 활동도 펼쳐야 한다. 또 국내에서 지식재산권을 실효성 있게 보호하고 우리 기업의 해외 지식재산권 분쟁 피해를 줄여야 하며, 국제사회가 인정하는 진정한 지식재산권 강국이 되어야 한다. 지식재산권을 보호하지 못하는 한 기술 개발은 밑빠진 항아리와 같다. 지식재산 보호에 소극적이었던 과거의 태도에서 벗어나 지식재산권 보호의 패러다임을 선도할 때다.

국제적으로 신뢰받는 제도와 리더십 필요

특허권 보유자는 스스로 출원 국가도 선택할 수 있지만, 분쟁 발생 시 어느 나라 법원에서 재판을 진행할 것인지, 혹은 어느 나라 기관에서 침해 여부를 다툴 것인지도 선택할 수 있다. 당연히 지식재산권의 보호가 잘 되고 신뢰할 수 있는 나라에 특허출원이 몰리고 분쟁 해결을 위한 소송도 몰리게 된다. 국내 대기업 간 소송이라 하더라도 우리나라가 아닌 미국 또는 유럽에서 소송을 진행하는 배경이 그것이다. 우리나라가 특허 분야에서 국제적 신뢰를 얻기 위해서는 국제적 공조 속에 예측 가능한 제도를 보유하고 있어야 한다.

특허청에 따르면 2020년 기준 국내 전체 특허출원에서 외국인 비율은 14.2%[226]로 2018년 17.2%를 정점으로 계속 줄어들고 있으며, 이는 우리나라 특허권에 대한 국제적 인식을 보여주는 통계 결과다. 우리나라에서 특허권을 획득하고 권리 행사를 해 침해 소송을 진행한다고 하더라도 실제 손해액 및 소송 비용보다 법원에서 인정하는 손해배상금이 매우 작은 것도 외국인 특허출원이 적은 주요 이유다. 우리나라에서는 지식재산의 가치를 충분히 인정받지 못한다고 판단하는 것이다. 실제로 한국지식재산연구원 자료에 따르면 1997~2017년 국내 특허 침해 소송 손해배상액의 중간 평균값은 6,000만 원 수준으로 미국(1997~2016년)의 65억 7,000만 원과 비교해 약 100분의 1 수준이었다.[227] 미국, 일본, 유럽처럼 국제적으로 신뢰받는 특허제도를 보강·구축하는 것도 우리나라가 지식재산 강국이 되기 위해 꼭 필요한 부분이다.

지식재산 전문가 양성

우리나라에서 지식재산 전문가를 찾기란 쉽지 않다. 그동안 지식재산에 대한 사회적 인식이 낮았던 이유도 있지만, 지식재산의 관리·활용·라이선싱·분쟁 해결 분야의 전문가 양성이 제대로 이뤄지지 못했기 때문이다. 특허청에서 2021년 발표한 〈지식재산활동 실태 조사〉에 따르면, 국내 기업 1,300개 가운데 47.1%가 지식재산 담당 조직을 구성한 것으로 나타났지만, 전담 인력을 보유한 기업은 9.2%에 불과했다. 다행히 특허청이 지원해 2010년에 KAIST와 홍익대학교에 지식재산대학원을 설립한 이래 다른 학교로도 저변이 확대되어 현재 여러 대학에서 인력 양성이 이뤄지고 있다.

4차 산업혁명 시대에는 지식재산 관련 이슈들이 더 복잡해지고 고도 화할 것이다. 빠르게 변화하는 기술 이슈에 적절히 대응하기 위해서는 국가의 기술과 부를 보호할 지식재산 현장 실무 및 이론을 겸비한 지식 재산 전문가 인력이 절대적으로 필요하다. 아울러 국제적 소양을 갖춘 지식재산 전문가들을 대거 양성해 아시아 통합 특허청과 아시아 통합 특허 법원 시대를 대비해야 한다. 지식재산권 등록과 침해 이슈를 나루 는 기관의 공무원들에 대해서도 체계적이고 전문적인 교육이 이뤄져야 한다.

지식재산 평가 능력 함양

지식재산권의 사업화 과정이나 각종 분쟁에서 우리가 직면하는 문제 중 하나는 해당 지식재산의 가치를 어떻게 측정할 것인가, 즉 지식재산 의 가치 평가에 대한 것이다. 무형의 지식재산을 담보로 대출 및 기업 가치를 평가하는 일은 이전보다 훨씬 많아졌다. M&A 시장을 포함해 기업 자산 평가에서도 유형자산뿐 아니라 눈에 보이지 않는 무형자산 의 비중이 높아졌다. 하지만 지식재산 가치 평가를 위한 관련 정보 DB 나 기준, 평가 전문 인력 등의 인프라는 부족한 실정이다. 따라서 무형 의 지식재산 평가에 대한 공신력 있는 기관을 비롯해 지식재산 심사 시 스템을 마련하고 관련 법제화가 이뤄져야 한다.[228]

4차 산업혁명 시대 지식재산에 대한 전망과 준비

4차 산업혁명의 대표적 기술인 AI 분야에서 우리나라의 특허출원은 2010년부터 2019년까지 10년간 36.7%의 폭발적 증가율을 보였다. 같은 시기의 미국 내 출원 증가율(27.4%)보다 높은 수치다. 4차 산업혁명 시대에는 새로운 유형의 지식재산도 출현할 것이다. 앞에서도 다루었지만, AI가 만들어내는 성과물에 대한 소유권 논쟁도 치열해질 것이다. 또 최근 몇 년 사이 관심이 커진 메타버스 관련 특허는 2021년에 1,828건이 출원되어 전년 대비 약 2배로 증가했다. 특히 대체 불가능 토큰인 NFT 관련 특허는 2017년부터 본격적으로 출원이 시작되어 2021년에는 전년보다 5.3배 이상 늘어나기도 했다.[229] 앞으로 출현할 지식재산의 유형이나 범위에 대해 새로운 시각으로 접근하고 전망하면서, 공유와 글로벌 확산이 특징인 4차 산업혁명에 부합하는 방향으로 대응 체계를 갖춰가야 한다.

특허 심사 품질 향상을 위한 심사관 확충과 지원

등록된 특허가 특허심판원에서 무효라고 판정된 통계를 보면 우리나라가 일본과 미국의 2배에 이른다. 그런데 2020년도 심사관 1인당 연간 심사 건은 미국(73건), 일본(164건)보다 훨씬 많은 206건이었다.[230] 우리나라 심사관 인력 구성은 IP5 특허청과 비교할 때 분야별 박사급 비중이 높고, IT 등 주요 산업 분야에서의 분석 능력은 최고 수준이다. 그러나 전문성이 아무리 높아도 시간이 부족하고 인력이 부족하면 심사 품질이 떨어질 가능성이 커진다. 심사관 1인당 특허 처리 건수가 많으면 부실한 심사로 이어질 우려가 있는데, 그 부실한 심사로 이미 등록받은 특허가 무효 판정을 받고 독점권을 부여받지 못하면 그 피해는 오롯이 투자자가 부담하게 되고 특허청에 대한 신뢰도 떨어진다. 따라서 심사 품질을 높이기 위한 전문 인력 확충 등 인프라 구축에 계속 힘을 모아야 한다.

산업 분야별 지식재산 제도와 정책의 세분화

산업별 상황에 따라 특허를 창출할 가능성과 가치가 다르므로 특허제도에 대한 논의 양상은 앞으로 산업 분야별로 다양해지고 세분화할 것이다. 예를 들어, 신약 하나를 개발하는 데는 보통 6.61년의 기간이 걸리고 2조 원[231] 이상의 비용이 투입되지만, 제약업 분야의 특성상 창출되는 특허의 수는 적다. 반면 정보통신 기술 분야에서는 상황이 다르다. 스마트폰 하나에 통상 25만 개 이상의 특허가 뒤따른다.

따라서 전통적 산업 재산권과 특허제도를 4차 산업혁명으로 불리는 지능화한 디지털 전환 시대에도 똑같이 적용할 수 있을지 논의가 필요하다. 4차 산업혁명의 첨단기술들이 여러 분야에 접목되고 있는데, 다양한 융·복합 기술들이 창출하는 또는 창출 가능한 제품이나 서비스는 기존의 지식재산권 범주 안에서 다루기 어려울 것으로 예상되기 때문이다.[232]

국가 IP 전략 컨트롤 타워 재정비

2011년 지식재산기본법을 제정하고 대통령 소속으로 국가지식재산위원회를 설치했지만, 지식재산 정책을 종합적으로 주도하기 어렵다는 지적도 계속 제기되어왔다. 지식재산 정책비서관을 신설해 대통령의 지식재산 정책을 보좌하고 지식재산 관련 컨트롤 타워 역할을 할 수 있는 지식재산처 등을 신설해야 한다는 의견이 나온다. 영국, 캐나다 등에서는 산업 재산권과 저작권을 하나의 기관에서 관장해 효율성을 높였고, 미국에서는 지식재산 집행조정관이 있어 지식재산 정책에 대한 백악관의 수석비서관 역할을 하고 있다. 우리도 특허청은 물론 문화체육관광부, 농림수산식품부, 중소벤처기업부, 과학기술정보통신부 등 여러 부처에 나뉘어 있는 특허 업무와 관련 정책을 한군데서 총괄해 기술 변화에 유연하게 대처하는 것이 시급하다.

특허제도와 반독점 제도의 조화

특허제도와 반독점anti-trust 제도는 그 방법론에 있어 근본적으로 상반된다. 특허제도는 발명에 일정 기간 독점권을 부여해 권리자를 보호하고 혁신의 동기를 제공한다. 반면, 반독점 제도는 자유 시장경제 체제의 근간을 무너뜨리는 독과점을 통제한다. 그러나 특허제도도 기술 내용 공개를 통한 사회 전체의 이익과 기술 발전을 강조한다는 점, 반독점 제도 역시 독과점을 제한하되 시장에 미치는 영향을 충분히 고려하도록 각종 장치를 마련하고 있는 점에 비추어 두 제도 사이의 조화로운 해석 또한 가능하다. 다시 말해, 자유로운 경쟁을 전제로 하되 시장경제를 교란하는 시장 지배적 지위의 남용과 과도한 경제력의 집중에 대해서는 상응하는 조치가 필요하다.

기술의 급속한 발전과 산업 환경의 변화에 따라 지식재산권 이슈는 더 복잡해질 것이다. 따라서 관련 부처 간 소통을 통해 주요 이슈의 쟁점을 분석하고 타당한 접근을 발굴하는 등의 논의가 활발히 이루어져야 한다.[233]

식량안보 어떻게 실현할 것인가

기상 이변에 더해 코로나19 여파와 러시아-우크라이나 전쟁은 세계 주요 식량 생산국의 식량을 포함해 식자재의 국제 공급망 기능을 경색시켰고 심각한 식량안보 문제를 제기했다. 일련의 영향으로 다수의 세계 주요 농산물 공급국이 자국의 식량안보를 우선해 농산물 수출을 제한하면서 국제 농산물 가격도 급등했다.* 대표적 식량 수입국인 우리나라의 식량안보에 대한 관심과 우려가 커지는 배경이다.

• 유엔 식량농업기구가 발표하는 세계식량가격지수를 보면 2022년 3월 159.7을 기록해 종전 최고치인 2011년의 131.9보다 27.8포인트 높았다.

식량안보의 조건

유엔 식량농업기구FAO는 "개인, 가정, 국가, 지역 및 세계 수준에서 식량안보는 생산적이고 건강한 삶을 위한 식이 요구와 식품 선호를 충족할 충분한 식품에 대한 물리적, 경제적 접근이 모든 사람에게 항상 가능할 때 성취된다"라고 선언했다.[234] 그런데 이 같은 선언적 의미의 식량안보를 구체적으로 성취하기 위해서는 가용성, 접근성, 안전성, 회복성과 같은 서로 독립된 몇 가지 세부 조건을 모두 충족해야 한다. 몇몇 국제기관은 이러한 독립된 세부 조건을 가용 자료와 방법론을 통해 국가별로 계량·측정해 지수로 발표하는데, 이를 통해 주요국의 식량안보 현황을 추측할 수 있다.•

① **가용성**availability: 국가 식량 공급의 충분성, 공급 중단 위험, 식량 보급에 대한 국가 역량 및 농업 생산량 확대를 위한 연구 노력 등을 측정
② **접근성**affordability: 소비자의 식품 구매 능력, 가격 충격에 대한 취약성, 충격 발생 시 지원 프로그램 및 정책의 존재 여부 등을 측정
③ **안전성**quality & safety: 식품의 안전성, 평균적인 식단의 다양성과 영양 품질 등을 측정
④ **회복성**natural resources & resilience: 기후변화 영향에 대한 국가 노출 정도, 천연자원 위험 민감성, 이러한 위험에 대한 국가의 적응력 등을 평가

• 영국의 경제전문지 〈이코노미스트The Economist〉가 매년 발표하는 세계식량안보지수 GFSI, global food security index도 그중 하나다. 가용성, 접근성, 안전성, 회복성을 계량화해 세계 113개 국가의 식량안보지수를 매년 발표한다.

한국의 식량안보 평가

이코노미스트그룹이 발표한 2021년 세계식량안보지수GFSI, global food security index에 따르면 한국은 종합지수 100점 만점에 71.6으로 세계 113개 평가 대상국 가운데 32위를 기록해 일본(79.3, 8위)보다는 뒤처지고 중국(71.3, 34위) 보다는 앞서 있다. 세부 조건별로 보면 접근성은 80.3으로 '매우 좋음'(5등급 중 1등급), 안전성(78.5)과 가용성(69.7)은 '좋음'(5등급 중 2등급), 회복성(52.2)은 '보통'(5등급 중 3등급)으로 평가되었다.

한국은 1인당 고소득 수준 국가로서 국내외 시장에서 식품 구매력이 양호하므로 접근성은 비교적 높게 나타났다. 그러나 수입 식품에 대한 상대적 고관세가 개별 소비자의 국제시장 접근을 어렵게 한다고 보았다. 가용성과 관련해서는 가용성 제고를 위한 정부의 정책 의지가 약하다고 평가했다. 안전성과 관련해서는 식단의 다양성 부족을 지적했는데, 이는 여전히 쌀 중심의 식품 소비 패턴을 반영한 것으로 여겨진다. 가장 취약한 것은 '회복성' 부문이었다. 자연 자원의 제약, 그 가운데 특히 물 문제가 심각했고, 전반적인 회복력의 취약성이 부각되었다. 이처럼 객관적 지표로 본 한국의 식량안보 상황은 그리 낙관적이지 않다.

주요국의 식량안보 확보 전략

완전한 식량안보 전략은 두말할 필요 없이 100% 자급하는 것이지만 그럴 만한 농식품 생산·공급 여건을 가진 국가는 찾기 힘들다. 차선책으로 비축 제도가 식량안보 확보와 직결될 수 있다. 그러나 비용이 많이 발생하기 때문에 전략 품목에 국한해 극히 제한적 보조 수단으로만 활용된다. 그 밖에 세계 주요 국가로부터 파악할 수 있는 유의미한 식량안보 전략을 보면 다음 몇 가지 형태가 있다.

미국형: 평상시 취약 가계 지원

미국처럼 상대적으로 농식품 생산·공급 여건이 좋은 고소득 국가에서 활용하는 전략이다. 즉, 이들 국가는 국가적 차원의 식량안보 전략보다는 소득 취약 가계에 대한 선별적 식량·식품·영양 지원 정책을 시행한다. 주기적으로 설문 형태를 통해 식량·식품·영양 취약 가계를 파악한 다음 일정한 절차를 통해 식량·식품·영양 지원을 수행한다.

이와 같은 선별적 가계 지원 형태는 한국과 같은 나라가 생각하는 국가적 차원의 식량안보 전략과는 개념에서 차이를 보인다. 우리의 국가적 차원의 식량안보 전략은 '비상시' 국가 차원의 식량 부족을 대비하는 전략이지만 선별적 가계 지원은 '평상시' 취약 가계를 위한 지원 전략이기 때문이다. 미국처럼 농식품의 생산·공급 여건이 좋은 고소득 국가는 이처럼 일부 가계에 대한 평상시 기아 예방 대책에 중점을 두고 있다.

중국형: 해외 농업 개발 및 투자

중국이 적극적으로 활용하는 전략으로 농지에서부터 농자재, 농식품 가공 기업에 이르기까지 광범위한 농식품 자산에 투자하고 인수·합병을 진행하는 방식이다. 식량안보는 중국 정부의 지속적 과제다. 2006년 중국 정부는 농업의 해외 투자 확대 전략을 발표한 이후 연이어 조건을 갖춘 기업의 해외 투자를 지원하는 정책을 내놓았다. 농업의 대외 진출 확대는 특히 2013년 일대일로(일대: 실크로드 경제 벨트, 일로: 해상 실크로드)

전략 발표로 속도가 붙고 있다. 농업 분야에서 반드시 추진해야 할 주요 사업으로는 농산물 무역과 농업 투자, 농업과학 기술 협력과 같은 농업의 해외 진출을 명시했다.[235]

2014년에는 〈중앙 1호 문건〉을 통해 식량, 면화, 유지 작물 등의 품목에 대해 국제 경쟁력을 갖춘 대형 기업 육성과 농업의 해외 투자 지원을 위한 금융 상품과 금융 방식을 혁신하도록 요구했다. 또 2017년에는 국가발전 개혁위원회, 상무부, 인민은행, 외교부가 공동으로 〈해외 투자 방향의 진일보를 유도하고 규범화하기 위한 지도 의견에 관한 통지〉를 발표했는데, 여기에 인민은행을 통한 국가적 금융 지원을 포함했다.

이처럼 중국의 해외 농업 개발은 정부의 정책적 목적과 강하게 연계해 추진되었다. 그 결과 중국의 해외 농업 개발 형태는 지역, 품목, 가공 단계 등 모든 측면에서 전방위적이다. 특히 2014년 〈중앙 1호 문건〉에서 주문한 '국제 경쟁력 있는 대형 기업 육성'과 2019년 중국공산당 중앙위원회·국무원의 의견에서 주문한 '다국적 농업 기업 육성'은 주로 기존의 글로벌 다국적기업을 인수·합병하는 방식으로 구체화되었다. 인수·합병에 필요한 거대 자금은 어디서 구했을까? 2017년 국가발전 개혁위원회, 상무부, 인민은행, 외교부의 공동 발표를 고려하면 인민은행의 개입을 짐작하게 한다. 이렇게 인수·합병에 의존하는 중국의 해외 농업 개발은 농지에서부터 다국적기업에 이르기까지 농식품 관련 자산을 모두 인수·합병 대상으로 포함하는 형태다. 아울러 대상 품목과 지역 역시 매우 광범위하다.*

---

* 중국의 정부 정책과 연계된 매우 공격적인 해외 농업 개발과 투자는 호주, 미국 등 투자 대상국으로부터 빈번한 분쟁을 불러왔다.

일본형: 국제 곡물 조달 시스템 구축

일본은 통상 환경이 안정적인 미국과 남미 지역의 주요 곡물 유통·물류·무역 사업에 직접 참여하는 전략을 펼치고 있는데, 일본의 최대 사료 곡물 실수요자인 일본전농全農, 즉 농협중앙회가 이를 주도해왔다. 일본전농이 1979년 미국에 설립한 수출 회사 ZGC Zen-Noh Grain Corporation는 미국 남부 최대 수출 항구인 뉴올리언스항에 수송, 보관, 수출 기능을 하는 수출용 곡물 엘리베이터를 소유하고, 1988년에는 미국 국내 산지 매집 및 운송 전문 회사인 CGB Consolidate Grain & Barge를 인수했다. CGB가 농가로부터 확보한 곡물을 미시시피강을 이용해 ZGC로 판매·수송하고, ZGC는 뉴올리언스항에서 이를 선적해 일본으로 반입한다. 이렇게 일본전농은 미국 내에서 곡물 수집부터 수출 선적에 이르기까지 완전한 곡물 조달 시스템을 구축했다.

일본전농은 2021년에도 세계적 곡물 업체 벙기Bunge로부터 미시시피 수계의 강변 엘리베이터 35개를 추가 인수하며 지속적인 곡물 유통 사업 확장을 추구하고 있다. 이런 동향을 보면 미국 최대 곡물 지대인 미시시피 수계 지역 곡물 사업에 총역량을 집중하는 것으로 판단된다.

1970년대부터 시작한 일본 전농의 이러한 곡물 사업은 다른 민간 회사에도 파급되어 일본은 다수의 민간 국제 곡물 메이저를 보유하고 있다. 미쓰비시, 미쓰이, 마루베니, 이토추 등이 대표적인 일본 민간 글로벌 곡물 메이저들이다. 이렇게 일본은 현지 생산·가공 단계에 진입하는 해외 농업 개발보다는 국제 곡물 유통··물류·무역 부문에 진출하는 국제 곡물 조달 시스템 구축 전략을 오랫동안 유지하고 있다.

네덜란드형: 국제무역 활용

농식품 산업 부문에서 국제 경쟁력이 높은 네덜란드가 대표적으로 활용하는 전략인데, 자국 농식품 시장을 과감히 개방함으로써 농식품 생산·가공·무역의 국제 거점으로 기능하도록 하는 것이다. 이럴 때 자국 농식품 시장은 국제 농식품의 가공·유통·물류 허브가 되어 평상시에는 상업적으로 혜택을 누리고 비상시에는 풍부한 농식품에 대한 접근성을 확보할 수 있다.

실제로 농업 생산·수입·수출 구조를 보면 네덜란드는 자국 생산의 2배 이상(237%) 규모를 수입해 자국 생산의 3배 이상(345%) 규모를 수출하는 구조를 보인다. 과감한 시장 개방 규모와 가공 혹은 중개 무역 등을 통한 부가가치 제고 능력을 간접적으로 파악할 수 있다. 이에 반해 한국은 90%를 수입해서 22% 정도만 수출하는 구조여서 국제시장 활용도가 매우 낮은 수준이다.

표 17 한국과 네덜란드의 농업 생산·수입·수출 구조

	한국		네덜란드	
	2020년 (10억 원)	생산 대비 비율(%)	2020년 (100만 유로)	생산 대비 비율(%)
생산	52,135		27,433	
수입	47,052	90	64,977	237
수출	11,645	22	94,524	345

한국의 식량안보 전략

한국은 1968년 정부가 주도해 남미를 중심으로 농지를 매입하고, 농업 이민을 통한 대규모 해외 농장 개발 사업을 처음 시도했다.[*] 그러나 불리한 자연 여건, 부적합한 이민자 선발 등으로 현지 이탈 문제가 발생해 사업이 실패로 돌아갔다. 개인과 민간단체의 해외 농업 개발 사업 참여도 이어졌지만, 초기의 정부 주도 그리고 일부 민간의 시도는 실패에 그치고 말았다. 1990년대에 들어서 정부의 해외 투자 제한 조치 완화와 농산물 수입 자유화가 확대되자 일부 민간 기업 중심으로 해외 농업 개발이 다시 활기를 띠는 듯했지만, 뚜렷한 성공 사례를 만들지는 못했다.

그러던 중 2008~2011년 세계적 곡물 가격 파동을 계기로 해외 농업 개발 사업을 정부 차원에서 다시 추진하기 시작했다. 2011년 '해외 농업·산림자원 개발협력법'을 제정해 해외 농업 개발에 따른 환경 조사 지원과 융자 사업을 도입했다. 이러한 사업이 뒷받침되어 2021년까지 206개 기업이 해외 농업 개발 신고를 하고 32개 국가에서 여러 형태의 농업 개발 사업을 신행 중이다.[**] 그러나 영세한 규모와 경제성 문제로 생산물의 국내 반입 실적 등 식량안보 목적 달성과는 여전히 거리가 멀다.

- 1968~1981년 정부가 주도해 아르헨티나, 칠레, 파라과이 등 남미를 중심으로 총 2만 5,304ha의 농지를 매입하고 농업 이민을 통해 5개의 대규모 농장 개발에 착수한 바 있다. 산페드로 농장(파라과이), 루한 농장(아르헨티나), 야타마우카 농장(아르헨티나), 테노 농장(칠레), 산하비에르 농장(아르헨티나) 등이 그 사례다.
- •• 신고 기업은 206개지만 실제로 사업을 수행하는 기업은 86개 정도로 조사됐다(해외농업자원개발협회 조사 자료).

한편 생산 농장 개발을 중심으로 하는 해외 농업 개발 사업과는 별도로 2011년 한국농식품유통공사와 민간 기업이 컨소시엄을 형성해 미국에서 일본형 유통·물류·무역 사업 중심의 곡물 조달 시스템 구축을 시도하기도 했다. 그러나 예산, 전문 인력, 진입 시기 등의 여러 문제와 난관에 부딪혀 중도에 포기하고 말았다. 결국, 식량안보를 위한 우리의 국가적 차원 전략은 환경 조사 지원과 융자 사업에 머물고 있고, 절대적인 예산 부족과 관련 기업의 영세성 등으로 아직 뚜렷한 실적을 거두지 못하고 있다.

식량안보 확보를 위한 미래전략 방향

앞에서 논의한 사항을 바탕으로 식량안보를 확보하기 위한 몇 가지 전략 방향을 짚어본다. 우선, 식량안보를 둘러싼 정책의 일관성 유지가 중요하다. 정책이 일관적이지 않으면 식량안보에 대한 국민의 경각심이 약해진다. 해외 농업 개발 정책을 시행하면서 대규모 간척지를 비농업 용도로 전환해 국내 농업 생산 기반 확충에 소홀했던 것도 정책의 일관성 결여 사례다. 그 밖에 주곡인 쌀의 생산 조정까지 고려하면서도 뚜렷한 수입 곡물 대체 전략을 강력히 추진하지 못한 사례, 세계무역기구WTO 농업협정과 자유무역협정FTA에 따른 관세 할당 TRQ, tariff-rate quota 수입 정책과 관련해 식량안보와 국내 농업 보호라는, 상충하는 목표 사이에서 명확한 정책적 입장을 제시하지 못한 사례도 있다. 딜레마 상황에서 칼로 무 자르는 것 같은 입장 정립은 어렵다. 하지만 적어도 식량안보 목적을 국민이 인식할 수 있도록 일관적이고 적정한 수준의 정책을 정립해야 한다.

둘째, 비상시 국가 차원의 식량안보뿐만 아니라 상시 관리가 필요한 평상시 취약 가계 식량안보도 중시해야 한다. 가계소득의 양극화, 불황의 지속 등이 예견되는 상황에서 비상시 국가 차원의 식량안보 대책과 평상시 가계 식량안보 대책을 분리해 접근할 필요가 있다. 국민소득이 일정 수준 이상에 오른 나라의 경우 국가 평균 엥겔계수가 낮으므로 국가 차원에서의 식량안보보다 오히려 취약 계층을 목표로 하는 가계 식량안보에 정책의 초점을 맞춘다. 정기적으로 가계 식량안보 실태를 파악해 식량 불안에 노출된 가계에 대한 지원 시스템의 마련이 필요하다.

셋째, 국내 농업 자원 부존 여건상* 농식품의 해외 조달은 불가피한데, 현물시장cash market 위주의 접근은 이제 탈피해야 한다. 현재 한국은 해외 농업 사업을 생산 단계 혹은 유통 단계에서 진출하는 두 가지 현물시장 접근에 치중한다. 생산 단계 진출은 해외 농장을 인수하거나 농장 개발에 참여해 직접 곡물을 생산·확보하는 사업이며, 유통 단계 진출은 해외 산지로부터 국내까지 유통·물류·무역 망을 확보해 수집된 곡물을 국내에 공급하는 사업이다. 이러한 현물시장 접근은 기반 구축에 긴 시간을 요구하고 고비용을 수반한다. 따라서 이를 중단기적으로 보완할 수 있는 금융시장 접근을 병행해야 한다. 국제 금융시장은 선물거래를 통해 일정 물량을 해외에 비축해둔다는 의미가 있으며, 동시에 헤징이

---

* 1970~2004년 농축산물 소비 증가로 모든 농산물을 자급하기 위한 경지 소요량이 391만 ha(1970년)에서 715만 ha(2004년)로 늘어났지만, 경작 면적은 326만 ha에서 194만 ha로 오히려 감소해 해외 의존율이 17%에서 73%로 높아졌다(이정환, 〈축산업은 우리에게 무엇인가?〉, 《시선집중 GSnJ》 29호, 2007).

나 옵션 거래 등을 통해 위험관리를 수행하는 의미도 있다.*

넷째, 국내외의 현장 및 물류 비축을 포함하는 통합 비축 시스템을 구축해야 한다. 해외 조달 물량과 국내 비축 물량 간의 적정 구성률을 정하고, 실제 비축은 해외 산지 곡물 창고 → 바지선 → 수출항 곡물 창고 → 해상 운송 선박 → 수입항 곡물 창고 등으로 연결되는 물류 흐름을 활용해 물량 비축 효과까지 포괄할 수 있는 통합 비축 시스템을 구축해야 한다.

나아가 식량 수급에 대한 종합적 접근이 필요하다.[236] 식량 수급과 관련해서는 언제라도 여러 상황이 발생할 수 있는데, 예를 들어 세계 곡물 수요가 공급을 초과하면서 해외 조달이 불가능해지는 극단 상황과 해외 조달은 가능하나 가격이 지속해서 상승하는 상황이 있을 수 있다. 이런 상황을 대비할 방법은 일정 수준의 국내 생산 기반을 확충하는 것이다. 이를 위해서는 농업 용지의 용도 전용을 위기 상황 발생 때 즉각 농업 생산으로 전환할 수 있도록 제한적으로 관리해야 한다. 또 자연재해나 전쟁 등으로 인해 곡물 조달이 일시적으로 어려울 때를 대비해서 국제 곡물 조달 시스템 구축이 필요하다. 아울러 순환적인 가격 불안정 상황에 대처하기 위해서는 국제 금융시장을 활용해 위험을 관리해야 한

• 국제 금융시장을 효과적으로 활용한 예로 멕시코 사례를 꼽을 수 있다. 2007년 1월, 멕시코 정부는 멕시코인의 주식인 토르티야 가격 폭등으로 심각한 소요 사태를 겪었는데, 이를 계기로 소비자 가격 안정을 위한 주곡의 수입 가격 위험관리 필요성을 인식하고, 2010년부터 시카고상품거래소에서 콜옵션(시장 가격에 관계없이 특정 상품을 특정 시점, 특정 가격에 매입할 수 있는 권리)을 매수하기 시작했다. 이를 통해 멕시코는 곡물 시장 불안정기에 대처하고 있다.

다. 이처럼 곡물 수급에 미치는 상황은 다양하며, 모든 상황을 동시에 대비하기는 어려운 일이지만, 인력 양성, 자원 관리·보전, 국제적 네트워크 구축 등의 측면에서 종합적으로 접근하는 안목과 전략이 필요하다.

효율적인 에너지 시스템과 에너지 믹스

최근 몇 년 사이 기후·환경 위기는 각국의 에너지 정책에 막대한 영향을 끼치고 있다. 2050년까지 탄소 중립이라는 목표를 이루려면 온실가스의 주범인 화석연료 사용에 제동이 걸리고, 이에 대한 대책 마련에 분주할 수밖에 없다.

이런 상황 속에서 2022년 발생한 러시아-우크라이나 전쟁은 전 세계 에너지 공급망에 또 한 번 위기를 가져왔다. 러시아가 천연가스 공급망에 균열을 일으키면서 에너지의 무기화가 현실화했고, 이로 인해 에너지 안보 이슈가 더 크게 부각된 것이다. 우리나라도 원전 정책의 부활 등 에너지 전환 정책을 둘러싼 논의가 뜨겁다. 우리나라는 에너지 부존 자원 측면에서는 최빈국 수준이지만, 세계 10위권 안에 드는 에너지 소비국이다. 또 유엔기후변화협약UNFCCC 당사국 가운데에서 온실가스 배출량 11위다.[*]

그러나 OECD 회원국 기준으로 보면 미국, 일본, 독일, 캐나다에 이은 5위의 온실가스 배출국이다. 특히 파리기후변화협약 발효에 따라 저탄소 사회로의 이행이 지상 과제가 되면서 온실가스 배출량을 낮춰야 하는 책임은 더 커지고 있다. 이처럼 미래 에너지는 기술과 환경, 그리고 에너지 안보와 지속 가능성 등을 모두 고려하는 전략적 관점에서 다루어야 한다.

해결해야 할 에너지 과제

우리나라도 늦게나마 세계적 에너지 전환 흐름을 추격하고 있다. 무엇보다 에너지 안보 차원에서 에너지원의 다변화를 추구하는 에너지 믹스와 ICT 첨단기술을 접목해 에너지 시스템을 효율화하는 방향으로 나아가야 한다.

취약한 에너지 안보 및 소비 문제

우리나라의 에너지 해외 의존도는 95%에 이른다. 특히 중동 지역으로부터의 화석에너지 수입이 매우 큰 비중을 차지한다. 중동산 원유 의존도는 수입 다변화 추진으로 2017년 81.7%, 2018년 73.5%, 2019년 70.2%, 2020년 69.0%, 그리고 2021년 60%로 지속적 감소세에 있으나 여전히 의존 비율이 높다. 또 에너지 수입액은 총수입의 3분의 1가량을

• 2018년 기준으로 우리나라 온실가스 배출량은 총 7억 2,760만 톤이다.

차지한다.

한편, 에너지 소비 측면에서 보면 우리나라는 전반적으로 건물이나 산업계의 에너지 소비 효율이 낮고, 국민의 개인소득 증가에 따른 자동차 보급 확대와 중대형 차량의 소비가 계속 늘면서 수송 부문에서의 에너지 효율도 낮은 상태다. 또 과거 우리나라 에너지 정책의 주요 목적이 국민 생활과 산업 생산에 필요한 전기에너지를 안정적으로 저렴하게 공급하는 것이었기 때문에 현재도 전기 요금이 다른 나라와 비교하면 매우 저렴한 편이다. 우리나라의 전기 요금 수준은 2020년 기준 OECD 회원국 34개국 가운데 31위로 아주 낮다.

또 국제에너지기구IEA에 따르면 2019년 기준 1인당 가정용 전기 사용량은 캐나다, 미국, 프랑스, 일본, 독일에 이은 6위였다. 그러나 산업용을 포함하면 1인당 전기 사용량은 캐나다와 미국에 이은 3위로 대표적인 전기 과소비 국가라고 할 수 있다. 결국, 취약한 에너지 안보 구조와 그에 대비되는 고소비 구조에서 벗어날 수 있도록 하루빨리 변화를 모색해야 하는 상황이다.

기후협약과 저탄소 에너지로의 전환

파리기후변화협약은 선진국과 개발도상국이 함께 기후변화 대응에 동참하기로 합의했다는 데 의미가 있다. 지난 2015년 제21차 유엔기후변화협약 당사국총회에서 파리협정이 채택되자, 언론들은 "세계가 화석연료 시대의 종말에 서명했다"라고 의미를 부여했고, 국제재생에너지기구IRENA는 "세계 에너지 전환의 분수령"이라고 환영했다. 또 국제에너지기구는 온실가스 배출 증가를 수반하지 않는 저탄소 경제로의 전환을 전망했다.

물론 파리협정에 대한 이러한 평가가 과장되었다는 시각도 있다. 각국의 기후 행동은 자발적인 국가별 기여 방안NDC, nationally determined contribution에 기반을 두고 있는데, 각국이 제출한 국가별 기여 방안을 충실히 이행하더라도 지구 기온 상승 폭을 2℃ 이하로 유지하고 더 나아가 1.5℃까지 제한하려는 파리협정의 장기 목표 달성이 쉽지 않다고 보기 때문이다. 실제로 각국의 자발적 기후 행동과 유엔의 기후변화 대응 목표 간에는 상당한 격차가 존재한다. 또 국제협약은 위반하더라도 제재 수단과 주체가 분명하지 않은 한계 요인을 가지고 있다. 그래서 유엔환경계획UNEP은 목표와 현실 사이의 격차를 설명하고 각국의 기후 행동 강화를 촉구하는 〈배출 격차 보고서Emission Gap Report〉를 매년 발간하고 있다.

이런 국제협약의 내재적 한계와 약점에도 불구하고 파리협정은 2016년 발효되어 이행 중이고, 이것은 화석연료 중심의 에너지 체계가 저탄소 체계로 전환됨을 의미한다. 물론 세계적 선언과는 별개로 코로나19로 주춤했던 에너지 소비가 다시 늘어나고 우크라이나 침공으로 러시아가 유럽으로 가는 천연가스 공급망에 균열을 일으킨 데다 재생에너지가 그 틈을 완전히 메우지 못하면서 화석연료의 사용량과 가격이 오히려 급등하는 역설적 현상도 빚어지고 있다. 성급하게 화석연료를 퇴출하려는 움직임이 공급을 줄여 현재의 에너지 위기를 더하고 있다는 지적도 있다. 그래서 화석연료와의 공존 기간이 어쩔 수 없이 예상보다 길어질 것이란 관측이 나오고 있다. 그러나 저탄소 에너지로의 전환은 속도와 시간의 문제일 수는 있지만, 기후 위기 속에 지속 가능한 인류의 발전을 위해 거스를 수 없는 방향인 것만은 분명하다.

에너지 시스템의 효율적 전환

안정적인 에너지 시스템을 유지하려면 우선 저탄소 에너지원을 확보하고 다음으로 특정 에너지원에 편중되지 않도록 에너지 구조를 다변화해야 한다. 이러한 에너지 믹스 위에서 에너지 소비 절감, 수요 관리, 스마트한 운영, 제도적 지원 등과 같은 방법으로 에너지 시스템의 효율적 전환을 이루어야 한다.

재생에너지와 원자력의 상호 보완적 연계에 의한 저탄소 에너지 믹스

저탄소 에너지로의 전환은 원자력에 의한 발전 단가 하락분을 재생에너지 개발에 활용하고 재생에너지의 비중이 늘어나는 것에 따른 백업의 비중을 원자력이 담당함으로써 실현할 수 있고 에너지 수입 의존도 또한 낮출 수 있다.

태양광, 태양열, 풍력, 수력, 조력 등의 자연환경을 에너지원으로 활용하는 재생에너지는 그 자체로 에너지 믹스가 되며 생산 단가도 기술 개발을 통해 계속 낮아지고 있다.[237] 그러나 우리나라의 자연환경 적합성과 재생에너지의 근본적 변동성을 고려해야 한다. 이런 점에서 실시간 태양광 자원 지도 제공과 같이 첨단기술을 활용해 개발·생산을 지원하는 방안을 계속 확대할 필요가 있다. 특히 사물인터넷 센서와 빅데이터 분석 등을 활용해 운영 효율성과 생산성을 대폭 향상해야 한다.

실제로 이 방법은 해외의 풍력과 태양광 발전소에서 그 효용성이 입증되었다. 예를 들어, 지구 기상 데이터와 설비 데이터를 결합해 풍력발전소의 출력량을 증대시킬 수 있다. 즉, 바람의 진행을 탐지한 뒤 풍력발전기에 바람의 양과 각도를 계산해 설비를 맞추어서 대비함으로써,

풍력 에너지를 최대한 생산하는 데에 데이터 처리 기술을 활용하는 것이다. 풍력 발전에서 바람의 방향과 강도를 측정해 발전소의 성능을 향상했듯이, 태양광 발전에서도 기상 데이터를 유용하게 활용할 수 있다. 기상 데이터를 실시간으로 모니터함으로써 태양과 태양광 설비 사이에 구름이 끼는 시각과 이로 인한 출력 저하의 정도를 측정 또는 예측해 적절한 대응을 가능하게 할 수 있다.

원자력 역시 저탄소 실현과 에너지 안보 구현을 위해 필요한 에너지원이다. 원자력은 에너지밀도나 경제성뿐 아니라 설계부터 운영까지 우리나라가 기술을 확보한 '준국산 에너지'이기도 하다.[238] 다만, 만약의 사고 시 치명적 폐해를 끼칠 우려가 있어 사회적 논쟁이 그치지 않고 있다. 따라서 원전의 안전 문화 증진, 인적 오류 저감 강화, 빅데이터 기반의 원전 안전 운영 기술 개발, 사고 저항성 혁신 핵연료 기술, 안전성 원자로 개발, 사용 후 핵연료의 관리 체계 확립 등의 여러 과제를 풀어가야 한다.

제도적 지원을 통한 에너지 시스템의 효율화

기술의 발전은 에너지 시스템에 구조적 변화도 가져온다. 이제 에너지 소비자는 더 이상 수동적 소비에만 머무는 것이 아니라 에너지를 직접 공급할 수도 있다. 이에 따라 에너지를 사고파는 다양한 중개업자의 등장이 예상된다. 에너지 시스템이 바뀌면 모빌리티 형태나 교통 체계를 비롯한 도시 인프라도 달라질 것이다. 에너지 시스템이 일방적인 에너지 공급 방식에서 양방향으로, 중앙 집중적 거버넌스 방식에서 분산형으로, 그리고 친환경 방식으로 바뀌고 있기 때문이다. 물론 이러한 변화가 환경친화적이면서도 효율적인 시스템으로 정착하려면 관련 기술과 정책이 뒷받침되어야 할 것이다.

예를 들어, 전력 시스템에도 다양한 변화가 나타나고 있는데, 그중 하나가 분산 에너지 자원DER, distributed energy resource의 확대다. 이러한 변화는 전력망의 운영을 고도화하고 있다. 재생에너지와 같은 변동형 자원이 많이 늘어남에 따라 전력의 수급, 주파수 및 전압의 안정성 확보를 위해 고도화한 전력망 운영이 필요하기 때문이다. 재생에너지는 기존 화석연료 발전소와는 달리 태양과 바람의 조건에 따른 출력 변동성이 상대적으로 심하다. 예를 들어, 태양광 발전이 상당한 비중을 차지하는 상황에서 늦은 오후나 개기일식 시 태양광 발전량이 급격하게 떨어지면 수요가 급증할 수 있다. 이럴 때, 단시간 내에 출력을 높이거나 생산할 수 있는 발전 자원 혹은 수요에 맞출 수 있는 탄력적 자원이 필요해진다. 반대로, 전력 수요가 낮은 봄가을의 주말에는 태양광이나 풍력 발전이 과잉 생산되는 상황도 발생할 수 있다. 이때는 잉여 전력을 저장하거나 재생에너지 출력을 줄이는 식의 유연한 대응이 필요하다.

전력 시장의 구조 측면에서도 변화를 찾아볼 수 있다. 기존 전력 시장은 생산자와 소비자가 완벽히 분리되었으며, 특히 공급자 중심의 시장이었다. 대규모 화력 및 원자력 발전소에서 생산한 전기를 원거리 송배전망을 통해 최종 소비자에게 전달하는 구조이고, 소비자는 말 그대로 전력을 구매하기만 하는 수동적 소비자였다. 하지만 최근에는 소비자인 동시에 생산자 역할을 하는, 소위 프로슈머prosumer가 등장하고 있다. 집이나 건물 옥상에 태양광과 스마트 미터기를 설치한 프로슈머는 자가 소비 외에 남는 전기를 다른 수요자나 전력 회사에 판매할 수 있다. 전력 수요가 많은 오후에 전력 가격이 오른다면 집에서 생산한 전기를 자신이 사용하는 대신 전력망에 판매함으로써 보다 큰 편익을 얻을 수도 있을 것이다.

이처럼 여러 부문에서 나타나는 에너지 시스템의 변화를 더 효율적으로 이끌기 위해서는 화석연료 기반 에너지 시스템에 맞춰져 있던 정책과 제도를 개선해야 한다. 가장 중요한 정책은 무엇보다도 에너지 가격 체계를 정상화하는 것이다. 연료 비용뿐만 아니라 환경 비용을 가격에 반영해 에너지원별 경쟁이 일어날 수 있도록 해야 한다. 시간과 장소에 대한 에너지 비용의 차등화도 필요하다. 원래 에너지는 언제 어디서 생산하고 소비하는가에 따라서 비용의 차이가 발생한다. 같은 1kWh의 전기라도 4월의 주말 오후에 생산하는 전기와 7월의 평일 오후에 생산하는 전기의 비용은 다르다. 충남 석탄발전소에서 생산한 전기를 서울까지 끌어와서 사용하는 것보다 서울의 옥상에서 만든 태양광 전기를 바로 사용하는 것이 더 저렴할 수 있다. 지금은 이런 지역적·시간적 가격 신호가 거의 없다 보니 자원의 비효율적 사용이 발생한다.

전력 시장에서 한전의 독점적 지위도 개선해야 한다. 다양한 에너지 판매자를 허용하고 한전의 비즈니스 모델을 전력 판매에서 '분산 에너지 자원 연계와 판매 서비스 확대' 등으로 전환해야 한다. 에너지 분권화도 에너지 전환의 중요한 요소다. 재생에너지와 분산 에너지 자원 기술의 확대를 위해서는 지방정부, 공동체 그리고 시민의 역할이 매우 중요하다. 지방정부는 지역의 에너지 소비와 생산에 대한 정보 및 관련 권한을 바탕으로 시민을 독려하고 직접적 참여를 효과적으로 끌어내도록 해야 한다. 이러한 지방정부에 대한 재정 지원, 권한 강화, 그리고 제도 개선이 이루어진다면 지역에서부터 실질적인 에너지 시스템의 효율화가 나타날 것이다.

'무한한 실험실' 메타버스와 지식재산권

현실에서 꾸는 꿈만 같은 메타버스라는 새로운 세계가 성큼 우리에게로 다가왔다. 미지의 것, 특히 ICT와 관련된 새로운 것에 대한 탐구심이 큰 우리는 이미 메타버스 안에서 살고 있는 것과 같은 착각을 일으키기도 한다. 책, 방송 미디어, 신문, 인터넷 정보 공유 플랫폼 등 현재 우리가 접하는 수많은 매체는 우리에게 이제 메타버스의 세계에서 새로운 가능성을 찾으라고 말한다. 마치 지금 이 세계를 모르면 시대 변화에 뒤처져 낙오될 것처럼 말이다.

하지만 엄밀히 평가하면 현재 우리는 메타버스 진입을 위해 기술 기반과 구체적인 콘텐츠, 그리고 소프트웨어 등을 탐구하고 있는 것이지, 실제로 메타버스 세계에서 사는 것은 아니다. 메타버스는 여전히 많은 이들에겐 손에 잡히지 않는 '신기루'와 같다. 그럼에도 1950년대 우주를 향한 개발 경쟁에 뛰어들지 못했던 우리에게 2020년대 메타버스라는 새로운 우주virtual space는 놓치기 싫은, 아니 놓쳐서는 안 될 기회임은 분명하다.

기술 사업화의 현실적 어려움

R&D(연구개발) 규모가 증가할수록 그에 따른 부가가치 창출에 대한 기대도 높아진다. 투입 대비 성과에 대한 기대는 경제학적 관점에서 보아도 당연한 인과 구조일 수 있다. 이러한 기대는 최근 더욱 커지고 있다. 기술 패권 경쟁의 심화, 기술 간 융·복합의 확대, 지능형 디지털 기술의 확대에 따른 기술 또는 산업 간 경계의 소멸, 탄소 중립에 따른 공급망과 가치사슬의 대변동 등 혁신을 둘러싼 변화가 여러 곳에서 빠르게 진행되고 있기 때문이다. 또 5년 뒤나 10년 뒤 어떤 혁신 제품 또는 서비스를 활용할 수 있을지에 대한 불확실성과 장밋빛 희망이 서로 맞물리면서 R&D 성과의 활용에 대한 기대는 더욱 높아지고 있다.

하지만 우리가 간과하는 것이 있다. R&D 성과가 부가가치로 연결되는 과정은 우리가 알고 있는 것보다 훨씬 더 복잡해서 마치 블랙박스처럼 그 경로를 파악할 수 없고 불확실성도 매우 높다. 통상 R&D를 통해 기술이 나오면, 타깃 제품이나 서비스 구현을 위해 필요한 관련 기술들을 모으게 된다. 한데 모인 기술군IP package이 개별 기술 단위에서는 기대를 충족시킨다 해도 이들이 모여 제대로 작동하는지에 대한 시제품 수준의 검사, 그리고 현장에서 필요로 하는 성능이 실제 구현되는가 등에 대한 실증 등 그 과정은 상당히 복잡하고 지난하다. 아쉽게도 여기서 끝이 아니다. 이렇게 구현 여부까지 확인한 제품의 양산을 위해 요구되는 설비, 자본 등으로 일의 규모는 더 커진다. 이후에도 판로 개척 관련 마케팅이나, 계약·세제 등의 법률적 문제가 기다리고 있다. 이처럼 기술이 제품이 되고 제품이 부가가치를 창출하는 과정, 즉 기술 사업화 경로는 지금 우리가 생각하는 것보다 훨씬 더 복잡하다.

그 성공 여부 또한 어떤 경우는 어렵고 어떤 경우는 너무 쉽게 이루어지는 등 예측할 수 없다. 잘 정비되고 규격화한 길을 유유히 가는 게임이 아니라는 것이다. 이러한 어려움에 대해 많은 혁신 연구 학자들은 과정이 전개될수록 필요한 재원의 종류나 규모가 급격히 증가한다고 강조한다. 즉, 우리 정부가 R&D에 30조 원을 쏟아붓고 그에 따른 기술 성과로 혁신 성장을 기대한다면, 실제로는 30조 원 이상의 투입이 필요하다는 것이다.

하지만 우리는 R&D나 벤처 창업 분야에는 상대적으로 많은 재원을 투입하지만, 연구 성과와 시장을 연결하는 브리지 구간, 즉 기술과 제품, 실험실과 시장, 연구자와 기업인 등을 연결하는 실증 단계에 대한 재원의 투입은 상당히 부족한 편이다. 물론 R&D 재원 내에 이러한 격차를 극복하는 데 활용할 수 있는 할당량이 있으나, 그 규모나 유인은 적정하게 작동하지 못할 수준이다. 이처럼 부족한 재원, R&D와 기술 사업화를 연계하지 못하는 제도, 그리고 테스트와 실증을 혼동하는 상태에서 실증 단계로 진입하지 못한 기술은 결국 1차 성과인 논문이나 특허 수준으로 남는다. 이것이 휴면 특허나 장롱 특허라고 비난받는 부분이다.

해외에서 발표된 다양한 보고서를 보면, 이러한 격차를 메우기 위한 공공 기관들의 노력을 찾아볼 수 있다. 예를 들어, 스위스의 연방재료과학기술연구소EMPA는 단지 기초 기술의 확보에서 멈추지 않고, 실증 모델을 통해 해당 성과가 산업계로 이어지도록 힘을 쏟고 있다. 이러한 시도는 대다수 기술이 실험실에서 작동한다고 해서 규모가 큰 산업 현장에서도 그대로 작동하는 것은 아니라는 이해에서 출발한다.

도시 관점에서 보면, 토요타가 구축한 미래 스마트시티 '우븐 시티wo-ven city'가 있다. 우븐 시티에서는 단지 특정 기술, 제품, 서비스를 실증하는 것이 아니다. 제품, 서비스 그리고 공급자와 수요자 및 관련 서비스 제공 주체들이 하나의 도시에서 어떻게 상호 관계를 형성하면서 경제적 가치를 영위하는가에 대해 시스템 또는 시장 관점에서 테스트한다. 이를 위해 넓은 공간 안에서 대기업부터 대학에 이르기까지 다양한 혁신 주체를 모은다. 하지만 우리는 기술 실증 과정에서 발생 가능한 사고 위험에 대한 책임, 다학제 간 연결에서 직면하는 물리적 제약과 규제 등으로 인해 이러한 도전마저 제한을 받고 있다.

메타버스 세계를 통한 기술 사업화 도전

이제까지 알려진 대로라면 메타버스에는 분명 물리적 제약이나 주체 간 연결에서의 어려움을 최소화할 수 있는 특성이 있다. 이러한 특성은 기술 사업화를 위한 물리적 제약이나 규제 덤불을 넘어서 글로벌 차원의 다양한 주체나 재원을 모은, 이른바 '집단 지성의 결합'을 가능하게 할 것이다. 기술 사업화의 제약 요인으로는 흔히 실패 위험뿐 아니라, 협력·공간·제도·규모의 제약 등이 제시된다. 그런데 '공동 창조를 위한 가상 실험실co-creation virtual lab'에서라면 여러 제약에서 벗어나 다양한 시도를 해볼 수 있을 것이다.

물리적 존재와 가상의 존재가 데이터와 소프트웨어를 통해 연결되어 현실 상황을 가상에서 시뮬레이션하고, 그 결과를 현실에 반영할 수 있는 '디지털 트윈'은 바로 이러한 제약을 넘어서는 도전으로 알려져 있다. 디지털 트윈 관련 기술에 집중하는 GE의 경우 항공, 오일과 가스, 발전, 전력망, 제조 등 각 분야의 특성에 부합하는 유형별로 나누어 디지털 트윈을 적용한다. 예를 들어, 산업 빅데이터 기반의 자산 디지털 트윈asset digital twin은 발전 및 오일과 가스 산업의 예지 보전을 목적으로 한다. 네트워크 디지털 트윈network digital twin은 전력망 그리드를 최적화하며, 프로세스 디지털 트윈process digital twin은 제조업 프로세스를 최적화한다.

BMW는 엔비디아 옴니버스NVIDIA Omniverse 플랫폼에 디지털 트윈 공장을 구축하고 신차 제조 과정 시뮬레이션과 로봇, 예지 보전, 빅데이터 분석 등의 디지털 기술 적용 테스트 등을 진행하며, 포스코의 디지털 트윈 포스플롯Digital Twin PosPLOT은 제선과 제강 공정에서 발생하는 탄소 배출 등의 환경 영향과 최소 비용으로 최적의 배합을 내고 있는지 수익성에 관한 종합 분석을 시행한다. 웨이모Waymo는 '시뮬레이션 시티'를 구축하고 시티 내에 자율주행 자동차 추돌 실험 거점을 두었다.

제조뿐 아니라 도시 또한 디지털 트윈을 통해 도시가 갖는 문제 해결에 도전하고 있다. 예를 들어, 영국의 브리티시 트윈British Twin은 도로, 운송 등 관련 인프라를 디지털 트윈과 연결해 유지·보수·관리, 그리고 사용 관련 지체 상황의 조정 등에 활용하며 효율성과 안전성을 높이려고 노력하고 있다. 또 영국의 과학기술협회인 테크UKTechUK는 '국가 디지털 트윈NDT, national digital twin'을 중심으로 영국의 인프라 시스템과 환경 조성을 추진하며, 인프라와 디지털 트윈 공급자들과의 관계를 형성하고 이들을 체계화하고자 한다. 또 다른 모델로는 싱가포르를 가상의 도시로 구현한 '버추얼 싱가포르Virtual Singapore'를 꼽아볼 수 있다. 싱가포르의 3D 지도를 포함해 모든 데이터를 연결해서 싱가포르가 직면할지도 모를 다양하고 복잡한 문제를 시뮬레이션하는 것이다. 정부, 대학과 연구 기관, 시민, 산업계 등 다양한 유형의 파트너들이 참여하며 수로, 식목, 교통 인프라, 주택, 에너지 등의 흐름을 한눈에 파악하고 국가 재난 상황을 예측해 문제점과 해결 방안을 찾는 모델이다. 말 그대로 다多주체 협력 모델이라 할 수 있다.

메타버스와 지식재산권: 지식재산 접근의 모호성이 만들어내는 질문들

현실 세계와 가상 세계가 서로 연결되어 경제와 사회 활동이 호환된다면, 현실 세계를 형성하고 존속시키기 위해 합의한 규정을 가상 세계에서도 똑같이 적용할 수 있을까? 이는 메타버스에 대한 논의와 함께 우리가 직면한 기본적인 질문 가운데 하나다.

예를 들어, 특허권은 창작자 또는 발명자의 창의적 활동을 통해 창출된 결과물에 대해 일정 기간 독점적 지위를 부여하는 것으로 알려져 있다. 그렇다면 메타버스에 존재하는 창작자가 창의적 활동을 통해 창출한 결과물에도 역시 일정 기간 독점적 지위를 부여할 수 있을까?

창작자의 권리를 보호해야 한다는 기본 개념은 같을 수 있다. 그런데 누가 메타버스 세계에서 이 권리를 부여할 수 있을까? 메타버스 플랫폼에 특허청처럼 인정 가능한 특허권 발부 기관을 설립해야 할까? 또 특허권이 국지적 성격을 갖는다는 측면에서의 이슈도 있다. 즉, 각 메타버스 플랫폼이 하나의 국지적 경계를 갖는다고 보고, 메타버스 플랫폼마다 따로 요청해야 할까? 세계지식재산기구WIPO의 역할은 메타버스에서도 유지되는 것인가, 혹은 별도의 메타버스 지식재산기구가 있어야 하는가? 더 나아가 무역 관련 지식재산권협정TRIPs은 메타버스에서도 적용할 수 있는가? 또 현실 세계에서 특허 업무를 다루는 변리사는 메타버스라는 새로운 시장에서도 활동할 수 있는가, 아니면 메타버스 세상에서는 또 다른 자격증이 필요할까? 이처럼 현실 세계 법규인 저작권, 산업재산권, 개인 정보 보호법, 부정경쟁방지법 등을 디지털 세계에 적용하려면 다양한 논의가 선제적으로 이루어지고 그 해법이 나와야 한다.

현재 많은 국가와 전문가들은 풀어야 할 이와 같은 과제들 가운데 첫 번째로 창작자에 대한 이슈를 꼽는다. 예를 들어, AI 기반 가상의 주체인 디지털 휴먼이 갖는 창작자의 권리, 지식재산 결과물에 대한 권리, 공동 연구진으로서 관계 정립 등이 그러한 이슈들이다. 즉, 디지털 휴먼이 행하는 창작 활동의 권리를 어떻게 보호할 수 있는지의 문제다. AI 화가 아이다Ai-da는 인간 화가처럼 그림을 그리고 작품의 판매를 통해 수익을 창출한다. 그런데 여기서 관련 결과물에 대한 저작권 부여가 불가능하다면, 권리가 없는 주체에게 권리에 대한 가격을 지불하는 것이 적절할까? 개인 정보 보호법의 보호 대상에 디지털 휴먼도 포함이 될까?

또 현실 세계에 존재하는 건축물이나 디자인·상표 등을 가상공간에 조성한다면, 그 권리의 주체는 현실 세계 해당 대상물의 소유권자일까, 이를 메타버스 세계에 구현한 주체일까? 아니면 특허법 제38조(특허를 받을 수 있는 권리의 승계)에 따라 이들 간의 권리 승계가 필요한가? 현실 세계의 소유권자는 대상물 구현을 위해 필요한 데이터의 소유권만 가지는가, 혹은 구현된 결과물 자체를 갖는 것인가? 반대로 메타버스에서 구현되는 대상물을 현실 세계에서 구현한다면 이러한 경우의 권리 관계는 또 어떻게 되는가? 그리고 이미 세상에 존재하는 대상에 대한 특허등록을 불허하는 신규성新規性 기준은 메타버스와 현실 세계에서 어떤 식으로 구분할 수 있는가?

지식재산 적용의 모호성은 지식재산의 보호와도 연계된다. 가령 앞에서 살펴본 기술 사업화의 새로운 도전 무대인 '공동 창조를 위한 가상 실험실'과 관련해서도 여러 이슈가 제기된다. 실증 연구 결과물의 해킹으로 데이터가 소멸되는 위기 상황을 예측해볼 수 있는데, 특히 우주, 에너지, 자율 수송, 거대 장치와 같이 막대한 재원을 투입한 대규모 프로젝트이면서 시험 과정을 반복하기 어렵거나 실패 위험이 큰 분야의 경우일수록 메타버스 기반으로 실증해야 하지만 이를 위해 수집·가공한 데이터가 손실되면 관련 주체들의 자산과 노력이 한순간 사라질 수도 있다. 이를 방어하려면 기술과 제도 측면에서 대응책을 마련해야 한다. 그런데 권리관계가 명확하지 않다면 보호의 대상 또한 확정할 수 없다.

우리가 기대했던 메타버스라는 새로운 공간으로의 진입을 위해서는 디지털 세계로 확장된 개인 자산의 권리 형성과 보호, 현실 세계의 법규(국지적 성격)와 디지털 세계(탈국지적 성격)의 연계 등을 위해 전 세계가 공동으로 논의해야 한다. 또 글로벌 표준 가이드라인 설계, 가상 세계에서 활용되는 개인정보·기업 정보(기밀)·국가 정보(안보) 등의 보호 및 제재 조치 설계, 가상 자산을 '재물'로서 인정하기 위한 규정상의 조건 및 부정행위 금지 규정 설계 등에 내한 검토가 필요하다.

메타버스라는 신대륙을 발견했다는 성취감에 빠져 무한한 자유와 도전의 장밋빛 미래만 기대하기에는 이르다. 아직 해결하지 못한 현실의 법·제도 문제가 산적해 있다. 현실 세계의 저작물 보호를 위한 베른협약과 특허 보호를 위한 파리조약 등 지식재산 형성을 위해 이루어냈던 공동의 합의 노력과 같이 디지털 세계의 지식재산 체계도 세계가 공동으로 형성해야 한다. 세계 공동 기준 설계 등을 위해 집단 지성의 힘을 다시 한번 발휘할 시점이다.

애그테크와 농촌의 미래

2022년 여름은 특히 전 세계 농가들에 가혹한 시간이었다. 기후변화로 유럽과 미국을 강타한 기록적인 폭염, 러시아-우크라이나 전쟁으로 혼란에 빠진 곡물 수출입 네트워크, 세계적 과제가 된 에너지 전환과 탄소중립 모두 농가의 고충을 더하는 요인들이다. 이러한 어려움에 놓인 것은 우리 농가도 마찬가지다. 이상기후로 작황은 부진한데 코로나19에 따른 외국인 노동자 수급 난항으로 일손도 부족했고, 농가의 고령화 문제도 더욱 심해졌다. 총체적 난관이라고 해도 과언이 아니다. 50%를 밑도는 식량자급률을 고려하면 상황은 더 심각하다. 세계 주요 식량 수출국들의 수출 제한 등으로 공급 체계에 균열이 생겼기 때문이다.

지구적 가치사슬로 연결된 식량 네트워크가 원활하지 못하다는 것은 식량 수입 의존도가 높은 국가에게는 더 큰 위기로 다가올 수밖에 없다. 사실 우리의 농업·농촌은 나름의 변화를 추구해왔다. 첨단기술을 도입하고 농촌 생활 면에서도 다양한 서비스 접근성을 개선했다. 그러나 거대한 환경 변화 속에서 경쟁력을 갖추기 위해서는 이보다 더 새롭게 도약해야 한다. 농부의 땀방울이 아니라 첨단기술을 활용하는 새로운 전략이 필요하다.

농업·농촌의 기반 취약성

눈부신 성장을 거둔 다른 분야와 비교했을 때 그동안 우리나라의 농업·농촌은 상대적으로 큰 발전을 이루지 못했다. 농업 GDP는 꾸준히 증가했으나 성장률은 다른 산업 부문보다 저조했다. 식량자급률도 계속 하락해 국민이 소비하는 식량 절반 이상을 해외에서 조달한다. 국내 생산 정체, 농지 면적 감소, 수입 증가, 국민의 식습관 변화 등과 같은 요인으로 식량자급률은 2020년 기준 45.8%를 간신히 기록했다. 쌀 자급률만 90%가 넘고 나머지 곡물의 자급률은 20% 수준이다. 축산 사료를 포함해 필요한 곡물의 80% 정도를 수입한다는 얘기다. 실제로 우리나라는 세계 7위 곡물 수입국으로 OECD 회원국 가운데 식량자급률이 최하위권이다. 식량안보지수가 매우 낮은 것이다. 특히 특정 국가에 대한 수입 의존도가 높아 식량안보가 더 취약하다.

국회예산정책처의 2021년 〈곡물 수급안정사업·정책 분석〉 보고서에 따르면, 2019년 기준 국내 곡물 수요량 가운데 74%를 수입에 의존했다. 주로 소맥·옥수수·콩·대두 등을 수입했고, 미국(31.4%)과 아르헨티나(26.6%)로부터 가장 많은 곡물을 수입한 것으로 나타났다. 전쟁 중인 러시아(3.9%)와 우크라이나(2.8%)로부터의 수입 비중은 크지 않지만, 두 나라가 모두 주요 곡물 수출국인 점에서 수출 제한 조치에 따른 공급망의 영향을 언제든지 받을 수 있다. 최근의 곡물 가격 급등 현상도 이러한 배경에서 비롯됐다.

농촌인구의 감소와 고령화도 문제다. 통계청이 2022년 4월 발표한 〈2021년 농림어업조사 결과〉에 따르면 농가는 103만 1,000가구로 전년 대비 4,000가구(0.4%) 감소했고, 농가 인구는 221만 5,000명으로 전년보다 9만 9,000명(4.3%) 줄었다. 연령별 농가 인구는 70세 이상이 72만 명(전체 농가 인구의 32.5%)으로 가장 많았고, 60대 66만 1,000명, 50대 37만 3,000명 순이었다. 60세 이상 농가 비율이 77.3%, 경영주 평균 연령은 67.2세로 고령화가 더 심해졌다.

최근 귀농·귀촌 및 외국인 유입에 힘입어 소폭 증가하기도 했던 농촌 인구는 코로나19의 영향으로 외국인 노동자 수급이 어려워지면서 다시 구조적 취약성을 노출하고 있다. 지자체나 농협중앙회 같은 관련 기관을 중심으로 청년 농업인 육성 사업들을 진행하고 있지만, 농업과 농촌의 활력을 높이려면 젊고 유능한 농업인 육성을 더 확대하고 실무 중심으로 전문화해야 한다.

농가 수익성 정체나 하락으로 도농 간 소득 격차가 커지는 것도 심각한 문제다. 2009년 이후 농업 소득과 비경상 소득의 감소로 농가의 호당 소득이 줄어들었다. 2012년 이후에는 농업 소득과 비경상 소득이 증가세로 전환하면서 농가 소득이 회복세를 보이는 듯했으나, 실질 농업 소득은 1994년 1,734만 원을 정점으로 오히려 감소해 2019년에는 1,026만 원으로 1994년 대비 40% 넘게 줄었다. 2021년에는 1,296만 원을 기록했지만, 이 역시 1994년 대비 25% 넘게 감소한 수준이다.[239] 농가 평균 소득은 2016년 3,720만 원에서 2021년 4,776만 원으로 5년

만에 28% 넘게 상승하기는 했지만, 이를 도시 근로자 가구(4인 기준) 평균 소득과 비교하면 그 격차는 더 빠르게 벌어지고 있다. 도시 근로자 가구 소득 대비 농가 소득 비중은 2000년 80.5% 수준에서 2019년 62.2%까지 하락했다.[240]

농정 패러다임 변화와 미래전략

농업의 성장 정체와 도농 간 소득 격차는 우리 사회가 안고 온 오래된 과제다. 그런데 여기에 더해 식량안보, 식품 안전, 환경·에너지·자원 위기 등 새로운 도전 과제가 등장했다. 이를 해결하려면 무엇보다 기술과 환경의 변화를 반영해 농업, 농촌, 식품, 환경, 자원, 에너지 등을 포괄하는 농정 혁신의 틀을 마련해야 한다.

우선 농정, 즉 농업에 관한 정책을 생산 중심의 정책에서 벗어나 농업의 전후방 관련 산업과 생명 산업 전반을 아우르며 주민의 삶의 질을 고려한 공간 정책으로까지 확대하는 관점이 필요하다. 농정의 추진 방식도 직접적 시장 개입은 최소화하고, 민간과 지방정부가 주도적으로 나설 수 있도록 뒷받침해야 한다. 즉, 정부는 시장 개입보다 시장 혁신을 유도할 수 있는 제도를 마련해야 한다. 정부와 민간, 중앙정부와 지방정부 간 적절한 역할 분담과 협조 체계를 구축하는 새로운 거버넌스도 확립해야 한다.

한편 미래 농정의 비전을 성장, 분배, 환경이 조화된 지속 가능한 농업·농촌으로 삼아야 한다. 발전 목표로는 농업 생산자에게는 안정적 소득과 경영 보장, 소비자에게는 안전한 고품질의 농식품 제공, 후계 세대에게는 매력 있는 친환경 경관과 삶의 질 향상을 제시할 수 있다. 이러한 비전과 목표를 달성하고 농업·농촌의 활력을 유지하기 위해 첨단기술이나 새로운 비즈니스 모델을 도입해야 한다. 그러나 아직은 4차 산업혁명 기술 적응도가 낮은 농촌 상황을 고려해 정부의 추가적 지원과 맞춤형 인큐베이팅 시스템이 필요하다.

그 밖에 기후변화에 대응하는 차원에서 한국의 농업 패러다임도 새롭게 정립해야 한다. 한반도의 온난화가 가속화되고 있는 가운데 신규 소득 작목으로 아열대 작물이 주목받고 있기 때문이다. 아열대 작물 재배 소득이 높아지면서 재배 농가도 해마다 증가하는데, 2020년 기준 우리나라 전체 아열대 작물 재배 농가는 1,376호로 조사되었으며, 생산량은 약 5,700톤에 달한다.[241] 한반도 아열대 면적은 2060년 26.6%, 2080년 62.3%로 확대될 것으로 전망되기도 한다.[242] 이러한 변화와 함께 소비자 기호 변화의 흐름도 고려해야 한다.

첨단 과학기술을 활용한 스마트 농업 보편화

4차 산업혁명은 농업 생산, 유통 및 소비 등 농촌 경제에도 두루 영향을 미친다. AI 등 첨단기술을 기반으로 한 스마트 농업이 우리 농촌에도 널리 확대되어, 고능률의 작업 쾌적화 기술을 개발·보급하고 있다.

스마트팜은 농업에 ICT를 접목해 센서, 정보통신, 제어 기술 등을 갖추고 작물의 생육 환경(빛, 공기, 열, 양분 등)을 시공간의 제약 없이 적절하게 조절해 영농의 효율성을 극대화한 네트워크화된 농장이다. 일례로 전북 김제의 '더하우스THE HOUSE 아침에 딸기'[243]는 ICT 기술을 적용한 딸기 농장이다. 2013년 'ICT 융·복합 확산 사업'에 참여해 스마트팜 시설을 도입한 후 온실 환경을 안정적으로 관리하면서 최적의 생육 환경에서 딸기를 재배함으로써 생산력을 증대시켰다. 이처럼 첨단기술을 이용한 농작물의 생육 환경 최적화로 생산량을 늘리는가 하면 수확량 예측부터 제초, 선별, 수확 과정에 AI 로봇이 활용되고 있으며, 자율 작업 기술을 이용한 무인 자동 농기계가 곧 상용화할 것으로 보인다.[244] 해외에서는 잡초 제거 로봇LettuceBot을 비롯해 수확 로봇, 자동 착유 시스템Astronaut, 위성 송수신 활용 농기계 시스템 등을 개발해 실제 사람의 노동력을 대체하고 있다.

국내에서도 농업 자동화 기술과 농업용 로봇의 수요가 증가하고 있으며, 이러한 변화는 농장 단위의 스마트팜에서 농업 전후방 산업 영역까지 확장되고 있다. 또 인공 강우가 실용화하고, 기후변화에 대응해 개발한 품종을 널리 적용함으로써 농업 생산의 불확실성을 줄일 것으로 예측된다. 농작물의 생육 환경을 인공적으로 자동 제어해 주문형 맞춤 생산과 사계절 전천후 농산물 생산이 가능한 '식물 공장'이나 고층 빌딩을 농경지로 활용하는 '수직농장vertical farm'이 그러한 농작의 예다.

서울 지하철 상도역과 충정로역 등에서 운영하고 있는 메트로팜Met-roFarm, 대형 가구 매장의 파르마레Farmare 등이 도시형 수직농장이다.[245] 수직농장은 상하로 쌓인 선반을 통해 협소한 공간에서 생산성을 높이는 방식으로 가뭄, 홍수, 병충해 등의 영향을 받지 않고 1년 내내 가동하며, 농약과 화학비료 없는 먹거리를 생산할 수 있다. 또한 도시 내에서 작물을 생산할 수 있으므로 푸드 마일food miles*을 최소화하는 장점도 있다.

---

* 농산물 등 식재료가 생산지에서 소비자의 식탁에 오르기까지의 이동 거리.

또 최근 국내 농산업 시장에서 큰 폭의 성장세를 보이는 것이 드론 시장이다. 다국적 회계 감사 기업 PWC의 시장조사에 따르면, 2020년 전 세계 드론 시장의 25%를 농업용 드론이 차지했다. 현재 국내에 보급된 농업용 드론은 병충해 방제용이 대다수지만, 앞으로 토양 상태 측정, 파종, 작물 모니터링 등에 두루 활용할 전망이다. 이처럼 제초 로봇 등 농촌에서 사람을 대신해 일할 수 있는 스마트 기계의 개발이 활발히 진행 중이다. 물론 아직 상용화 초기 단계여서 많은 한계가 있지만, 여러 산학연 등에서 연구가 계속 이루어지고 있고 이러한 스마트 농기계 연구가 진척되면 농촌 인력의 공백도 메우고 영농 진출의 진입 장벽도 낮출 수 있을 것이다.

도시와 농촌의 만남, 공유 농업

에어비앤비나 카카오택시 같은 공유경제 시스템을 반영한 '농업판 공유경제'도 확대될 전망이다. 공유 농업은 농민이 소유하고 있는 농지, 농업 자원, 농업 지식 등을 소비자와 함께 공유하는 새로운 형태의 농촌 프로젝트다. 기존의 주말농장보다 진일보한 방식이라고 할 수 있다. 농업 자원을 소유한 생산자와 투자 및 소비를 통해 참여하는 소비자가 공유 농업 플랫폼 등을 통해 연결되어 생산과 체험 등의 활동을 함께 하는 것이다. 이를 통해 소비자는 농촌 활동에 참여할 뿐 아니라 안전한 먹거리를 직접 구할 수도 있고, 농민은 적정 생산과 공정 가격을 통해 안정된 농업 경영의 기반을 만들 수 있다.[246] 공유 농업 프로젝트가 더 활성화하면 공동 경작뿐 아니라 다양한 농촌 체험과 문화 예술 활동으로도 접목될 전망이다.

농생명 그린바이오 산업 발전

과거 농산물 생산이 전부였던 농업은 앞으로 동식물 자원 이용 산업으로도 발전할 것이다. 동식물 자원을 이용한 그린바이오(농생명) 산업은 IT, BT, NT와 융·복합되어 고부가가치를 창출하는 산업으로 발전할 것이며, 국내 식물 자원을 활용한 식물 종자(형질 전환), 바이오에너지, 기능성 제품(천연 화장품, 향료, 의약품), 동물 자원을 활용한 가축 개량, 동물 제품(이종 장기, 줄기세포), 동물 의약품, 미생물 자원을 활용한 발효식품 등의 산업화도 더 확대될 것이다.

그런데 동물과 식물에서 추출한 유효 성분을 바탕으로 만드는 바이오 작물 보호제 같은 친환경 제품의 개발에는 큰 비용이 들고 개발 완료까지 상당한 기간이 소요된다. 그런 점에서 이 부분에 대한 정부의 연구개발 지원을 확대해야 한다. 정부도 생명공학 기술 기반의 그린바이오 산업을 미래의 핵심 산업으로 삼아 육성 방안을 발표한 바 있다.[247] 2030년까지 관련 유망 산업을 2배 이상 성장시킨다는 목표인데, 여기에는 대체 식품, 메디 푸드, 동물용 의약품 등이 포함되어 있다.

농촌 지역의 6차 산업 활성화

농업은 목축, 수렵, 어업, 광업 등과 함께 1차 산업이다. 하지만 앞으로는 식품 가공을 통해 부가가치를 창출하는 2차 산업 요소와 서비스 산업이라는 3차 산업 요소가 결합할 것이다. 농촌 체험, 농촌 관광, 휴양, 치유와 힐링, 농식품 전자 상거래, 농산물 계약 거래와 선물거래, 귀농·귀촌(알선, 정보 제공, 교육), 사이버 교육, 농업금융, 농업 정보화, 농업 관측, 외식 서비스, 광고 같은 다양한 비즈니스가 1차 산업인 농업과 연계되는 것이다. 이처럼 1차·2차·3차 산업이 합쳐진 농업을 6차 산업이라고 부른다. 6차 산업화 개념은 제조 분야의 4차 산업혁명과 궤를 같이 하는 개념이다. 농촌 지역의 6차 산업화가 활성화하면, 농업과 연계된 가공, 마케팅, 농촌 관광 등 전후방 연관 산업도 발달한다. 전원 박물관, 전원 갤러리, 테마파크 등이 농촌 지역을 중심으로 발달함으로써 농촌이 문화 콘텐츠 산업의 주요 무대로도 성장할 것이다. 경관 관리사, 귀농 컨설턴트, 문화 해설사, 바이럴 마케터 같은 다양한 신직종이 출현할 수도 있다.

이러한 6차 산업 활성화를 위해서는 이종 산업 간 연대가 필요하다. 농업 경영의 주체만으로는 신상품 개발이나 국내외 시장 개척, 지역 브랜드화 등에 한계가 발생하므로 신제품 개발 기술을 가진 식품 제조업체, 유리한 판매망을 가진 소매업체 등과의 비즈니스적 협력 관계가 이루어져야 한다.

데이터 기반 애그테크 농업[248]

농업agriculture과 기술technology을 결합한 애그테크agtech가 미래 농업의 키워드가 되고 있는 가운데 농업의 생산·유통·소비 전반에서 디지털 농업으로의 전환이 가속화하고 있다. 4차 산업혁명의 핵심 기술인 인공지능과 빅데이터를 바탕으로 하는 디지털 농업은 농업 데이터 플랫폼에서 수집한 생산·유통·소비 데이터를 AI가 분석하고 여기서 도출된 최적의 의사결정을 다시 현장에 적용함으로써 농업 전 과정의 효율성을 증대하고 자원 사용의 최적화를 이루는 것이다.

우선 생산 분야에서는 기후 정보, 환경 정보, 생육 정보를 자동으로 측정·수집·기록하는 '스마트 센싱과 모니터링', 수집한 데이터(영상, 위치, 수치)를 분석하고 영농 관련 의사결정을 수행하는 '스마트 분석·기획', 스마트 농기계를 활용해 농작업(잡초 제거, 착유, 수확, 선별, 포장 등)을 수행하는 '스마트 제어'의 특성들이 구현되고 있다.

유통 분야에서도 4차 산업혁명 기술을 활용해 농산물 유통 정보를 실시간 공유하고 대응할 수 있다. 블록체인 기술을 접목하면 생산 이후 소비자에게 이르기까지 모든 유통 과정을 추적할 수 있고, 사물인터넷 기술로 유통 중 온도와 습도 등을 확인해 변질 상태 등 세밀한 부분까지 관리할 수 있다. 실제로 해외에서는 관련 기술을 활용해 농산물 유통 혁신을 이루는 대규모 프로젝트(네덜란드의 더스마트푸드그리드The Smart Food Grid, 이탈리아의 미래형 슈퍼마켓, 호주의 애그리디지털Agridigital 등)를 진행하고 있다.[249]

농산물 소비 분야에서는 수요자가 주도하는, 즉 소비자의 요구 사항을 생산자에게 실시간으로 전달하고 이에 맞춰 생산된 제품을 선택·소비하는 온디맨드on-demand 마켓의 확장을 통해 이전과는 다른 소비 행태가 대두할 것으로 보인다.

한편 애그테크 농업의 발전을 위해서는 디지털 농업 기술을 활용할 능력을 갖춘 민간 기업체의 적극적 참여가 이루어져야 한다. 그런 점에서 애그테크 관련 기술과 인력, 자금이 한곳으로 모이는 애그테크 생태계를 조성해야 하고, 관련 인프라와 법규(농업용 빅데이터 활용 관련 법령, 농축산물 품질·규격 및 상품 코드 표준화 등) 또한 정비해야 한다. 이를 위해서는 무엇보다 거버넌스(주관 부서) 체계가 갖춰져 미래 로드맵 작성은 물론 산업적 기반을 넓히는 노력을 해나가야 한다. 또 현장 밀착형 기술을 개발하고 이를 담당할 애그테크 전문 인력을 양성해야 한다.[250] 아울러 애그테크 농업의 도입으로 발생할 기존 농업인들의 경쟁력 약화를 메울 수 있는 장치도 마련해야 한다.

농촌 주민의 삶의 질 향상 및 농촌 공간의 문화 산업화

젊은 귀농인들은 농촌에 살면서 반은 자급적 농업에 종사하고 나머지 반은 저술, 마을 만들기, 자원봉사, 예술 창작 활동, 향토 음식 개발, 지역 자원 보전 활동 같은 자신이 하고 싶은 일을 병행하는 '반농반X'의 라이프스타일을 가지는 경우가 많다.

이러한 젊은 귀농인들이 농촌의 삶이 버거워 포기하고 다시 도시로 돌아가는 것을 방지하는 차원에서 기존 지역민들과의 융합 및 농촌에서의 소득 활동에 대한 체계적인 지원이 필요하다. 또한 농촌의 정주 환경을 개선하는 동시에 생활 서비스 접근성도 높여 농촌을 국민 전체에게 열린 삶터로 조성해야 한다. 자연환경 보전, 역사 문화 자원 보전, 농촌 어메니티 자원의 발굴과 가치 제고 등을 통해 '농촌다움rurality'을 가꾸어 새로운 경쟁력의 원천으로 활용해야 한다. 삶의 질을 중시하는 젊은 세대의 라이프스타일에 부응할 수 있도록 자연, 경관, 문화를 보전해 미래 수요에 대비함으로써 농촌 발전의 잠재력을 증진하는 것이다.

한편 농촌 공간을 관광지 또는 문화 공간으로 확장해가는 시도도 필요하다. 가령, 세종시의 경우 팜카페·아카데미 형태의 농장을 조성해 도시민과 함께 즐기고 참여하는 농업 활성화를 추진하고 있는데, 2022년 7월 개장한 '도도리파크'는 과수 체험장과 파머스마켓 등을 완비한 농촌 테마공원이다. 딸기를 테마로 조성한 논산시의 '딸기향 농촌 테마공원'도 이러한 사례다. 농촌진흥청도 지역별로 특화된 농촌 관광 프로그램인 '우리 농촌 갈래?'를 소개한 바 있다.[251]

현재를 바탕으로
미래를 바라보다

'아시아 평화 중심 창조 국가'를 만들기 위해 추가적 보완을 거듭한 아홉 번째 국가미래전략 보고서를 내놓습니다. 완벽하다고 생각하지 않습니다. 국가의 미래전략은 정적인 것이 아니라 동적인 것이라고 생각합니다. 시대와 환경 변화에 따라 전략도 변해야 합니다. 현재를 바탕으로 미래를 바라보며 더욱 정제하고 분야를 확대하는 작업을 시작했습니다. 해를 거듭하며 온·오프라인으로 열렸던 토론회와 수업 내용을 기반으로 전문가들이 원고를 작성하고 검토했습니다. 이번에는 특히 미국과 중국을 중심으로 치열해지고 있는 기술 패권 경쟁의 의미를 읽고 대응 방안을 고민했습니다. 아울러 사회, 기술, 환경, 인구, 정치, 경제, 자원 등 7개 분야를 합쳐 총 50개의 전략을 제시했습니다.

국가의 목적은 국민의 행복입니다. 〈문술리포트〉의 목적도 국민의 행복입니다. 국민의 행복을 생각하며, 시대의 물음에 '선비정신'으로 답을 찾고자 했습니다. 오늘 시작은 미약하지만, 끝은 창대할 것입니다. 함께 한 모든 분이 우국충정憂國衷情의 마음으로 참여해주셨습니다. 함께해주신 모든 분께 진심 어린 감사와 고마움의 마음, 고개 숙여 전합니다. 감사합니다.

기획·편집위원 일동

《카이스트 미래전략 2023》 발간에 함께한 사람들

■ 직함은 참여 시점 기준입니다.

《카이스트 미래전략》은 2015년 판 출간 이후 계속해서 기존 내용을 보완하고, 새로운 과제와 전략을 추가해오고 있습니다. 또한 '21세기 선비들'의 지혜를 모으기 위해 초안 작성자의 원고를 바탕으로 토론 의견을 덧붙이고, 다수의 검토자가 보완해가는 공동 집필의 방식을 취하고 있습니다. 2015~2022년 판 집필진과 이번 2023년 판에 참여하신 집필진을 함께 수록합니다. 참여해주신 '21세기 선비' 여러분께 다시 한번 깊이 감사드립니다.

기획 · 편집위원

이광형 KAIST 총장, 정재민 KAIST 교수(문술미래전략대학원장), 서용석 KAIST 교수(위원장, 연구책임자), 곽재원 가천대 교수, 김경준 전 딜로이트컨설팅 부회장, 김상윤 중앙대 교수, 김형준 KAIST 교수, 김홍중 서울대 교수, 박성필 KAIST 교수, 양재석 KAIST 교수, 이명호 태재연구재단 자문위원, 이상윤 KAIST 교수, 이종관 성균관대 교수, 임명환 한국전자통신연구원 책임연구원, 전우정 KAIST 교수, 전주영 KAIST 교수, 정재승 KAIST 교수, 차지호 KAIST 교수, 최연구 전 한국과학창의재단 연구위원, 최윤정 KAIST 연구교수, 한상욱 김앤장 변호사, 한지영 KAIST 교수

2023년 판 추가 부분 초고 집필진

고선규 대구대학교 교수, 권영수 한국전자통신연구원 책임연구원, 김승현 과학기술정책연구원 연구위원, 김용삼 한국생명공학연구원 책임연구원, 김익재 한국과학기술연구원 AI · 로봇연구소장, 김재완 고등과학원 부원장, 김한호 서울대 교수, 문홍규 한국천문연구원 우주탐사그룹장, 박종구 ㈜나노융합2020사업단 단장, 배희정 케이엠에스랩㈜ 대표이사, 백서인 과학기술정책연구원 과학기술외교정책연구단장, 소재현 아주대 교수, 손수정 과학기술정책연구원 선임연구위원, 손영동 전 한양대 교수, 손준우 ㈜소네트 의장, 송영근 한국전자통신연구원 책임연구원, 송태은 국립외교원 교수, 신태범 성균관대 교수, 안병옥 한국환경공단 이사장, 오윤경 한국행정연구원 연구위원, 원소연 한국행정연구원 규제연구센터 소장, 이동욱 한국생산기술연구원 수석연구원, 이명호 태재연구재단 자문위원, 이춘우 서울시립대 교수, 임명환 한국AI블록체인융합원 원장, 임현정 서울연구원 부연구위원, 임화섭 한국과학기술연구원 인공지능연구단장, 정경윤 한국과학기술연구원 에너지저장연구센터장, 정영록 서울대 교수, 조용래 과학기술정책연구원 연구위원, 조 철 산업연구원 선임연구위원, 차정미 국회미래연구원 국제전략연구센터

장, 차현진 한국은행 지문역, 최연구 부경대 겸임교수

2015~2022년 판 초고 집필진

강희정 한국보건사회연구원 실장, 고영회 대한변리사회 회장, 공병호 공병호경영연구소 소장, 곽재원 가천대 교수, 국경복 KAIST 겸직교수, 곽호경 삼정KPMG 경제연구원 수석연구원, 권석윤 한국생명공학연구원 책임연구원, 김건우 LG경제연구원 선임연구원, 김경준 딜로이트컨설팅 부회장, 김광석 삼정KPMG 수석연구원, 김남조 한양대 교수, 김대영 KAIST 교수, 김동환 중앙대 교수, 김두환 인하대 연구교수, 김명자 전 환경부 장관, 김민석 중앙일보 논설위원, 김민서 뉴스1 기자, 김상윤 포스코경영연구원 수석연구원, 김소영 KAIST 교수, 김수현 서울연구원 원장, 김연철 인제대 교수, 김영귀 대외경제정책연구원 연구위원, 김영욱 KAIST 연구교수, 김용삼 한국생명공학연구원 책임연구원, 김우영 한국건설산업연구원 연구위원, 김원준 건국대 교수, 김원준 KAIST 교수, 김유정 한국지질자원연구원 실장, 김익재 한국과학기술연구원 소장, 김익현 지디넷코리아 미디어연구소 소장, 김종덕 한국해양수산개발원 본부장, 김준연 소프트웨어정책연구소 팀장, 김진수 한양대 교수, 김진향 개성공업지구지원재단 이사장, 김현수 국민대 교수, 김형운 천문한의원 대표원장, 김희집 서울대 초빙교수, 남원석 서울연구원 연구위원, 문영준 한국교통연구원 선임연구위원, 박남기 전 광주교대 총장, 박두용 한성대 교수, 박상일 파크시스템스 대표, 박성원 과학기술정책연구원 연구위원, 박성호 YTN 선임기자, 박성필 KAIST 교수, 박수용 서강대 교수, 박승재 한국교육개발원 소장, 박원주 한국인더스트리4.0협회 이사, 박인섭 국가평생교육진흥원 박사, 박중훈 한국행정연구원 연구위원, 박진기 동아시아국제전략연구소 소장, 박한선 정신건강의학과 전문의, 배규식 한국노동연구원 선임연구위원, 배달형 한국국방연구원 책임연구위원, 배일한 KAIST 연구교수, 배희정 케이엠에스랩㈜ 대표이사, 백순영 가톨릭대 명예교수, 서용석 KAIST 교수, 설동훈 전북대 교수, 소재현 한국교통연구원 부연구위원, 손선홍 전 외교부 대사, 손영동 한양대 교수, 손준우 ㈜소네트 대표이사, 송미령 농촌경제연구원 선임연구위원, 송태은 국립외교원 연구교수, 시정곤 KAIST 교수, 신보성 자본시장연구원 선임연구위원, 신상규 이화여대 교수, 신태범 성균관대 교수, 심상민 성신여대 교수, 심재율 심북스 대표, 심현철 KAIST 교수, 안병옥 전 환경부 차관, 안상훈 서울대 교수, 양수영 더필름컴퍼니Y 대표, 양승실 전 한국교육개발원 선임연구위원, 엄석진 서울대 교수, 오상록 KIST강릉분원장, 오윤경 한국행정연구원 연구위원, 오태광 한국생명공학연구원 원장, 우운택 KAIST 교수, 원동연 국제교육문화교류기구 이사장, 위승훈 삼정회계법인 부대표, 유범재 KIST 책임연구원, 유승직 숙명여대 교수, 유정민 서울연구원 부연구위원, 유희열 부산대 석좌교수, 윤기영 FnS 컨설팅 대표, 윤영호 서울대 교수, 윤정현 과학기술정책연구원 선임연구원, 이광형 KAIST 교수, 이 근 서울대 교수, 이동우 연세대 교수, 이동욱 한국생산기술연구원 수석연구원, 이명호 한샘드뷰연구재단 자문위원, 이병민 건국대 교수, 이삼식 한국보건사회연구원 단장, 이상준 국토연구원 부원장, 이상지 KAIST 연구교수, 이상훈 ㈔녹색에너지전략연구소 소장, 이선영 서울대 교수, 이소정 남서울대 교수, 이수석 국가안보전략연구원 실장, 이승주 중앙대 교수, 이 언 가천대 교수, 이원부 동국대 교수, 이원재 희망제작소 소장, 이재관 자동차부품연구원 본부장, 이재우 인하대 교수, 이재호 한국행정연구원 연구위원, 이종관 성균관대 교수, 이혜정 한국한의학연구원 원장, 인 호 고려대 교수, 임두빈 삼정KPMG 경제연구원 수석연구원, 임만성 KAIST 교수, 임명환 한국전자통신연구원 책임연구원, 임정빈 서울대 교수, 임창환 한양대 교수, 임춘택 GIST 교수, 장준혁 한양대 교수, 전병조 ㈜여시재 대표 연구위원, 전봉근 국립외교원 교수, 정구민 국민대 교수, 정용덕 서울대 명예교수, 정재승 KAIST 교수, 정제영 이화여대 교수, 정지훈 경희사이버대 교수, 정해식 한국보건사회연구원 연구위원, 정홍익 서울대 명예교수, 조동호 KAIST 교수, 조명래 한국환경정책평가연구원 원장, 조성래 국무조정실 사무관, 조영태 LH토지주택연구원 센터장, 조재박 삼정회계법인 전무, 조 철 산업연구원 선임연구위원, 조희정 시강대 사회과학연구소 책임연구원, 짐 데이토 Jim Dator 하와이대 교수, 차미숙 국토연구원 연구위원, 차원용 아스팩미래기술경영연구소㈜ 대표, 차현진 한국은행 연구조정역, 최병삼 과학기술정책연구원 연구위원, 최슬기 KDI국제정책대학원 교수, 최연구 전 한국과학창의재단 연구위원, 천길성 KAIST 연구교수, 최은수 MBN 산업부장, 최항섭 국민대 교수, 한상욱 김앤장 변호사, 한표환 충남대 교수, 허민영 한국소비자원 연구위원, 허재용 포스코경영연구원 수석연구원, 허재준 한국노동연구원 선임연구위원, 허태욱 KAIST 연구교수, 홍승아 한국여성정책연구원 선임연구위원, 홍윤철 서울대 교수, 황덕순 한국노동연구원 연구위원

2015~2023년 판 자문 검토 참여자

강상백 한국지역정보개발원 글로벌협력부장, 강승욱 법무법인㈜ 화우 변호사, 강윤영 에너지경제연구원 연구위원, 강주연 홈즈컴퍼니 전 서비스본부장, 경기욱 한국전자통신연구원 책임연구원, 고영하 고벤처포

럼 회장, 공훈의 위키트리 대표이사, 구은숙 리앤목특허법인 파트너 변리사, 권오정 해양수산부 과장, 길정우 통일연구원 연구위원, 김건우 LG경제연구원 선임연구원, 김경난 특허청 사무관, 김경동 서울대 명예교수, 김경록 기획재정부 서기관, 김계환 위특허법률사무소 변리사, 김광석 삼정KPMG 수석연구원, 김광수 상생발전소 소장, 김국희 동국대학교 산학협력단 변리사, 김기범 SGI서울보증 주임, 김내수 한국전자통신연구원 책임연구원, 김동현 한국경제신문 기자, 김대중 한국보건사회연구원 부연구위원, 김대호 사회디자인연구소 소장, 김동규 국방부 합동참모본부 통역장교, 김동원 인천대 교수, 김두수 사회디자인연구소 이사, 김들풀 IT NEWS 편집장, 김민석 경상북도 미래전략기획단장, 김민성 국무조정실 과장, 김민지 아트앤테크 커뮤니케이터, 김부병 국토교통부 사무관, 김상배 서울대 교수, 김상윤 포스코경영연구원 수석연구원, 김상협 KAIST 초빙교수, 김석종 육군 소령, 김선우 한국특허전략개발원 전문위원, 김선화 한국특허전략개발원 주임연구원, 김세은 강원대 교수, 김소영 KAIST 교수, 김소희 이투데이 기자, 김슬아 유미특허법인 변리사, 김승권 전 한국보건사회연구원 연구위원, 김시진 삼성디스플레이 책임연구원, 김아영 강남세브란스병원 국제진료소 과장, 김연철 인제대 교수, 김영우 KBS PD, 김영이 서울고등법원 국선전담변호사, 김영태 특허청 심사관, 김용삼 한국생명공학연구원 책임연구원, 김우철 서울시립대 교수, 김우현 정신건강의학과 전문의, 김원석 전자신문 부장, 김원준 건국대 교수, 김윤배 국방부 군무원, 김익재 한국과학기술연구원 책임연구원, 김인주 한성대 겸임교수, 김인채 GC녹십자 상무, 김재욱 특허정보진흥센터 전임조사원, 김정섭 KAIST 겸직교수, 김정헌 대전지방법원 부장판사, 김정훈 법무부 교정관, 김종호 이데일리신문 기자, 김지원 한국노인인력개발원 대리, 김지원 이연제약 선임, 김진솔 매경비즈 기자, 김진훈 해군전력분석시험평가단 중령, 김창섭 가천대 교수, 김창욱 보스턴컨설팅그룹 과장, 김충일 ㈜엘지씨엔에스 책임, 김치현 감사원 변호사, 김태연 단국대 교수, 나황영 법무법인(유한) 바른 변호사, 노재일 변리사, 류준구 판사, 류한석 기술문화연구소 소장, 문명욱 녹색기술센터 연구원, 문민주 전북일보 기자, 문영준 한국교통연구원 선임연구위원, 문해남 전 해수부 정책실장, 박가열 한국고용정보원 연구위원, 박경규 전 한국광물자원공사 자원개발본부장, 박기현 특허청 주무관, 박문수 한국생산기술연구원 수석연구원, 박미리 한미약품 특허팀, 박병원 경총 회장, 박보배 해양수산과학기술진흥원 연구원, 박상일 파크시스템스 대표, 박선영 인사혁신처 주무관, 박설아 서울중앙지방법원 판사, 박성민 ㈜LG 홍보팀 책임, 박성필 KAIST 교수, 박성하 전 한국광물자원공사 운영사업본부장, 박성호 YTN 선임기자, 박수영 특허그룹 제이엔피 대표 변리사, 박연수 고려대 교수, 박영우 KLP특허법률사무소 변리사, 박영재 한반도안보문제연구소 전문위원, 박유신 중앙대 문화콘텐츠기술연구원 박사, 박은정 하나생명 Innovation Cell 팀장, 박정택 ㈜델바인 기술보호 책임자, 박종현 현대자동차 책임매니저, 박준규 헤럴드경제 기자, 박준홍 연세대 교수, 박지윤 ㈜엔딕 대리, 박진하 건국산업 대표, 박찬우 농림축산식품부 사무관, 박철기 삼성전자 수석 엔지니어, 박헌주 KDI 교수, 박희연 특허청 사무관, 배기찬 통일코리아협동조합 이사장, 배달형 한국국방연구원 책임연구위원, 백승호 롯데 유통군HQ 팀장, 서복경 서강대 현대정치연구소 연구원, 서용석 KAIST 교수, 서지영 과학기술정책연구원 연구위원, 서훈 이화여대 초빙교수, 선종률 한성대 교수, 설동훈 전북대 교수, 설승은 연합뉴스 기자, 손수정 과학기술정책연구원 연구위원, 손영동 한양대 교수, 손종현 대구가톨릭대 교수, 손준우 ㈜소네트 대표이사, 송다혜 LG에너지솔루션 팀장, 송미령 농촌경제연구원 선임연구위원, 송민주 코오롱인더스트리 지식재산팀 변리사, 송보희 인토피아 연구소장, 송석기 법무법인㈜ 로고스 변호사, 송 영 현대자동차 책임매니저, 송영재 육군 대위, 송유승 한국전자통신연구원 책임연구원, 송종규 법무법인 민율 변호사, 송준규 Easygroup 대표, 송태은 국립외교원 교수, 송향근 세종학당재단 이사장, 송혜영 전자신문 기자, 신동근 ㈜파라투스인베스트먼트 공인회계사, 신태범 성균관대 교수, 심영식 해움특허법인 파트너 변리사, 심재율 심북스 대표, 안광원 KAIST 교수, 안병민 한국교통연구원 선임연구위원, 안병옥 전 환경부 차관, 안현실 한국경제신문 논설위원, 양승실 전 한국교육개발원 선임연구위원, 양재석 KAIST 교수, 오상연 MBC 기자, 오영석 전 KAIST 초빙교수, 오윤경 한국행정연구원 연구위원, 우천식 KDI 선임연구위원, 우희준 육군 중위, 우희창 법무법인 새얼 변호사, 원정숙 서울중앙지방법원 판사, 유은순 인하대 연구교수, 유정민 서울연구원 부연구위원, 유희인 전 NSC 위기관리센터장, 윤정현 과학기술정책연구원 전문연구원, 윤혜선 프리랜서 작가, 윤호식 과총 사무국장, 이경숙 전 숙명여대 총장, 이광형 KAIST 교수, 이동욱 한국생산기술연구원 수석연구원, 이민수 서울중앙지방법원 부장판사, 이민화 일본 TBS 기자, 이봉현 한겨레신문 부국장, 이삼식 한국보건사회연구원 단장, 이상룡 대전대 겸임교수, 이상윤 KAIST 교수, 이상주 국토교통부 과장, 이선정 라인플러스 매니저, 이성호 서울동부지방법원 부장판사, 이성훈 육군대학 소령, 이소정 디어젠㈜ 변리사, 이수석 국가안보전략연구원 실장, 이승주 중앙대 교수, 이시식 현대자동차 상무, 이온죽 서울대 명예교수, 이용원 삼성전자 수석연구원, 이우준 티맥스소프트 매니저, 이원복 이화여대 교수, 이윤석 한국특허전략개발원 전문위원, 이장원 한국노동연구원 선임연구위원, 이장재 한국과학기술기획평가원 선임연구위원, 이재영 삼성전자 연구원, 이정현 명지대 교수, 이정희 ㈜올리브헬스케어 대표이사, 이종권 LH토지주택연구원 연구위원, 이준경 육군&UN PKO Military Observer 소령, 이진석 서울대 교수, 이창훈 한국환경정책평가연구원 본부장, 이철규 해외자원개발협회 상무, 이춘우 서울시립대 교수, 이헌규 한국과학기술단체총연합회 전문위원, 이혜리 SKC 매니저, 이 환 대주회계법인 공인회계사, 임경아 Watcha PD, 임만성 KAIST 교수, 임명환 한국전자통신연구원 책임연구원, 임선민 법무법인(유) 율촌 변호사, 임우형 SK텔레콤 매니저, 장용석 서울대 통일평화연구원 책임연구원, 장창선 녹색기술센터 연구원, 전영희 JTBC 기자, 정경원 KAIST 교수, 정상천 산업통상자원부 팀장, 정석호 한국특허정보원 대리, 정영주 법무연수원 검사, 정영훈 삼성바이오에피스 수석변호사, 정용덕 서울대 명예교수, 정진호 더웰스인베스트먼트 대표, 정학근 한국에너지기술연구원 본부장, 정해성 JTBC 기자, 정해식 한국보건사회연구원 연구위원, 정현덕 KBS 기자, 정현미 서울고등법원 판사, 정홍익 서울대 명예교수, 조기성 ㈜만도 책임, 조덕현 한국관광공사 단장, 조봉현 IBK경제연구소 수석연구위원, 조영탁 육군미래혁신연구센터 중령, 조영태 LH토지주택연구원 센터장, 조은강 논픽션 작가, 조 철 산업연구원 선임연구위원, 조충호 고려대 교수, 조혜원 JTBC 기자, 주강진 창조경제연구회 수석연구원, 지수영 한국전자통신연구원 책임연구원, 지영건 차의과대학 교수, 채윤경 JTBC 기자, 최성은 연세대 연구교수, 최승일 EAZ Solution 대표, 최연구 한국과학창의재단 연구위원,

최용성 매일경제 부장, 최윤정 KAIST 연구교수, 최정윤 중앙대 문화콘텐츠기술연구원 박사, 최준호 중앙일보 기자, 최지혜 신협중앙회 변호사, 최진범 ㈜바오밥파트너즈 대표이사, 최창옥 성균관대 교수, 최호성 경남대 교수, 최호진 한국행정연구원 연구위원, 편정현 중소벤처기업진흥공단 부장, 한상욱 김앤장 변호사, 한희연 ㈜루닛 미국변호사, 함은영 팅크웨어㈜ 법무팀장(영국변호사), 허성환 대전지검 공판부장, 허재용 포스코경영연구원 수석연구원, 허재철 원광대 한중정치외교연구소 연구교수, 허태욱 KAIST 연구교수, 현기택 MBC 영상기자, 호지훈 쿠팡㈜ Principal, 홍규덕 숙명여대 교수, 홍성조 해양수산과학기술진흥원 실장, 홍인석 국토교통부 주무관, 홍창선 전 KAIST 총장, 황빛남 한국기초과학지원연구원 관리원, 황선우 육군 중위, 황 욱 서울대학교 지식재산전략실 연구원, 황호택 서울시립대 석좌교수, KAIST 문술미래전략대학원 석사과정생-2019년도: 강수경, 강희숙, 고경환, 김경선, 김재영, 노성열, 석효은, 신동섭, 안성원, 윤대원, 이민정, 이상욱, 이영국, 이재욱, 이지원, 임유진, 정은주, 정지용, 조재길, 차경훈, 한선정, 홍석민, 2020년도: 강선아, 곽주연, 권남우, 김경현, 김서우, 김승환, 김영우, 김재명, 김정환, 김지철, 김현석, 김형수, 김형주, 박종수, 박중민, 박태준, 배민주, 배수연, 백승현, 서일주, 성보기, 손래신, 송상현, 심재원, 오정민, 윤지현, 이아연, 이연수, 이정아, 이준우, 이태웅, 조정윤, 최영진, 홍기돈, 홍창효, 황수호, 2021년도: 강병수, 김봉현, 김순희, 김조을, 김필준, 김현주, 김희진, 류승목, 박은빈, 신수철, 윤채우리, 이민우, 이수연, 이승종, 이지현, 정대희, 2022년도: 오한울, 윤새하, 윤재필, 이기쁨, 이주연, 이 준

카이스트 국가미래전략 정기토론회

- 주최 : KAIST 문술미래전략대학원·미래전략연구센터
- 일시·장소 : 매주 금요일 17:00~19:00, 서울창조경제혁신센터(2015~2017)/서울시청 시민청(2018)/매주 토요일 19:00~20:30, KAIST 도곡캠퍼스(2019~2022)
- 코로나19 감염 방지를 위해 2020~2022년도 토론회는 온라인으로 진행했습니다.
- 직함은 참여 시점 기준입니다.

2015년

회차	일시	주제	발표자	토론자
1회	1/9	미래 사회 전망	박성원 과학기술정책연구원 연구위원	서용석 한국행정연구원 연구위원
2회	1/16	국가 미래 비전	박병원 과학기술정책연구원 센터장	우천식 KDI 선임연구위원
3회	1/23	과학 국정 대전략	임춘택 KAIST 교수	
4회	1/30	인구 전략	서용석 한국행정연구원 연구위원	김승권 한국보건사회연구원 연구위원 설동훈 전북대 교수

5회	2/5	아시아 평화 대전략	이수석 국가안보전략연구원 실장	장용석 서울대통일평화연구원 책임연구원
			김연철 인제대 교수	조봉현 IBK경제연구소 연구위원
6회	2/13	문화 전략	정홍익 서울대 명예교수	정재승 KAIST 교수
7회	2/27	복지 전략	김수현 서울연구원 원장	이진석 서울대 교수
8회	3/6	국민 행복 대전략	정재승 KAIST 교수	정홍익 서울대 명예교수
9회	3/13	교육 전략	이선영 서울대 교수	손종현 대구가톨릭대 교수
10회	3/20	미디어 전략	김영욱 KAIST 연구교수	김세은 강원대 교수
				이봉현 한겨레신문 부국장
11회	3/27	보건의료 전략	강희정 한국보건사회연구원 실장	지영건 차의과대학 교수
12회	4/3	노동 전략	배규식 한국노동연구원 선임연구위원	이정현 명지대 교수
13회	4/10	행정 전략	김동환 중앙대 교수	최호진 한국행정연구원 연구위원
		정치제도 전략	김소영 KAIST 교수	서복경 서강대 현대정치연구소 연구원
14회	4/17	외교 전략	이근 서울대 교수	허재철 원광대 연구교수
15회	4/24	창업 국가 대전략	이민화 KAIST 초빙교수	고영하 고벤처포럼 회장

16회	5/8	국방 전략	임춘택 KAIST 교수	선종률 한성대 교수
17회	5/15	사회 안전 전략	박두용 한성대 교수	류희인 삼성경제연구소 연구위원
18회	5/22	정보 전략	주대준 전 선린대 총장	서훈 이화여대 초빙교수
19회	5/29	금융 전략	신보성 자본시장연구원 선임연구위원	정진호 더웰스인베스트먼트 대표
20회	6/5	국토교통 전략	차미숙 국토연구원 연구위원	안병민 한국교통연구원 선임연구위원
		주택 전략	남원석 서울연구원 연구위원	이종권 LH토지주택연구원 연구위원
21회	6/12	창업 전략	박상일 파크시스템스 대표	이춘우 서울시립대 교수
22회	6/19	농업 전략	임정빈 서울대 교수	김태연 단국대 교수
23회	6/26	자원 전략	김유정 한국지질자원연구원 실장	이철규 해외자원개발협회 상무
24회	7/3	기후 전략	김명자 전 환경부 장관	안병옥 기후변화행동연구소 소장
25회	7/10	해양수산 전략	김종덕 한국해양수산개발원 본부장	문해남 전 해양수산부 정책실장
26회	7/17	정보통신 전략	조동호 KAIST 교수	조충호 고려대 교수
27회	7/24	R&D 전략	유희열 부산대 석좌교수	안현실 한국경제신문 논설위원
28회	7/31	에너지 전략	임만성 KAIST 교수	강윤영 에너지경제연구원 박사

29회	8/21	지식재산 전략	고영회 대한변리사회 회장	이원복 이화여대 교수
30회	8/28	경제 전략	김원준 KAIST 교수	김광수 상생발전소 소장
31회	9/4	환경생태 전략	오태광 한국생명공학연구원 원장	이창훈 한국환경정책평가연구원 본부장
32회	9/11	웰빙과 웰다잉	김명자 전 환경부 장관	서이종 서울대 교수
33회	9/18	신산업 전략 1: 의료 바이오·안전 산업	정재승 KAIST 교수	
34회	9/25	신산업 전략 2: 지적 서비스산업	김원준 KAIST 교수	
35회	10/2	한국어 전략	시정곤 KAIST 교수	송향근 세종학당재단 이사장 정경원 KAIST 교수
36회	10/16	미래 교육 1: 교육의 새 패러다임	박남기 전 광주교대 총장	원동연 국제교육문화교류기구 이사장 이옥련 거화초 교사
37회	10/23	미래 교육 2: 행복 교육의 의미와 과제	문용린 전 교육부 장관	소강춘 전주대 교수 송태신 전 칠보초 교장
38회	10/30·	미래 교육 3: 창의와 융합을 향하여	이규연 JTBC 국장	천주욱 창의력연구소 대표 이선필 칠성중 교장

				신대정 곡성교육지원청 교육과장
39회	11/6	미래 교육 4: 글로벌 창의 교육	박세정 팬아시아미디어 글로벌그룹 대표	
				김만성 한국문화영상고 교감
40회	11/13	미래 교육 5: 통일 교육 전략	윤덕민 국립외교원 원장	오윤경 한국행정연구원 연구위원
				이호원 염광메디텍고 교감
41회	11/20	미래 교육 6: 전인격적 인성 교육	원동연 국제교육문화교류기구 이사장	윤일경 이천교육청 교육장
				이진영 인천교육연수원 교육연구사
42회	11/27	서울대·KAIST 공동 선정 10대 미래 기술	이도헌 KAIST 교수	
			이종수 서울대 교수	
43회	12/4	미래세대 전략 1: -미래세대 과학기술 전망 -교육과 우리의 미래	정재승 KAIST 교수	김성균 에너지경제연구원 연구위원
			김희삼 KDI 연구위원	김희영 서울가정법원 판사
44회	12/11	미래세대 전략 2: -청소년 세대 정신 건강 -이민과 문화 다양성	송민경 경기대 교수	정재승 KAIST 교수
			설동훈 전북대 교수	서용석 한국행정연구원 연구위원
45회	12/18	미래세대 전략 3: -한국 복지국가 전략 -기후변화 정책과 미래세대	안상훈 서울대 교수	김희삼 KDI 연구위원
			김성균 에너지경제연구원 연구위원	서용석 한국행정연구원 연구위원

2016년

회차	일시	주제	발표자	토론자
46회	1/8	한국 경제의 위기와 대안	민계식 전 현대중공업 회장	
			박상인 서울대 교수	
47회	1/15	국가미래전략 보고서 발전 방향	우천식 KDI 선임연구위원	
			김대호 (사)사회디자인연구소 소장	
48회	1/22	한국 산업의 위기와 대안	김진형 소프트웨어정책연구소 소장	김형욱 홍익대 교수
49회	1/29	리더와 선비 정신	김병일 도산서원선비문화수련원 이사장	
50회	2/5	한국 정치의 위기와 대안	정세현 전 통일부 장관	장용훈 연합뉴스 기자
51회	2/12	한국 과학기술의 위기와 대안	유희열 부산대 석좌교수	박승용 ㈜효성 중공업연구소 소장
52회	2/19	국가 거버넌스 전략	정용덕 서울대 명예교수	이광희 한국행정연구원 선임연구위원
53회	2/26	양극화 해소 전략	황덕순 한국노동연구원 연구위원	전병유 한신대 교수
54회	3/4	사회적 경제 구축 전략	이원재 희망제작소 소장	김광수 상생발전소 소장
55회	3/11	국가 시스템 재건 전략	공병호 공병호경영연구소 소장	
56회	3/18	사회 이동성 제고 전략	최슬기 KDI국제정책대학원 교수	정해식 한국보건사회연구원 연구위원

				안상훈 서울대 교수
57회	3/25	알파고 이후의 미래전략	이광형 KAIST 교수	김창범 서울시 국제관계대사
58회	4/1	교육 수용성 제고 전략	원동연 국제교육문화교류기구 이사장	이옥주 공주여고 교장
59회	4/8	교육 혁신 전략	박남기 전 광주교대 총장	김재춘 한국교육개발원 원장
				김성열 경남대 교수
60회	4/15	공공인사 혁신 전략	서용석 한국행정연구원 연구위원	민경찬 연세대 명예교수
61회	4/22	평생교육 전략	박인섭 국가평생교육진흥원 박사	강대중 서울대 교수
62회	4/29	지방분권 전략	한표환 충남대 교수	박헌주 KDI국제정책대학원 교수
63회	5/6	한의학 전략	이혜정 한국한의학연구원 원장	김재효 원광대 교수
64회	5/13	글로벌 산업 경쟁력 전략	김경준 딜로이트 안진경영연구원 원장	모종린 연세대 교수
65회	5/20	부패 방지 전략	박중훈 한국행정연구원 연구위원	최진욱 고려대 교수
66회	5/27	뉴노멀 시대의 성장 전략	이광형 KAIST 교수	최준호 중앙일보 기자
67회	6/3	서비스산업 전략	김현수 국민대 교수	김재범 성균관대 교수
68회	6/10	게임 산업 전략	장예빛 아주대 교수	강신철 한국인터넷디지털 엔터테인먼트협회장

69회	6/17	치안 전략	임춘택 KAIST 교수	최천근 한성대 교수
70회	6/24	가상현실·증강현실 기술 전략	우운택 KAIST 교수	류한석 기술문화연구소 소장
71회	7/1	자동차 산업 전략	조철 산업연구원 주력산업연구실장	최서호 현대자동차 인간편의연구팀장
72회	7/8	로봇 산업 전략	오상록 한국과학기술연구원 강릉분원장	권인소 KAIST 교수
73회	7/15	웰다잉 문화 전략	윤영호 서울대 교수	임병식 한국싸나톨로지협회 이사장
74회	7/22	한류 문화 전략	심상민 성신여대 교수	양수영 더필름컴퍼니Y 대표
75회	8/12	FTA 전략	김영귀 대외경제정책연구원 연구위원	정상천 산업통상자원부 팀장
76회	8/19	저출산 대응 전략	이삼식 한국보건사회연구원 단장	장형심 한양대 교수 ——— 신성식 중앙일보 논설위원
77회	8/26	관광산업 전략	김남조 한양대 교수	조덕현 한국관광공사 창조관광사업단장
78회	9/2	고령화사회 전략	이소정 남서울대 교수	이진면 산업연구원 산업통상분석실장
79회	9/9	세계 1등 대학 전략	김용민 전 포항공대 총장	김성조 전 중앙대 부총장
80회	9/23	소프트웨어 산업 전략	김준연 소프트웨어정책연구소 팀장	지석구 정보통신산업진흥원 박사

81회	9/30	군사기술 전략	천길성 KAIST 연구교수	배달형 한국국방연구원 책임연구위원
82회	10/7	통일 한국 통계 전략	박성현 전 한국과학기술한림원 원장	정규일 한국은행 경제통계국장
83회	10/14	국가 재정 전략	국경복 서울시립대 초빙교수	박용주 국회예산정책처 경제분석실장
84회	10/21	권력구조 개편 전략	길정우 전 새누리당 국회의원 박수현 전 더불어민주당 국회의원	
85회	10/28	양성평등 전략	민무숙 한국양성평등진흥원 원장	정재훈 서울여대 교수
86회	11/4	미래세대를 위한 공정사회 구현	최항섭 국민대 교수	정재승 KAIST 교수
87회	11/11	한중 해저 터널	석동연 원광대 한중정치외교 연구소 소장	권영섭 국토연구원 센터장
88회	11/18	트럼프 시대, 한국의 대응 전략	길정우 통일연구원 연구위원 김현욱 국립외교원 교수 선종률 한성대 교수	
89회	11/25	실버 산업 전략	한주형 (사)50플러스코리안 대표	서지영 과학기술정책연구원 연구위원
90회	12/2	미래세대를 위한 부모와 학교의 역할	최수미 건국대 교수	김동일 서울대 교수
91회	12/9	미래세대를 위한 문화 전략	김헌식 문화평론가	서용석 한국행정연구원 연구위원
92회	12/16	미래세대와 미래의 일자리	박가열 한국고용정보원 연구위원	김영생 한국직업능력개발원 선임연구위원

2017년

회차	일시	주제	발표자	토론자
93회	1/20	수용성 회복을 위한 미래 교육 전략	원동연 국제교육문화교류기구 이사장	이상오 연세대 교수
94회	2/3	혁신 기반 성장 전략	이민화 KAIST 초빙교수	김기찬 가톨릭대 교수
95회	2/10	외교 안보 통일 전략	길정우 통일연구원 연구위원	김창수 한국국방연구원 명예연구위원
96회	2/17	인구구조 변화 대응 전략	서용석 한국행정연구원 연구위원	최슬기 KDI국제정책대학원 교수
97회	2/24	4차 산업혁명과 교육 전략	박승재 한국교육개발원 소장	최경아 중앙일보 기획위원
98회	3/3	스마트 정부와 거버넌스 혁신	이민화 KAIST 초빙교수	이각범 KAIST 명예교수
99회	3/10	사회안전망	허태욱 KAIST 연구교수	김진수 연세대 교수
100회	3/17	사회통합	조명래 단국대 교수	정해식 한국보건사회연구원 연구위원
101회	3/24	기후 에너지	김상협 KAIST 초빙교수	안병옥 기후변화행동연구소 소장
				김희집 서울대 초빙교수
102회	3/31	정부구조 개편	배귀희 숭실대 교수	이재호 한국행정연구원 연구위원
103회	4/7	대중소기업 상생 전략	이민화 KAIST 초빙교수	이춘우 서울시립대 교수
104회	4/14	사이버 위협 대응 전략	손영동 한양대 교수	김상배 서울대 교수
				신용태 숭실대 교수

회차	날짜	주제		
105회	4/21	혁신도시 미래전략	남기범 서울시립대 교수	허재완 중앙대 교수
106회	4/28	법원과 검찰 조직의 미래전략	홍완식 건국대 교수	손병호 변호사
107회	5/12	4차 산업혁명 트렌드와 전략	최윤석 한국마이크로소프트 전무	
			이성호 KDI 연구위원	
108회	5/19	4차 산업혁명 기술 전략: 빅데이터	배희정 케이엠에스랩(주) 대표	안창원 한국전자통신연구원 책임연구원
109회	5/26	4차 산업혁명 기술 전략: 인공지능	양현승 KAIST 교수	정창우 IBM 상무
			김원준 건국대 교수	
110회	6/2	4차 산업혁명 기술 전략: 사물인터넷	김대영 KAIST 교수	김준근 KT IoT사업단장
111회	6/9	4차 산업혁명 기술 전략: 드론	심현철 KAIST 교수	
		4차 산업혁명 종합 추진 전략	이광형 KAIST 교수	
112회	6/16	4차 산업혁명 기술 전략: 자율주행 자동차	이재관 자동차부품연구원 본부장	이재완 전 현대자동차 부사장
113회	6/23	4차 산업혁명 기술 전략: 증강현실·공존현실	유범재 KIST 책임연구원	윤신영 과학동아 편집장
114회	6/30	4차 산업혁명 기술 전략: 웨어러블 기기	정구민 국민대 교수	이승준 비앤피이노베이션 대표
115회	7/7	4차 산업혁명 기술 전략: 지능형 로봇	이동욱 한국생산기술연구원 수석연구원	지수영 한국전자통신연구원 책임연구원
116회	7/14	4차 산업혁명 기술 전략: 인공지능 음성인식	장준혁 한양대 교수	임우형 SK텔레콤 매니저

117회	8/18	4차 산업혁명과 에너지 전략	김희집 서울대 초빙교수	이상헌 한신대 교수
118회	8/25	4차 산업혁명과 제조업 혁신	김승현 과학기술정책연구원 연구위원	
			박원주 한국인더스트리4.0협회 이사	
119회	9/1	4차 산업혁명과 국방 전략	천길성 KAIST 연구교수	권문택 경희대 교수
120회	9/8	4차 산업혁명과 의료 전략	이언 가천대 교수	김대중 한국보건사회연구원 부연구위원
121회	9/15	4차 산업혁명과 금융의 미래	박수용 서강대 교수	김대윤 피플펀드컴퍼니 대표
122회	9/22	4차 산업혁명 시대의 노동	허재준 한국노동연구원 선임연구위원	김안국 한국직업능력개발원 선임연구위원
123회	9/29	4차 산업혁명 시대의 문화 전략	최연구 한국과학창의재단 연구위원	윤주 한국문화관광연구원 연구위원
124회	10/13	4차 산업혁명과 스마트시티	조영태 LH토지주택연구원 센터장	강상백 한국지역정보개발원 부장
125회	10/20	4차 산업혁명 시대의 복지 전략	안상훈 서울대 교수	정해식 한국보건사회연구원 부연구위원
126회	10/27	4차 산업혁명 시대의 행정 혁신 전략	엄석진 서울대 교수	이재호 한국행정연구원 연구위원
127회	11/3	4차 산업혁명과 공유경제	김건우 LG경제연구원 선임연구원	이경아 한국소비자원 정책개발팀장
128회	11/10	4차 산업혁명과 사회의 변화	최항섭 국민대 교수	윤정현 과학기술정책연구원 전문연구원
129회	11/17	4차 산업혁명과 문화 콘텐츠 진흥 전략	이병민 건국대 교수	박병일 한국콘텐츠진흥원 센터장

130회	11/24	4차 산업혁명과 인간의 삶	이종관 성균관대 교수	
131회	12/1	5차원 수용성 교육과 적용 사례	원동연 국제교육문화교류기구 이사장	
			강철 동두천여자중학교 교감	
			이호원 디아글로벌학교 교장	
132회	12/8	자동차 산업의 미래전략	권용주 오토타임즈 편집장	박재용 이화여대 연구교수

2018년

회차	일시	주제	발표자	토론자
133회	3/9	블록체인, 새로운 기회와 도전	박성준 동국대 블록체인연구센터장	이제영 과학기술정책연구원 부연구위원
134회	3/16	암호 통화를 넘어 블록체인의 현실 적용	김태원 ㈜글로스퍼 대표	임명환 한국전자통신연구원 책임연구원
135회	3/23	블록체인 거버넌스와 디지털크러시	허태욱 KAIST 연구교수	이재호 한국행정연구원 연구위원
136회	3/30	신기술의 사회적 수용과 기술 문화 정책	최연구 한국과학창의재단 연구위원	이원부 동국대 경영정보학과 교수
137회	4/6	ICT 자율주행차 현황과 미래 과제	손주찬 한국전자통신연구원 책임연구원	김영락 SK텔레콤 Vehicle-tech Lab장
138회	4/13	자율주행 시대 안전 이슈와 대응 정책	소재현 한국교통연구원 부연구위원	신재곤 한국교통안전공단 자동차안전연구원 연구위원
139회	4/20	커넥티드 카 서비스 현황과 미래 과제	이재관 자동차부품연구원 본부장	윤상훈 전자부품연구원 선임연구원

140회	4/27	미래 자동차 산업 방향과 과제	조철 산업연구원 선임연구위원	김범준 LG경제연구원 책임연구원
141회	5/11	한반도 통일과 평화 대계	김진현 전 과학기술정보통신부 장관/세계평화포럼 이사장	
142회	5/18	한반도 통일 준비와 경제적 효과	국경복 전북대 석좌교수	
143회	5/25	남북 과학기술 협력 전략	곽재원 서울대 초빙교수	
144회	6/1	독일 통일과 유럽 통합에서 배우는 한반도 통일 전략	손선홍 전 외교부 대사/충남대 특임교수	
145회	6/8	통일 시대 언어 통합 전략	시정곤 KAIST 교수	
146회	6/15	통일의 경제적 측면: 금융 통화 중심으로	김영찬 전 한국은행 프랑크푸르트 사무소장	
147회	6/22	남북 간 군사협력과 통합 전략	선종률 한성대 교수	
148회	7/6	통일 준비와 사회통합 전략	조명래 한국환경정책평가연구원 원장/단국대 교수	
149회	7/13	남북 경제협력 단계별 전략	김진향 개성공업지구지원재단 이사장	
150회	8/24	에너지 전환과 미래 에너지정책	이상훈 한국에너지공단 소장	노동석 에너지경제연구원 선임연구위원
151회	8/31	에너지 프로슈머와 ESS	손성용 가천대 교수	김영환 전력거래소 신재생시장팀장
152회	9/14	4차 산업혁명과 융복합형 에너지 기술 전략	김희집 서울대 교수	김형주 녹색기술센터 정책연구부장
153회	9/21	기후변화와 저탄소 사회	유승직 숙명여대 교수	허태욱 KAIST 연구교수

회차	일시	주제	발표자
154회	10/12	유전자 가위 기술과 미래	김용삼 한국생명공학연구원 센터장
155회	10/19	4차 산업혁명과 생체인식	김익재 한국과학기술연구원 책임연구원
156회	11/2	지능형 로봇의 진화	이동욱 한국생산기술연구원 수석연구원
157회	11/16	긱 이코노미의 확산과 일의 미래	김경준 딜로이트컨설팅 부회장
158회	11/23	커넥티드 모빌리티 2.0 시대, 초연결의 일상화	이명호 (재)여시재 선임연구위원
159회	12/7	디지털 일상과 스마트시티	이민화 KAIST 초빙교수

2019년

회차	일시	주제	발표자
160회	2/16	2020 이슈: 과학기술 분야	최윤석 한국마이크로소프트 전무
161회	2/23	2020 이슈: 경제사회 분야	김경준 딜로이트컨설팅 부회장
162회	3/9	공유 플랫폼 경제로 가는 길	이민화 KCERN 이사장
163회	3/16	기계와 인간의 만남: 인공 뇌	임창환 한양대 교수
164회	3/23	데이터와 인간의 만남	배희정 케이엠에스랩(주) 대표
165회	3/30	유전자 가위와 맞춤형 인간	김용삼 한국생명공학연구원 책임연구원
166회	4/6	가상 세계와 인간의 만남	우운택 KAIST 교수
167회	4/20	블록체인의 활용	임명환 한국전자통신연구원 책임연구원

168회	4/27	미래 사회 모빌리티	문영준 한국교통연구원 선임연구위원
169회	5/4	신기술 시대 기후와 환경	안병옥 전 환경부 차관
170회	5/11	공유사회와 미래 문화	최연구 한국과학창의재단 연구위원
171회	5/18	생체인식 기술의 미래	김익재 한국과학기술연구원 책임연구원
172회	5/25	AI와 인간의 만남	김원준 건국대 교수
173회	6/1	과학기술의 잠재력과 한계	최병삼 과학기술정책연구원 신산업전략연구단장

2020년

회차	일시	주제	발표자
174회	3/14	인간과 기계의 공진화	임창환 한양대 교수
175회	3/15	데이터 알고리즘과 확증편향	배희정 케이엠에스랩(주) 대표
176회	3/21	바이오헬스케어 미래 동향	이동우 연세대 교수
177회	3/22	미래 기술과 사회 변화 전망	이명호 (재)여시재 솔루션 디자이너
178회	3/29	미래 기술 트렌드와 이슈	정구민 국민대 교수
179회	4/4	블록체인 기술과 경제	임명환 한국전자통신연구원 책임연구원
180회	4/11	자율주행 모빌리티의 미래	소재현 한국교통연구원 부연구위원
181회	4/18	유전자 리프로그래밍 시대의 인간	김용삼 한국생명공학연구원 책임연구원

회차	일시	주제	발표자
182회	5/2	미래 에너지 전망과 전략	유정민 서울연구원 부연구위원
183회	5/9	인공지능과 포스트휴먼	신상규 이화여대 교수
184회	5/16	사이버 위협과 대응 전략	손영동 한양대 교수
185회	5/23	사회 혁신으로 가는 기술 혁신	이승규 한국과학기술기획평가원 사회혁신정책센터장

2021년

회차	일시	주제	발표자
186회	2/20	인공지능 주도 사회의 연결과 위험	배희정 케이엠에스랩(주) 대표
187회	2/27	브레인칩 대중화와 지능 증폭 사회	임창환 한양대 교수
188회	3/13	인지적 해킹과 민주주의의 붕괴	송태은 국립외교원 연구교수
189회	3/20	디지털 자산과 부의 미래	인호 고려대 교수
190회	3/27	팬데믹과 도시 문화	최연구 전 한국과학창의재단 연구위원
191회	4/3	유전자 가위 기술과 계층적 미래 사회	김용삼 한국생명공학연구원 책임연구원
192회	4/10	빈곤한 노인 인구의 급증과 연금	정해식 한국보건사회연구원 연구위원
193회	5/1	자율주행차와 AI 시스템	손준우 ㈜소네트 대표이사
194회	5/8	기후위기와 탄소 중립	안병옥 전 환경부 차관

195회	5/15	바이오 인증과 딥페이크	김익재 한국과학기술연구원 소장
196회	5/22	디지털 기술과 공간의 재구성	이명호 한샘드뷰연구재단 자문위원
197회	5/29	기술과 미래 전쟁	배달형 한국국방연구원 책임연구위원
198회	6/5	진화적 불일치: 마음, 환경, 팬데믹	박한선 정신건강의학과 전문의

2022년

회차	일시	주제	발표자
199회	2/19	CES로 보는 미래기술 트렌드와 시사점	정구민 국민대 교수
200회	2/26	신기술이 바꾸는 국제정치	송태은 국립외교원 교수
201회	3/12	과학자본과 국가 경쟁력	최연구 전 한국과학창의재단 연구위원
202회	3/19	팬데믹이 심화시킨 기술 전장, 첨단바이오기술	김용삼 한국생명공학연구원 책임연구원
203회	3/26	현실과 가상이 공존하는 메타버스의 진화 의미	이명호 태재연구재단 자문위원
204회	4/2	스마트 이동 관점의 모빌리티 서비스 산업	소재현 아주대 교수
205회	4/9	AI 알고리즘이 만드는 감시 사회의 위험	배희정 케이엠에스랩(주) 대표
206회	4/30	미래 이슈와 로봇의 지능화 기술	이동욱 한국생산기술연구원 수석연구원
207회	5/7	환경 이슈와 자동차산업의 미래	조 철 산업연구원 선임연구위원
208회	5/14	디지털 화폐가 가져올 변화와 대응	차현진 한국은행 자문역

209회	5/21	**디지털 전환의 반작용과 사이버 안보**	손영동 전 한양대 교수
210회	5/28	**메타버스로의 도전과 지식재산**	손수정 과학기술정책연구원 선임연구위원
211회	6/4	**기후위기 대응과 국가 경쟁력**	안병옥 한국환경공단 이사장

문술리포트 연혁

- 2014년 1월 10일: 정문술 전 KAIST 이사장의 미래전략대학원 발전기금 215억 원 출연(2001년 바이오및뇌공학과 설립을 위한 300억 원 기증에 이은 두 번째 출연). 미래전략 분야 인력 양성과 국가 미래전략 연구 요청

- 2014년 3월: KAIST 미래전략대학원 교수회의에서 국가 미래전략 연간 보고서(문술리포트) 출판 결정

- 2014년 4월: 문술리포트 기획위원회 구성

- 2014년 4~8월: 분야별 원고 집필 및 검토

- 2014년 10월: 국회 최고위 미래전략과정 검토 의견 수렴

- 2014년 11월:《대한민국 국가미래전략 2015》(문술리포트-1) 출판

- 2015년 1~2월: 기획편집위원회 워크숍. 미래 사회 전망 및 미래 비전 토론

- 2015년 1~12월: 국가미래전략 정기토론회 매주 금요일 개최(서울창조경제혁신센터, 총 45회)

- 2015년 9~12월:〈광복 70년 기념 미래세대 열린광장 2045〉전국 투어 6회 개최

- 2015년 10월:《대한민국 국가미래전략 2016》(문술리포트-2) 출판

- 2015년 10~11월:〈광복 70년 기념 국가미래전략 종합학술대회〉4주간 개최(서울프레스센터)

- 2015년 12월 15일: 세계경제포럼 · KAIST · 전경련 공동 주최〈WEF 대한민국 국

가미래전략 워크숍〉 개최

- 2016년 1~2월: 문술리포트 2017년 판 기획 및 발전 방향 논의

- 2016년 1월 22일: 아프리카TV와 토론회 생중계 MOU 체결

- 2016년 1~12월: 국가미래전략 정기토론회 매주 금요일 개최(서울창조경제혁신센터), 2015~2016년 2년간 누적 횟수 92회

- 2016년 10월:《대한민국 국가미래전략 2017》(문술리포트-3) 출판

- 2017년 1~2월: 문술리포트 2019년 판 기획, 발전 방향 논의 및 새로운 과제 도출

- 2017년 3월 17일: 국가미래전략 정기토론회 100회 기록

- 2017년 1~3월: 국가 핵심 과제 12개 선정 및 토론회 개최

- 2017년 4~11월: 4차 산업혁명 대응을 위한 과제 선정 및 토론회 개최

- 2017년 1~12월: 국가미래전략 정기토론회 매주 금요일 개최(서울창조경제혁신센터). 2015~2017년 3년간 누적 횟수 132회

- 2017년 10월:《대한민국 국가미래전략 2018》(문술리포트-4) 출판

- 2018년 1월: 문술리포트 2019년 판 기획 및 발전 방향 논의, 2019 키워드 도출

- 2018년 3~12월: 월별 주제(3월 블록체인/4월 미래 모빌리티/5~7월 통일 전략/8~9월 에너지와 기후/10월 생명공학/11~12월 디지털 미래) 집중 토론

- 2018년 5~7월: 통일 비전 2048-단계적 통일 미래전략 토론회 개최

- 2018년 8월 24일: 국가미래전략 정기토론회 150회 기록

- 2018년 1~12월: 국가미래전략 정기토론회 매주 금요일 개최(서울시청 시민청). 2015~2018년 4년간 누적 횟수 160회

- 2018년 10월:《카이스트 미래전략 2019》(문술리포트-5) 출판 (보고서 이름 변경)

- 2019년 1월: 문술리포트 2020년 판 기획 및 발전 방향 논의, 2020 키워드 도출, KAIST 문술미래전략대학원 과목으로 추가, 일반인도 참여할 수 있는 열린 수업

형태로 개설

- 2019년 2~6월: 국가미래전략 정기토론회 매주 토요일 개최(KAIST 도곡캠퍼스). 2015~2019년 5년간 누적 횟수 173회

- 2019년 10월:《카이스트 미래전략 2020》(문술리포트-6) 출판

- 2020년 1월: 문술리포트 2021년 판 기획 및 발전 방향 논의, 2021 키워드 주제 토론

- 2020년 3~5월: 국가미래전략 토론회 발표(코로나19 감염 방지 및 예방을 위해 온라인으로 개최, 유튜브를 통해 실시간 중계). 2015~2020년 6년간 누적 횟수 185회

- 2020년 10월:《카이스트 미래전략 2021》(문술리포트-7) 출판

- 2021년 1~2월: 문술리포트 2022년 판 기획 및 발전 방향 논의, 2022 키워드 주제 토론

- 2021년 2~6월: 국가미래전략 특강 진행(코로나19 감염 방지 및 예방을 위해 KAIST 문술미래전략대학원 봄학기 온라인 수업 형식으로 진행)

- 2021년 10월:《카이스트 미래전략 2022》(문술리포트-8) 출판

- 2022년 1~2월: 문술리포트 2023년 판 기획 및 발전 방향 논의, 2023 키워드 주제 토론

- 2022년 2~6월: 국가미래전략 특강 진행(코로나19 감염 방지 및 예방을 위해 KAIST 문술미래전략대학원 봄학기 온라인 수업 형식으로 진행)

- 2022년 10월:《카이스트 미래전략 2023》(문술리포트-9) 출판

참고문헌

- 고선규,《인공지능과 어떻게 공존할 것인가》, 타커스, 2019
- 고선규, 〈인공지능과 정치의 관계 맺기: AI는 통치수단일 수 있는가〉,《정치와 공론》28집, 2021
- 고영미, 〈탈중앙화 자기수권 신원인증(DID)에 대한 법적 고찰〉,《법학논총》45권 1호, 2021
- 구본권,《로봇시대, 인간의 일》, 어크로스, 2015
- 국세청, 〈국세통계연보〉, 2020
- 국회예산정책처, 〈대한민국재정〉, 2021
- 기획재정부, 〈장기재정전망〉, 2015, 2020
- 김경동, 〈왜 미래세대의 행복인가?〉, 미래세대행복위원회 창립총회, 2015
- 김규판, 〈일본의 경제안전보장전략 추진 현황과 시사점〉, 대외경제정책연구원, 2021.11
- 김기호,《현대 북한 이해》, 탑북스, 2018
- 김미곤 외, 〈복지환경 변화에 따른 사회보장제도 중장기 정책방향 연구〉, 한국보건사회연구원, 2017
- 김병권,《기후위기와 불평등에 맞선 그린뉴딜》, 책숲, 2020
- 김상배,《정보화 시대의 표준경쟁》, 한울아카데미, 2007

- 김상배, 〈미중 플랫폼 경쟁으로 본 기술패권의 미래〉, 《Future Horizon》 35권, 2018

- 김상배 · 김흥규 외, 《신국제질서와 한국외교전략》, 명인문화사, 2021

- 김상준 · 김태순, 〈리부트 메타버스(Re-Boot MVS), 2.0시대로의 진화〉, 한국지능정 보사회진흥원. 2021

- 김수현 · 김창훈, 〈유럽 그린딜의 동향과 시사점〉, 에너지경제연구원, 2020

- 김완기, 《남북통일, 경제통합과 법제도 통합》, 경인문화사, 2017

- 김인춘 외, 〈생산적 복지와 경제성장〉, 아산정책연구원, 2013

- 김종배, 〈온라인상에서 디지털 사용자 신원확인 가이드에 대한 연구〉, 한국정보처 리학회 학술대회, 2019

- 김지혜, 〈日 경제안보추진법(안) 제정 최신 동향〉, 전략물자관리원, 2022.4

- 김태유 · 김대륜, 《패권의 비밀》, 서울대학교출판문화원, 2017

- 김한준, 〈4차 산업혁명이 직업세계에 미치는 영향〉, 한국고용정보원, 2016

- 김흥광 · 문형남 · 곽인옥, 《4차 산업혁명과 북한》, 도서출판 수인, 2017

- 노광표, 〈노동개혁, 원점에서 다시 시작하자〉, 《현안과 정책》 104호, 2015

- 농촌진흥청, 〈3D 프린팅 기술로 식량작물의 새로운 가치를 만들다〉, 2019.10

- 뉴 사이언티스트, 김정민 역, 《기계는 어떻게 생각하고 학습하는가》, 한빛미디어, 2018

- 니코 멜레, 이은경 · 유지연 역, 《거대권력의 종말》, RHK, 2013

- 독일연방노동사회부, 〈노동 4.0 백서〉, 2017

- 로렌스 프리드먼, 조행복 역, 《전쟁의 미래》, 비즈니스북스, 2020

- 로마클럽, 〈성장의 한계 The Limits To Growth〉, 1972

- 로버트 D. 퍼트넘, 정승현 역, 《나 홀로 볼링》, 페이퍼로드, 2009

- 리처드 리키, 황현숙 역, 《제6의 멸종》, 세종서적, 1996

- 마크 라이너스, 이한중 역, 《6도의 악몽》, 세종서적, 2008
- 모이제스 나임, 김병순 역, 《다른 세상의 시작, 권력의 종말》, 책읽는수요일, 2015
- 미야자키 마사카쓰, 박연정 역, 《패권 쟁탈의 세계사》, 위즈덤하우스, 2020
- 박병원, 〈기술 패러다임의 전환과 글로벌 기술패권 경쟁의 이해〉, 《Future Horizon》 35권, 2018
- 박영숙 · 제롬 글렌, 《일자리혁명 2030》, 비즈니스북스, 2017
- 박영현 외, 《집단에너지 기술 및 미래발전 방향》, 반디컴, 2018
- 박진한, 《21세기 혁명의 공통분모 O2O》, 커뮤니케이션북스, 2016
- 배기찬, 《코리아 생존 전략; 패권경쟁과 전쟁위기 속에서 새우가 아닌 고래가 되기 위한 전략》, 위즈덤하우스, 2017
- 백서인 외, 〈글로벌 기술패권 경쟁에 대응하는 주요국의 기술주권 확보 전략과 시사점〉, 《STEPI Insight》, 2021
- 백승종, 《제국의 시대》, 김영사, 2022
- 백장균, 〈자율주행차 국내외 개발 현황〉, KDB 미래전략연구소, 2020.2
- 법무부, 〈출입국 · 외국인정책 통계연보〉, 2021
- 보건복지부, 〈통계로 보는 사회보장〉, 2020
- 산업연구원, 〈4차 산업혁명이 한국제조업에 미치는 영향과 시사점〉, 2017
- 삼정KPMG경제연구원, 〈4차 산업혁명과 초연결사회, 변화할 미래산업〉, 2017
- 삼정KPMG경제연구원, 〈블록체인이 가져올 경영 패러다임의 변화: 금융을 넘어 전 산업으로〉, 2016
- 서용석, 〈세대 간 형평성 확보를 위한 미래세대의 정치적 대표성 제도화 방안 연구〉, 한국행정연구원, 2014
- 서용석, 〈지속 가능한 사회를 위한 '미래세대기본법' 구상 제언〉, 《Future Horizon》 22호, 2014

- 서용석, 〈첨단기술의 발전과 미래정부의 역할과 형태〉,《Future Horizon》 28호, 2016

- 설동훈, 〈한국의 인구고령화와 이민정책〉,《경제와사회》 106호, 2015

- 손선홍,《독일 통일 한국 통일: 독일 통일에서 찾는 한반도 통일의 길》, 푸른길, 2016

- 손선홍·이은정,《독일 통일 총서 18 & 19-외교 분야》, 통일부, 2016

- 송민경, 〈북한의 산림부문 기후변화 대응 동향 및 시사점〉, 국립산림과학원, 2017

- 송태은, 〈신기술 무기의 안보적 효과와 주요 쟁점〉, 국립외교원, 2021

- 송태은, 〈인공지능 기술을 이용한 국가의 사회감시 체계 현황과 주요 쟁점〉, 국립외교원, 2021

- 송태은, 〈유럽의 비전통 안보 영역 위기대응 및 위기관리 체제: EU와 NATO를 중심으로〉, 국립외교원 외교안보연구소, 2021

- 송태은, 〈디지털 시대 하이브리드 위협 수단으로서의 사이버 심리전의 목표와 전술〉,《세계지역연구논총》 39집 1호, 2021

- 송태은, 〈러시아-우크라이나 전쟁의 정보심리전: 평가와 함의〉, 국립외교원 외교안보연구소, 2022

- 신광영, 〈2000년대 한국의 소득불평등〉,《현안과 정책》 159호, 2016

- 앤드류 퍼터, 고봉준 역,《핵무기의 정치》, 2016

- 앨빈 토플러, 장을병 역,《미래의 충격》, 범우사, 2012(1986)

- 앨빈 토플러, 원창엽 역,《제3의 물결》, 홍신문화사, 2006

- 앨빈 토플러·정보통신정책연구원, 〈위기를 넘어서: 21세기 한국의 비전〉, 정보통신정책연구원, 2001

- 앨빈 토플러·하이디 토플러, 김원호 역,《전쟁 반전쟁》, 청림출판, 2011

- 어제이 애그러월 외, 이경남 역,《예측 기계-인공지능의 간단한 경제학》, 생각의

힘, 2019

- 에릭 브린욜프슨·앤드루 맥아피, 정지훈·류현정 역,《기계와의 경쟁》, 틔움, 2013

- 에릭 브린욜프슨·앤드루 맥아피, 이한음 역,《제2의 기계시대》, 청림출판, 2014

- 연합뉴스,〈격화하는 미·중 기술 패권경쟁…G2 사이에 낀 한국〉, 2022.5.5

- 오세현·김종승,《블로체인노믹스》, 한국경제신문, 2017

- 우해봉,〈미래 인구변동의 인구학 요인 분해와 시사점〉, 한국보건사회연구원, 2018

- 유정민,〈분산 에너지자원의 확대와 시장구조 개선 과제〉, 서울에너지공사, 2018

- 유종일,〈한국의 소득불평등 문제와 정책대응 방향〉,《현안과 정책》152호, 2016

- 윤영관,《외교의 시대: 한반도의 길을 묻다》, 미지북스, 2015

- 윤정현,〈Metaverse, 가상과 현실의 경계를 넘어〉, 과학기술정책연구원, 2021

- 윤주,《도시재생 이야기》, 살림, 2017

- 이기혁,〈주민등록증에서 디지털 신분증으로〉, 데일리시큐, 2021.3.15

- 이대열,《지능의 탄생》, 바다출판사, 2017

- 이데일리,〈또 다른 규제 될라…국가전략기술육성법 놓고 국회 엇갈린 시선〉, 2022.3.30

- 이동훈,〈지금은 메타버스에 올라탈 시간〉, KB경제경영연구소, 2021

- 이명호,〈미래의 일자리와 도시 공간〉, 여시재, 2018.1

- 이명호,〈디지털이 미래다: 기업과 노동의 미래〉, 여시재, 2020.2

- 이명호,《디지털 쇼크 한국의 미래》, 웨일북, 2021

- 이삼식 외,〈고령화 및 생산가능인구 감소에 따른 대응전략 마련 연구〉, 보건복지부·한국보건사회연구원, 2015

- 이삼식·이지혜,〈초저출산현상 지속의 원인과 정책과제〉, 한국보건사회연구원,

2014

- 이상현, 〈미국의 대중국 전략: '경쟁적 접근' 함의와 파장〉, 세종연구소, 2020.7

- 이수연·문용필, 〈국민건강보험의 노인의료비 지출추계 및 장기재정 전망-EU의 '건강한 고령화' 적용을 중심으로〉,《비판사회정책》 58, 2018

- 이재호,《스마트 모빌리티 사회》, 카모마일북스, 2019

- 이주헌,《미래학, 미래경영》, 청람, 2018

- 인호·오준호,《부의 미래, 누가 주도할 것인가》, 미지biz, 2020

- 일 예거, 김홍옥 역,《우리의 지구, 얼마나 더 버틸 수 있는가》, 길, 2010

- 임명환, 〈디지털산책-블록체인 철학에 대한 단상〉, 디지털타임스, 2018.5.10

- 임명환, 〈국민 생활문제 해결을 위한 블록체인 R&D의 효과분석 및 추진전략〉, ETRI, 2018.8

- 임재규, 〈산업부문의 전력수요관리정책 추진방향에 대한 연구〉, 에너지경제연구원, 2013

- 임정선, 〈IoT-가속화되는 연결의 빅뱅과 플랫폼 경쟁의 서막〉, KT경제경영연구소, 2015

- 임창환,《브레인 3.0》, MID, 2020

- 자크 엘루, 박광덕 역,《기술의 역사》, 한울, 2011

- 장승권·최종인·홍길표,《디지털 권력》, 삼성경제연구소, 2004

- 장재준·황은경·황원규,《4차 산업혁명, 나는 무엇을 준비할 것인가》, 한빛비즈, 2017

- 전병유, 〈한국 노동시장에서의 불평등과 개선방향〉,《현안과 정책》 153호, 2016

- 전이슬, 〈소프트웨어와 융합하는 전자상거래 시장 동향〉,《SW중심사회》, 2021.6

- 전태국,《사회통합과 한국 통일의 길》, 한울아카데미, 2013

- 정경희 외, 〈신노년층 출현에 따른 정책과제〉, 한국보건사회연구원, 2010

- 정제영, 〈지능정보사회에 대비한 학교교육 시스템 재설계 연구〉,《교육행정학연구》34권 4호, 2016

- 정제영, 〈4차 산업혁명 시대의 학교제도 개선 방안: 개인별 학습 시스템 구축을 중심으로〉,《교육정치학연구》24권 3호, 2017

- 정충식, 〈본인확인 수단의 변천 과정 분석〉,《SW중심사회》, 2021.6

- 정충열,《남북한 군사통합 전략》, 시간의 물레, 2014

- 정해식 외, 〈사회통합 실태진단 및 대응방안(Ⅲ)-사회통합 국민인식〉, 한국보건사회연구원, 2016

- 제러미 리프킨, 이희재 역,《소유의 종말》, 민음사, 2001

- 제러미 리프킨, 이명호 역,《노동의 종말》, 민음사, 2005

- 제리 카플란, 신동숙 역,《인간은 필요 없다》, 한스미디어, 2016

- 제정관,《한반도 통일과 군사통합》, 한누리미디어, 2008

- 조용래, 〈대체불가 기술 확보가 新안보 시대 핵심 생존전략〉,《STEPI Outlook 2022》, 과학기술정책연구원, 2022

- 조용래, 〈기술안보 시대에 대응하는 국가 필수전략기술〉,《월간 재정동향 및 이슈》, 기획재정부, 2022.5

- 조지 프리드먼, K전략연구소 역,《21세기 지정학과 미국의 패권전략》, 김앤김북스, 2018

- 조화순,《디지털 거버넌스 국가·시장·사회의 미래》, 책세상, 2010

- 중앙일보, 〈中을 프랑켄슈타인에 빗댄 폼페이오… 50년 우호정책 종식 선언〉, 2020.7.25

- 즈비그뉴 브레진스키, 김명석 역,《거대한 체스판》, 삼인, 2017

- 최성은·양재진, 〈OECD 국가의 여성 일-가정양립에 대한 성과〉,《한국정책학회보》23권 3호, 2014

- 최연구, 《4차 산업혁명시대 문화경제의 힘》, 중앙경제평론, 2017

- 최연구, 《과학기술과 과학 문화》, 커뮤니케이션북스, 2021

- 최연구, 〈4차 산업혁명시대의 일자리와 일거리 정책〉, KISTEP, 2021

- 최운호, 〈디지털ID와 스마트키 2030〉, 《SW중심사회》, 2021.6

- 최은수, 《4차 산업혁명 그 이후 미래의 지배자들》, 비즈니스북스, 2018

- 크리스 앤더슨, 윤태경 역, 《메이커스》, RHK, 2013

- 클라우스 슈밥, 송경진 역, 《제4차 산업혁명》, 새로운 현재, 2016

- 클라우스 슈밥 외, 김진희 외 역, 《4차 산업혁명의 충격》, 흐름출판, 2016

- 탭스콧 D. & 탭스콧 R, 박지훈 역, 《블록체인 혁명》, 을유문화사, 2017

- 토머스 대븐포트 외, 강미경 역, 《AI 시대, 인간과 일》, 김영사, 2017

- 토비 월시, 이기동 역, 《생각하는 기계-AI의 미래》, 프리뷰, 2018

- 한경혜 외, 〈한국의 베이비부머 연구〉, 서울대학교 노화 · 고령사회연구소, 2011

- 한국고용정보원, 〈AI-로봇-사람, 협업의 시대가 왔다!〉, 2016.3

- 한국고용정보원, 〈미래의 직업연구〉, 2014

- 한국교통연구원, 〈교통혼잡비용 추정의 패러다임 변화와 교통혼잡비용 추정결과〉, 2019

- 한국농촌경제연구원, 〈식품산업 경제적 파급효과 분석결과〉, 2020

- 한국보건사회연구원, 〈빈곤통계연보〉, 2020

- 한국보건사회연구원, 〈사회통합 실태진단 및 대응 방안 연구〉, 2019

- 한국생명공학연구원, 〈나고야 의정서 주요국 현황: (제1권) 아시아와 중동〉, 2015

- 한국생명공학연구원, 〈바이오산업과 나고야 의정서〉, 2011

- 한국에너지공단, 〈에너지 분야의 4차 산업혁명, Energy 4.0〉, 2017

- 한국에너지공단, 〈신재생에너지 보급 통계〉, 2018, 2019, 2020, 2021

- 한국정보통신기술협회, 〈FIDO 표준 기술 동향〉, 2016

- 한국정보화진흥원, 〈ICT를 통한 착한 상상: 디지털 사회혁신〉, 2015

- 한용섭,《한반도 평화와 군비통제》, 박영사, 2015

- 홍일선, 〈세대간 정의와 평등: 고령사회를 대비한 세대간 분배의 불균형문제를 중심으로〉,《헌법학연구》16권 2호, 2010

- 황덕순·이병희, 〈활성화 정책을 통한 근로빈곤층 지원 강화 방안〉, 한국노동연구원, 2011

- C.P. 스노우, 오영환 역,《두 문화, 과학과 인문학의 조화로운 만남을 위하여》, 사이언스북스, 2001(1996)

- Deloitte, 〈The future of work in technology〉, 2019

- MBN 일자리보고서팀,《제4의 실업》, 매일경제신문사, 2018

- KAIST 미래전략연구센터,《KAIST, 미래를 여는 명강의 2014》, 푸른지식, 2013

- KAIST 문술미래전략대학원,《리빌드 코리아》, MID, 2017

- KAIST 문술미래전략대학원/미래전략연구센터,《인구전쟁 2045》, 크리에이터출판사, 2018

- KDI, 〈4차 산업혁명 시대의 일자리 전망〉, 2017.6

- KIST 융합연구정책센터, 〈바이오와 보안의 융합, 생체인식 기술〉, 2018

- TTimes, 〈재택근무 없던 시절로 돌아가긴 어려울 것〉, 2020

- TTimes, 〈스티브 잡스는 왜 재택근무를 미친 짓이라 했을까?〉, 2020

- UNEP, 〈생태계와 생물다양성의 경제학 보고서〉, 2010

- Accenture, 〈The Future of Fintech and Banking: Digitally disrupted or reimagined?〉, 2014

- Akaev, A., & Pantin, V., 〈Technological innovations and future shifts in international politics〉, *International Studies Quarterly* 58(4), 2014

- Alibaba Group, 〈Data Synchronization Quick Start Guide〉, 2016

- Alibaba Group,《GS1 & GS1 China GDSN Project Joint Announcement》, 2016

- Alpert, D.,《The age of oversupply: Overcoming the greatest challenge to the global economy》, Penguin, 2013

- Alvin Toffler,《Third Wave》, Bantan Books, 1991

- Alvin Toffler,《War and Anti-War》, Little Brown & Company, 1993

- Arkin, R. C.,《Behavior-based Robotics》, The MIT Press, 1998

- Ascher, W.,《Bringing in the Future》, Chicago University Press, 2009

- Bloomberg,《How ambitious are the post-2020 targets?》, Bloomberg New Energy Finance White Paper, 2015

- Boston, J. & Lempp, F.,《Climate Change: Explaining and Solving the Mismatch Between Scientific Urgency and Political Inertia》, *Accounting, Auditing and Accountability Journal* 24(8), 2011

- Boston, J. & Prebble, R.,《The Role and Importance of Long-Term Fiscal Planning》, *Policy Quarterly* 9(4), 2013

- Boston, J. and Chapple, S.,《Child Poverty in New Zealand Wellington》, Bridget Williams Books, 2014

- Cathy O'Neil,《Weapons of Math Destruction: How Big Data Increases Inequality and Threatens Democracy》, Broadway Books, 2017

- Clasen, J. & Clegg, D. (eds),《Regulating the Risk of Unemployment: National Adaptations to Post-Industrial Labour Markets in Europe》, Oxford University Press, 2011

- Cocchia,《Smart and Digital City: A Systematic Literature Review, Smart City》, Springer International Publishing, 2014

- Edler, J. et al., 〈Technology Sovereignty: from demand to concept〉, Perspectives-Policy Brief, 2020

- Edler, J. et al., 〈Technological Sovereignty as an Emerging Frame for Innovation Policy: Defining Rationales, Means and Ends〉, 2021

- EU, 〈Biodiversity Strategy to 2020: towards implementation〉, 2011

- European Commission, 〈Growing a Digital Social Innovation System for Europe〉, 2015

- Gartner, 〈Top 10 Strategic Technology Trends for 2017: Virtual Reality and Augmented Reality〉, 2017

- Giddens, A., 《The Constitution of Society: Outline of the Theory of Structuration》, Polity, 1984

- Glickman, C. D., Gordon, S. P., & Ross-Gordon, J. M., 《SuperVision and Instructional Leadership》, Pearson, 2010

- Hasib Anwar, 〈Consensus Algorithms: The Root Of The Blockchain Technology〉, 101 Blockchains, 2018.8.25

- Holmes, W., Bialik, M., & Fadel, C., 《Artificial intelligence in education: Promises and implications for teaching and learning》, Center for Curriculum Redesign, 2019

- Howard, P. N., 《Pax Technica: How the Internet of Things May Set Us Free or Lock Us Up》, Yale University Press, 2014

- IDC Research, 〈Analyst Paper: Adoption of Object-Based Storage for Hyperscale Deployments Continues〉, 2016

- IEA, 〈World Energy Outlook〉, 2019

- IEA, 〈Global EV Outlook〉, 2019

- IEA, 〈World Energy Investment〉, 2018

- IMF, 〈World Economic Outlook Database〉, 2016

- IMF, 〈Virtual Currencies and Beyond: Initial Considerations〉, 2016

- Jackson, T., 《Prosperity without Growth: Economics for a Finite Planet》, Earthscan, 2009

- Karen Hao, 〈Should a self-driving car kill the baby or the grandma? Depends on where you're from〉, MIT Technology Review, 2018.10

- Klaus, S., 〈The Fourth Industrial Revolution〉, World Economic Forum, 2016

- Majaj, N. J., & Pelli, D. G.〈Deep learning-Using machine learning to study biological vision〉, *Journal of Vision* 18(13), 2018

- Margetts, H. et al., 《Political turbulence: How social media shape collective action》, Princeton University Press, 2015

- McKinsey, 〈The Internet of Things: Mapping the value beyond the hype〉, 2015.6

- Michal Onderco & Madeline Zutt, 〈Emerging Technology and Nuclear Security: What does the wisdom of the crowd tell us?〉, *Contemporary Security Policy* 42(3), 2021

- Murphy, R., 《Introduction to AI Robotics》, The MIT Press, 2000

- Natural Capital Committee, 〈The State of Natural Capital: Restoring our Natural Assets London〉, 2014

- Nesta, 〈Digital Social Innovation: What it is and what we are doing〉, 2014

- OECD, 〈Biodiversity Offsets〉, 2014

- OECD, 〈Divided We Stand: Why Inequality Keeps Rising?〉, 2011

- OECD, 〈Health Data-Demographic Reference〉, 2016

- OECD, 〈Looking to 2060: long-term global growth prospects〉, 2012

- OECD, 〈OECD Survey on Digital Government Performance〉, 2014

- PwC, 〈The Sharing Economy: Sizing the Revenue Opportunity〉, 2014

- Rao, D. B., 《World Assembly on Aging》, Discovery Publishing House, 2003

- REN21, 〈Renewables 2020: Global Status Report〉, 2020

- Rifkin, Jeremy, 《The green new deal: why the fossil fuel civilization will collapse by 2028, and the bold economic plan to save life on earth》, St. Martin's Press, 2019

- Rutter, J. & Knighton, W., 《Legislated Policy Targets: Commitment Device, Political Gesture or Constitutional Outrage?》, Victoria University Press, 2012

- Ryan, B. & Gill, D. (eds), 《Future State: Directions for Public Management Reform in New Zealand》, Victoria University Press, 2011

- Shoshana Zuboff, 《The Age of Surveillance Capitalism: The Fight for a Human Future at the New Frontier of Power》, Profile Books, 2019

- Sunstein, C., 《Why Nudge: The Politics of Libertarian Paternalism》, Yale University Press, 2014

- Tyack, D. B., & Cuban, L, 《Tinkering toward utopia》, Harvard University Press, 1995

- UBS, 〈Extreme automation and connectivity: The global, regional, and investment implications of the Fourth Industrial Revolution〉, 2016

- UN, 〈Global Biodiversity Outlook 3〉, 2010

- UN, 〈Millennium Ecosystem Assessment〉, 2005

- UN, 〈World Population Prospects〉, 2017

- UNEP, 〈Global Environment Outlook〉, 2007, 2012

- UNEP, 〈Global Trends in Renewable Energy Investment〉, 2016

- UNEP, 〈Payments for Ecosystem Services: Getting Started〉, 2008

- UNWTO, 〈Climate change: Responding to global challenge〉, 2008

- WEF, 〈The Global Risks Report〉, 2016

- Welsh Government, 〈Future Generations Bill?〉, 2014

- Welsh Government, 〈Well-being of Future Generations〉, 2014

- Wilenius, M. & Kurki, S., 〈Surfing the Sixth Wave: Exploring the Next 40 years of Global Change〉, Finland Futures Research Centre, 2012

- World Economic Forum, 〈A vision for the Dutch health care system in 2040〉, 2013

- World Economic Forum, 〈Sustainable Health Systems Visions, Strategies, Critical Uncertainties and Scenarios〉, 2013

- World Economic Forum, 〈The Travel & Tourism Competitiveness Report〉, 2015

- World Energy Council, 〈Energy Trilemma Index〉, 2015

- World Future Council, 〈Global Policy Action Plan: Incentives for a Sustainable Future〉, 2014

- Yong Jin Park, 《The Future of Digital Surveillance: Why Digital Monitoring Will Never Lose Its Appeal in a World of Algorithm-Driven AI》, University of Michigan Press, 2021

주

1 백승종,《제국의 시대》, 김영사, 2022를 주로 참고

2 즈비그뉴 브레진스키, 김명석 역,《거대한 체스판》, 삼인, 2017

3 미야자키 마사카쓰, 박연정 역,《패권 쟁탈의 세계사》, 위즈덤하우스, 2020

4 김동성·정성희,〈동북아시아 국세질시의 변회와 대응〉, 경기연구원, 2016.12

5 Michal Onderco & Madeline Zutt,〈Emerging Technology and Nuclear Security: What does the wisdom of the crowd tell us?〉, *Contemporary Security Policy* 42(3), 2021

6 Deloitte,〈industry 4.0: Challenges and solutions for the digital transformation and use of exponential technologies〉, 2015

7 조용호,《당신이 알던 모든 경계가 사라진다》, 미래의 창, 2013

8 Hwang & Kim,〈Factors affecting successful innovation by content-layer firms in Korea〉, *The Service Industries Journal* 31(7), 2011

9 조선일보,〈머스크, 테슬라 목표는 자동차 회사가 아니다〉, 2021.7.14

10 오토뷰,〈자동차 상식, 세계 최초 기록들〉, 2020.10.18

11 김승현 외,〈소프트웨어 활용 분야별 혁신 특성 분석〉, 과학기술정책연구원, 2014

12 황성수·신용호,〈Mobility 신산업 동향 및 쟁점, 그리고 정부의 역할〉,

《Information Policy》26(2), 2019

13 김승현, 〈디지털 전환과 기업의 대응 역량〉,《Digital Power 2022: 디지털 대전환과 미래변화》, HadA, 2021

14 김승현 외, 〈디지털 전환에 따른 혁신 생태계 변화 전망〉, 과학기술정책연구원, 2018

15 Geels, F. W., 〈From sectoral systems of innovation to socio-technical systems: Insights about dynamics and change from sociology and institutional theory〉, *Research Policy* 33(6-7), 2004

16 Rogers, D. L,《The Digital Transformation Playbook: Rethink Your Business for the Digital Age》, Columbia Business School, 2016

17 다음의 문헌을 참고함: 김승현 외, 〈디지털 전환에 따른 혁신 생태계 변화 전망〉, 과학기술정책연구원, 2018; Iansiti, M., & Levien, R.,《The Keystone Advantage: What the New Dynamics of Business Ecosystems Mean for Strategy, Innovation, and Sustainability》, Harvard Business School Press, 2004; Jansen, S., Brinkkemper, S., & Cusumano, M. A.,《Software Ecosystems: Analyzing and Managing Business Networks in the Software Industry》, Edward Elgar Publishing, 2013

18 Sanford L. Moskowitz,《The advanced materials revolution-Technology and economic growth in the age of globalization》, Wiley, 2009

19 소부장 2.0에 대한 자세한 내용은 다음의 정책 자료를 참고하기 바람: 산업통상자원부, 〈첨단산업 세계공장 도약을 위한 소재부품장비 2.0 전략-선제적 미래 대응 GVC 혁신 대책〉, 2020.7.8.; 관계 부처 합동, 〈2022년 소재부품장비 경쟁력강화 시행계획〉, 2022.3.3

20 한국재료연구원, 〈소재기술백서〉, 2020

21 조선일보, 〈시 쓰는 AI 작가, 대학로 무대 진출〉, 2022.8.2

22 전혜원, 〈나는 인간이 아니다. 초거대 인공지능이다〉, 시사IN, 2021.11.4

23 한국전지산업협회, SNE리서치, IHS마켓

24 Defense One EBOOK, 〈Mission Space〉, 2021.9

25 권혜숙, 〈우주 개척 철학의 빈곤 심각…'예타'하는 나라 한국뿐〉, 국민일보, 2021.4.8

26 최경일, 〈민간 주도의 뉴스페이스 시대, 우주 산업발전에 미래 달렸다〉, 여시재, 2021.4.1

27 문홍규, 〈[중국, 화성을 가다②] 중국의 국가 장기우주계획〉, 대덕넷, 2020.8.3

28 Taylor A. Lee and Peter W. Singer, 〈China's Space Program Is More Military Than You Might Think〉, Defense One, 2021.7.6

29 Tereza Pultarova, 〈Russia, China reveal moon base roadmap but no plans for astronaut trips yet〉, Space.com, 2021.6.17

30 Meghan Bartels, 〈NASA unveils plan for Artemis 'base camp' on the moon beyond 2024〉, Space.com, 2020.4.4

31 https://afresearchlab.com/technology/cislunar-highway-patrol-system-chps/

32 고재원, 〈누리호 발사 성공 기준은 초속 7.5km 700km 상공에 위성 올려놓는 것〉, 동아사이언스, 2022.6.21

33 김동규, 〈남북교류협력 확대 대비해 북한 국토정보 활용체계 구축해야〉, 연합뉴스, 2020.11.9

34 정종오, 〈문홍규의 릴레이 편지 시위-⑫ "윤석열 정부가 이제 답을 내놓아야 할 때"〉, 아이뉴스24, 2022.5.12

35 https://www.nasa.gov/gateway

36 권상희, 〈국제우주정거장 사업참여 재추진〉, 전자신문, 2002.12.19

37 https://www.nasa.gov/sites/default/files/atoms/files/moon-to-mars-objectives-.pdf

38 최연구, 《세계화와 현대사회 읽기》, 한울, 2000

39 UST Technology Review, 2022

40 아시아경제, 〈현대판 모순…양자컴퓨터 vs 양자내성암호 승자는?〉, 2022.7.12

41 양자정보과학기술연구회(https://www.quist.or.kr/sub/summary.asp)

42 중앙일보, 〈양자컴퓨터 일반화되면 암호화폐 무력화될 수 있다〉, 2021.12.10

43 중앙일보, 〈R&D 2위 한국, 장롱 특허만 쏟아낸다〉, 2021.6.21

44 KISTEP, 〈2021년도 정부연구개발 예산 현황 분석〉, 2021.7.8

45 기획재정부, 〈2022년 국가 연구개발(R&D) 예산안 주요 내용〉, 2021.9.2

46 KOSIS(한국은행), 1인당 GNI 지표

47 통계청, 〈인구지표〉, 2022.7

48 이지형 외, 〈국가 지능화 비전과 전략〉, 한국전자통신연구원, 2020.11

49 이규택, 〈도전·혁신형 R&D에 나서야〉, 전자신문, 2021.10.27

50 조선일보, 〈시지핑 모교 칭화대, 반도체 인재 연 1000명씩 배출〉, 2022.6.25

51 Edler, J. et al., 〈Technology Sovereignty: from demand to concept〉, Perspectives-Policy Brief, 2020

52 Edler, J. et al., 〈Technology Sovereignty: from demand to concept〉, Perspectives-Policy Brief, 2020

53 VDE, 〈Technological Sovereignty: Methodology and Recommendations〉, VDE Position Paper, 2021

54 Edler, J. et al., 〈Technology Sovereignty: from demand to concept〉, Perspectives-Policy Brief, 2020

55 Edler, J. et al., 〈Technology Sovereignty: from demand to concept〉, Perspectives-Policy Brief, 2020

56 김상준·김태순, 〈리부트 메타버스(Re-Boot MVS), 2.0시대로의 진화〉, NIA. 2021

57 https://www.wework.com/info/holopresence

58 정영호·고숙자, 〈사회갈등지수 국제비교 및 경제성장에 미치는 영향〉, 한국보건사회연구원, 2014

59 조권중, 〈서울시 사회갈등 이슈 진단과 정책 시사점〉, 서울연구원, 2021

60 중앙일보, 〈"편 가른 정부, 힘 안겨준 이준석"…정치가 더 망친 젠더 갈등〉, 2021.12.27

61 한국일보, 〈남성차별 존재한다는 '이남자'… '남성 우월주의' 오류남과는 달랐다〉, 2021.6.16

62 한국일보, 〈남성차별 존재한다는 이남자'… '남성 우월주의' 오류남과는 달랐다〉, 2021.6.16

63 한국리서치, 〈여론 속의 여론 사회지표: 세대 갈등 인식〉, 2022.3

64 이윤경 외, 〈저출산·고령사회 대응 국민 인식 및 가치관 심층조사〉, 한국보건사회연구원, 2020

65 한국은행, 〈MZ세대의 현황과 특징〉, 한국은행 이슈노트 13호, 2022.3

66 아시아경제, 〈임원이라고 왜 성과급 더 받나요…임금갈등, 세대 갈등으로〉, 2022

67 이종임·박진우·이선민, 〈청년세대의 분노와 혐오 표현의 탄생: 온라인 커뮤니티 '에브리타임'의 '혐오언어' 표현 실태 분석을 중심으로〉, 《방송과 커뮤니케이션》 22권 2호, 2021

68 김승연·최광은·박민진, 〈장벽사회, 청년 불평등의 특성과 과제〉, 서울연구원,

2020

69 정해식·송치호·백승호, 〈세대 간 사회이동에서 실제와 인식의 차이에 관한 탐색적 연구: 비관적 인식을 중심으로〉, 《한국사회정책》 28권 1호, 2021

70 한국일보, 〈계층 상승 꿈 좌절된 2030, 성소수자보다 난민 등 외부소수자에 더 배타적〉, 2021

71 KBS, 〈질문하는 기자들Q-젠더갈등 어디서부터 시작되나?…언론이 쏘아올린 기사 하나〉, 2021.8.28

72 김윤태, 〈한국사회 균열의 구조적 변화: 갈등의 제도화를 향하여〉, 《복지동향》, 2022.3

73 김윤태, 〈한국사회 균열의 구조적 변화: 갈등의 제도화를 향하여〉, 《복지동향》, 2022.3

74 조권중, 〈서울시 사회갈등 이슈 진단과 정책 시사점〉, 서울연구원, 2021

75 서울시교육청, 〈코로나19가 교사의 수업, 학생의 학습 및 가정생활에 미친 영향〉, 2021.3.15

76 동아일보, 〈코로나 2년…원격 수업으로 학력격차 더 심해졌다〉, 2021.12.26

77 정제영, 〈지능정보사회에 대비한 학교 교육 시스템 재실계 연구〉, 《교육행정학연구》 34권 4호, 2016

78 정제영, 〈4차 산업혁명 시대의 학교제도 개선 방안: 개인별 학습 시스템 구축을 중심으로〉, 《교육정치학연구》 24권 3호, 2017

79 전자신문, 〈초·중학교 '정보 수업' 3배로…2022 교육과정 개편〉, 2021.11.25

80 https://jellyfish.tech/artificial-intelligence-in-education/

81 한국경제신문, 〈교육 양극화 시대 구원투수로 떠오른 'AI 에듀테크'〉, 2021.11.25

82 정제영·선미숙, 〈지능정보사회의 미래 학교교육 전략 수립 연구〉, 전국시도교

육감협의회, 2017

83 조선일보, 〈AI 튜터 과외, 한학기에 10만원…〉, 2021.5.10

84 융합연구정책센터, 〈포스트 코로나 시대의 미래교육: 비대면 지능형 교육 기술의 동향〉, 2021.3

85 전자신문(정제영), 〈[ET단상]미래 인재를 양성하는 AI 융합교육의 방향〉, 2021.4.8

86 Ethics guidelines for trustworthy AI, EU 집행위원회, 2019.11.8

87 한국지능정보사회진흥원, 〈디지털 법제 Brif〉, 2022.3

88 연합뉴스, 〈중국 센스타임 사흘 만에 주가 100% 급등…美 제재 약발 없나?〉, 2022.1.3

89 바이라인 네트워크, 〈블록체인 기반 분산인증 기술 활용 확대…DID, '넥스트 노멀' 실현〉, 2022.6.7

90 이기혁, 〈주민등록증에서 디지털 신분증으로〉, 데일리시큐, 2021.3.15

91 바이라인 네트워크, 〈블록체인 기반 분산인증 기술 활용 확대…DID, '넥스트 노멀' 실현〉, 2022.6.7

92 Lyndsey Gilpin, 〈10 ways technology is fighting climate change〉, TechRepublic, 2014.8.6

93 IPCC, 〈Global Warming of 1.5℃〉, 2018

94 IEA, 〈Energy Technology Perspectives 2020〉, 2020

95 Heck V. et al., 〈Biomass-based negative emissions difficult to reconcile with planetary boundaries〉, *Nature Climate Change* 10, 2018

96 Trisos C. H. et al., 〈Potentially dangerous consequences for biodiversity of solar geoengineering implementation and termination〉, *Nature Ecology & Evolution* 2, 2018

97 World Economic Forum, 〈Harnessing Artificial Intelligence for the Earth〉, 2017

98 안병옥, 〈섭씨 2도와 인류의 미래: 기술낙관론을 비판하며〉, 《창작과 비평》 175호, 2017

99 McLaren D. & N. Markusson, 〈The co-evolution of technological promises, modelling, policies and climate change targets〉, *Nature Climate Change* 10, 2020

100 UN Department of Economic and Social Affairs

101 Morgan Stanley, 〈Are Flying Cars Preparing for Takeoff?〉, 2019

102 KPMG, 〈Getting mobility off the ground〉, 2019

103 아시아경제, 〈치료제, 백신, 의료 체계… 코로나19 '엔데믹'의 선결 조건 3가지〉, 2022.4.5

104 Sillmann, J. et al., 〈ISC-UNDRR-RISK KAN Briefing note on systemic risk〉, International Science Council, 2022

105 UNDRR & UNU-EHS, 〈Understanding and managing cascading and systemic risks: lessons from COVID 19〉, 2022

106 영남일보, 〈코로나 위기에서 국민건강보험의 큰 역할〉, 2020.5.26

107 신항진, 〈공공 의료 관련 국회 입법 동향〉, 국회보(663), 국회사무처, 2022.2

108 나백주, 〈공공 의료 체계의 현황과 문제점〉, 국회보(663), 국회사무처, 2022.2

109 우석균, 〈팬데믹 시대, 공공병원 확충해야〉, 국회보(663), 국회사무처, 2022.2

110 BBC News Korea, 〈코로나19, 미국 흑인 공동체 피해가 유독 큰 이유는?〉, 2020.4.8

111 노컷뉴스, 〈코로나 첫해, 자살률 줄었지만 세계 1위…여성·청소년은 늘어〉, 2022.6.14

112 나우뉴스, 〈10년 안에 동식물 100만 종 사라질 수도…공룡 이후 최대 대멸종〉, 2022.1.3

113 YTN사이언스, 〈평균기온 1℃ 오를 때마다 전염병 4.7% 증가〉, 2020.2.4

114 ScienceDirect(https://www.sciencedirect.com/science/article/pii/S00489 69721004812)

115 강호정, 《다양성을 엮다》, 이음, 2021

116 나우뉴스, 〈10년 안에 동식물 100만종 사리질수도…"공룡 이후 최대 대멸종"〉, 2022.1.3

117 연합뉴스, 〈인간 탓 척추동물 수난시대…50년간 개체 수 68% 격감〉, 2020.9.10

118 국립낙동강생물자원관(https://blog.naver.com/nnibr_re_kr/222711884957), 2022.4.26

119 대한민국 정책브리핑(https://www.korea.kr/news/pressReleaseView.do? newsId=156330072), 2019.5.6

120 동아일보, 〈지구 생물다양성 감소 뚜렷… 이대로면 인류도 위험〉, 2019.5.3

121 데일리안, 〈변화하는 바다〉, 2020.6.1

122 경향신문, 〈지속 가능한 산림바이오매스 활용, EU 2030 생물다양성 전략에 주목하다〉, 2020.12.21

123 국립생태원, 〈생태계를 지키는 우리의 노력 '생태계서비스지불제도'〉, 2016.11.9

124 환경부, 〈생태계서비스 지불제계약 시행안내서〉, 2021.1.7

125 조선일보, 〈가족의 재구성…"친구·연인과 산다" 100만명〉, 2022.8.2

126 통계청, 〈인구주택총조사〉, 2021

127 통계청, 〈장래가구특별추계: 2017~2047년〉, 2019

128 통계청, 〈혼인·이혼통계〉, 2021

129 통계청, 〈인구주택조사〉, 2020

130 서울시, 〈2021 성인지통계〉, 2021

131 OECD, 〈Doing Better for Families〉, 2011

132 Chandler, J., M. Williams, M. Maconachie, T. Collett & B. Dodgeon, 〈Living Alone: its place in household formation and change〉, *Sociological Research Online* 9(3), 2004

133 홍승아 외, 〈가족변화 대응 가족정책 발전방향 및 정책과제 연구〉, 한국여성정책연구원, 2015(55-101쪽의 내용을 요약함)

134 통계청, 〈2021년 한국의 사회지표〉, 2022

135 KB금융연구소, 〈한국 1인 가구 보고서〉, 2020

136 머니투데이, 〈"나홀로는 외롭다" 1인 가구 정책, 해외 선진국은 어떨까〉, 2021

137 통계청, 〈1인가구 사유〉, 2020

138 홍승아 외, 〈1인가구 증가에 따른 가족정책 대응방안 연구〉, 한국여성정책연구원, 2017

139 여성가족부, 〈2020년 가족실태 조사 분석 연구〉, 2021

140 여성가족부, 〈가족 다양성에 대한 국민 인식 조사〉, 2020

141 기획재정부, 〈1인 가구 중장기 정책방향 및 대응방안〉, 2020

142 김석호 외, 〈인구특성별 1인가구 현황 및 정책대응연구〉, 여성가족부, 2018

143 문정희 외, 〈부산지역 1인가구 증가에 따른 종합정책 연구〉, 부산여성가족개발원·부산복지개발원·부산연구원, 2017

144 일본 후생노동성, 〈고용균등기본조사〉, 2021

145 경향신문, 〈한국 노인빈곤율 처음 30%대로 하락…그래도 OECD 최고 수준〉, 2022.3.8

146 시니어신문, 〈2021년부터 인구감소 전환…저출산고령화 탓 젊은층 부양부담

증가 시작〉, 2022.3.25

147 국회입법조사처, 〈국제통계 농향과 분석 제3호-OECD 통게에서 나타난 한국 노인의 삶과 시사점〉, 2019

148 경향신문, 〈한국 노인빈곤율 처음 30%대로 하락…그래도 OECD 최고 수준〉 2022.3.8

149 통계청, 〈2020 고령자통계〉, 2020.9.28

150 동아일보, 〈외로운 韓노인들…사회적 연대 OECD 국가 중 최하위〉, 2020.1.16

151 동아일보, 〈한국, 30년 뒤 가장 늙은 나라〉, 2021.1.5

152 매일노동뉴스, 〈쉰 살에 퇴직하는 한국, 외국 고령화 정책 차이는?〉, 2022.4.6

153 프레시안, 〈국민연금 소득대체율, 외국보다 낮은가?〉, 2022.2.28

154 한겨레, 〈스웨덴 노인이 도시에 사는 이유〉, 2020.1.14

155 이모작뉴스, 〈시니어 주거공동체 의미… 해외사례 중심으로〉, 2021.6.17

156 박보람, 〈다양한 가족형태에 대한 이해와 포용이 필요한 시대〉, 저출산고령사 회위원회, 2020.11.13

157 기획재정부, 〈인구구조 변화 영향과 대응 방향〉, 2021.7.7

158 통계청, 〈주요 인구지표〉, 2022

159 조선비즈, 〈작년 연간 출생아 수 26만500명…51년만에 4분의 1로 감소〉, 2022.2.23

160 베이비뉴스, 〈합계출산율 또 떨어져 '0.81명'…2021년 출생아 26만 500명〉, 2022.2.23

161 통계청, 〈2021년 인구주택총조사 결과〉, 2022

162 이희주 외, 〈저출산 정책변동의 효과에 관한 실증적 분석〉, 《한국사회와 행정 연구》 31권 4호, 2021

163 기획재정부, 〈인구구조 변화 영향과 대응 방향〉, 2021.7.7

164 유진성, 〈거주 유형이 결혼과 출산에 미치는 영향〉, 한국경제연구원, 2020

165 주휘정 외, 〈청년층의 결혼 이행 여부에 대한 경제적 배경 요인의 영향〉, 충북대 국제개발연구소, 2018

166 매일경제, 〈지자체가 소개팅까지 주선? 웬만한 결혼정보업체보다 낫네〉, 2021.11.2

167 매일경제, 〈"엄마, 회사 안가면 안 돼?" 독박육아 30대 韓여성, 고용률 처참〉, 2021.3.28

168 통계청, 〈비경제활동인구조사〉, 2020.8

169 한국개발연구원, 〈코로나19 고용충격의 성별격차와 시사점 보고서〉, 2021

170 EBS NEWS, 〈출산율 높은 프랑스의 비결, 모자보건 서비스 PMI〉, 2021.11.23

171 이문숙, 〈프랑스 사회당의 동수법을 통해 본 여성의 정치세력화〉, 《사회이론》 24호, 2004

172 보건복지부, 〈제3차 저출산·고령사회 기본계획(수정)〉, 2019

173 통계청, 〈고용 동향〉, 2022.5

174 통계청, 〈사회복지 지출규모〉, 2020.11

175 통계청, 〈사회복지 지출규모〉, 2020.11

176 통계청, 〈국가통계포털〉, 2022

177 통계청, 〈2021년 인구주택총조사 결과〉, 2022; 〈장래인구특별추계〉, 2019

178 김형철, 〈자유주의, 공동체주의와 법: '세대 간 정의의 자유공동체주의적 접근'에 대한 논평〉, 《법철학연구》 6권 2호, 2003; 윤수정, 〈세대 간 형평성의 문제에 관한 헌법적 고찰 – 국민연금을 중심으로〉, 《유럽헌법연구》 26호, 2021

179 통계청, 〈체류 외국인 현황〉, 2020.7.24

180 강동관, 〈한국의 인구구조와 외국인 정책 방향: 이민자 유입, 사회통합, 거버넌스〉, 《한국이민정책학회보》 4권 2호, 2021

181 매일경제, 〈훨씬 빨라진 인구재앙, 현실로 닥친 0%대 성장〉, 2021.12.10

182 통계청, 〈2020 혼인·이혼통계〉, 2020.3.18

183 법무부, 〈출입국외국인정책 통계연보〉, 2021.7

184 머니투데이, 〈한국 떠나는 인재들, 돌아오지 않는다〉, 2019.12.4

185 뉴스1, 〈코로나19에 '역이민' 열풍 불까?…잇단 '귀국 러시'〉, 2020.4.7

186 김동욱, 〈이민정책의 경제적, 인구적 기대 효과〉, 2021.11.5

187 최서리·이창원, 〈현재의 수요와 미래의 변화에 대응하는 경제이민제도 개선방안: 4차 산업혁명 시대 '독립전문가' 도입방안〉, 이민정책연구원, 2020

188 한국일보, 〈4차 산업혁명 인력 부족 심각, 5년 후 전 분야 중국에 밀릴 것〉, 2020. 8.11

189 매일경제, 〈새 홍보·다문화 정책 "이젠 다문화2세 교육에 초점 맞춰야"〉, 2022.3.11

190 연합뉴스, 〈"이주민 혐오 막고 지원 다양화"…다문화정책 제안 '봇물'〉 2021. 9.10

191 여성가족부, 〈제3차 다문화 가족정책 기본계획(안)〉, 2018~2022

192 양병희, 〈국가 역량 강화를 위한 국방혁신 전략〉, 태재아카데미, 2021

193 Jacob Tuner, 《Robot Rules: Regulating Artificial Intelligence》, Palgrave Macmillan, 2018

194 고선규, 〈인공지능(AI)시대의 지방정치와 정책결정과 정의 변화〉, 《지역과 정치》 3권 2호, 2020; 長野県, 〈AIを活用した、長野県の持続可能な未来に向けた政策研究〉, 2019

195 NHK, 《人工知能の最適解と人間の選択》, 東京:NHK出版新書, 2017

196 고선규, 〈인공지능(AI)시대의 지방정치와 정책결정과 정의 변화〉, 《지역과 정치》 3권 2호, 2020

197 전황수, 〈인공지능(AI)이 가져올 정치의 변화〉, 한국정치학회 연례학술회의 발표논문, 2019

198 한국스마트선거, 〈코로나19시대 재외 선거의 공정성 확보와 투표 참여 활성화 방안 연구〉, 2022

199 Bruno Latour, 《We Have Never Been Modern》, Harvard University Press, 1993; 고선규, 〈인공지능(AI)과 정치의 관계 맺기: AI는 통치수단일 수 있는가〉, 《정치와 공론》 28집, 2021

200 https://www.worldbank.org/en/topic/fintech/brief/key-data-from-regulatory-sandboxes-across-the-globe

201 대한민국 정부·대한상공회의소, 〈규제샌드박스 백서〉, 2022

202 대한민국 정부·대한상공회의소, 〈규제샌드박스 백서〉, 36-38쪽, 2022

203 이민호 외, 〈규제샌드박스 제도 수요자 체감도 조사〉, 한국행정연구원, 2021

204 파이낸셜 뉴스, 〈크립토 윈터 장기화에 NFT·디파이 시장 우려도 커져〉, 2022.7.11

205 인호·오준호, 《부의 미래 누가 주도할 것인가》, 미지biz, 2020

206 헤럴드경제, 〈'그것이 알고싶다' NFT, 신기술인가 신기루인가〉, 2022.5.20

207 디센터, 〈미국, 디지털 은행 승인했다〉, 2021.1.14

208 경향신문, 〈대통령이 나서서 비트코인 산 엘살바도르, 490억 손실〉, 2022.5.13

209 조선경제, 〈미국이 갑자기 '디지털 달러' 속도 내는 원인은 중국에 있다〉, 2022.3.24

210 김정민, 〈암호화폐의 미래…닭 목을 비틀어도 새벽은 온다〉, 오피니언뉴스, 2021.5.14

211 한겨레, 〈가상 자산, '증권성·비증권성' 나눠 해외규제 참고한다〉, 2022.5.24

212 BLOTER, 〈미 규제당국, 블록체인 기반 증권 거래소 최초 승인〉, 2022.1.31

213 인호·오준호,《부의 미래 누가 주도할 것인가》, 미지biz, 2020

214 인호·오준호,《부의 미래 누가 주도할 것인가》, 미지biz, 2020.

215 삼정KPMG, 〈벤처캐피털 투자로 본 미래 모빌리티 시장〉,《Issue Monitor》, 2021.12

216 고기석, 〈시장 먹이사슬과 지식재산(IP): 법·정책·경쟁의 응집체〉, 전자신문, 2022.3.21

217 손수정, 〈제4차 산업혁명, 지식재산 정책의 변화〉.《STEPI Insight》 197호, 2016

218 IP5 Statistics report, 2020(https://www.fiveipoffices.org/statistics/statisticsreports/2020edition)

219 신준호, 〈IP 보호하는 제도 혁신에 주력할 때〉, 동아일보, 2022.4.26

220 한국지식재산연구원, 〈국가지식재산 전략 수립을 위한 모델 연구〉, 2020.12.31.

221 EPO·EUIPO, 〈Intellectual property rights and firm performance in the European Union〉, 2021.2

222 전자신문, 〈지식재산 금융 6조원 돌파〉, 2022.2.22

223 특허뉴스, 〈[실전 특허경영④] 지식재산권 금융과 담보대출〉, 2019.4.27

224 특허청, 〈인공지능과 지식재산 백서〉, 2022.3.23

225 머니투데이, 〈특허청, 한국 2년 연속 국제특허출원 '세계 4위'〉, 2022.2.14

226 특허청, 〈통계로 보는 특허 동향〉, 2021

227 한국지식재산연구원, 〈한·중 징벌적 손해배상제도 비교 분석〉, 2020.12.23

228 특허청, 〈2021년 특허청 업무보고자료〉, 2021.3

229 특허청, 〈확장가상세계(메타버스)시장 성장하니 대체 불가능 토큰(NFT)·콘텐츠 특허가 뜬다!〉, 2022.4.3

230 전자신문, 〈특허무효심판 10건 중 4건은 무효〉, 2021.10.6

231 메디포뉴스, 〈높아진 신약개발 '리스크', 낮아진 '리턴'〉, 2019.7.11

232 손수정, 〈신지식재산의 인식과 성장〉, 정보통신정책연구원, 2019.7.16

233 강경남, 〈경제적 관점에서의 특허권의 부당한 권리 행사에 대한 논의〉, 한국지식재산연구원, 2015.10.23

234 FAO, 〈Rome Declaration on World Food Security and World Food Summit Plan of Action〉, 1996

235 정정길, 〈중국의 일대일로 전략과 한·중 농업협력 방향〉, 한국농촌경제연구원, 2018

236 GSnJ, 〈국가 곡물 조달시스템을 이용한 주요 곡물 비축방안〉, 2012.11

237 김현구, 〈재생에너지와 에너지 안보〉, UST Technology Review, 2022

238 백원필, 〈원자력과 에너지 안보〉, UST Technology Review, 2022

239 통계청, 〈2021년 농가 및 어가 경제조사 결과〉, 2022.5.2

240 농민신문, 〈더 벌어진 도농간 소득격차…해소방안 시급하다〉, 2020.8.5

241 농촌진흥청, 〈지구온난화로 인한 기후변화, 기술개발과 아열대 작물 재배로 활로를 찾다〉, 2021.8

242 농촌진흥청, 〈주요 아열대 과수 국내 재배 동향 및 주산지 정보〉, 2021.

243 한국농어민신문, 〈스마트 농업기술, 어디까지 왔나-핵심 기술 R&D현황·상용화 앞둔 기술〉, 2020.4.7

244 KISTEP, 〈스마트 농업〉, 2021

245 한국일보, 〈개성 있는 도시농장들 늘고 있다〉, 2022.7.23

246 경기도뉴스포털, 〈미래 농업의 패러다임, 공유농업이 뜬다〉, 2018.1.31

247 제3차 혁신성장전략회의 겸 제36차 경제장관회의, 2020.9.21

248 한국농촌경제연구원, 〈농업전망 2021〉, 2021.1.20

249 애그리디지털(www.agridigital.io)

250 김용렬·이정민·최재현, 〈애그테크산업 활성화 방안〉, 한국농촌경제연구원, 2021.10

251 한국농촌경제신문, 〈농촌체험·힐링 관광상품 '우리 농촌 갈래?'〉, 2020.7.28

찾아보기

카이스트
미래전략
2023